Y0-AFP-330

АНАТОЛИЙ

ТОСС

АНАТОЛИЙ
ТОСС

ЗА ПРЕДЕЛАМИ ЛЮБВИ

ПРОДОЛЖЕНИЕ РОМАНА
«ФАНТАЗИИ ЖЕНЩИНЫ
СРЕДНИХ ЛЕТ»

АСТ
Астрель
Москва

УДК 821.161.1-31
ББК 84(2Рос=Рус)6-44
Т62

Книги Анатолия Тосса, вышедшие в издательстве «Астрель»:

Фантазии женщины средних лет
Американская история
Женщина с мужчиной и снова с женщиной
Инессе, или О том, как меня убивали
Попытки любви в быту и на природе
Почти замужняя женщина к середине ночи

Тосс, А.

Т62 За пределами любви. Продолжение романа «Фантазии женщины средних лет»: роман / Анатолий Тосс. — М.: АСТ : Астрель, 2008. — 543, [1] с.

ISBN 978-5-17-054346-5 (ООО «Издательство АСТ»)
ISBN 978-5-271-21234-5 (ООО«Издательство Астрель»)

«За пределами любви» — вторая книга трилогии, продолжение романа «Фантазии женщины средних лет», который был номинирован на Букеровскую премию и переведен во многих странах мира. В своем новом романе Анатолий Тосс поднимает вечные вопросы: жизни и смерти, любви, страсти, преданности и предательства. Читателя ждет напряженная интрига и неожиданная развязка.

УДК 821.161.1-31
ББК 84(2Рос=Рус)6-44

Подписано в печать с готовых диапозитивов заказчика 01.06.2008.
Формат 60×84 1/16. Бумага газетная. Гарнитура «Академия». Печать офсетная.
Усл. печ. л. 31,6. Тираж 30 000 экз. Заказ 1938.

Общероссийский классификатор продукции
ОК-005-93, том 2; 953000 — книги, брошюры

Санитарно-эпидемиологическое заключение
№ 77.99.60.953.Д.0007027.06.07 от 20.06.2007 г.

ISBN 978-5-17-054346-5
(ООО «Издательство АСТ»)
ISBN 978-5-271-21234-5
(ООО «Издательство Астрель»)
ISBN 978-985-16-5549-2
(ООО «Харвест»)

Ну что, надо как-то начать, знать бы только как. Как полагается писать для широкой публики, чтобы та читала взахлеб, но при этом не захлебнулась? Понятия не имею! Никогда для широкой публики не напрягалась. Для узкой публики — да, дело было, но узкая публика специфична и давно привыкла к экстравагантности моего стиля. А тут вот подрядилась сгоряча создавать искусство для страждущих масс, а значит, ввязалась в абсолютно неведомый мне жанр. Одно дело, писать критические статейки для кучки яйцеголовых эстетов, другое — затеять возню с заведомой целью создать продукт массового литературного потребления. А я, похоже, совершенно не подготовлена к массовому потреблению ни физически, ни умственно. Тем не менее уговор есть уговор, писать придется, и надо бы с чего-то начать. Но с чего?

В принципе есть масса вариантов. Например, можно описать место, где разворачивается текущее действие, сделать такое, скажем, природное вступление: ландшафт швейцарский, горный. Озеленение — лиственное и хвойное, хотя в основном лиственное. Озеро тоже присутствует в непосредственном зрительном невдалеке, ублажая и без того затуманенный от девственных прелестей взгляд.

Или почему бы не замолвить несколько теплых слов про наш отель — местную достопримечательность и гордость окрестных сельчан? Почему бы не намекнуть невзначай о пятерке звездочек на фасаде или не описать бассейн и загорелые девичьи выступы, мелко подрагивающие на швейцарском ветерке? Отчего это нынешние девушки перестали их прикрывать? На мой взгляд, врезавшаяся между половинками попки лоскутная ниточка — весьма никудышная защита. Да и что, в конце концов, скрывает она? Да и от кого?

Можете назвать меня старомодной, назовите хоть старухой, да при этом ядовито добавьте: «выжившая из ума», но я все равно останусь при своем, так уж меня нерадиво воспитали: умело прикрытое тело останавливает на себе заинтересованный взгляд и рождает помыслы куда как надежнее, чем тело заголенное. Как же нынешняя крепкопопая молодежь такого простого правила не усвоила? Впрочем, бог с ними, со стрингами и топлесными бюстами, я ведь совершенно не про них.

Наверное, надо бы сказать что-нибудь про себя, в конце концов, я планирую быть главным персонажем предстоящего литературного опуса. Но про себя говорить как-то не скромно. К тому же я уже упомянула про «старуху», что чистая правда. Если же судить по тону моего изложения или, как говорят специалисты, по стилистической направленности, то чуткий массовый читатель легко разберется, что жизнь меня если и покинула, то не до конца, и что есть еще мелкие радости, которые меня в ней привлекают. А это означает, что мой портрет пусть штрихом, но определен. Я вообще в вопросах изобразительных описаний минималистка.

Теперь следует рассказать, как именно я достигла договоренности с моим скучающим знакомцем Анатолем.

— Так давайте напишем книгу вдвоем, вместе, — сказал Анатоль, хотя энтузиазма я в его голосе не различила. Конечно, можно было предположить, что он расслаблен, но мне показалось, что он просто вял — взгляд вял да и голос. — Давайте напишем, — повторил он без напора, — я как раз сюжет подыскиваю.

Но я не ответила. Пусть разовьет мысль, может, она ему пыла поприбавит. И он действительно стал развивать:

— Например, вы станете описывать нашу с вами жизнь в этом заторможенном швейцарском раю. А я буду рассказывать историю вашего детства, которой вы намереваетесь со мной поделиться. — Он подумал и пожал плечами, как бы размышляя. — Может получиться интересно — во-первых, в книге возникнут два различных голоса, два стиля, раз мы будем писать с двух рук. Ну, а потом я подозреваю, что ваша история окажется занимательной, ведь не каждая женщина признаётся в том, что убила человека.

— Двух, — вставила я.

— Тем более. К тому же признаётся практически постороннему.

— Ну ладно, — усмехнулась я, — вы же не пойдете докладывать обо мне властям. Да и кто ведает, в чьей мы власти? — Тут я, как и полагается, выдержала философскую паузу, скрасив ее иронической улыбкой. — К тому же вам никто не поверит. Кто вы есть? Писатель, иными словами, человек с растревоженным воображением. Кто поверит, что пожилая дама, к тому же небезызвестная в интеллектуальных кругах многих европейских столиц, когда-то давно, почти девочкой, сознательно угрохала парочку весьма представительных мужчин? При этом одному из них снесла не только полчерепа, но и часть лица, представляете? С носом, щекой и верхней губой, которую он до этого постоянно растягивал в слегка снисходительной усмешке. Ничего, что я так подробно?

— Да нет, чем красочнее, тем лучше. Так как насчет книги?

Я улыбнулась. В общем и целом идея мне приглянулась. Конечно, я и без того занята собой без остатка — сауна, бассейн, массажи, фитнес, косметички, да и полуденные оздоровительные утехи с моим божественным Карлосом, да еще теннис, когда погода располагает. Но, подумала я, некое интеллектуальное разнообразие моему режиму не помешает, к тому же оно, говорят, тормозит наступление старческого слабоумия.

— Хорошо, — согласилась я, — только вот один вопрос, уважаемый господин сочинитель. Кто будет автором нашего совместного труда? Я имею в виду, чье имя будет значиться на обложке? Ваше, мое, нас обоих?

Его голубоглазое лицо тут же состроило серьезную гримасу. Все-таки он зануда, подтвердила я давнее подозрение: стоит возникнуть практическому вопросу, как сразу соответствующая деловая маска, иными словами, скучнейший штамп. Надо бы почитать, что он там понаписал прежде.

Но с другой стороны, из кого мне выбирать? Не так, чтобы вокруг меня топтались табуны предлагающих сотрудничество писателей. Вон обслуживающий персонал, он, конечно, топчется постоянно вокруг в томительном ожидании крупных чаевых. Да три-четыре старикашки, каждую неделю новые, тоже топчутся, пока не разберутся, что Карлос далеко не мой приемный внук. Ну и сам Карлос — тот тоже ежедневно топчется (простите за двусмысленность).

А вот из литераторов всего-навсего мой усталый друг Анатоль Тосс. Так что выбирать особенно не из кого, вот и не будьте, мадам, такой уж взыскательной, не пренебрегайте тем, что поблизости.

— Ну, мое имя будет обязательно, — легко поддался коммерческий Анатоль на мою невинную провокацию. — А ваше — как захотите.

— Да не захочу, — обрадовала я его. — Ни к чему мне авторство на старости лет. Не надо ни имени на обложке, ни портрета. Знаете, нет во мне тщеславия, может, и было когда-то, да все вышло давно.

— Как скажете, — он усмехнулся, кивнул. — В целом я уверен, что у вас отлично получится, язык у вас легкий, красочный, так что пишите, как чувствуете...

— Ну как же, — возразила я, — все-таки наверняка существуют какие-то законы жанра, как-то все надо расставить по местам: мизансцену, авансцену, героев, в смысле нас с вами, последовательность событий, диалоги, монологи, описания... в общем, не знаю.

— Не волнуйтесь, — перебил меня настойчивый Анатоль, — все само расставится. А жанр? Я ведь даже не знаю, о чем она, ваша история. Догадываюсь, что в ней присутствует детективный сюжет, но вот что еще? — Он пожал плечами. — Не просто ведь из любви к огнестрельному оружию вы лишили человека жизни? Что-то же послужило причиной?

— Конечно, послужило, — легко согласилась я. — И несложно предположить, что именно. Ну-ка догадайтесь, что может свести вместе пятнадцатилетнюю девушку, нешуточно заряженный револьвер и лоб взрослого, слишком уверенного в себе мужчины?

— Любовь, секс? — предположил Анатоль.

— Пусть так, — согласилась я. — Хотя, забегая вперед, скажу вам, мой друг, что все куда как запутаннее.

— Тогда начинайте рассказывать.

— Нет, нетерпеливый мой соавтор, серьезный рассказ требует серьезного настроя. К тому же меня ждет турецкая баня, с не турецким, но все равно умелым банщиком, с мягкими, знаете, такими мучными руками. Я ведь дама хоть и преклонных лет, но все еще тяготеющая к мелким удовольствиям. Не утратила до конца радости к жизни. Так что придется потерпеть до завтра.

И я встала и направилась в сторону здания, хранящего мраморный жар турецкой бани в самой сердцевине Швейцарских Альп.

И вот вечер, я сижу и пишу. Но как-то не так, неправильно. Как-то кусками, отрывочно. Нет чтобы все подробно описать — откуда взялся Анатоль, как он выглядит, где происходит наш разговор, что мы при этом пьем, как одеты. То есть описать все подробненько, в соответствии с правилами классической литературы.

Да и почему я открылась Анатолю, поведав, как с незатейливой легкостью прострелила навылет одного крайне важного персонажа из своей молодости? Получается, что причина чистосердечного признания осталась за кадром, и моему будущему читателю сия внезапная откровенность покажется совершенно необъяснимой.

А потому все надлежит переписать так, чтобы получилось детально и толково. Да и взятый мною тон слишком уж легкомыслен, к тому же не соответствует образу. Сами посудите — крайне пожилая, весьма обеспеченная, утонченная, неплохо образованная дама, а излагает откровенно развязно. Нет, мне полагается изъясняться солиднее и сдержанней, ну да, именно посуше. Ведь литературный талант как раз и заключается в том, чтобы автор вышел за пределы собственного «я». Во всяком случае, так считается. Во всяком случае, мне так говорили. Вот и следует мне проявить литературный талант. Ау, талант, где ты?

Ладно, хватит дурачиться, попробую по-другому.

Мы сидели за столиком открытого кафе; широкий, в желтую полоску зонтик нависал над нами, прикрывая от не такого уж жаркого, но тем не менее слепящего солнца. Внизу, далеко в долине, замер игрушечный городок, как будто кто-то щедрым взмахом рассыпал как попало аккуратные белые домики и прочертил, возможно и пальцем, извилистые, но гладко накатанные дороги, расставив по обочинам крошечные, едва приметные автомобили.

Наш столик со вскинутым стоймя гигантским медузообразным опахалом, как и примкнувшее к нему кафе, как и сам отель с краснокожими от засохшей глины теннисными кортами и искрящимся от солнечных бликов бассейном, без которых пятая звезда на фасаде была бы обидной фикцией, расположился как раз посередине — между провалившимся до самого земного основания городком и нависшими, казалось, находящимися в постоянном движении вершинами гор.

Я вообще никогда не могла осмыслить их неподвижность, в моем представлении они должны были если не придвигаться друг к другу, рискуя раздавить городок под собой, то хотя бы кружиться в хороводе, пытаясь поменяться местами. Ведь признать их недвижимость означало бы признать саму идею вечности, что, во всяком случае, мне представить совершенно невозможно.

Тем не менее за четыре года, что я прожила здесь, в этой живописной глуши, я никакого движения ни у оснований, ни у вершин гор так и не заметила, хотя все еще не потеряла надежды, и поэтому каждое утро примеривалась взглядом — как там, не произошло ли за ночь какое-нибудь геометрическое изменение?

Так вот, мы сидели за столиком, передо мной стоял бокал «Шато де Пеньер», перед Анатолем в тяжелом, низком стакане покоился гладкой поверхностью скотч. Насколько я понимаю, он предпочитает «Single Malt»[1].

Анатоль рассеянно глядел по сторонам. Да и чего ему было искать на моем лице, разве что пересчитывать морщины, втиснутые в дряблость блестящей от крема кожи. Во-первых — небольшое удовольствие, а во-вторых — поди-ка пересчитай их все.

Я не раз намеревалась сделать подтяжки, все эти новомодные косметические вмешательства в кожную поверхность с использованием шприцев, щипцов и прочих холодных хирургических инструментов, даже консультировалась у специалистов. Но когда узнала, что в процессе операции они полностью отделяют лицо от принадлежащей ему кожи, а значит, в наркотическом затмении я буду светить окружающим своей розовой мясной оболочкой, развлекая подкожной анатомией... Тут же мое эстетическое достоинство отвергло процедуру жестокой препарации. В конце концов, рассудила я, не перестанут же мои латинские мальчики любить меня? К тому же, что им мои морщины? Они ведь не за плотью моей устремлены.

Я вообще порой удивлялась — особенно по утрам, разглядывая себя в зеркале: ну как они могут трогать, ласкать, целовать это усталое, высохшее, а лучше сказать — вялое тело, за которым мне и самой-то не слишком приятно ухаживать? Но мне-то от него никуда не деться, оно — моя пожизненная обязанность, с ним я успела смириться за время неспешного старения. А им-то зачем?

Взять, например, моего нынешнего прекрасного Карлоса, ведь как искренне у него все это получается — чувственно, с прерывистым дыханием, с трепетом в членах. Поначалу он норовил закрывать глаза, мол, я так улетаю, что белый свет не мил, но я ему запретила, пусть смотрит, гаденыш. Мне всегда нравилось, когда на меня смотрят, особенно если такими, как у него, глазами, дымчатыми, с поволокой, с миндалевидным, чуть-чуть азиатским разрезом.

— Мсье писатель, — обратилась я к Анатолю, — скажите, только не лукавьте, не бойтесь обидеть вашу приятную собе-

[1]Один из способов приготовления шотландского виски.

седницу. Вы могли бы заниматься со мной любовью, пусть даже неискренней и пусть даже без самозабвения? Только, повторяю, будьте откровенны.

Он оторвался от окружающей горной красоты, направил на меня свой светлый, равнодушный взгляд, задержал его, ясное дело, оценивая мои увядшие подробности, а потом спросил:

— Вы и вправду ждете откровенный ответ?

— Исключительно, — потребовала я.

— Тогда не смог бы.

— А за деньги? — Это становилось забавно.

— Вы же знаете ответ.

— А за большие деньги?

Если бы он спросил, что значит «большие деньги», я бы не смогла ответить. Действительно, сколько можно заплатить за сеанс любви? Ведь все равно не заплатишь столько, чтобы изменить жизнь человека, если он не голодает, конечно. Хотя какой там сеанс любви с голодающим? Я бы с голодающим не смогла — несмотря на все свои пороки, я сострадательна и наверняка бы для начала накормила беднягу.

— Я вполне обеспечен, — отказался он по-другому.

— Ну, а если бы вы были бедны? — не отставала я.

— Да к чему я вам, Кэтрин? — Он усмехнулся. — По сравнению с вашим Доном Карлосом я седеющий мужичок, годящийся ему в папаши.

— Ну, не скромничайте. Вы вполне привлекательный, и поверьте мне, я в этом разбираюсь, вы не были обделены женским вниманием ни прежде, ни теперь. А по поводу возраста вы просто непорядочно кокетничаете. Да и при чем тут вообще мой Карлос?

— Сколько ему лет? — спросил Анатоль.

Я посмотрела в сторону бассейна и, конечно, сразу же увидела своего латинского красавчика, лежащего рядом с эффектной белокурой девицей и что-то нашептывающего ей на ушко. Ничего, подумала я, даже хорошо, пусть мальчик поднаберется позитивных впечатлений и настроится на предстоящую подневольную обязанность.

— Кто его знает, — неуверенно призналась я, — разве ж он правду скажет? Говорит, что девятнадцать.

Анатоль тоже обернулся к бассейну и теперь вместе со мной разглядывал смуглое стройное тело, вытянутое на тонком синем пляжном матрасе.

— Ему, похоже, и есть девятнадцать. Так что я вполне мог его родить, в смысле — зачать по молодости.

— Да, перестаньте. — Я поморщилась. — С учетом того, что я вполне могла родить вас, как вы сказали, по молодости, получается, что Карлос легко сойдет мне за внука. — Я не смогла удержаться от смеха. — Зачем вы внушаете мне эту болезненную мысль? Теперь она наверняка будет преследовать меня и мою незамутненную сексуальную жизнь. Единственная надежда, что к вечеру я все забуду по причине подступающего старческого склероза.

Анатоль снова усмехнулся, но так ничего и не сказал.

— Вы знаете, — я даже стушевалась, — я ведь совсем немного ему плачу. Конечно, он живет на полном моем содержании, но это ведь ерунда, а так, наличными — очень немного. Не понимаю, зачем ему надо да и тем, что были до него, удовлетворять взбалмошную старуху. Я ведь, знаете, Анатоль, взбалмошна.

— Догадываюсь, — ответил он меланхолично, все так же озираясь на горные вершины.

— Нет, правда, зачем? Торчать в этой дыре, исполнять мои капризы, и чего ради? Неужели ради того, чтобы просто пожить в приличных условиях?

— Ну почему же? Здесь стимулы не материальные, скорее, психологические, — оживился мой собеседник. — Ваш верный Карлос с вашей помощью прикоснулся к миру денег и привилегий, во всяком случае, так он его себе представляет. Хорошая одежда, официанты за спиной, ухоженные белые девушки в бикини, иными словами — причастность к красивой жизни. Такое стоит трудов. К тому же, насколько я понимаю, для него и не такие уж особенные это труды.

— Но вы же отказались? — напомнила я защитнику сексуального неравенства.

— При чем здесь я? Я из другого мира. — Он пожал плечами.

— И где он находится, ваш мир? — поинтересовалась я.

— Да какая разница?.. — Его взгляд снова наполнился безразличием.

— Говорил ли вам кто-нибудь, милый мсье Анатоль, — возмутилась я, — что вы крайне таинственны? За неделю нашего знакомства я задала вам с десяток вопросов, пытаясь узнать про вас хоть что-нибудь, но вы небрежно от них отмахнулись. Я по-прежнему в полном неведении, кто вы, откуда? Я даже ваш акцент не могу распознать. Мне только известно, что вы пишете книги, да и то с ваших слов. Вы мне вообще подозрительны. В том смысле, что я вас подозреваю.

Тут я окинула его проницательным взглядом и развела недоуменно руками.

— Ну правда, что вы тут делаете уже почти две недели один-одинешенек, без знакомых? По окрестностям не гуляете, с местными достопримечательностями не знакомитесь. Иными словами, вы, Анатоль, весьма нетипичный курортник. А скорее всего, не курортник вовсе. Ну а так, как я, жить здесь годами, стать, как это называется, постояльцем... Какое все-таки жуткое слово «постоялец», вы не находите? — Он промолчал, и я продолжила: — Нет, на постояльца вы не похожи, возраст не тот, да и Карлоса вы с собой не прихватили. Потому что у каждого здесь должен быть свой собственный Карлос. Или своя, в конце концов.

Анатоль улыбнулся, хотя на меня по-прежнему не смотрел; взор его, ничем не обремененный, блуждал по горным склонам. Либо по долинам, я за взором не следила.

— А без Карлоса, — продолжила я, — или без его женского аналога только на белесых приезжих барышнях здесь долго не продержаться. Даже если каждую неделю в Цюрих мотаться или в Париж. Вот и получается, что вы и не курортник, и не постоянный житель нашего опрятного заведения.

Я кивнула в сторону белого здания с зелеными кокетливыми балкончиками. Кто мог построить такое убожество? Не понимаю. И почему я живу в этом оскорбительном архитектурном недоразумении? Тоже не понимаю.

— К тому же я выяснила, у меня со здешней администрацией сложились весьма доверительные отношения: вы продлеваете бронь каждые три дня.

Ну наконец-то он оторвался от природы и посмотрел на меня, похоже, удивленно. Нет, наверняка удивленно.

— А что вы думали, — развела я руками, — чем еще может тешить себя преклонных лет женщина, если не слухами и сплетнями о вновь прибывающих постояльцах? Итак, вы продлеваете бронь каждые три дня. А значит, находясь здесь, вы чего-то ожидаете. Или кого-то? Кого? Чего? Давайте признавайтесь.

— Я не ожидал такого пристального внимания к своей скромной персоне, — признался Анатоль.

— А напрасно, — заметила я с укоризной. — И вот мой вывод: вы от кого-то скрываетесь. Ну сами посудите, какого рожна вас занесло в Швейцарию, да еще в такую глушь? Здесь на десятки километров — ни полицейского, ни других представителей и без того либеральных властей. Да и для чего им тут быть, здесь вообще ничего никогда не происходит. Так что выбор ваш я одобряю: наша живописная долина — лучшее место схорониться на время от чужих глаз. Никому и в голову не придет здесь вас искать. А теперь слушайте мою версию.

— У вас уже и версия наготове? Интересно, интересно, — живо отозвался Анатоль.

Именно живо, а значит, я все-таки ухитрилась вывести его из обычного вялого безразличия — вон как сразу засветились глаза.

— Я полагаю, что вы кого-нибудь убили! — начала я с наиболее насильственной версии.

Он даже присвистнул от неожиданности. Может, я действительно переборщила? Но что же теперь делать, не на попятную же идти? И я продолжала:

— Итак, вы от кого-то скрываетесь. Это мы уже установили. Давайте вместе подумаем, от кого и почему?

— Давайте, — согласился Анатоль.

— Вы не уголовный типаж. Значит, преступления типа грабежа или кражи со взломом мы сразу отметаем. Что остается? Либо мошенничество в особо крупных размерах, либо убийство. Но вы же не банковский клерк, сидящий на мешках с деньгами. Вы даже не финансовый махинатор. Конечно, крупное мошенничество полностью исключать не следует, вы могли разработать какой-нибудь замысловатый планчик и, тщательно подготовив — вы же человек дотошный, его осуществить. Могли, конечно, но вряд ли. Не думаю. Вы не тот типаж, который будет рисковать ради денег. Ради денег рискуют либо идиоты, либо патологические авантюристы. Хотя идиотов, конечно, значительно больше.

— Вы уже и мой типаж определили, — покачал Анатоль головой.

— А как же? Да и что там типаж? — пожала плечами я. — Типаж — это проще простого. Типаж — это еще не индивидуальность. Ну что, продолжать, вам интересно?

— Да-да, — кивнул Анатоль.

— И тут всплывает главное: вы человек, который пишет книги. А для людей, которые склонны к усидчивости, сосредоточенности и одиночеству, я таких повидала на своем веку немало, деньги не главное. Им важно другое.

— Что же? — снова поинтересовался мой подозреваемый.

— Им важен контроль.

— Контроль? — переспросил Анатоль.

— Конечно. Контроль над другими людьми, контроль над жизнью, над событиями. Что может быть приятнее, чем руководить людьми, руководить жизнями, которые они проживают? Это ведь игра ума. А для вас, для творцов, постоянно придумывающих сюжеты, игра ума первостепенна, для вас нет ничего слаще, чем смешать реальность и мир выдуманный, существующий лишь в вашем воображении. И когда смешение происходит, вы воцаряетесь над ним, манипулируя, заставляя ближних следовать вашим желаниям, будто они персонажи ваших произведений. А вы говорите — деньги. Вы понимаете меня?

— Конечно, понимаю, — согласился притихший от моего натиска Анатоль. — Более того, полностью согласен с вашим тонким анализом. Но, знаете, слушая ваше запальчивое рассуждение, я, в свою очередь, заподозрил, что оно не только умозрительно. Что с вами нечто подобное происходило, не так ли?

«Запальчивость? Какая запальчивость? — подумала я. — Кто запальчив? Я? Неужто? Запальчивость нам абсолютно ни к чему».

— Давайте сначала закончим с вами, — легко ушла я от ответа. — Итак, я полагаю, что вы умертвили вашего персонажа, забыв ненароком, что он не из выдуманного вами мира, а из реального. То есть предположим, что был персонаж, скорее всего женщина. Такие, как вы, со светлым пронзительным взглядом, обычно выбирают для своих манипуляций особей противоположного пола. Значит, женщина. Прошло время, и вы ввели ее в свой воображаемый мир, слив его с настоящим. И пока она пребывала в разведенной вами смеси, вы управляли ее движениями. Не только тела, но и ума, и души.

— Я у вас просто злодеем каким-то получаюсь, — попробовал отшутиться Анатоль, но неудачно. Я даже не отвлеклась.

— Но пора переходить к коллизии. В один прекрасный день персонаж вдруг приходит в себя и понимает, что помимо выдуманного вами мира существует и другой, реальный, в котором тоже неплохо было бы пожить. Иными словами, ваша героиня выходит из-под контроля. Но как сюжет может восстать против своего создателя? И что делает автор, когда персонаж плохо поддается дальнейшему описанию или когда его линия в произведении закончена? Как правило, одно и то же: автор ликвидирует его, либо сбрасывая в шахту лифта, либо устраивая ему автомобильную катастрофу, либо еще как-то. Способов множество. Вот и вы умертвили свою героиню. Я права?

— Послушайте, вы не только проницательны — вам не чужд психологизм. У вас получились бы отличные детективные романы с психологической нагрузкой. Вы никогда не пробовали писать?

— Не сбивайте меня. Вы льстите мне с очевидной целью — вы пытаетесь меня сбить. Но вам не удастся. Итак, подведем итог нашему криминальному разбирательству — у вас была женщина, ее жизнь проходила под вашим контролем. Не знаю почему, но однажды она попыталась из-под него выйти. А вы не смогли признать ее независимость. Обычно в таких ситуациях говорят об «измене». Так как любая измена, не важно, с кем или с чем, уменьшает зависимость и выводит из-под контроля. Ведь «измена» — это прежде всего «изменение».

— Мне нравится такая аналогия, — восхитился мсье Тосс. — Переход от частного исследования к общечеловеческим понятиям. Вам свойственна не только проницательность, но и глубина. Нам надо написать с вами что-нибудь совместное, что-нибудь психологическое, криминальное. Как вам такое предложение?

— Хорошо, хорошо. Когда вас посадят за убийство, я обещаю, что буду вас навещать, я ведь сердобольная, хотя посторонние об этом не догадываются. Карлос будет нести лукошко с булочками, вареньем, яйцами, с чем там еще полагается... с табаком... Идиллическая такая картинка.

— Я не курю, — заметил будущий заключенный.

— Ничего, в тюрьме придется многому научиться, — не без оптимизма предположила я. — Так вот, во время наших встреч мы будем плодотворно трудиться над совместным творением. Но сейчас я должна закончить разоблачение.

Тут я неторопливо сделала глоток из бокала.

— Заканчиваю: вы убили эту женщину. Конечно, не сами, не топором зарубили, как какой-нибудь примитивный персонаж Достоевского. А хитро подстроили, как в хорошо закрученном детективе, так что и концов не найти.

— Зачем же мне прятаться, если концов не найти? — задал разумный вопрос Анатоль.

«Действительно, зачем? — подумала я. — Ах да, ну конечно».

— Да потому, что вы человек осторожный, на самотек ничего не пускаете, вот и решили уйти на дно, подождать, пока все успокоится. Или нет, не так. Ее, обреченную вами на заклание женщину, сейчас, в эти дни как раз и убивают. Конечно же не вы сами, кто-то другой, профессоинал. А вам требуется примитивное алиби, потому вы и покинули место преступления. Вас там нет, вы в альпийском высокогорье развлекаетесь беседами с пожилой, скучающей любительницей домыслов и предположений. Видите, как все просто. Ну, давайте сознавайтесь. Да не бойтесь, я на вас доносить не буду, творите себе на воле, здесь более живописно. Хотя в тюрьме, — я улыбнулась, — больше свободного времени, да и дисциплины, да и новые ощущения. Ну так как, я правильно вас разгадала?

Анатоль помолчал, покачал головой, затем решил все же сознаться:

— Несмотря на то что ваше дознание мне доставило удовольствие, я должен вас разочаровать: я никого не убивал и никого не заказывал. Более того, я в жизни никому не желал зла. Я вообще безобидный, беззлобный человек.

— Тогда вы наверняка пишете плохие романы. Писатель, как говорят, должен быть злобным, едким, раздражительным мизантропом.

— Кто говорит? Не знаю. Нет, я не злой и, как правило, не раздражителен. Я спокойный.

— А что же вы здесь делаете, в нашем пансионате, в таком случае? — ухватилась я за последнюю ниточку.

— Ищу тему. Я три месяца назад закончил свой последний роман и теперь ищу тему для нового. Я всегда так поступаю: уезжаю куда-нибудь, где нет знакомых, чтобы отвлечься, чтобы остаться с собой наедине.

— Так что же получается, — протянула я разочарованно, — вы никого не убивали?

— Нет, никого. — Анатоль покачал головой.

— Жалко. Даже не потому, что я ошиблась в выводах, а потому, что вы оказались скучным, заурядным, как вы сами сказали, беззлобным человеком. Ни тайны, ни загадки. Скучно.

— А вам только убийство подавай, — засмеялся Анатоль.

— А про что еще наша жизнь? Про любовь, про вожделение, про страсть, про тщеславие, амбиции и связанную с ними смерть, — высокопарно заметила я. — И что, вам действительно никогда никого не хотелось убить? Неужели существуют люди, которым никогда не хотелось убить?

— А вам? — не ответил на вопрос Анатоль.

— Мне? — Я задумалась. Даже не над тем, говорить ли правду, я уже решила, что скажу. Я задумалась, потому что мне требовалась пауза, я не могла позволить признанию в первый раз покинуть мою исковерканную душу на фоне беспечной, ничего не значащей болтовни.

Пауза разрасталась и повисла, но я не прерывала ее. Не прерывал ее и Анатоль.

— Я? — произнесла я и снова задержалась в рассчитанной паузе. — Я когда-то давно убила человека. Даже не одного, а двух.

Я оглушила его, знала, что оглушу. Он так и сидел, оглушенный. Молчал, смотрел на меня, ища, видимо, что-то в глубине моей души. Но что он мог там найти? Ничего. Там давно уже было пусто!

— Вы шутите, — наконец-то вырвалось у Анатоля.

Но я не шутила.

— Нет, — ответила я, — нисколько. И вы первый, кому я призналась. Не спрашивайте, почему именно вам, я не дам четкого ответа. Скажем, мне давно пора было кому-нибудь все рассказать. Почему бы не сейчас? Почему бы не вам? К тому же вы — в поисках сюжета. Из моей истории получится замечательная книга, целый роман. И представляете, я готова вам ее поведать, всю, без утайки. Вот только история длинная и мой рассказ займет несколько дней, с учетом того, что я смогу вам уделять не более часа в день. Я, видите ли, ужасно занята, мсье неудавшийся заключенный.

— Подождите, — наконец он пришел в себя. — Если вы не шутите, — а судя по тому, как изменилось ваше лицо, вы не шутите, — давайте напишем вашу историю совместно. Вы будете описывать нашу повседневность, наши беседы, вот, например, наш сегодняшний разговор. Вам и придумывать ничего не потребуется, придерживайтесь собственной манеры речи — она у вас яркая. А я буду описывать вашу историю, ту, которую вы мне расскажете.

Я пожала плечами:

— А если моя история в результате вам покажется неинтересной?

— Ну что же, тогда не получится. Хотя мне кажется, она оправдает ожидания, а возможно, и превзойдет. По тому, как вы провели расследование моего неслучившегося преступления, видно, что материал вам знаком, что нечто подобное происходило с вами прежде. К тому же вы хорошо чувствуете жизнь. — Я кивком поблагодарила за комплимент. — Давайте соглашайтесь, — продолжил он, — может получиться занимательная книга, поверьте, я в этом разбираюсь.

Я посмотрела на мсье сочинителя, потом перевела взгляд на горы, на самые их вершины, туда, где они касаются неба. А действительно, подумала я, почему бы моему детству не стать достоянием широкой читающей общественности?

— Ну что же, — согласилась я. — Давайте обсудим детали...

Вот я и закончила вступление. Перечитала созданное кропотливым вечерним трудом (даже Карлосу выделила отгул, вы бы видели, как он обрадовался подарку), что-то подправила, но немного. Осталось добавить записочку мсье Анатолю. Итак, пишем в скобках:

Любезнейший господин Тосс! Вот вам два различных вступления, выбирайте, какое понравится. Можете править и менять, что пожелаете и как пожелаете. Полностью полагаюсь на вашу совесть и честь и отдаюсь им беспрекословно.

Ваша литературная подельница Кэтрин.

P.S. Завтра в полдень буду ждать вас на веранде. Не опаздывайте, у меня в два часа сеанс парного тенниса.

Теперь вызовем портье и попросим его передать распечатанные странички непосредственно в номер господина главного редактора.

* * *

Когда Элизабет Бреман появилась на свет, ее родители были еще совсем молоды. Мать, которую звали непривычным для выходцев из Англии именем Дина, в возрасте девятнадцати лет безумно влюбилась в порывистого юношу с одухотворенным лицом, который был всего несколькими годами старше ее. Первая любовь, в данном случае не повлекшая за собой разочарований, обернулась взаимностью, и после года тайных встреч молодая пара открылась родителям, а те, несмотря на смешанные чувства относительно слишком раннего, по их мнению, брака, все-таки благословили детей.

Дина Бреман, в девичестве Лингман, выросла романтической, образованной девушкой в богатой и родовитой семье. Ее дед, крупный промышленник, во времена индустриализации американского Севера активно участвовал в политическом процессе страны, финансируя предвыборные компании своих друзей, сенаторов от демократической партии, и даже сам подумывал о политической карьере, которую, впрочем, так и не начал. Однако его сын, отец Дины, активно увлекшись биржевыми инвестициями, несколько раз вкладывал деньги в слишком рискованные предприятия и уже к двадцатым годам двадцатого века потерял большую часть унаследованного состояния. Депрессия тридцатых годов довела процесс разорения до логического конца, и вскоре семья вынуждена была продать свой «brownstone»[1] в

[1] Brownstone — общее название построенных из коричневого камня или кирпича домов, типичных для Манхэттена, Бостона и других городов северо-восточного побережья США.

Манхэттене и переехать в небольшой городок в штате Нью-Йорк, в ухоженный, но по их прежним понятиям достаточно скромный дом. Там, собственно, и прошла юность Дины, там она впервые встретила своего будущего мужа и, как уже было сказано, страстно влюбилась в него.

Отец Дины так никогда и не оправился от чувства вины перед женой, дочкой, но прежде всего перед отцом. Он до самой смерти не мог простить себе даже не то, что потерял созданное отцом дело, да и деньги вместе с ним, а значит, и благополучие своей семьи; ему не давал покоя тот факт, что отец оказался значительно удачливее, чем он сам, а значит, и способнее.

Иными словами, то навязанное ему с детства соперничество с отцом, соперничество, результат которого выявляется только в конце жизни, когда подводится окончательный итог, то соперничество, на которое он никогда бы не решился по собственной воле, но в которое жизнь хочешь не хочешь, а вовлекла его, он безоговорочно проиграл.

В конце концов он полностью уверился в своем бессилии, но не запил и не опустился, как часто бывает, а благодаря хорошему образованию и влиятельным родственникам получил неплохо оплачиваемую работу в крупном банке, куда и ездил ежедневно много лет — без энтузиазма, но и без раздражения, скорее по инерции.

Собственно, он сам привел своего будущего зятя, пригласив однажды в гости сослуживцев, а в их числе только лишь закончившего колледж молодого, жизнерадостного, несколько поверхностного, но тем не менее способного и многообещающего молодого человека. После того, как Сэмюэл — так звали будущего отца Элизабет — встретил Дину, он стал часто бывать в доме, и как уже было сказано выше, отношения между девушкой и молодым человеком скоро вышли из-под контроля и без того не очень бдительных родителей.

После свадьбы молодая семья сняла небольшую квартиру неподалеку от родителей жены, а когда через два года отец

Дины, а еще через год мать отошли в мир иной, Дина с мужем и уже годовалой Элизабет перебрались в теперь уже свой собственный дом.

Если не считать траура жены, которой Сэмюэл искренне сопереживал, дела у него шли на редкость удачно. Будучи приятной внешности, с мягкими чертами лица и стройным тренированным телом, он помимо прочего обладал (или производил впечатление, что обладает) немного ветреным, бесшабашным характером, иными словами, харизмой, за что, собственно, и был вознагражден не только благосклонностью начальства, но и преданной любовью своей жены.

Сэмюэл производил впечатление человека, которому все дается легко, впрочем, так оно и было, видимо, он также был наделен и определенными способностями, весь арсенал которых демонстрировал не сразу, а скорее постепенно, удивляя в очередной раз и своих подчиненных и начальников. Со временем он получал все более сложные задания и к моменту рождения Элизабет был, несмотря на молодые годы, руководителем крупного подразделения в инвестиционном отделе банка.

Тем не менее работа не требовала от него отречения от всей остальной жизни, он по-прежнему проводил много времени с семьей, с красивой, нежной женой, которую боготворил, и с чудесной маленькой девочкой, похожей как две капли воды на свою мать.

Кроме того, у него были увлечения и другого рода: он, например, обожал лошадей и оказался неутомимым наездником, но самой большой его страстью было воздухоплавание. Чуть ли не каждое воскресенье семья приезжала на небольшой частный аэродром, расположенный милях в двадцати от города, и пока Дина с дочкой завтракали в кафе, с веранды которого просматривалось взлетное поле, Сэмюэл нарезал круги в двухместном «Cessna[1]», иногда удаляясь настолько, что самолет терялся из виду, но обязательно возвращался, помахивая

[1] Марка частного самолета.

крыльями, как бы приветствуя тем самым жену и завороженно глядящую в небо дочурку.

Постепенно совершенствуясь в технике пилотажа, Сэмюэл научился ориентироваться по приборам и мог летать после захода солнца и в пасмурную погоду, нередко беря с собой пассажира — кого-нибудь из друзей, кто хотел насладиться острыми ощущениями, либо своего брата. Тот был младше на три года и стремился во всем подражать Сэмюэлу, а потому с восторгом принимал участие в полетах. Вот так однажды, улетев в сторону Новой Англии, они оба разбились, попав ночью в грозу.

Элизабет было тогда четыре года, почти пять, и она не помнила ни ночного телефонного звонка, ни сначала встревоженных, а потом заплаканных глаз матери, ни сразу осунувшегося ее лица. Осталось лишь ощущение непривычной суеты в доме, появляющихся и быстро исчезающих людей, некоей странной торжественности, мужских широких, теплых ладоней, гладивших ее по голове.

Потом она поняла, что отца нет рядом. Она спросила мать, где он, и та ответила, что его больше не будет никогда. Не то что Элизабет не знала слово «никогда» и не то что она не поверила матери, просто она была уверена, что отец затеял с ними очередную игру и в самый непредвиденный момент вдруг откроется дверь и он обязательно появится. Потому что как же может быть иначе?

И только когда прошли год, потом два, а отец так и не вернулся, Элизабет свыклась с мыслью о том, что его больше нет, и теперь даже сомневалась, а был ли он когда-нибудь вообще. Нет, что-то, какой-то неуловимый осадок, даже не воспоминание, а чувство он оставил в ней навсегда. Но откуда это чувство появляется и где в результате заканчивается, как его отделить от всех остальных чувств, да и как из него выделить облик, улыбку, запах, теплоту, заботливую силу, с которыми в ее уме ассоциировался отец, — этого она не знала. Да и что она помнила о нем? Так, три-четыре помутневших от времени взгляда, напряженных, остановившихся, отпечатавших в ее детском сознании расплывчатые, похожие на фотографические снимки переплетения цветных теней, которые и были, оказывается, ее отцом. Один из них она чаще других вытягивала из потаенного уголка памяти.

Она спала на застекленной веранде. Видимо, стояла либо поздняя весна, либо ранее лето, иначе откуда столько рассыпчатого света проникло через ее прикрытые ресницы, — так много света, что ничего не оставалось, как поддаться его настойчивости и разомкнуть веки и тут же ослепнуть от вспышки яркой солнечной белизны. Именно на несколько мгновений ослепнуть, засорить глаза крупитчатой световой пыльцой, которая несла в себе еще и запах врывающегося на веранду сада с его влажной листвой, сочными цветами, тяжелыми, неподвижными пчелами, а еще растворенную в той же яркости дымчатую, нарезанную на слои голубизну непостижимо доступного неба.

И лишь потом из белого, искрящегося, все смешавшего на себе полотна стали выделяться очертания комнаты: стол в углу, накрытый светлой в желтую полоску скатертью, такой же светлый невысокий шкафчик у стенки, косяк двери, тоже неотличимо белый, да и сам дверной проем, в котором она увидела отца. Вот таким она его и запомнила, она могла бы его нарисовать — никогда не рисовала, но была уверена, что могла бы: песочного цвета узкие брюки, распахнутый ворот рубашки, незастегнутый пиджак тоже песочного света, видимо, он только вернулся с аэродрома. Но главное — она запомнила лицо, хотя непонятно, как ей удалось его разглядеть — ведь все детали до сих пор были не просто сглажены, а растворены в нескончаемой яркости рвущегося на веранду дня.

И тем не менее она запомнила полное юности лицо, даже не само лицо, а легкую, веселую энергию, которую оно излучало. Он был красив, ее отец, особенно тогда, в дверном проеме террасы, он был почти нереален в огибающем его воздушном нимбе, как было нереально ее детство. Собственно, память ухватила лишь мгновение — вот ничего не было, и вдруг появилось, а вот опять ничего не осталось. Лишь кадр, отпечаток, фокус зрачка.

Было и еще одно воспоминание. Позднее утро, двор, нянька наблюдает за ней, сидя в шезлонге, Элизабет просто играет, копает что-то в песке совочком, она не помнит деталей, она, скорее, их восстанавливает, строит мизансцену, создает рамку вокруг единственной сохранившейся картинки. Вроде бы она весела и в тоже время неспокойна, что-то отвлекает ее, она нервничает, сама не знает почему и в тоже время знает: она ждет родителей, их нет, хотя уже должны были вернуться. Чем дальше, тем минуты тянутся медленнее, как будто закручивается часовая пружинка, и Элизабет ощущает ее натянутую, нервную возбужденность.

Отсюда и поднимающееся к самому горлу беспокойство. Она все время глядит на дорогу, она уже не может играть, хоть и пытается, но ей сложно, почти невозможно отвлечься от мысли, что она одна, оставлена, может быть, брошена навсегда, насовсем. А что, если с мамой и папой что-то случилось, ведь они же обещали приехать и не приехали?

Она уже готова заплакать, уже слезы совсем близко, где-то в горле, даже выше, им совсем немного осталось добежать до глаз. Но тут она видит быстро катящийся по дороге знакомый автомобиль, настолько знакомый, что не нужно догадываться, чей он и кто внутри. Вот он вкатывает во двор и останавливается у самого дома. Собственно, на этом обрамление картинки и заканчивается, и взгляд останавливается на том единственном сохранившемся кадре.

Отец вместе с матерью. Она в светлом платье, держит его под руку и как бы притянута к нему. Будто некий мощный магнит клонит ее голову, плечи в сторону мужа. А лица их излучают счастье. Вполне ощутимое, которое не спутаешь ни с каким другим чувством, и наверняка можно было бы собрать какой-нибудь нехитрое устройство, некий приемник, который зарегистрировал бы зашкаливающий поток счастья, исходящий от этих двух таких родных, до комка в горле, до гусиной кожи людей.

И тогда, еще совсем маленькой девочкой, Элизабет сразу ощутила притягивающую силу родительской любви и поддалась ей, и рванулась, раскинув в воздухе свои ручки, и врезалась в них так, чтобы оказаться посередине, чтобы сразу обхватить их обоих — и папино колено, и маму, смяв, запутав ее платье. И, спрятав личико куда-то между ними, наверное, от стыда, чтобы не было видно ее раскрасневшегося, взволнованного от причастности к чему-то, чего она не могла понимать, лица, она замерла.

Именно эту секунду она и сохранила в себе, когда она перестала быть собой, а оказалась лишь частью, как ей тогда казалось, чего-то единого и неразделимого, что не должно кончиться никогда, что всегда предохранит и обережет.

Потом она, конечно, много раз чувствовала сопричастность с другими людьми, которых, по-видимому, любила или думала, что любила. Но никогда и отдаленно не повторилось то упоение, которое захватило ее, когда, уткнув свое лицо в складки одежды родителей, она разделила с ними их до вибрации в воздухе очевидную любовь.

Последнее, что она запомнила об отце, — это его руки. Она сидела у него на коленях, прислонившись спиной к его груди, а он руками прижимал ее к себе, и она видела только его ладони. Тогда они показались ей огромными, с толстой, грубой кожей, с мощными длинными пальцами. И в том, как они обнимали ее — крепко, надежно и в то же время мягко, чтобы не потревожить, — в том, как она доверяла им, рукам своего отца, обещающим спокойствие и защиту, — в этом, наверное, и заключается счастливая безмятежность детства. Именно в том, что есть руки, от которых исходит тепло и заботливая нежность, и ничего больше не требуется, никаких других доказательств любви. Главное, чтобы они были, в настоящем, в будущем — всегда...

Вот, собственно, и все, что она сохранила, только эти три размытых временем, смятых, тусклых, выцветших воспоминания. Она даже не уверена, было ли все так, как ей теперь кажется, не перепутала ли она что-нибудь. Может быть, разные ощущения, события, впечатления наложились друг на друга и создали то, что она теперь оценивает как существовавшую когда-то реальность. Кто разберет, да и какое это имеет значение?

Ведь не подменяет ли наше восприятие прошлого само прошлое? Иными словами, не является ли прошлое именно таким, каким мы его помним, а не таким, какое оно было в действительности? В конечном итоге прошлое живет только в нашей памяти, мы единственные его хранители, и больше оно нигде не существует. Вообще нигде.

Так что же тогда реальность прошлого?

Первые год-два, которые они прожили с матерью одни, без отца, совершенно стерлись из памяти Элизабет. Почему, она не знала. Да и что было запоминать: горе матери, ее покрасневшие глаза, постоянно ищущий, озирающийся и в результате останавливающийся в растерянности взгляд, дерганую нервозность движений, ломкий, утративший плавность голос?

Дина почти перестала звать дочку Лизи, как звала прежде, когда в самих звуках слышалось нежное прикосновение кончика языка к нёбу, и так, оттолкнувшись от губ, они плыли в воздухе, лаская и волнуя. Нет, теперь она называла ее полным именем Элизабет, и дело было даже не в официальности, а скорее в том, как подламывалось расколотое посередине громоздкое слово на «Лиз» и «Бет», а все из-за дрожащей неуверенности в Дининой голосе, беспомощно сбивающемся, спотыкающемся на гласных.

Что чувствовала сама Элизабет в то время? Наверное, ничего. Хотя вполне возможно, что какие-то волнения бередили ее сердечко, они не сохранились, не осели в памяти. К тому же она проводила много времени у родителей отца, которые, потеряв обоих сыновей, теперь перенесли всю свою любовь на единственную внучку. Впрочем, визиты к бабушке с дедушкой продолжались не долго. Будучи еще совсем не старыми, они тем не менее вскоре захворали, не в силах оправиться от удара, и через год покинули этот мир — сначала бабушка, потом, через пару месяцев, и дед.

И этот период Элизабет тоже почти не запомнила, возможно, сработал инстинкт самосохранения и память снова отсекла неприятное.

Так или иначе, но первые отчетливые воспоминания Элизабет связаны с ее днем рождения, когда ей исполнилось семь лет. Почему-то именно с этого дня ее память стала отсчитывать месяцы и годы, пусть условные, не отражающие реальный ход времени, а искаженные причудливым фильтром ее сознания, но тем не менее последовательно связанные между собой.

Они с мамой решили, что отметят ее семилетие, заранее договорились об этом еще за три месяца до самой даты. Раньше они тоже праздновали дни ее рождения, пропустив лишь один сразу после того, как погиб папа. Но на все остальные приезжали бабушка с дедушкой и приходили две-три подружки из соседних домов, Элизабет получала подарки и тут же открывала их, как научила ее мама, и восторгалась почти всегда искренне, и благодарила.

И тем не менее ощущение праздника, нетерпеливое ожидание его, словно сказочного чуда, как это бывает обычно с детьми, мечтаний каждый раз перед сном, когда ночная дрема охватывает и вовлекает в свою предсонную круговерть, и ты явственно видишь все, что должно произойти, и даже ощущаешь будущее физически, замирая от восторга, — такого предпраздничного волнения Элизабет никогда не испытывала. Не потому, что была черствым ребенком, и не потому, что ее нечем было удивить, а потому, что праздника никакого не было.

Дни рождения получались всегда тускло обыденными, одинаковыми — угощениями на столе, разговорами, играми;

они ничем не отличались от повседневности, разве что только помеченным кружочком в календаре, где напротив даты было приписано, чтобы, видимо, не забылось: «День рождения Элизабет».

Но к ее семилетию они с мамой начали готовиться заранее. Все началось с того, что однажды еще в начале лета, месяца за три до праздничной даты, мама зашла в спальню к Элизабет, когда та еще не спала, а лежала на боку, подперев головку ладонью, и рассматривала свою любимую книжку с картинками.

Она уже неоднократно прочитала ее, именно эту книжку, а картинки рассматривала бессчетное количество раз, но именно тот факт, что она знала рассказанную в книге историю почти наизусть, помнила все высказывания героев, а концовку вообще заучила, — именно невозможность удивления, невозможность непредвиденной новизны и привлекала ее. Она не искала неожиданности, как все дети, она ждала известного ей и потому защищенного будущего. Защищенного именно от неожиданности. И радовалась каждый раз заново, когда все заканчивалось именно так, как она ожидала.

— Лизи, — окликнула ее мама, и Элизабет вздрогнула. Она отвыкла от такого обращения, а еще от голоса, снова как когда-то плавного, почти певучего, как будто обнимаешь двумя руками большой прозрачный шар, и тот податливо прогибается от нажима, но в тоже время не теряет своей приятной упругости. И еще ей почему-то сразу расхотелось спать, и она легко оторвалась от книги и посмотрела на мать.

— Да, мама, — отозвалась она.

Она давно не смотрела так внимательно на свою мать, как сейчас, может быть, потому, что привыкла к ее будничному облику, а разве возможно оценить будничное? Но сейчас, видимо, из-за неожиданно плавного, певучего голоса матери Элизабет вгляделась в нее и поразилась. Дина была неожиданно молода и неожиданно красива. Как этого можно было не замечать раньше? «Неужели я тоже буду когда-нибудь такой же красивой, как моя мама?» — скорее с удивлением, чем с надеждой, подумала Элизабет, и именно тогда эта вдруг возникшая мысль увязалась за ней и не отставала потом многие годы.

— Знаешь что, дочка, — сказала молодая красивая мама, — давай начнем жить по-другому.

Элизабет ничего не ответила, она не знала, как это «по-другому». Она еще внимательнее посмотрела на мать.

— Видишь ли, дочурка... — Мама присела к ней на кроватку, положила руку на голову.

Элизабет вздрогнула от прикосновения, и тут же с Дининой руки на затылок пролилось расслабляющее тепло и разошлось по телу, не забыв ни одного даже самого маленького кусочка. Хотелось зажмуриться, но она не могла оторвать взгляд от маминого лица.

— Нам было с тобой тяжело все это время без папы, да? — сказала мама.

Элизабет хотела ответить «да», но лишь кивнула.

— Но тяжело не может быть постоянно. В какой-то момент привыкаешь, ведь так? Ведь много уже времени прошло, и мы должны жить дальше, понимаешь? — снова спросила мама, и Элизабет снова кивнула, хотя снова хотела сказать «да».

— Я знаю, я уделяла тебе мало времени и мало внимания. Ты поймешь меня, если не сейчас, то позже, хотя я все равно виновата перед тобой. Но давай постараемся, чтобы теперь все было по-другому. Хорошо?

Почему-то мама каждый раз заканчивала предложение вопросом.

— Да, мамочка, — наконец ответила Элизабет. — Конечно, давай.

— Наши дни должны наполниться радостью. Ты уже большая девочка, и мы многое можем делать вдвоем, вместе. Например, у меня есть идея.

— Какая? — спросила Элизабет, все еще не понимая, о чем идет речь. Ей и в голову не приходило, что они с мамой живут как-то не так и что можно жить по-другому, лучше. Да и что такое лучше?

— У тебя ведь день рождения в августе. Вот и давай к нему подготовимся, давай мы устроим маленький бал. Сошьем тебе праздничное платье, специальное, какое-нибудь очень нарядное. Все надо будет продумать, приготовить список гостей, угощения. Например, давай пороемся в кулинарных книгах, выберем необычный рецепт пирога, или лучше два рецепта, и научимся их готовить. Потом игры. Можно ведь придумать много игр, шарады... — мама задумалась, припоминая, какие еще бывают игры, — фанты, да мало ли что? Я уже не помню, во что любят играть дети. Вот нам и надо будет все придумать, может быть, ты с подружками сможешь какую-нибудь сценку из спектакля поставить. Такой маленький театр сделаем. Ну как?

— Конечно, мама, — опять согласилась Элизабет, все еще не понимая, что именно означают и неожиданный мамин тон, и ее не менее неожиданное предложение.

— Вот и хорошо, — улыбнулась Дина и наклонилась и поцеловала Элизабет в глазик, смяв мягкими губами реснички, щекотнув где-то у переносицы, так что нечто наподобие изморози ветвисто пробежалось у Элизабет по затылку, а потом растеклось ниже в сторону шеи.

Какие найти слова, чтобы описать, что она почувствовала? Маленькое затмение, будто что-то живое, трепетное и, без сомнения, любящее проникло через глазик в ее тело, и ей пришлось сжаться, втянуть голову в плечи, чтобы постараться не упустить это, удержать. Мамин поцелуй проник и растворился где-то у еще мгновение назад ровного сердца.

— Спокойной ночи, — сказала мама, и Элизабет думала, что она снова наклонится и поцелует ее, но мама поднялась и сделала шаг к двери.

— Спокойной ночи, мама, — ответила Элизабет и сладко поежилась, предвкушая сон, который уже давно подкрался и подкарауливал ее где-то поблизости.

Тем не менее она не заснула сразу. Она еще долго лежала с закрытыми глазами и сама чувствовала свою улыбку, и оттого, что улыбка безотчетна, что она сама, без ее, Элизабет, на то согласия пробралась на губы, от этого становилось еще более сладко. Именно сладко, как будто она съела большой кусок шоколадного торта с ванильным кремом и последний только что прожеванный кусок еще обволакивал, смазывал приторной патокой горло. А потом она стала мечтать, вернее представлять, как именно все произойдет в день ее рождения через три месяца: какие на ней будут платье и туфельки и как гости будут на нее глядеть с восхищением и любовью.

Обо всем об этом, да и о многом другом она теперь думала каждую ночь, прежде чем заснуть, каждый раз разыгрывая в своем воображении маленькие сценки, как бы рассказывая самой себе историю, которая, она знала точно, продолжится и следующей ночью, и той, что будет потом. Думать о предстоящем празднике было так приятно, что Элизабет даже стала раньше ложиться спать, на немного, минут на пятнадцать—двадцать. Зато какими красочными эти минуты получались!

Впрочем, мечтами наполнилась не только ее детская, уютная кроватка, но и каждое последующее утро, да и весь дальнейший день. Мама выполнила свое обещание: после их ночного разговора они вдвоем с Элизабет сели за стол с тетрадкой и ручкой и составили план подготовки к теперь уже долгожданному дню. Дел действительно набралось много, и с этого дня Элизабет была беспрестанно занята, развлекая не только себя, но и своих подруг разнообразными заботами, большинство из которых хоть и требовали внимания и сосредоточенности, но при этом вызывали радостное возбуждение.

В результате все отлично получилось, именно так, как и было задумано: платье отлично сидело на стройной фигурке Элизабет и необычайно шло ей. Угощения, которые в основном были придуманы и приготовлены самой Элизабет, конечно, не без помощи Дины, едва помещались в холодильник и ждали возможности перебраться на стол. Все приглашенные должны были приготовить номера для представления, и до

Элизабет доходили слухи, что кто-то разучивает несколько забавных фокусов, кто-то исполнит песню под аккомпанемент пианино, кто-то конечно же прочитает стихи, и даже удалось поставить маленький спектакль, в котором главную роль получила сама Элизабет.

Решено было пригласить и нескольких взрослых, но и им не сделали поблажки, они тоже должны были выступить с номерами; в общем, все предвещало самый настоящий праздник, такой, которого еще не было ни у самой Элизабет, ни даже у ее многочисленных друзей.

Больше всего радости доставляла Элизабет подготовка к спектаклю. Надо сказать, что ей необыкновенно повезло. Дело в том, что к мистеру Свиллану, пожилому, вечно усталому доктору, который жил и практиковал в их небольшом городке, приехал из Нью-Йорка племянник. Этот племянник, высокий интересный мужчина по имени Рассел (он требовал, чтобы его называли именно так, без всяких «мистеров»), написал несколько пьес, которые шли в манхэттенских театрах не только на Бродвее, но и в драматических. Он планировал прожить у дяди все лето, лишь иногда ненадолго уезжая по делам в Нью-Йорк, и сам предложил написать маленькую пьеску специально для дня рождения Элизабет.

Более того, он вызвался ее поставить и раз в неделю репетировал с детьми; ему самому так нравилось возиться с группой трепещущих от ответственности и счастья мальчиков и девочек, что он приписал для себя дополнительную роль доброго волшебника, который несколько раз появляется в пьесе, когда главная героиня (Элизабет) попадает в наиболее комические (читай — затруднительные) ситуации.

Каждую репетицию Рассел превращал в веселый праздник, он вообще был мастер на разные выдумки и уморительные шалости, и дети не чаяли в нем души, особенно Элизабет, которой как исполнительнице главной роли и имениннице он уделял особое внимание. Как-то почти незаметно ему удавалось стереть грань между собой и детьми, видимо, он обладал особым талантом не только опускаться до их уровня, но и поднимать их до себя. Он дурачился вместе с ними, придумывал для каждого персонажа либо смешную рожицу, либо забавную походку, а потом с уморительным до колик серьезным видом воплощал в жизнь свои режиссерские находки. В результате дети легко забыли о его тридцати восьми годах, о его очевидном, особенно для их маленького городка, статусе знаменитости (ведь не в каждом городе проживает известный драматург, о котором не раз писали в газетах), и он постоянно был окружен ими — кто-то сидел у него на коленях, кто-то хватал его за ноги, дергал за руки, куда-то тащил, что-то стремился показать.

Рассел был высокого роста, с запоминающимся, выразительным лицом и пышной шевелюрой. Детям это было, конечно, безразлично, но их мамы, которые приводили детей на репетиции, а потом все вместе отправлялись в соседнее кафе, где баловались кофе с пирожными, бесконечно обсуждали Рассела, восторгаясь не только его внешностью, но и умением находить общий язык с детьми и способности переходить от бесшабашного веселья к серьезности, когда на лице выделялись внимательные, умные глаза, от светлой притягательности которых сложно было оторваться.

Мама Элизабет тоже, конечно, высказывала свое мнение о Расселе, и оно немногим отличалось от мнения остальных мам, ведь молодым женщинам не было и тридцати и никто из них не был обременен работой: в этом обеспеченном аккуратном городке семья вполне обходилась либо заработками мужа, либо, как в трагическом случае с Диной, страховыми выплатами, либо другими стабильными источниками доходов.

Конечно же у Дининых подруг, как и у многих других женщин их возраста, положения и достатка, были нереализованные романтические стремления, к тому же, постоянно общаясь в своем тесном ограниченном кружке, они особенно живо реагировали на новые лица, особенно мужские, особенно интересные, не говоря уже о приезжей нью-йоркской знаменитости.

Не следует, однако, полагать, что кто-то из этих женщин, в основном занятых своими детьми, домом, ну и собой, конечно, мог бы воплотить свои романтические мечтания в жизнь. Маловероятно, что измена мужу, как и другие решительные шаги, которые могли бы повлиять на дальнейший ход жизни, присутствовали в планах кого-либо из молодых дам. Конечно же нет!

Но кто может запретить вечерние грезы за книжкой при притушенном свете, когда утомленный после рабочего дня супруг давно уже спит, а из комнаты детей доносится лишь ритмичное дыхание, и весь дом затих, словно и сам дремлет? Тогда чувство одиночества, отдавая смутным привкусом свободы, не может не обратить избалованного воображения в зыбкое пространство, где властвуют фантазии.

Впрочем, всегда существует дистанция между вечерними фантазиями и их реализацией. И если она не пройдена, а чаще всего она и не бывает пройдена, оставаясь всего лишь расплывчатой иллюзорной игрой разыгравшегося воображения, то можно через час присоединиться к мужу и заснуть спокойно у него на плече, согреваясь его застоявшимся теплом, и никакие угрызения совести не потревожат сладкий сон. Лишь, возможно, будет тянуть низ живота, но не отдаваясь болью, а наоборот, скорее успокаивающе.

В принципе для Дины, мамы Элизабет, никаких ни моральных, ни юридических запретов не было — она единственная из всех своих подруг была свободна для возможного романтического увлечения. К тому же мы можем только догадываться, в каком состоянии она пребывала: потеряв мужа три года назад, она все это время избегала новых знакомств, проявляя безусловную твердость, но в то же время лишая себя элементарного женского благополучия.

Но, в конце концов, сколько может себя сдерживать женщина, особенно если она привлекательна и если мужчины постоянно бросают на нее восхищенные взгляды, которых она не может не замечать? Не следует также забывать про нормальные сексуальные потребности, которые, если их долго не удовлетворять, вызывают раздражение и нервную, с трудом контролируемую ажитацию. А ведь в данном случае под словом «долго» понимается три томительных года!

Вполне вероятно Дина тоже отметила представительного, вызывающего всеобщее восхищение драматурга. Были ли у нее мысли или планы приблизить его к себе, к своей дочери — мы не знаем. Но даже если и были, что с того?

А вот Рассел наверняка обратил внимание на незамужнюю красивую мамашу и, без сомнения, оценил ее.

Дело было даже не в ее красивом теле, которое, несмотря на стройность и плавные, округлые формы, как бы не вмещалось в сдерживающее его платье, как бы все равно выбивалось напоказ. А в том, что многолетнее искусственное самоограничение не могло не сказаться, и тело вопреки желанию самой Дины, даже и не подозревавшей о его предательской откровенности, было не только беззащитно открыто, но и как бы набухло от накопившегося нерастраченного желания, от нерастраченной нежности.

Итак, неделя катилась за неделей в шумной, возбужденной подготовке, и наконец настал день долгожданного праздника. Дом быстро заполнился, съехалось десятка четыре гостей, в основном подруги Элизабет с родителями, да приехали еще две-три приятельницы Дины с мужьями и детьми.

Можно, конечно, описать то счастливое волнение, которое владело Элизабет на протяжении всего вечера. Можно в подробностях остановиться на том, как восхитительно она чувствовала себя в пышном своем платье, как приятно было ей сознавать себя хозяйкой этого красивого, особенно сегодня, дома, встречая гостей у порога, принимая поздравления и подарки. Можно рассказать о спектакле, который прошел на «ура», и о том, как рассевшиеся в гостиной на специально взятых напрокат стульях зрители неоднократно прерывали постановку смехом и вздохами сопереживания, а под конец неистово рукоплескали.

А участники спектакля, и прежде всего Рассел, который всегда находился поблизости, выталкивали ее, Элизабет, в центр, так что все могли видеть ее пунцовые от восторга щеки и блестящие, сияющие от счастья глаза. И она склонялась в поклоне, а аплодисменты не сбавляли накала, и ей ничего не оставалось, как попытаться спрятаться внутри вытянувшегося позади нее ряда исполнителей, но она натыкалась на него, и ее снова выталкивали навстречу зрительному залу, который сейчас представлялся ей единым огромным добрым существом, все продолжающим громыхать и громыхать.

Да, можно сказать, что Элизабет была абсолютно, безусловно счастлива в тот день, как может быть счастлив семилетний ребенок. И все же не спектаклем, не подарками, не угощениями и не общим успехом запомнился он ей.

Он запомнился ей тем, что мама выглядела совершенно иначе, не такой, какой Элизабет ее знала и к которой привыкла. И в тот вечер Элизабет впервые догадалась, что их жизнь, та, что началась со дня трагической гибели папы, закончилась. И что теперь их обеих ожидает иная, новая жизнь. Какая — Элизабет не знала.

Вместе с Элизабет мама встречала гостей в коридоре, из него несколько дверей вели в комнаты первого этажа. Она была в специально сшитом к этому дню платье (они вместе ходили к портнихе и обсуждали наряды друг друга, как настоящие подруги), и оно, плотно облегая ее гибкое округлое тело, расходилось книзу широкими элегантными складками.

Дине вообще шли светлые тона, ее каштановые волнистые волосы, карие глаза и немного смуглая, будто загорелая, гладкая, казалось, даже от взгляда лоснящаяся кожа только выигрывали от контраста со светлыми оттенками. Вот и в тот день платье, даже не светло-голубое, а скорее лазурное, впитывало воздух и только подчеркивало плавность легких маминых движений.

И тем не менее Элизабет чувствовала затаенное напряжение в глубине маминого голоса, ее взгляда. Оно как бы невзначай прорывалось и то тут, то там образовывало сгустившуюся массу взволнованного ожидания.

Часть гостей уже съехались, у стены в углу уже громоздилась небольшая горка подарков — коробки, упаковки, свертки, вазы были переполнены цветами. Да и весь дом уже гудел веселым шумом, и Элизабет конечно же хотелось сорваться и побежать в комнаты, где резвилась дюжина детей, но она сдерживала себя — ответственная роль хозяйки, которую она сейчас играла, не допускала детской шаловливости.

А тут к тому же дверь открылась и на пороге появился мистер Рассел, то есть просто Рассел, и Элизабет даже запрыгала от восторга — не то что она ждала его больше других, но когда увидела, радость теплой волной растеклась по ее телу и наполнила, и стало сразу тепло, так что покраснели щеки и даже, как ей показалось, шея и руки.

Она могла бы сдержаться — но зачем? И она рванулась к большому, пахнущему хорошими духами человеку, который всегда был так добр к ней и так жизнерадостно весел, и обхватила его, и прижалась головкой к его тугому спортивному животу.

— Рассел! — закричала она, как будто он был далеко и мог не услышать. — Я должна тебе что-то сказать... про спектакль... Я придумала, что там, когда я попадаю на гору и говорю: «Ну как же мне спуститься?..» — я придумала, что мне надо поднести руку к глазам, вот так, козырьком, и оглядеться вокруг, как будто я ищу тропинку. — Элизабет подняла голову и посмотрела на улыбающегося мужчину снизу вверх доверчиво и восторженно, как всегда смотрят дети на людей, к которым привязаны или готовы привязаться. — Как ты думаешь, я здорово придумала? Потому что иначе...

— Конечно, здорово, — охотно согласился Рассел и положил широкую ладонь на ее светлую головку и ласково прошелся по волосам, перебирая пальцами легкие кудри. — Именно так и надо сделать, молодчина, здорово придумала. А сейчас посмотри-ка сюда.

И когда Элизабет отстранилась немного, он вынул из внутреннего кармана своего темно-коричневого пиджака маленькую коробочку и протянул ее имениннице. Коробочка была узкая, длинная, завернутая в подарочную яркую бумагу и перевязанная золотой лентой.

— Можно открыть? — спросила Элизабет и невольно оглянулась на мать, как бы ожидая ее поощрения.

— Конечно, — услышала она мужской голос сверху, но он не был уже важен сейчас.

Мамино лицо — вот что было важно. Такого открытого выражения радостного ожидания, которое Дина не сумела скрыть, да и не пыталась, Элизабет не видела никогда прежде. Как будто через минуту, да что там минуту — секунду, мгновение что-то непременно должно произойти, что-то неизвестное, но необыкновенно хорошее. Элизабет даже стало неловко за маму, за ее очевидную беззащитность, за излишнюю доверчивость, которой, это ведь было очевидно, так легко воспользоваться. Как и для чего — Элизабет не знала, но вид неуверенной мамы, ее неприкрытое, выставленное напоказ ожидание неприятно кольнул. Элизабет проследила мамин взгляд, как будто скользнула по протянутой нитке, и легко соединила его с глазами Рассела, которые не отражали, а принимали его, впитывали в себя.

— Да-да, Лизи, конечно, открой, — наконец сумев оторвать взгляд от Рассела и перенеся его на дочь, ответила Дина. — Конечно, посмотри, что тебе подарил мистер Рассел.

Элизабет развязала бантик золотой ленты, сорвала подарочную упаковку и стала рассматривать изящную продолговатую коробочку из черного бархата. Она и не думала ее открывать, ей и в голову не пришло, что эта роскошная коробочка могла еще что-то таить внутри — она сама по себе завораживала, сама по себе была чудесным, драгоценным подарком.

— Открывай, солнышко, — поторопила ее мама и подошла ближе, так что Элизабет услышала запах ее духов, и они, смешавшись с запахом мужских духов, которым только что была окутана Элизабет, создали непонятно тревожащую волну, как будто было что-то неприличное в переплетении этих двух таких разных, как бы спорящих друг с другом запахов.

— Давай посмотрим, что там внутри, — сказала мама и присела, склонившись к Элизабет; теперь их волосы соприкасались.

И Элизабет опять неприятно кольнуло то, как мама присела, как манерно, ненатурально, будто в заученном балетном движении подогнулись ее ноги, как волной опустилось на пол, образовав на нем складчатый обруч, лазурное платье. А еще Элизабет стало неприятно оттого, что совсем рядом, прямо перед ними возвышался мужчина, конечно, очень знакомый, но все равно очень чужой. И что-то было неловкое в том, как застыл борт его плотного твидового пиджака, почти соприкасаясь с маминым лицом.

А потом мама тоже подняла глаза вверх, как совсем недавно ее дочь, пытаясь там, наверху, снова встретить мужской взгляд и снова уйти в него, растечься в нем, и от этого Элизабет снова почувствовала неловкость за мамину еще более подчеркнутую беззащитность перед чужим взглядом сверху, перед крупной, тяжелой ладонью, которая по-прежнему поглаживала легкие кудри на головке Элизабет.

Ей вдруг почудилось, что она присутствует при заговоре, будто эти двое взрослых, но особенно мама, самая надежная и близкая мама, сговариваются между собой без ее, Элизабет, ведома. Более того, они пытаются скрыть от нее свой сговор.

Она уже хотела отойти в сторону, но тут ее пальчики сами надломили коробочку, и та открылась, и Элизабет вскрикнула от неожиданности, но и от радости тоже. Внутри, извиваясь плавными линиями, покоилась цепочка из белого тяжелого металла, на которой, охваченный загибающимися лепестками, ярче белого блестел ровный жемчужный камушек.

— Можно, я тебе сам надену, Лизи? — услышала она голос Рассела; она и не заметила, как он тоже опустился к ним, и теперь их головы находились совсем рядом — ее, мамина и Рассела. И уже не было ничего неприятного и беспокойного в их близости, все было естественно и правильно, и Элизабет кивнула, все еще не в силах оторвать взгляда от сверкающей белой линии на черном бархатистом сукне.

— Вы балуете девочку, мистер Рассел. К чему такие дорогие подарки? — спросила мама, но Элизабет не услышала в ее голосе ни недовольства, ни разочарования. Ей показалось, что мама счастлива не менее ее самой, и от этого все едва зародившиеся обиды мгновенно покинули сердечко Элизабет. А осталась только родная, любимая мама, всегда веселый Рассел и сверкающий подарок на черном бархате.

Элизабет повернулась к Расселу спиной, вытянула шейку, чуть напрягла ее в ожидании холодного металлического прикосновения. Дочь ловила взгляд близких маминых глаз, и ей легко удавалось разглядеть в них не только любовь, но и восторг, даже гордость за свою хорошенькую, послушную девочку, которая была точным повторением ее самой, разве что волосы чуть-чуть посветлее. И сейчас, наверное, Дина вспоминала какой-нибудь свой далекий день рождения, когда она сама была ребенком и была беззаботно счастлива, как уже не могут быть счастливы взрослые. Вспоминала, как смотрели на нее родители, молодые тогда, полные любви и надежд, вот как она сейчас.

Наконец Элизабет перестала чувствовать прикосновение мужских пальцев на своей шее и тут же, будто спущенная с привязи, рванулась в комнату к зеркалу. И уже там, в комнате, услышала окрик матери, но не одергивающий, а задорный, пропитанный почти несдерживаемым смехом.

— Лизи, — крикнула ей вдогонку мама, — а поблагодарить? Кто будет благодарить мистера Рассела за подарок?

Ах да, вспомнила Элизабет и так же стремительно, как только что сорвалась с места, подбежала к по-прежнему сидящему на корточках, будто именно в ожидании ее, Расселу.

— Спасибо, Рассел! — И она обхватила его ручками за голову и снова прижалась, но лишь на секунду, чтобы сразу отстраниться.

— И все? — засмеялся довольный Рассел. — А поцелуй именинницы? — И он пальцем потыкал себя в щеку, указывая место для поцелуя.

Элизабет мельком взглянула на мать. Дина улыбалась поощрительно немного смущенной, немного наигранной улыбкой невольной свидетельницы.

Так же стремительно, как и до того, Элизабет обхватила большую голову и уткнулась губами в непривычную мужскую, впрочем, совсем не жесткую, а гладкую и податливую щеку, награждая Рассела звонким поцелуем. Взрослые засмеялись, а мама повторила:

— И все-таки, мистер Рассел, зачем вы сделали такой дорогой подарок? Это совершенно ни к чему...

Она продолжала бы говорить, но Рассел, которого Элизабет все еще держала за шею, прервал ее:

— Дина, я ведь просил называть меня просто по имени, без всякого «мистер». Вы же мне обещали. Давайте пообещайте мне еще раз, в присутствии свидетельницы. Лизи, ты готова стать свидетельницей? — перевел он взгляд на Элизабет. Та кивнула.

— Хорошо-хорошо, — улыбнулась мама, — я обещаю.

— Нет, прямо сейчас скажите: «Рассел». Да, Лизи? Пусть мама скажет.

— Конечно, мама, скажи, я ведь его тоже так называю. Все дети на репетициях зовут его Расселом, и ничего.

— Но я же не дитя и не на репетиции, — сквозь смех проговорила мама, и Рассел тоже засмеялся.

— Тем более, — заметил он. — Давайте, Дина, мы с Элизабет требуем. — И он заговорщицки посмотрел на девочку.

— Хорошо-хорошо, Рассел, — наконец согласилась мама. — Обещаю впредь называть вас только по имени.

— Ну что, я могу идти? — нетерпеливо спросила Элизабет и, получив мамин утвердительный кивок, бросилась в комнату, оставив взрослых наедине.

Как уже было сказано выше, праздник прошел великолепно. Спектакль зрители восприняли на «ура», за столом тоже было весело, почти все гости подготовили выступления: кто-то читал поздравление в стихах, кто-то шутил, две девочки, подружки Элизабет, даже сыграли на пианино специально разученную пьеску, для которой сами написали стихи, так что получилась вполне милая песенка. Потом были игры, которые Элизабет с мамой заранее придумали, а потом сладкий стол с двумя тортами, приготовленными не без участия самой Элизабет.

В общем, все было замечательно, и даже не потому, что пришлось по вкусу угощение, и не потому, что игры увлекли всех, даже взрослых. А просто то ли от счастливого личика Элизабет, от ее блестящих глаз и разрумянившихся щечек, то ли от общего ощущения праздника в воздухе как будто разбрызгали легкий фрагранс, отчего он, не потеряв своей светлой прозрачности, пропитался напряженным ожиданием, набух и теперь сам осыпал пыльцой возбуждения и взрослых, и детей... Возможно, от всего этого, а может быть, от чего-то другого, но веселье и непринужденность наполнили весь вечер, и Элизабет, лишь на секунду отвлекаясь, бросала взгляд на маму и даже иногда подбегала к ней, хватала за руку и тащила показать что-то очень важное, что, если не разделить его с мамой, казалось, не только перестанет иметь значение, но вообще прекратит существование. И утаскивала, и Дина, беззвучно смеясь и пожимая беспомощно плечами, оглядывалась на Рассела, который, так уж получалось, всегда оказывался рядом с ней, и тот улыбался в ответ, и улыбка могла означать многое, но, конечно, прежде всего участие и понимание.

Заметила ли Элизабет, что эти двое были, по сути, неразлучны в тот вечер? Почувствовала ли она их очевидное взаимное влечение, которое не могло не бросаться в глаза? Конечно почувствовала. И хотя Элизабет опять кольнула обидная догадка, что, оказывается, мама может выглядеть счастливой с посторонним человеком, тем не менее некое новое чувство, возможно, зарождающаяся женская солидарность с матерью, интуитивное соучастие с ней легко перевесили ревнивый осадок. К тому же рядом с мамой был не совсем незнакомый человек, а красивый, всегда веселый Рассел, который нравился и самой Элизабет. Ее даже радовало, что он, такой невероятно знаменитый Рассел, явно заинтересован мамой. Да что там заинтересован — влюблен!

Когда она в первый раз, наблюдая за мамой с Расселом, мысленно произнесла слово «любовь», неразборчивая смесь чувств охватила ее, и разобраться в ней, разложить чувства по частям, выделить главное оказалось невозможно. Конечно, Элизабет ощущала и радость, даже гордость за маму, и чувство сопричастности — раз они с мамой неразлучны, значит, и она, Элизабет, тоже участвует в намечающемся таинственном приключении. И в то же время в этом клубке чувств присутствовал и явный привкус неловкости — во-первых, от самого неловкого слова «любовь», ну и от того, что именно за ним стоит. Всего, что скрывалось за понятием «любовь», Элизабет, конечно, не знала, но все равно была смущена и взволнованна.

Было уже поздно, оживление спало, гости подходили прощаться. Рассел уходил одним из последних. Он наклонился к Элизабет, провел двумя пальцами по ее щечке, словно поправляя растрепавшиеся локоны, и она даже зажмурилась — так щекотно скользнули по коже его пальцы. Нет, «щекотка» — неправильное слово. Потому что смеяться ей не хотелось, а хотелось съежиться, передернув плечами от пробежавшей по спине морозной ломкой волны.

— С днем рождения, Лизи, — тихо сказал Рассел, а потом повторил: — С прекрасным, великолепным днем рождения. Ты была очаровательна.

И он выпрямился, и теперь стоял рядом с мамой, склонившись уже к ее лицу, и что-то нашептывал ей. А потом, видимо, пользуясь сократившимся до миллиметров расстоянием, дотронулся губами до раскрасневшейся маминой щеки.

Элизабет ясно видела каждую подробность. Мужские губы даже не прикоснулись к маминой коже, не поцеловали ее, а прошлись, пробежали по ней. Элизабет увидела, как мама еще больше зарделась, но не уклонилась, а лишь улыбнулась в ответ неопределенной, растерянной улыбкой и потом опустила глаза, нашла ими глаза дочери. Она так и смотрела на Элизабет и улыбалась, может быть, пытаясь сгладить улыбкой откровенность поцелуя, или наоборот, поделиться с дочерью частичкой своего смущенного счастья.

— Спасибо, Дина, за вечер, — сказал Рассел на сей раз уже громче. — Я надеюсь, мы скоро увидимся.

— Да-да, — мама все же подняла глаза, — непременно, Рассел. Я буду рада.

Тот кивнул головой, еще раз посмотрел на Элизабет, подмигнул ей и вышел.

Потом, когда все гости ушли, они с мамой еще посидели немного, обсуждая, как и полагается, закончившийся вечер; говорили про гостей, кто какое поздравление приготовил, вспоминали подробности вечера, ну и, конечно, спектакль.

Они расположились за праздничным столом, на котором все еще громоздились чашки, блюдца с кусками недоеденного торта, розетки, перепачканные сладким кремом. Но беспорядок ни мать, ни дочь не смущал, наоборот — и сам стол, длинный, с белой, уже несвежей скатертью, и недоеденные детьми сладости, и даже грязная посуда — все еще дышало только что закончившимся праздником, все звенело и светилось им. Точно так же светилась, еще не остыв от него, сама Элизабет, да и мама не пыталась скрыть не покинувшего ее возбуждения.

Так они и сидели, разговаривая неторопливо, неосознанно желая задержать в себе ощущение праздника, которое покидало их, возвращая в уже поздний вечер, но покидало постепенно, без резкого, ошеломляющего перехода.

— Как тебе мистер Рассел, Лизи? — между прочим спросила мама, и Элизабет, не замечая заведомой продуманности вопроса, одобрительно кивнула головой.

— Он очень веселый, мама, — ответила она. — Ты бы видела, как он всех смешил на репетициях. Когда Бобби говорил свой текст, ну, ты помнишь, про козу, которая...

— Но он тебе нравится? — перебила ее мама. — Я имею в виду мистера Рассела.

— Конечно, — не поняла Дина. Она-то думала, что уже ответила на мамин вопрос. — Конечно, нравится. Рассел такой добрый, ты знаешь, у него всегда есть для меня подарки. То конфета, то еще что-нибудь, он всегда их держит в кармане пиджака, ну, в этом... как он называется, не тот, который спереди, а с другой стороны.

— Во внутреннем, — подсказала мама и тут же задала еще один ненужный вопрос: — И ты могла бы с ним дружить?

Элизабет даже пожала плечами:

— Мы и так дружим. Разве ты не знаешь?

— Конечно, милая, — согласилась Дина, — конечно, вы дружите. Я знаю.

Элизабет глотнула остывшего чаю, она собралась еще что-то сказать, но мама остановила ее:

— Знаешь что, доченька, давай-ка мы пойдем с тобой спать. Поздно уже, а посуду уберем завтра. Встанем пораньше и уберем. А то я устала, да и у тебя, я гляжу, глаза уже слипаются. Давай пойди почисти зубки, умой личико и ложись.

Элизабет хотела было возразить, но вдруг почему-то слово «спать» разом обрушило на нее всю изматывающую суматоху прошедшего дня, и она сразу лишилась только что, казалось, неисчерпаемых сил, так что ей пришлось заставить себя подняться из-за стола и побрести в ванную комнату. На привычный ритуал едва хватило сил — так вдруг захотелось упасть в свою кроватку, и вытянуть уставшие ноги, и расслабить спинку, и притушить темнотой глаза.

Но когда она именно так и сделала и когда мама, зайдя на минуту в ее комнату, пожелала ей «спокойной ночи» и поцеловала перед сном и погладила мягкой ласковой рукой по головке, Элизабет еще долго смотрела в окно, на мерцающий в темноте фонарь, на раскачивающийся его свет, на волнующиеся от легкого ночного ветра деревья. Она так и не смогла закрыть глаза, она думала. Или скорее мечтала. Не важно, о чем именно, верно, о чем-то хорошем. Да и разве могут дети думать о плохом перед сном?

Так она лежала долго: сначала на боку, потом у нее затекла рука, и ей пришлось перевернуться на спину: теперь деревья махали беспокойными ветками на потолке прямо над ее головой, то загораживая, то снова впуская в комнату свет настырного, теперь не желтого, а белого фонаря. А потом она услышала стук — негромкий, глухой, сдержанный. Элизабет не обратила бы на него внимания, он бы не смог отвлечь ее от ночных блуждающих грез, но тут она услышала легкие шаги — конечно, это мама спускалась по лестнице вниз. Да-да, кто-то несомненно стучал в дверь, и это было необычно и оттого тревожно — так поздно ночью к ним никто никогда не приходил.

Элизабет еще лежала какое-то время, но тревога нахлынула на нее поглощающей лавиной: а что, если это воры, грабители, и когда мама приоткроет дверь, они... Элизабет приподнялась в кровати, прислушалась, но было тихо. Она уже готова была снова примоститься на податливой подушке, но тут до ее слуха долетел скрип открываемой двери, и снова тишина, как будто все замерло, даже деревья на улице остановили свое шершавое колыхание, даже фонарь... Хотя при чем тут фонарь?

Проще было встать, чем продолжать лежать. Проще для одеревеневших рук, которыми она опиралась на вдруг затвердевший матрац, для напряженно вытянувшегося, полностью обратившегося в слух тела, проще было подойти к двери и приоткрыть ее осторожно, неслышно в тишине замершего в ожидании дома. Ей даже не пришлось выглядывать наружу — шепот, прежде сдерживаемый плотно закрытой дверью, тут же прополз в возникшую щель; Элизабет не могла различить слов, но узнать голоса, одновременные, накладывающиеся друг на друга, было совсем не сложно: мужской, хоть и спокойный, но настойчивый, и женский, конечно, мамин — быстрый, горячий, он намного быстрее скользил по воздуху.

Разумеется, тревога, подгоняемая маминым шепотом, усилилась, но и не только тревога, еще и любопытство, и Элизабет скользнула в проем двери и оказалась в коридоре, который соединял ее спальню с маминой, а посередине выходил на лестницу, ведущую на первый этаж в гостиную. Отсюда удобно было пускать самодельные самолетики, что Элизабет часто и делала, наблюдая, как они плавно, замирая после каждого нового рывка, скользят все ниже и ниже и в результате, приземляясь, пропахивают мягкий ковер своими хрупкими бумажными животиками.

Сверху все виделось по-другому, предметы казались низкими, даже сплюснутыми, хотя и широкими. Вот и сейчас шевелюра Рассела, которая всегда выглядела, если смотреть на нее снизу, пышной, оказалась не такой уж густой — можно было даже различить просвечивающую матовость кожи на затылке. Он был одет в тот же темно-коричневый костюм, наверное, не успел заехать к себе домой, иначе бы переоделся, зачем-то подумала Элизабет.

А вот мама сняла вечернее платье, и теперь только лишь легкий короткий халат из светлого шелка покрывал ее плечи. Обычно мама набрасывала его перед сном, и сейчас она даже не успела его запахнуть, и сверху, из надежного укрытия, где притаилась Элизабет, можно было заметить, что под халатом белеет лишь край ночной рубашки, которая тоже не скрывала плавную выпуклость Дининой груди.

Теперь, когда дверь больше не была преградой и сдвоенный напор переплетенных голосов распался, Элизабет ясно услышала мамин шепот: быстрый, горячий, будто задыхающийся.

— Рассел, — говорила мама, — вы разбудите дочку. Вам, правда, лучше уйти. Вам ни к чему быть здесь. Зачем вы вернулись?

— Потому что я не могу быть один, Дина. Этой ночью не могу. Не могу быть без вас. Я бродил по улице, чтобы прийти в себя, чтобы успокоиться, но ноги сами привели меня к вам, к вашему дому.

Его голос тоже звучал отрывисто, будто пытался сплющить разделяющее их расстояние, а потом ползком пробраться внутрь мамы, под ее халат, под ее рубашку, может быть, даже под кожу.

— И все же вам лучше уйти, — повторила мама.

— Почему? — спросил Рассел и сделал шаг вперед, даже не шаг, скорее полшага — он теперь стоял возле мамы вплотную, он почти касался ее.

А мама почему-то не отступила, хотя легко могла сделать шаг назад, в сторону дивана, стоящего посередине комнаты. Но вместо этого она уперлась обоими ладонями в грудь склоняющегося к ней мужчины, как бы отстраняя, даже отталкивая его.

— Потому что вы разбудите дочь, — повторила мама, и даже Элизабет почувствовала неубедительность ее слов, ее голоса — слишком взволнованного, с каким-то шумным, выбивающимся из ритма придыханием.

— Не разбужу, — не согласился Рассел. — Я просто не могу без вас. Это невыносимо...

Он еще что-то говорил, но слова уже не имели значения, потому что маме все же пришлось попятиться назад и упереться в спинку дивана, едва сдерживая нарастающий напор мужского большого тела.

Элизабет завороженно, боясь упустить мельчайшую подробность, приникла к массивным деревянным стойкам, поддерживающим перила лестницы, и следила не отрываясь за двумя взрослыми внизу, в середине гостиной. Она сама почему-то почувствовала непонятно откуда возникшее волнение. Да и волнение ли это было? Просто вся обстановка дома — стены, лестница рядом, даже дверь позади нее как бы немного сдвинулись и потеряли не только резкость очертаний, но и связанное с ней ощущение реальности, которая вдруг расплылась, рассыпалась, оставив лишь двух взрослых людей внизу, их наигранную, вязкую борьбу.

Женщина, которая еще недавно казалась ее мамой, пыталась возразить, но тщетность любых слов была очевидна, и наконец их губы сошлись — медленно, картинно медленно. Элизабет слышала только дыхание, свое или чужое — она не знала точно, потому что все вокруг еще больше покосилось и смешалось, и перестало иметь смысл, выделяя контрастом пунцовые женские щеки и раздавленные губы. И еще руки, особенно пальцы, которые то судорожно метались по мужским плечам, впиваясь в них, пытаясь прорвать материю плотного пиджака, то, распрямившись, застывали беспомощно только лишь для того, чтобы снова вцепиться, царапая пиджак с почти что различимым скрежетом немыми побледневшими ногтями.

А потом женщина, видимо, не выдерживая тяжести Рассела, стала прогибаться. Спинка дивана упиралась ей в поясницу, и Дина стала гнуться назад, как будто хотела отстраниться от навязанных ей чужих губ, чужого массивного тела, его непривычной тяжести. Но ей не удалось отстраниться. Потому что губы, тело, тяжесть преследовали ее, только нарастая в давлении, и медленная, тягучая дуга прогнувшейся женской спины стала настолько неестественно крутой, что, казалось, должна была разломиться посередине. Но она не разломилась.

Элизабет лишь успела разглядеть отброшенные в свободном падении волосы — густые, волнистые, они спадали, стремясь соскользнуть вниз, на противоположную сторону дивана, на его мягкие, готовые все податливо принять подушки, потом снова щеки, снова губы, сомкнувшиеся в каком-то нелепом, округленном движении, и снова пальцы, которые, казалось, по-прежнему, так и не найдя пристанища, живут своей отдельной, лихорадочной, болезненной жизнью. А потом медленно, будто не решившись окончательно, лишь пытаясь попробовать, нащупать, закинутая назад голова начала утаскивать за собой все тело; еще мгновение оно удерживало неестественную, застывшую позу, а потом, разом сдавшись, полетело вниз.

Перегнувшийся вперед мужчина тоже рухнул вслед за женщиной, так и не отделившись от нее, и Элизабет не смогла проследить в промелькнувшей неразберихе тел, как так случилось, что оба они оказались поперек дивана в крайне неловком положении — ноги их не умещались и по-прежнему нелепо болтались в воздухе. Было даже непонятно, как они могут терпеть подобное неудобство, как они не замечают его?

Почувствовала ли Элизабет смущение? В конце концов, эта женщина в сбившейся, сползшей с колен ночной рубашке с оголенными, беспомощно задранными вверх, нелепо растопыренными в воздухе ногами была ее мать. Казалось бы, дочь должна была испытать неудобство, растерянность, даже испуг.

Но Элизабет не испытала. Она забыла, что женщина, неловко вдавленная головой в подушки, прижатая большим, тяжелым мужским телом и замершая под ним в противоречивом конвульсивном ожидании, и есть ее мама, ее спокойная, рассудительная, привычная мама. Нет, сейчас внизу раскинутая, разбросанная по плоскости дивана, с горящими щеками, сомкнутыми ресницами, под которыми все равно читался помутненный, отрешенный взгляд, находилась неведомая, неизвестная ей женщина.

Собственно, это и оказалось самым главным открытием для Элизабет — именно тот факт, что, оказывается, в любви (а то, что перед ней разворачивалась сцена любви, было несомненно) человек перестает быть самим собой, он преображается до неузнаваемости, превращаясь в другое, неведомое существо. Или, во всяком случае, выглядит таким со стороны.

А возможно, как раз наоборот. Возможно, именно потому, что женщина внизу и была ее матерью, Элизабет почувствовала не только сопричастность, но и странно будоражащую волну, которая сдавливала ее грудь, лишь иногда отпуская, и тогда легкие пытались стремительно вобрать в себя воздух, но тот почему-то оказывался пустым, слишком разреженным для дыхания.

Ощущение было настолько неожиданным, что Элизабет при других обстоятельствах наверное бы испугалась, подумала бы, что заболела, может быть, даже расплакалась. Но сейчас она даже не заметила своего возбуждения. Оно оказалось частью сместившегося, потерявшего реальность мира — ночи, вползшей через окно в дом, затуманенного света притихшей лампы в углу гостиной, мебели, из-за нечеткости контуров утратившей свою заостренную угловатость, но главное — двух больших взрослых людей на диване, потерявших знакомый, привычный человеческий облик.

Между тем ноги женщины сползли со спинки дивана и зачем-то широко разъехались по подушкам, а халат соскочил с плеча и оголил его, и еще... Нет, ничего не было видно, замершее женское тело было почти полностью покрыто широкой мужской спиной, которая, похоже, пыталась куда-то уползти, двигая плечами, бедрами, даже ногами, но безуспешно, потому что не продвигалась ни на дюйм. Вообще под этими плечами, но еще больше под потерявшим форму и порядок смятым пиджаком происходило какое-то мельтешение, судорожное и отрывочное, которое отсюда, с высоты наблюдательного пункта, разглядеть было невозможно.

Потом раздался стон, он казался слишком звонким для маминого (если это была мама) голоса, слишком не связанным с окружающим миром, даже потусторонним, но не приглушенно подземным, а космическим, воздушным, настолько чистая была взята нота. И тут же мамины руки соскользнули со спины на плечи мужчины и стали упираться в них, отталкивая, отрывая от себя, — Элизабет даже разглядела взбухшие вены на напряженных маминых руках. Динино тело дернулось, пытаясь выскользнуть из-под подминающей его тяжести, лицо ее выглянуло из-за мужского затылка, покрытого просвечивающей шевелюрой, и сразу на поверхность всплыли мамины губы, они двигались и шевелились в горячечном шепоте.

Элизабет пригляделась — нет, губы были не мамины, слишком полные, слишком округлые, опухшие, будто маме подменили рот на чужой — неприлично большой, вывороченный, искаженный до неузнаваемости.

— Не надо, — шептали губы, — слышишь, не надо. — Потом они останавливались и лишь после передышки добавляли: — Отпусти. — Снова передышка, и снова одно и то же: — Не надо, слышишь, не надо...

В ответ раздавался мужской шепот, он был быстрый, однообразный, со сдавленным, шипящим присвистом, — Элизабет легко разложила его на слова. Вернее, на всего одно слово:

— Почему, почему, почему, — почти в такт вырывалось одно за другим.

Мама снова вдавливала ладони в широкие неподдающиеся плечи, зажмуренные глаза ее сдавливались ресницами еще сильнее, так что все лицо исказилось не то от боли, не то от отчаянного напряжения.

— Отпусти. — А потом снова пауза и снова: — Ну, не надо, слышишь, не надо.

Так продолжалось недолго, минуту-две, хотя все зависит от того, кто и как измеряет время, перед Элизабет, например, медленно, зияя черными дырами, проползла вечность. Но и она закончилось, потому что мужской шепот потерял однообразие, в него влилась новая колкая скороговорка:

— Чертовы пуговицы. — Дыхание, движения ногами, бедрами, достаточно комичные движения, особенно когда смотришь сверху. — Подожди секунду. Черт, не получается. Помоги.

— Нет, не здесь, — ответила женщина своими большими, ненатурально вывернутыми губами. — Пусти. Не здесь, — снова повторила она.

— Почему не здесь? Какого черта? — раздался мужской шепот, и поясница снова дернулась в нелепой болезненной судороге. — Столько одежды, а...

— Нет! — почти пронзительно, как будто находясь на режущем острие, повторила женщина. — Пусти, не здесь.

— Да почему, черт возьми? — Мужской шепот звучал контрастно глухо.

— Лизи может проснуться. Пусти, — ответила женщина и еще сильнее надавила ладонями на навалившиеся плечи, и те наконец поддались и отстранились. Да и все массивное тело вдруг сразу съехало, сползло в сторону, а потом тяжело облокотилось на спинку дивана.

Элизабет вздрогнула, услышав свое имя. Само его звучание, застрявшее, казалось, в онемевшем воздухе, возвратило ее сознание, а вместе с ним зрение и слух в ночной дом, расставило по местам окружающие предметы, развело в стороны свет и тени. И оказалось, что мама уже поднялась с дивана и пытается запахнуть халат, но у нее не получается, так мелко вздрагивает ее тело, будто от убийственного, нестерпимого холода. Беспомощные руки снова и снова нащупывали расходящиеся полы, будто ничего в мире не было сейчас важнее — только этот сбившийся халат, только руки, так и не унявшие до конца лихорадочную дрожь.

— Куда пойдем? — напомнил о себе Рассел, он тоже поднялся, снова придвинулся к маме, их лица снова сошлись, хотя мамины руки продолжали судорожно теребить непослушную шелковую материю.

— Ко мне, в спальню, — ответил женский голос, а потом еще: — Я так долго была одна, я волнуюсь, я забыла, как бывает.

Потом они шли к лестнице — медленно, едва передвигаясь, потому что после каждого с трудом пройденного шага им приходилось останавливаться и снова врастать друг в друга как бы в поисках взаимной опоры, и Элизабет успела отползти назад в свою комнату совсем неслышно и затворить за собой дверь, оставив лишь крохотную щелочку. Затем она услышала шаги, слитые попарно, будто один массивный, тяжелый человек пытался утопить свои ступни в мягком ворсистом ковре лестницы.

Элизабет замерла у двери, даже дыхание ее, казалось, остановилось, даже биение сердца притихло; через узкую щелку неплотно закрытой двери она видела лишь полоску коридора перед своей комнатой. Сначала медленно вытянулись тени, а потом появилась мама, поддерживаемая, а лучше сказать —

висящая на Расселе, который одной рукой обхватывал ее за талию, а другой подпирал мамин одеревенело согнутый локоть.

Казалось, что мама не в силах идти сама, не в силах нащупать следующий шаг, казалось, это Рассел вел ее, не тащил — ведь она нисколько не упиралась, — а именно вел. Лишь на мгновение перед Элизабет промелькнуло мамино лицо, но она успела разглядеть отрешенный взгляд, опустевший, ничего ровным счетом не выражающий, который, казалось, пытался что-то найти, что-то иллюзорное, доступное только ему одному, но не мог. А еще сморщенный как будто в размышлении лоб, приоткрытые в поиске воздуха раздувшиеся губы; они подрагивали, втягивая с натугой, со сдавленным шумом тяжелый, неподъемный воздух — так бывает у больных людей, замученных приступами астмы.

Потом Элизабет услышала, как открывается дверь маминой спальни, тут же послышалось какое-то трущееся шуршание, будто одеждой об одежду, и сразу дверь закрылась плотным, пробочным хлопком.

Первым порывом Элизабет было снова выскользнуть за порог своей комнаты, неслышно прошмыгнуть по коридору и уткнуться в дверь маминой спальни в попытке уловить изнутри хоть какие-нибудь звуки и по ним уже, раз невозможно подсмотреть, домыслить, довообразить происходящее в комнате. Но она остановила себя. Нет, было бы унизительно стоять на коленках, прислонившись ухом к стыку двери, подслушивать, шпионить. И Элизабет вернулась в свою кровать, и легла, и вытянула в блаженстве сразу обессилевшие ноги.

Она лежала с открытыми глазами и даже не пыталась разобраться в скоплении заполнивших ее чувств. Единственное, что она ясно ощущала, — это переполняющую ее волну радости, во-первых, от пережитого приключения, а во-вторых, от непонятного, но чрезвычайно важного знания, которым она овладела. Да и вообще, бог знает, отчего ей было радостно, но засыпала она со счастливой улыбкой на губах.

С этого дня, вернее с этой ночи в жизни Элизабет произошли два существенных изменения.

Прежде всего в ее жизнь, в повседневную, обыденную жизнь вошел Рассел, хотя бы потому, что он постоянно присутствовал в их доме, постоянно находился при маме. Они то садились в машину и внезапно уезжали, а потом так же внезапно возвращались, то просто сидели либо на кухне за кофе, либо в гостиной, и когда Элизабет возвращалась из школы, она всегда заставала их вдвоем, и по дому разливалась теплая, уютная волна, словно воздух наполнился легкой, сквозной невесомостью.

Радость исходила не только от Рассела, который был, как всегда, весел и полон затей и громкого задорного смеха, но и от мамы тоже. Ее лицо утратило прежнюю порой несдержанную нервозность и наоборот, приобрело расслабленность и мягкость линий. Даже голос расправился ровными интонациями, словно Дина постоянно пыталась кого-то уговорить, а глаза наполнились ласковым, тихим сиянием, оно даже в солнечный, яркий день добавляло света. Да и вообще все в маме стало размеренно и умиротворенно и даже немного лениво.

Другое изменение, происшедшее в жизни Элизабет, было связано с ее мыслями, с ночными видениями, с мечтаниями, которые имели лишь расплывчатые, неопределенные формы, но все равно тревожили ее. Конечно, они несли в себе романтический заряд, но тем не менее к ним каждый раз примешивались новые странные, расплывчатые, непонятные ей ощущения, которым невозможно было противостоять, но от которых становилось необъяснимо приятно, будто она съела самое вкусное в мире пирожное.

Эти ночные фантазии, в которые она погружалась, особенно перед сном, когда темнота обводила контурами холмы застывших предметов в комнате, хоть и смутно, но запомнились Элизабет на всю жизнь. Многими годами позже, вспоминая свои детские мечтания, она каждый раз удивлялась, каким образом, будучи совсем маленькой девочкой, она могла догадываться о том, что знать ей было совершенно невозможно.

Собственно, было бы неправильно называть истории, которые Элизабет рассказывала себе перед сном, фантазиями или мечтами — они были именно историями, мгновенно придуманными и рассказанными, с явным визуальным рядом, озвученным волнующими диалогами, переплетающимися в ее возбужденном сознании, пока она, утомленная, наконец-то не засыпала.

Эти истории стали ее детской тайной, секретной второй жизнью, которая значила ничуть не меньше, чем привычная реальная жизнь. Поэтому днем она ждала, часто с нетерпением, приближающегося вечера и продолжения не законченных вчера сюжетов. Она никому о них не рассказывала, даже маме, возможно, боясь, что истории покажутся той подозрительно тревожными, ведь Элизабет догадывалась, пусть и интуитивно, что о таком девочкам думать не полагается. Во всяком случае, с точки зрения взрослых.

Впоследствии Элизабет не раз задавалась вопросом, являлись ли ее вечерние фантазии непосредственным результатом той самой подсмотренной в гостиной сцены? Или же просто пришло время ее ранней сексуальности, которая лишь ждала толчка, чтобы проявиться, подняться на поверхность, пусть пока только в поздние, уже перемешанные с ночью минуты?

Так месяц проходил за месяцем. Элизабет жила в своем двойном мире: днем, как обычно, школа, подруги, уроки, прочие заботы, которые определяют жизнь девочки, входящей в подростковый возраст. А вечером — очередная история, где присутствовало множество героев, зато героиня была всего одна — она сама.

Постепенно она привыкла к такой жизни, как и к тому, что Рассел находился в доме почти каждый день и каждую ночь, и когда утром перед школой Элизабет еще в ночной рубашке, непричесанная, забегала на кухню, чтобы наспех проглотить кусок овсяного печенья, запивая его холодным молоком, она почти всегда заставала Рассела, сидящего за чашкой кофе с «New York Times» на коленях.

Он поднимал всегда веселые глаза, усы его, как бы приклеенные к губам, растягивались в приветливой улыбке, и говорил всегда одно и то же, что-то типа: «Как спалось несравненной принцессе?» Несмотря на ранний час, он, в отличие от Элизабет, был причесан и свеж; синий халат из щекотной на ощупь махровой ткани в сочетании с тоже синими, хотя и другого оттенка, пижамными брюками придавал всей его позе вальяжную расслабленность. Тут же появлялась мама, всегда теперь улыбчивая, она не могла и не стремилась скрыть своего счастья, и счастье это было направлено не только внутрь ее самой, не только на Рассела, но и на дочь тоже.

И все же что-то изменилось в отношении Элизабет к Расселу. Она уже не могла, как прежде, подбежать и со всего разбега влететь в его широкое тело, обхватить руками, уткнуться лицом в темноту, прижаться и на мгновение раствориться в ней. А когда он нагибался, не могла уже обвить его шею и повиснуть на ней, подогнув ноги, и склонить, утащить его ниже, к себе, чтобы безотчетно чмокнуть в щеку. Раньше могла, а теперь уже нет. Будто между нею и им возникла какая-то преграда вроде железной решетки, и она не могла ее преодолеть.

Так прошло месяцев семь или восемь, короткая весна быстро обернулась ранним летом, природа щедро налилась яркими цветами, среди которых, конечно, доминировал зеленый, была суббота, солнце палило не хуже, чем в конце июля, и было решено поехать на озеро. Потом еще долго Элизабет не могла забыть этот день; он ничего не изменил в ее жизни, но потряс изрядно.

Они взяли с собой подругу Элизабет, Хэну, и вчетвером подъехали к озеру в мамином «Форде Виктория», затем, как обычно, прямо на траве расстелили широкую, специально предназначенную для пляжа подстилку, вынули парочку складных стульчиков из багажника. Элизабет с подругой тут же скинули легкую одежду, которая еще с утра обременяла жаждущее солнца тело, и сразу бросились в воду. Она уже прогрелась и приняла их, легко расступившись. Был чудесный день; озеро, окруженное сосновым бором, покоилось, отражая лучи, играя бликами; оно как чаша, залитая расплавленной драгоценной смесью золотого и серебряного, застыло не шелохнувшись и лишь расступалось тяжелыми кругами перед все еще разгоряченными плещущимися в воде девочками.

В какой-то момент энергия, и до того переполнявшая Элизабет, взяла свое, и она поплыла неровным, немного дерганым брассом сначала вдоль берега, а потом оттуда, где вода зарастала скользкими на ощупь, облепляющими ноги лилиями, к середине. Ей удалось проплыть ярдов шестьдесят, когда она почувствовала скованность движений, — значит, она стала уставать и пора было поворачивать к берегу.

В принципе она хорошо плавала, особенно для ее возраста, и могла перейти на саженки, хотя предпочитала брасс — устаешь меньше, да и голову не мочишь. Но сейчас, видимо оттого, что она слишком быстро плыла, приходилось напрягать шею, чтобы удерживать голову над поверхностью озера. Почему-то, хотя не было ни волн, ни даже ряби, в рот стала набираться вода, и хотя Элизабет еще не захлебывалась, выплевывать мокрые, перемешавшиеся со слюной сгустки становилось все труднее.

И тут Элизабет стало страшно; плоская в своей простоте мысль «А что, если я утону?» сначала легко вошла в ее сознание, а потом мгновенно разошлась по телу, сковала его. Это нелепое и в общем-то нереальное предположение, от которого поначалу так легко можно было избавиться, вдруг представилось очевидностью; тут же показалось, что ей никогда не проплыть эти последние оставшиеся ярды, и отчаянный, животный страх застучал учащенным сердцебиением.

Элизабет попыталась затянуть в себя побольше воздуха, но воздуха не оказалось, вместо него по легким растеклась вода, и Элизабет подавилась ею и от неожиданности снова глотнула, но снова лишь тяжелую воду, и горлу и особенно груди стало больно, будто в них попала не вода, а нечто едкое, горячее, разрывающее легкие изнутри. Прошло лишь мгновение, но Элизабет уже знала, что она тонет, и от душащего, навалившегося страха она взмахнула безнадежно руками и снова увидела отчетливый берег, зеленую траву, людей, сидящих на подстилке совсем недалеко, и она заработала ногами, пытаясь сбросить, преодолеть их бессилие. Ей удалось вывернуть наизнанку сдавленные легкие, отплевывая воду ртом и носом, и у самой поверхности, почти уже пересекая подрагивающую линию, все же успеть захватить глоток чистого, легкого воздуха. Растекшись по телу, он вытеснил застывшую воду, и Элизабет снова взмахнула руками, пытаясь придать движение своему телу, направить его к берегу. Он казался совсем близким — отчетливый, яркий разноцветный по сравнению с замутненной толщей воды, и Элизабет сделала еще одно движение, затем еще одно, и еще. Берег снова придвинулся; справа, немного в стороне, плескалась Хэна, она что-то кричала ей, смеясь, и тут Элизабет поняла, что доплыла, что не утонула и теперь уже не утонет.

Ей захотелось почувствовать под ногами твердую землю, опереться на нее, выйти из-под власти коварной воды, столь ненадежно удерживающей ее тело, и она в полной уверенности, что ноги вот-вот нащупают твердость дна, с силою направила их в глубину. И тут же потерялась в мутной непрозрачности. Сразу всему телу стало необычайно холодно, будто что-то извилистое заползло под кожу и разбежалось во все стороны, и внутрь ворвалась вода — уже не глоток, как прежде, а целая лавина, и все потому, что рот разом превратился в обыкновенную воронку, втягивающую в себя бесконечные завихрения воды, даже не пытаясь препятствовать.

Что успела почувствовать Элизабет? Прежде всего удивление: «Где же дно?» — мелькнуло в голове, и тут же сразу ужас — не страх, как недавно, а душераздирающий сдавливающий ужас охватил ее, делая все абсолютно бессмысленным и прежде всего ее саму, Элизабет, — бессмысленной, ненужной, несуществующей. И еще боль, резкая, какой она никогда не испытывала, словно хищное животное заползло в грудь и выедало там безжалостно нутро.

Боль тут же размножилась и покрыла все тело, ударила в голову, выдавливала виски, нос, глаза, и они уже, казалось, готовы были выпасть, выкатиться, чтобы впустить внутрь еще больший поток воды. Ступни ног все еще вытягивались в струнку, еще пытались носочками обнаружить упор дна, но его не было, и ничего не оставалось, как погружаться все глубже в мутную, сгущающуюся темноту. Вверху еще маячило небольшое окошко света, отгороженное и притушенное толщей воды, оно казалось недостижимо далеко, настолько далеко, что до него немыслимо было дотянуться. Рядом скользила стайка извилистых змеек, они подрагивали длинными гибкими телами, а потом застывали, как натянутая тетива, и Элизабет не могла догадаться, что эти холодные существа — не что иное, как стебли лилий, прикрепляющие красивые головки цветов к несуществующему призрачному дну.

Одна из змеек скользнула под Элизабет, пытаясь опутать и без того недвижимые ноги, и ее липкое, совершенно бесчувственное касание вызвало в замершем сознании Элизабет новую волну ужаса, выводя его за рамки самого сознания, за рамки ее отяжелевшего, набухшего тела. Ведь сразу стало понятно, что это змейки утаскивают ее вниз от света, от людей, от мамы, чтобы там, внизу, в царстве ледяного, бесчувственного ила разорвать ее на куски.

Эта картина настолько ясно встала перед глазами Элизабет, что ноги в ужасе попытались избавиться от опутывающих оков и последним взбунтовавшимся усилием стали раздвигать воду.

Оказалось, что нависшее над головой водяное скопище не так уж непреодолимо, и Элизабет снова увидела свет и попыталась глотнуть воздух, который, казалось, был рядом, вокруг, везде. Но так только казалось. Потому что горло давно уже было забито жидкостью, и хотя Элизабет пробовала вдохнуть, ее сдавленные легкие не хотели расправляться, и пока она отхаркивала поднимавшуюся по горлу слизь, руки перестали удерживать голову над водой и она опять погрузилась вглубь. И все повторилось — Элизабет снова заскользила вниз к недоступному, несуществующему дну.

Но тело, видимо безотчетно, еще пыталось спастись, и ноги и руки продолжали вытворять нелепые, бессмысленные движения, и когда Элизабет снова показалась на поверхности, внутри нее родился крик, отчаянный, пронзительный: «Помогите!» Крик рвался наружу, горло пыталось свести его в членораздельный звук, но звука не получилось. Вместо него с губ сорвался и рухнул, не долетев даже до воды, зажатый, едва различимый хрип, как будто натянулись до предела и тут же лопнули голосовые связки и изуродованное горло не умело больше рождать звуки. Только этот глухой, едва различимый хрип.

Элизабет снова попыталась закричать, но не успела, ее руки, судорожно колошматившие по воде, вспенивая ее, фонтанируя брызгами, не могли удержать на поверхности свинцовое тело, и она опять погрузилась под воду. И опять холодные, скользкие змейки принялись за свое — опутывать, сковывать, наливать ледяной беспомощностью и утаскивать за собою вниз.

Еще несколько раз Элизабет удавалось подняться над водой, еще несколько раз она удивлялась тому, как близок берег, а она вот так глупо тонет вблизи от него. Потом слово «утонуть» перестало удивлять и стало реальностью, утомительное сопротивление показалось бессмысленным, ведь все равно невозможно дышать и единственное, что остается, — это привыкнуть к безумно распирающей, все поглотившей боли и примириться с ней.

Элизабет опускалась вниз. Она еще видела, как плавно обогнав ее тело, скользнули вниз руки; змейки вокруг нее волновались и вздрагивали от возбужденного напряжения, темнота быстро сгущалась, как будто ночь затаилась в тягучем водяном мире с тем, чтобы потом, позже, выйдя на сушу, заполонить и ее. Наконец ноги Элизабет коснулись дна, но это уже было не важно, потому что боль отступала. Она отдалялась, унося с собой сознание, а значит, можно было успокоиться на мягком ворсистом дне, которое обнимало, укачивало, убаюкивало.

А потом что-то вдруг изменилось, плавность стала дерганой, змейки, которые только что дрожали стоймя, отпрянули в испуге, с самого дна поднялся бестолково кружащийся водоворот, отметая, отбрасывая Элизабет. В уши надавило тяжелым грохотом, а водоворот все усиливался, переламывая тело в пояснице, возвращая боль — теперь она ранила не только изнутри, но и снаружи, сверху, с боков, вытягивая, расплющивая. И сразу разразилась неимоверная яркость, она оказалась лишь добавкой к боли, даже через закрытые веки она корежила голову изнутри.

Тут же возникло мелькание, будто она едет в быстром поезде и высовывается из окна, а боль все нарастала, из груди в голову и снова в грудь она как будто перекатывалась, плескалась внутри. А затем спешка прошла, затихла, сменилась на едва различимый крик, который раздавался где-то далеко-далеко, едва различимо, будто его умышленно заглушают. Кто, что? Наверное водопад, потоки воды, и крик не может пробиться, и поэтому он глухой, заторможенный, словно играет медленная пластинка на плохом граммофоне. А потом сразу, без перехода, крик прорвался пронзительной лавиной, он наваливался, буравил голову снова и снова, еще истошнее, еще невыносимее, и лишь потом, вдогонку докатился едва осознанным смыслом.

— Лизи! Лизи! Лизи!!! — вопил визжащий, полный истерики голос.

— Положи подушку под голову, — ответил другой, не такой резкий, но очень торопливый, с тяжелой одышкой, дерганный, будто не успевающий.

— Что с ней?! — раздался новый непереносимый крик.

— Убери руки, не мешай, — сменил его торопливый.

— Что с ней? Что, что?! — срывался в панике женский, всхлипывающий голос. А потом сразу без перехода: — Она дышит? А? Дышит? — И тут же еще сильнее: — Она не дышит! Ты видишь? Она не дышит! — И снова все накрылось истеричным криком.

— Не знаю, может быть, не знаю, — снова торопился мужской голос, он был намного дальше, чем тот другой, женский.

— Пульс, пощупай пульс. Пульс есть? — снова заголосил голос вблизи.

— Не знаю, нет времени, — ответил далекий голос, но он откатился еще дальше и теперь уже едва долетал.

А потом на Элизабет обрушилась чугунная гиря, нет, не чугунная, еще тяжелее — невыносимая, тупая, расплюснутая гиря. Она ломала грудную клетку и, наверное, сломала ее, и от пронзительной боли хотелось вскрикнуть, но вскрикнуть было невозможно, потому что живая мягкая пробка плотно закупорила грудь. Давление все нарастало, оно становилось невыносимым, оно требовало выхода, и пробка наконец поддалась, пусть не вся, лишь частично, и не крик, скорее стон, но все же вытек наружу. А вместе с ним пена — мокрая, пузырчатая, она поднималась полупрозрачным шаром из губ и тут же лопалась, чтобы смениться еще одним пузырем.

Давление отпустило, но тут же навалилось новым толчком, еще более тяжелым, более резким, чем предыдущий, и он отколол еще одну часть пробки, и пена вперемешку со стоном снова брызнула рыбными пузырями — Элизабет чувствовала вязкую, липкую струю, выливающуюся из разинутого до предела рта. Ее выворачивало, выкручивало наизнанку, и следующий спешащий толчок утаскивал ее внутренности все выше и выше вверх вместе с новым стоном туда, к открывшемуся, болезненно вздрагивающему горлу.

— Она умерла? — снова взвился душераздирающий вопль. — Да? Она умерла? Она умерла! Умерла! Умерла! — Он бился в воздухе, будто заклинал, будто хотел убедиться в своей правоте, будто только и ждал подтверждения.

Но ему никто не ответил.

Взамен что-то, похожее на тень большой птицы, приглушило свет, и на губах появился ободок — мягкий, податливый, он вздрагивал, щекоча. И снова боль, теперь резкая, будто вращают ножом в груди, самым острием, перекручивая, разделяя на части нежную ткань, и снова давление, но теперь изнутри, постепенное — оно расправляло легкие, вздымая грудь, как будто ее накачивали спрессованным, сжатым воздухом. И тут же еще один толчок сверху, очень быстрый, тяжелый, слишком тяжелый, чтобы пробка смогла его удержать; и наконец она вместе с плотным, накачанным воздухом вылетела, выбитая наружу.

Элизабет так и не успела разобрать, что же она ощутила сначала: освобождение от чужеродной массы внутри или исчезновение растворяющейся в воздухе боли? Или струю воды, которая теперь уже не пузырилась, а фонтанными толчками била из ее измученного горла?

— Спаси ее, спаси, — причитал безумный голос. — Слышишь, только спаси, все для тебя, всегда, все что угодно, когда захочешь, слышишь? Только спаси... — голосила женщина, но никто ей не отвечал, не разубеждая, но и не обещая. Вместо ответа мягкое, щекотное окаймление снова сошлось на губах Элизабет, и теперь она, почти полностью возвращенная к сознанию, ощутила, как смялись ее вялые губы, а потом словно стая сильных птиц влетела внутрь и разлетелась по ее груди, достигая самого отдаленного уголка, доставая, выталкивая оттуда остатки враждебной, застоявшейся воды. И тут же новый толчок в грудь перевернул Элизабет на бок, и она зашлась хриплым, мучительным кашлем и увидела свою растворенную в воде слюну, почему-то немного розовую, но не испугалась, так как поняла, что не умерла.

Потом она увидела небо; оно было очень далекое и очень глубокое, и Элизабет хотела было приподняться, но не было сил даже двинуть головой, она только могла лежать и смотреть в распахнутое, до предела открытое небо. И еще дышать. Ах, как же хорошо было дышать самой, просто набирать в грудь прозрачный, легкий воздух, чтобы тут же, выделив его живительную часть, насладившись ею, снова впитывать в себя чудесный, бодрящий эликсир.

Никогда прежде Элизабет не получала такого наслаждения от воздуха, от простой способности дышать; она и не догадывалась даже, что обыкновенный воздух может приносить столько физического удовольствия, что это и есть самое естественное и самое большое счастье. Просто лежать и дышать и смотреть, не двигаясь, в небо, даже не моргая, замерев.

Конечно, тогда, лежа на спине, она не могла ни отчетливо думать, ни оценивать, ни обобщать. Лишь значительно позже Элизабет удалось вспомнить и расставить по порядку первые ощущения возвращающейся жизни. На протяжении многих дней она перебирала их по частицам, собирая заново — слух со зрением, боль с освобождением, — потом всплыло невероятно глубокое небо, вспомнилось счастье от входящего в легкие воздуха. Именно тогда Элизабет и удивилась парадоксу истинного счастья — кто бы мог подумать, что простая возможность дышать и есть счастье! Потом она не раз пыталась воссоздать свою связь с воздухом, старалась заново испытать восторг от элементарного вдоха, но уже не могла. Во всяком случае, в полной, только ей известной мере.

Тогда же или даже еще позже она поняла, что вот так нелепо и в общем-то случайно она в первый раз почувствовала на своих губах мужские губы. Так она вспомнила и про мягкий упругий ободок, и про податливость своих собственных губ, и про щекотание, по-видимому, нежестких усов, даже запах одеколона, исходящий от гладко выбритого холеного лица.

На протяжении нескольких лет Элизабет представляла в ставших давно привычными ночных фантазиях банальную сцену, как будто подсмотренную, а потом перенесенную в жизнь из плохого фильма: распростертое, безжизненное тело на земле (это как бы она, но не совсем — возраст не определен, да и черты лица не вполне различимы), над телом бьется большой сильный мужчина (это как бы Рассел, но тоже не совсем он). Потом мужчина наклоняется к лицу девушки, его губы нависают над ее губами, они замирают на мгновение, а потом медленно соединяются.

Конечно, из романтической картинки исчезли розовые пузыри изо рта, и ужас ожидаемой смерти, и режущая боль, и холод сковывающей воды. Ужас, боль, смыкающаяся над головой вода, растворенный до исчезновения свет — все они находились в другом виде́нии, в ночном, и Элизабет часто просыпалась от маминого истошного вопля — пустого, лишенного интонации, обращенного, казалось, только в немое бессмысленное пространство. И уже сидя на кровати с открытыми, полными мутной растерянности глазами, потерявшись во времени и реальности, она видела мамино лицо — смертельно белое, пергаментное, как будто посыпанное густой засохшей пудрой, — а в ушах звенел сбившийся, задыхающийся мамин голос. Голос давился фразами и пытался выплеснуть их все вместе, общей кучей, но и у него не получалось, и оттого, наверное, он выбивал их из себя по слогам, по раздавленным разорванным частичкам. И Элизабет ощущала поднимающуюся теплую волну, и ей хотелось плакать от чувств, от своей любви к маме и от маминой любви к ней.

Несколько лет Элизабет даже не могла приблизиться к воде, да и потом ей потребовалось время, чтобы пересилить себя и войти в нее. Постепенно она преодолела себя и снова стала плавать, разрезая послушную воду уже более ловкими, окрепшими руками. Но страшные ночные кошмары еще долго преследовали ее, как и совершенно другое виде́ние, где взрослый большой мужчина склоняется над беспомощной девушкой, распростертой на земле.

Еще одно событие, которое ясно запомнилось Элизабет, произошло приблизительно через месяц. Лето уже было в полном разгаре, в природе доминировали зеленые цвета, ну и еще, если смотреть вверх, — голубые. По дому растекался вечер буднего дня, впрочем, будничность его не имела значения — было лето, а значит, каникулы, и Элизабет ложилась спать позже обычного.

Они были вдвоем — она и мама, Рассел отсутствовал, и Элизабет не знала, где он и когда придет, вроде бы он уехал по делам в город. Они сидели в гостиной: мягкий притушенный свет в комнате, казалось, вобрал в себя тени уставших за день домашних предметов: изящный буфет у стенки, два кресла, вместе с диваном окружившие приземистый кофейный столик, а еще легкие занавески на окнах, впитавшие в себя за длинный день мешанину солнечных бликов; те сами, казалось, искали убежище в ячейках тонкой, прохладной материи. Но теперь, вечером, видимо отдохнувшие, они отрывались от приютивших их занавесок, разбавляя приглушенным светом сгустки навалившегося на комнату вечера.

От этого мягкого, зыбкого света мамино лицо выглядело расслабленным, его черты будто сгладились, придав ему еще большую мягкость.

— Как ты думаешь, Лизи, — спросила мама, — нам будет хорошо, если Рассел переедет к нам жить насовсем?

Элизабет не поняла вопроса — Рассел и так находился в их доме целыми днями.

— Ты выйдешь за него замуж? — догадалась она.

— Не знаю... наверное, — произнесла мама в раздумье, — наверное, да. Я думаю, да. Хотя мы не говорили с ним об этом.

Элизабет молчала, она хотела что-нибудь сказать, подбодрить маму, но не знала, что именно.

— Понимаешь, — продолжала мама, — мне кажется, что так будет лучше для всех нас. И для меня, и для тебя тоже. Он ведь хорошо относится к тебе, мне даже кажется, что он любит тебя. Как ты думаешь?

— Не знаю, — ответила Элизабет.

Она действительно не знала. Ей было безразлично, переедет Рассел или нет, ей больше хотелось смотреть на маму, на ее любимое, сейчас особенно выразительное лицо, на ее глаза, полные лучистой, заботливой нежности. Настолько заботливой, что можно, казалось, поймать в ладонь пучок тонких лучиков, зажать их посередине и потом, уведя от маминых глаз, носить с собой и освещать ими, как фонариком, темноту.

— Когда он переедет к нам? — спросила Элизабет.

— Наверное, через месяц. Ему надо завершить там, в городе, какие-то свои дела. Но я хотела сначала поговорить с тобой. Мне важно знать твое мнение. Как ты относишься к Расселу?

— Нормально, — ответила Элизабет и, почувствовав, что этого недостаточно, добавила: — Хорошо. Конечно, хорошо, мама.

— Но он нравится тебе? — спросила мама.

— Конечно. — Элизабет пожала плечами. — Он красивый, умный, веселый. Потом он еще...

Элизабет видела, как с каждым ее словом лучики, струящиеся из маминых глаз, становятся все ярче и ярче, и только ради них, этих веселых, счастливых лучиков, ей хотелось продолжать:

— Потом он еще всегда, как это сказать... — Она задумалась, подбирая ускользающее слово, но так и не подобрала. — С ним легко. Он всем нравится, всем девочкам в классе. Они говорят, что нам повезло, и тебе, и мне. Многие мне говорили, и Хэна тоже. Он беззаботный, — вдруг выпрыгнуло на поверхность утерянное было слово.

— Правда, девочки так говорят? Смешно, — улыбнулась мама.

— Правда, — подтвердила Элизабет. И они замолчали. Элизабет не знала, что сказать еще, и смотрела на маму, ей казалось, что мама тоже не знает. Или знает, просто не может решиться.

— Понимаешь, Лизи, я люблю его. — Мама опустила глаза и стала разглядывать свои руки, сложенные на коленях. — Я уверена, ты поймешь, ты уже взрослая и умная девочка и наверняка понимаешь, что так бывает, когда мужчина и женщина любят друг друга.

Элизабет кивнула. Мама говорила медленно, сбиваясь на паузы, видно было, что она с трудом подбирает слова.

— Да, мама, я знаю, — сказала она, чтобы помочь Дине. Та только кивнула.

— Так вот, мне кажется, что и он любит меня.

«Как папа?» — хотела было спросить Элизабет, но вовремя осеклась. Она сама чувствовала, наверное интуитивно, что про папу сейчас лучше не вспоминать. Хотя спросить все же хотелось. Почему? Может быть, как раз для того, чтобы увидеть мамину внезапную растерянность, ее замешательство?

Ну, а что касается Рассела, то и так было очевидно — маму нельзя не любить. Ведь она была самая красивая не только среди всех остальных мам, но и вообще среди всех женщин, которых Элизабет знала: в школе, например, или просто встречала на улице. Порой она видела красивую женщину и сразу же безотчетно сравнивала ее с мамой — только лишь для того, чтобы тут же с гордостью признать, что мама все же лучше.

Вот так упрощенно оценивала мир Элизабет своими детскими глазами. Хотя вообще-то красота часто вторична, и далеко не она определяет женскую притягательность. Притягательность — загадочное свойство, его непросто объяснить, разложить на составляющие. Поди разберись, что именно останавливает взгляд, поди найди то неуловимое, что выделяет из толпы и манит за собой.

Не так ли в живописи, когда одно полотно, единственное среди многих, вдруг тормозит рассеянное внимание и приковывает к себе и не дает оторваться? И вглядываешься, и пытаешься понять, выделить, чем именно, какой деталью оно завораживает, в чем секрет, и стоишь застывшим истуканом, и силишься и не можешь понять. Потому что притягательность неуловима, она в нюансах, в едва различимых мазках, каждый из которых бессмысленно неразборчив, они лишь в совокупности составляют то, что остается во времени.

Так было и с Диной: мягкая пластичность скользила в ее теле — в осанке, в походке, в округлости плеч, рук, груди; поэтому ей шли плотно облегающие платья или зимние толстые, тоже плотно облегающие свитера. Они выделяли и без того сглаженные переходы, и во всем теле доминировала плавность, будто плотная, непрерывная струя водопада выгнулась упругим, прозрачным, светящимся потоком, и стоит только подставить под него руку, как он разобьется на отдельные податливые струи.

Они еще поговорили, мать и дочь, — о будущем, о предполагаемом счастье. В общем-то обычный разговор, когда молодая женщина делится своими мечтами, — типичная, можно сказать — банальная история. Но в памяти Элизабет остался и сам разговор, и мама, ее лучистый, налившийся радостным умиротворением взгляд, ее мягкий, плавный голос. Остался именно потому, что она больше никогда не видела Дину такой счастливой.

Прошел еще месяц или полтора. Случилось так, что Элизабет вернулась из школы раньше обычного (учебный год лишь начался). Дома никого не было, казалось, что гостиная затоплена светом от бьющего изо всех окон солнца, и только когда глаза свыклись с яркостью, Элизабет заметила на кофейном столике листы писчей бумаги, придавленные связкой ключей. Связка оказалась небольшой — всего два ключа, они выглядели знакомыми, Элизабет повертела их в руках — ну конечно же это были ключи от их дома. Она взяла первый прижатый листок и начала читать.

Почерк был взрослый, плотный, мелкий, слова порой сливались, и надо было напрягать зрение, чтобы выделить каждое из них и разобрать. И только лишь потому, что важность письма казалась абсолютно очевидной, Элизабет все же справилась с набегающими друг на друга буквами, и выстроенные в предложения слова стали приобретать единственный заданный им смысл.

Милая Дина, я знаю, что написанное ниже поразит тебя неожиданностью. Впрочем, начну с пояснения — я предпочел письмо откровенному разговору, потому что разговор ничего, кроме лишних эмоций, не нужных ни тебе, ни мне, не мог, да и не может принести. Конечно, я соглашусь с тобой — письмо малодушно, но при чем тут малодушие, к тому же я не античный какой-нибудь Тесей, да и ты не Минотавр (впрочем, сравнение неудачное — но не буду уже переписывать). Хотя мы конечно же, если все же продолжить сравнение, забрались в лабиринт, из которого настало время выбираться.

Ты подарила мне чудесный, замечательный год, да что там год — ты подарила мне чудесную, восхитительную жизнь, ну, а миру ты подарила еще одну замечательную пьесу, которую, если бы тебя не было рядом, я не сумел бы написать. Я сначала хотел сказать «скрасила год», но тут же понял, что такая фраза была бы несправедливо цинична (а я если и циник, то циник благодарный), вот и хочу подчеркнуть — ты именно подарила мне год, удлинила мне жизнь, точно я прожил лишний, не предназначенный мне отрезок.

Ведь действительно, что бы мне оставалось делать здесь, в глуши, в деревенской размеренной определенности, если бы не появилась ты — великолепная, роскошная и в то же время тонкая, чувственная муза, Мельпомена (она ведь заведовала театром), непредвиденная и оттого еще более чарующая. Поверь, ты открыла для меня новый эмоциональный мир, который мне — городскому, капризному и с точки зрения твоего чистого взгляда испорченному человеку — казался совершенно недоступен.

Но все, как мы знаем, имеет конец, даже незапланированное счастье. И хотя не хочется вспоминать про еще более, чем я, циничного царя Соломона с его обидным «Все проходит...», но что же делать, придется. Год прошел, пьеса закончена, и хотя любовь, наверное, еще бесчинствует в моем сердце, я вынужден ее варварски искоренить. Потому что, поверь мне, милая Дина, лучше оставить теплую, трепещущую в сердце любовь, чтобы проживать ее снова и снова в томительных воспоминаниях, нежели участвовать в ее насильственном преждевременном умерщвлении, а после ужасаться и передергивать плечами, сторонясь ее холодеющего трупа. Поверь мне, так лучше, я знаю!

Пойми, как бы мне этого ни хотелось, жить здесь я не смогу, а взять тебя с собой невозможно, потому что я человек не семейный, абсолютно, неизлечимо не семейный. К тому же воспитывать ребенка (я уже не говорю «не сво-

его» — его биологическое происхождение в любом случае не такой уж принципиальный для меня факт) задача для меня совершенно непосильная. Для того чтобы приходиться детям по душе, надо постоянно подстраиваться под них, а постоянно подстраиваться всегда и подо всех — крайне утомительное занятие. Особенно для меня. К тому же, и это я говорю с искренним сожалением, дети так медленно растут.

Итак, что я должен добавить, переходя к завершающей части моего несомненно любовного послания? Что мне до боли жаль! Что мне до боли обидно! И восклицательные знаки в конце предложений не являются лишней синтаксической формальностью — нет, я именно так и хочу выкрикнуть: мне жаль! Мне обидно! И если бы я видел хоть какой-нибудь шанс удержать тебя (или вернее, удержаться с тобой), я бы непременно им воспользовался. Но я не вижу его! Его нет!

А посему прощай. Кто знает, может, судьба нас еще и сведет вместе, ну, а если нет — будь счастлива. Я от всей своей истекающей слезами души желаю тебе любви и счастья.

Со всеми описанными выше чувствами,

Рассел.

P.S. Поцелуй от меня свою чудесную дочурку. Она, кстати, вырастет, и уже достаточно скоро, в очаровательную юную женщину. Будь внимательна к ней.

Конечно, Элизабет поняла значение прочитанного, возможно, она не вникла сразу во все нюансы, наверное, пропустила особенно запутанные витиеватости письма, но общий важный смысл несомненно уловила. И хотя ее он совсем не расстроил, она все же испугалась за маму — не только умом, но и сердцем тоже. Ведь было очевидно, что маме нанесен удар. И хотя полную разрушающую силу этого удара Элизабет оценить не могла, но маму ей сразу стало очень жалко.

Она не хотела становиться свидетелем маминой боли, маминого разочарования и потому, положив листки обратно на стол и так же придавив их сверху связкой ключей, поднялась наверх к себе в комнату, прикрыла дверь и стала ждать.

Ждать пришлось недолго, вскоре она услышала, как открылась входная дверь, потом — шаги по паркету.

— Лизи! — крикнула мама, но Элизабет не откликнулась, как будто не слышала. — Лизи, — повторил мамин голос, — ты уже дома?

Элизабет снова промолчала, и мама больше не окликала ее. Снизу вообще не доносилось никаких звуков, ни шагов, ни шорохов, как будто там осталась только лишь одна немая пустота. Так продолжалось долго. Элизабет полежала на кровати, листая книгу, встала, пересела к столу, потом решила переодеться и сняла платье, в котором ходила в школу. Натянула майку, короткие шорты, белые гольфы до колен, снова прыгнула на кровать, снова открыла книгу. Снизу не доносилось ни звука. Прошел, наверное, час, а то и больше, наконец Элизабет оторвалась от книги, подошла к окну, посмотрела на залитую светом лужайку перед домом.

«Почему так тихо внизу? — подумала Элизабет, не отрывая взгляда от яркого, едва шевелящегося на ветру травяного настила. Она не могла различить отдельных травинок; единая, сросшаяся зеленая, колышущаяся масса, казалось, заворожила ее. — А вдруг с мамой что-нибудь случилось? А что, если она потеряла сознание? Или умерла... — От одной этой мысли Элизабет стало страшно, она знала, что ей надо оторваться от окна, бежать вниз, но она не смогла. — Может быть, мама прочитала письмо и у нее разорвалось сердце? — снова подумала Элизабет. — И сейчас она лежит на полу и ей нужна помощь?» — Она представила Дину на полу, в неудобной позе на боку, руки неловко разбросаны в стороны. Видение было настолько сильным, настолько легко затмило гипнотическую траву за окном, что Элизабет тут же бросилась вон из комнаты.

Уже на лестнице она поняла, что мама не умерла, не потеряла сознание, а просто сидит за столом: растрепанные волосы загораживали ее лицо, казалось, она не слышит ни поспешных шагов Элизабет, ни ее оклика. Лишь когда дочка подошла вплотную, из-под густой занавеси прядей показалась щека — почему-то красная, почти багровая, как будто кто-то ударил маму по щеке, — потом проступил тоже покрасневший, опухший, нос, словно его натерли прозрачным разжиженным кремом.

— А, ты пришла, Лизи, — сказала мама голосом, в котором не осталось ничего живого.

И видимо, от усилия выдавить из себя хоть какие-то слова, еще одна прядь сдвинулась в сторону, открывая мамины глаза. Если можно представить боль в виде застывшего сгустка, то именно его увидела Элизабет. Мамин взгляд был пронизан болью, наполнен ею — заразной, передающейся по воздуху, и Элизабет тут же почувствовала, как у нее тоже защемило сердце и дыхание сжалось в один невозможный вздох и сразу защекотало в носу, и хотя она попыталась сдержаться, перед глазами все расплылось и потеряло четкость.

Ей стало бесконечно жалко маму — красивую, умную, нежную, самую лучшую, но такую несчастную, — и она обняла мамину шею, и прижалась, и замерла так. Динины руки подхватили ее, и Элизабет прошептала куда-то в мамины волосы:

— Я читала. — И так как ей показалось, что мама не поняла, она повторила: — Я читала письмо, мама.

Своей щекой она чувствовала болезненный жар маминой щеки, ритмичное покачивание головы, как в ритуальной молитве, как в медитации. И снова молчание, и снова покачивание, а затем лишь слабый голос, повторяющий однообразно: «Он бросил нас, Лизи, он бросил нас, он бросил...»

Два или три дня мама не выходила из дома. Она бродила по нему с самого раннего утра и постоянно пила соки, воду, что-то другое, что она мешала в нервно жужжащем миксере, отчего по кухне расползался приторный, едкий запах. Зато она ничего не ела, вообще ничего, и потому, наверное, осунулась, похудела, а еще постоянно молчала, не произносила вообще ни одного слова, и только когда Элизабет задавала ей какой-нибудь вопрос, она вздрагивала, будто возвращаясь откуда-то.

«А? Что? Что ты сказала, Лизи?» — переспрашивала она, и когда Элизабет повторяла, мама уже могла ответить, но все равно лишь равнодушным, слишком скучным, лишенным интонаций голосом.

Вместо еды она постоянно принимала ванну, по несколько раз в день и каждый раз по часу, а то и более. Выходила она из ванны немного оживленнее, и тогда в первые несколько минут даже пыталась заговорить с Элизабет.

— Может быть, мне поехать в Нью-Йорк, поговорить с ним? — обычно спрашивала Дина. Но тут же, не дожидаясь ответа, возражала самой себе: — Да куда я поеду? — И голос ее звучал совсем безнадежно, а потом она добавляла: — Да и что мне сказать? Мне нечего сказать ему. — И замолкала. И потом снова долго молчала.

О чем она думала все эти дни, Элизабет не знала. Лишь потом, много лет спустя на своем собственном опыте поняла: ни о чем. Вообще ни о чем.

Такое состояние и называется прострацией, парализующим шоком, который отпускает, конечно, но лишь потом, со временем. А сначала он заполняет безмолвностью, неподвижностью, безволием, потребностью отлежаться, как будто сам организм требует передышки, отдыха от придавившей своей тяжестью жизни. Тогда он находит глубокое, темное пространство, нечто наподобие норы, замкнутой ямы, только без краев, без стен, чтобы в ней можно было забыться, погрузиться в пустоту.

Потом, повзрослев, Элизабет не раз задавалась вопросом: что же привело маму к краху, нанесло ей более сильный удар — потеря любимого человека (а она несомненно любила Рассела) или же внезапность самой потери, неподготовленность к ней? Оказалось, что различия нет, крах потому и называется крахом, что он всеобъемлющ, он не выбирает, не отсеивает, а крушит все вокруг жестоко, заваливая обломками.

Вот и для Дины потеря означала и страх за будущее, и рухнувшие надежды, и унижение, испытанное от чтения пошлого, лицемерного письма, и боль от примитивного предательства — боль, которую она не умела, да и не пыталась преодолеть.

...Дина стала оживать лишь через несколько дней — в доме заканчивались продукты, и хотя у нее самой аппетит пропал, но дочь-то надо было кормить. А значит, хочешь не хочешь, но ей пришлось поехать в магазин, а для этого одеться, привести себя в порядок, иными словами, взять себя в руки.

Еще через пару дней она подозвала Элизабет и усадила рядом. Голос ее не утратил усталой, безжизненной монотонности, словно с каждым звуком, с каждым словом выдавливалась с трудом сдерживаемая тяжесть. Тяжесть выходила наружу вместе со вздохами, они нарушали слитность фраз, и Элизабет казалось, что это невидимые каменные ядра выкатываются каждый раз из маминой груди.

— Мне уже лучше, Лизи, — сказала мама, оборвав фразу вздохом. — Ты знаешь, мне было плохо. — Вздох, пауза. — Ты ведь, наверное, заметила. — Еще вздох, как будто не хватает дыхания. — Ты ведь умная девочка, ты все понимаешь. — Пауза. — Но теперь лучше. Так должно было произойти.

Элизабет молчала.

— Все было так очевидно. Это просто я дура. Как я могла не понимать? Как в тумане. Как заколдованная. — Снова молчание, долгое, растягивающее податливые секунды. — Но теперь лучше. Теперь все будет хорошо. Просто должно было пройти время. Понимаешь?

Тут Элизабет кивнула, она понимала. Ее кивок совпал с еще одним длительным, тягостным вздохом.

— Все будет в порядке, все снова будет, как прежде, как всегда. — Дине пришлось опять прерваться, чтобы восстановить дыхание. — Совсем скоро, — добавила она.

И Элизабет кивнула:

— Да, мама. Я знаю. — Она прижалась губами к маминой щеке и в это мгновение как бы срослась с ней, разделяя, принимая на себя ее горе, деля его надвое, как бы облегчая мамину часть.

Все так и произошло, как обещала Дина, — жизнь действительно скоро вошла в привычную колею и прочно оставалась в ней, во всяком случае, на протяжении нескольких последующих лет.

* * *

Дождь существенно поднадоел, даже не сам дождь, он и моросит-то не постоянно, а скорее, общая сырая, однообразная угрюмость. Почему-то сразу чувствуешь себя так, будто осталась одна в этом скорбном мире, а те люди, что маячат вокруг, и не люди вовсе, а так — бледные, беспризорные тени.

Даже незамысловатый Карлос, похоже, поддался общему унынию. И я его понимаю — как ему, бедняжке, теперь оттачивать свои природные рефлексы, когда оббикининные девочки дружно перекочевали с насиженных (вернее, належанных) настилок у бассейна во внутренние убежища? И хотя они попрежнему покачивают, проходя мимо, плавными бедрами, но вот беда — бедра теперь зашторены, и надо делать усилие, чтобы представить, как же там все устроено под подло скрывающей детали материей. А делать усилие, представлять, иными словами, измываться над собой — нет, это не для моего бедного, легко возбудимого мальчика.

Особенно угнетают облака. Только здесь, в Альпах, они так низко опускаются к земле, нанизывают себя на верхушки окружающих гор, наваливаются на них своими рваными мягкими брюхами, так что наша покачивающаяся на дне долина напоминает эдакую гигантскую чашу. Даже не чашу, а лоханку, в которую налили кипяток, и теперь нависший пар плотной тяжелой пеленой отделяет ее от всего остального пространства. Вот это правильное сравнение — именно замкнутость пространства и определяет сегодня мою суть, а значит, и мое настроение, и желания.

Конечно, в запасе остаются фитнес и сауна и парочка крытых бассейнов, ну и Карлос, пусть и удрученный, но мне и такого достаточно. И тем не менее все равно чувствуешь себя пленницей, заключенной в...

Бог ты мой, что я пишу, какая «пленница», куда «заключенная»? Нет, метафоры определенно не вышло.

А тут еще целую вечность не появлялся мой работящий соавтор Анатоль с его проницательным взглядом, как-то он все очень серьезно воспринял — и наш уговор, и писательский совместный наш труд. Уже дней десять я его не видела, он наглухо заперся у себя и носа наружу не высовывает, даже обеды в номер заказывает. Кто бы ожидал от симпатичного мужчины такого упорного старания — вот так дни и ночи напролет облекать в текст мое повествование.

Можно бы, конечно, заподозрить, что он занят чем-то другим, но десять дней подряд все же многовато, даже мой натренированный на любовные марафоны Карлос столько без передышки не потянет. Да и я сама в лучшие свои годы через пару-троечку дней стремилась выбраться наружу, к свету, так сказать.

Я и раньше слышала, что главное в писательском деле — не талант даже, а усидчивое терпение, погруженность в процесс, и многие просто не выдерживают добровольного заточения, скверно воздействующего на психику. Впрочем, талант тоже не помешает. Я даже знаю пару счастливых случаев, когда одно с другим — талант и терпение — успешно сочетались.

Но сегодня меня ждал приятный сюрприз. Нет, моросящая сырость не рассосалась, просто с утра появился мой маститый соавтор, он уже за завтраком помахал мне приветливо рукой, на что я ответила еще более приветливой улыбкой.

Через полчаса мы расположились в баре за столиком у окна, дневной свет, хоть и рассеянный, хоть и молочный, тусклый, кое-как просачивался сквозь влажные тучи, пусть и не добавляя жизнерадостности, но все же противостоя депрессивному электрическому освещению.

Что сказать про выбравшегося из добровольного заточения господина Тосса? Он изменился за время нашей разлуки, и, увы, не в лучшую сторону. Видимо, процесс на пользу ему не пошел. Во-первых, у него отросла неряшливая щетина, еще только обещающая стать русой с проседью бородкой. Теперь он был похож на усталого, постаревшего мушкетера, каких изображают на иллюстрациях к романам одного из Дюма.

Он вообще выглядел утомленным, мой подневольный Анатоль, как будто проскакал двадцать лье на лошади без седла (это тоже по ассоциации с Дюма). К тому же он осунулся, да и в глазах, каких-то непривычно серых, появилось отчуждение. Словно в них за короткие десять дней была сооружена каменная преграда, через которую не так-то просто перемахнуть. Особенно в мои-то лета.

Видимо, я слишком пристально разглядывала его.

— Ну, что вы там затаили, не держите в себе, — заметил он весьма, надо признать, проницательно.

— Вы выглядите утомленным, дорогой мсье Анатоль. Хотя утомленность придает вам некий шарм — какую-то уязвимость и связанную с ней одухотворенность. А знаете ли вы, Анатоль, что женщина легко замечает мужскую уязвимость и предпочитает пользоваться ею. Женщин притягивают уязвимые мужчины, не ущербные, а именно уязвимые.

Он молчал, слушал мою распущенную болтовню, все так же держа меня на расстоянии. Возможно, ему, как и любому только выпущенному из заточения человеку, было приятно услышать человеческий голос.

Потом принесли напитки: мне — красного вина, он заказал скотч и тут же опрокинул полстакана. Я не сомневалась, что и вторую половину вскоре ждет та же участь. Анатоль заметил мой многозначительный взгляд и произнес, как бы поясняя:

— Привык. Я, знаете ли, стимулирую себя, когда пишу.

— Правда? — удивилась я. — И не мешает? Ну, я имею в виду, мысли, стилю и вообще изложению.

— Нет, — он даже покачал головой, усиливая отрицание, — наоборот, способствует. Концентрация улучшается, да и появляется дополнительная легкость. — Он замялся. — Знаете, картины оживают. — Снова помолчал, еще раз глотнул янтарной жидкости. — И пишешь не словами, а живыми картинами.

Я послушно закивала, делая вид, что просто схватываю его мысли на лету.

— Вообще, приближение к Богу требует отточенности. И умственной, и эмоциональной тоже.

— Приближение к Богу? — не выдержала я явного перебора.

— Конечно! — Он тоже удивился, видимо, моему удивлению. — Когда пишешь, приближаешься к Богу, становишься пророком, через которого Бог передает свои заветы. Тут самое сложное — ухватить посылаемый Божественный импульс, разобрать его, расшифровать. Впрочем, это мало кому удавалось.

«Вы шутите?» — хотела спросить я, но меня когда-то прилично воспитали, и я сдержалась. Впрочем, зарвавшийся мсье Тосс не заметил ни моего иронического взгляда, ни вздернутых удивленно бровей. Похоже, он твердо решил развивать сомнительную свою теорию, невзирая на насмешливую соавторшу.

— Знаете, есть такой банальный вопрос: «Как вы стали писать, почему?» Всем писателям его задают, и мне тоже. В интервью, на авторских встречах. Я никогда на него не отвечаю, во всяком случае, откровенно. Откровенность делает тебя беззащитным.

Тут Анатоль снова остановился и, как я и предполагала, сначала примерился к остаткам в бокале, а потом разом опрокинул их в себя.

— Так вот, я никому не говорил, — вернулся уже захмелевший Анатоль к повествованию, — что я пишу только потому, что чувствую свое предназначение. С самого детства, с рождения, понимаете? — Я кивнула, вроде бы я понимала. — Такая внутренняя уверенность, что жизнь твоя не случайна, что в ней заложено предназначение, задание, которое ты должен выполнить. Иными словами, что ты ниспослан миру с конкретной миссией. Ты можешь ее выполнить, а можешь и не суметь. И если не сумел, то значит, не оправдал надежды, значит, не выполнил миссию. — Тут он, наконец, замолчал, я подумала, что монолог завершен, но он добавил, правда, коротко, одной фразой: — А это, наверное, очень больно — не исполнить свое предназначение.

— Так что, — вмешалась я, — все те люди, которые творят, вы ведь, надеюсь, не ограничиваете творчество литературой, — все они пророки, которым мы должны внимать? А их ведь легионы, тьма-тьмущая. Не много ли носителей Божественной мысли?

— А кто сказал, что пророков не может быть много? — снова ошарашил меня подвыпивший маэстро. — Пусть будет много, разве нам лишние пророчества помешают? — Тут Анатоль заговорщицки придвинулся ко мне. — Знаете, чем они отличаются от основной массы? — Я не знала и потому откинулась на спинку кресла, подальше от тяжелого алкогольного перегара.

— Их пророчества остаются во времени! — заключил глубокомысленно мой собеседник.

Тут он подозвал официанта и заказал себе еще один двойной скотч. Я хотела было поинтересоваться, не много ли будет для утра, но деликатно промолчала.

— Да и к тому же что есть та единственная, Божественная мысль, о которой мы говорили? Вернее не «что», а «про что» она?

— Про что же? — проявила я здоровый интерес.

— Знаете, в природе любое, казалось бы, неделимое целое все же распадается на составные части. Так и главный вопрос, он тоже распадается на множество других вопросов, более мелких. Самые важные из них — вечные, философские: кто мы, откуда, зачем мы здесь и куда уйдем, что такое жизнь и что есть смерть? Ну и другие: как возник мир, что такое Вселенная, пространство и время, и что есть душа, и что есть человек? Что такое будущее и прошлое, чем все закончится, да и закончится ли вообще? Да и в чем он, конец?

Тут ему пришлось остановиться, так как на столе возник новый стакан со скотчем, и Анатоль не замедлил этим воспользоваться.

— Ну а дальше каждый из этих вопросов распадается в свою очередь на множество других, еще более мелких: например, отношения между нами, людьми — между родителями и детьми, между мужчиной и женщиной. Тут же и будущее человека, и его прошлое, и связанная с ним память, и рождение ребенка, и вот еще вопрос: когда вселяется в младенца душа? Да и многие другие вопросы, которые тоже делятся на более мелкие. А те тоже делятся. Вот и получается, что вопросов становится колоссальное множество. И, только ответив на каждый из них, можно будет в результате подойти к самому главному вопросу, который, повторяю, всего один, который несет Божественную мысль. — Тут страстный оратор выдержал паузу, перевел дыхание и продолжил: — Так вот, каждый найденный ответ даже на самый ничтожный вопрос и есть пророчество. А это значит, что нам требуется куча пророков, чтобы все их охватить.

— Выходит, что и моя история, из которой, я надеюсь, вы умело мастерите текст, тоже является отголоском Божественного? — спросила я с нескрываемым ехидством.

Но Анатоль ехидства не распознал, он был занят, он нагружал себя спиртоносной жидкостью.

— Безусловно. — Он даже пожал плечами. — В вашей истории множество вопросов, которые относятся к разряду вечных.

— Например? — полюбопытствовала я.

— Мы же только в самом начале; главное, надеюсь, еще впереди, и тем не менее... — Он поморщил лоб, пытаясь совместить ворочавшуюся в голове мысль с двумя стаканами выпитого скотча. — Например, подсознание ребенка, оставшегося в раннем детстве без отца. Или, например, влияние личной жизни матери, в том числе ее сексуальной жизни на развитие дочери. Вот интересный вопрос: каким образом присутствие в жизни матери постороннего мужчины влияет на детскую психику, на детскую сексуальность? Да и сама детская сексуальность — вопрос загадочный, требующий не одного, а множества ответов.

— Ну, и как пишется? Ответы находятся? — задала я еще один ехидный вопрос.

Впрочем, от Анатоля мое ехидство, похоже, весьма упруго отскакивало. Он присматривался к желтоватым остаткам в стакане, покачивая его в руке, отчего поверхность жидкости колыхалась сразу всей плоскостью.

— Тяжело пишется. — Он вздохнул для пущей убедительности. — Невероятно сложно описывать детскую сексуальность. Знаете, с одной стороны, хочется писать предельно правдиво, а с другой — необходимо не перейти грань. Ведь самое запретное табу для любого взрослого — это детская сексуальность. Хотя мы все были детьми и сами испытали, пережили ее, проверили на себе. Почему же нельзя, даже на основании собственного опыта, честно говорить о ней?

— А действительно, почему? — подбодрила я Анатоля, потому что я вообще привыкла подбадривать забредших в тупик соавторов.

Тут он оглянулся, ища взглядом официанта, но официанта рядом не оказалось. Пришлось снова наморщить лоб в тяжелом раздумье.

— Видимо, расстояние между детством и зрелостью слишком велико. Не только с точки зрения времени, но и в плане осознания мира, осознания собственного Я. К тому же взрослые плохо помнят себя в детстве, путают ощущения, впечатления, приписывают их разным обстоятельствам, разным временным промежуткам. Поэтому их воспоминания не вызывают доверия. А значит, вмешательство взрослого в такой деликатный вопрос, как ранняя сексуальность, выглядит искусственным, даже беспардонным. Ну, и общественное мнение таково, что взрослый не имеет права вторгаться своими нечистыми помыслами, рассуждениями, логикой в детскую невинность.

Тут Анатоль замолчал, снова поискал глазами официанта, на этот раз нашел и указал пальцем на опустевший стакан. Смышленый швейцарец в белом накрахмаленном фартучке понимающе кивнул, даже, по-моему, щелкнул каблуками.

— Ну, и вторая причина, — продолжил Анатоль, — более прагматическая, заключается в страхе примитивной педофилии. Ведь нас всех, особенно тех, у кого есть дети, пугает даже намек на педофилию. И получается, что сам вопрос детской сексуальности, когда его поднимает взрослый человек, вызывает подозрение. Уж нет ли тут личного патологического интереса?

— Вполне законное беспокойство, — вставила я. — Мало ли больных людей в мире?

— Ну да, конечно, интерес порой связан с помыслами. — Тут Анатоль пожал плечами. — Но порой ведь и не связан. Может же существовать чисто академический интерес.

— Милый мой соавтор, — поддержала его я, — меня не нужно убеждать. Ведь, в конце концов, кто погружает вас в свою собственную детскую историю, как не я? О чьей детской сексуальности вы, бедный мой летописец, стремитесь поведать дотошной публике?

— Ну да, — вяло согласился мсье Тосс, а потом добавил: — Но вы-то рассказываете только мне, а я должен переложить ваш рассказ на бумагу, сделать достоянием читателя. — Он покачал головой, как бы соглашаясь сам с собой, и повторил: — Трудно, очень трудно.

— Не волнуйтесь, дальше будет еще труднее, — подбодрила я соавтора.

Он хотел было ответить, но тут на столе появился новый стакан, от него даже на расстоянии приятно пахло дорогим алкоголем. Не мешкая, Анатоль плеснул алкоголь в себя, прислушиваясь к растекающейся в организме горячительной жидкости.

Я огляделась. Дождь за окном не переставал сыпать — откуда там наверху столько берется? А вместе с дождем на землю скатывалась все та же мерзкая, печальная серость.

Потом я осмотрела зал и обнаружила моего Карлоса в спортивном костюме, он, видимо, только что оставил в покое многочисленные тренажеры, на которых оттачивал свои и не без того отточенные прелести. Ну и, конечно, сразу подсел к парочке белокурых ровесниц и даже стал развлекать их чем-то словесным, отчего юные создания доверчиво захихикали.

«Интересно, что он им навешивает? — подумала я. — Какие такие истории? А что, если про детскую сексуальность? Вот было бы забавно... Хотя, к сожалению, маловероятно. Карлос и вдохновенное слово — две вещи несовместные. Вот Карлос и вдохновение безмолвное — это да! Это всем понятно. Потому две белокурые подружки и подбадривают смехом, окрыляют, так сказать, смуглого юношу надеждой. Совершенно пустой и ненужной, кстати».

Анатоль же откинулся назад, на спинку податливого кресла, вслед за мной обвел блуждающим взглядом полупустое кафе.

— А ваш юноша забавный мальчуган, — озвучил мои мысли Анатоль. — Как его имя?.. ах да, вспомнил — Карлсон. — Я не стала поправлять — швед так швед.

— Вот взять хотя бы вашего Карлсона... — начал было Анатоль, но тут я заартачилась.

— Не надо его брать, — предложила я, но не слишком настойчиво. — Что он плохого вам сделал?

— Почему не надо? Давайте возьмем. Почему бы нам не развлечься? У меня, знаете ли, после утомительного заточения есть потребность почудить немного, — сознался мастер художественного слова. — Карлсон! — вдруг громко позвал он. И тут же снова: — Карлсон!

Как ни странно, Карлос откликнулся на мужской зов. Видимо, натренированная привычка откликаться на призыв дала о себе знать, на любой призыв, даже когда к тебе обращаются, коверкая твое имя. Я решила не вмешиваться, словосочетание «подвыпившие писатели чудят» вносило ободряющую надежду в серый, тоскливо моросящий день.

— Иди к нам, старик Карлсон, — пристал к Карлосу разнузданный литератор.

Моему несчастному мальчику ничего не оставалось, как подняться как бы нехотя, а на самом деле, картинно двинув выступающими из-под обтягивающей майки мышцами (я-то все его врожденные приемчики хорошо знаю) — так что девочки за столиком несдержанно уставились на него, пытаясь проникнуть взглядами туда, под майку, — и неторопливо, даже с достоинством направиться к нам.

— Садись, старик, — предложил гостеприимный Анатоль. — Хочешь скотча хорошего? — Он уже поднял руку, подзывая официанта, но мой барельефный любовник остановил нетрезвое движение нетрезвого человека.

— Нет, спасибо, для меня рано.

Конечно, я порадовалась за него, мое сердце даже наполнилось гордостью. Он не только красив, мой бесподобный Карлос, он еще и наделен благородством, очевидно, врожденным, иначе откуда ему еще взяться? «Интересно, — снова подумала я, — что он все же рассказывал тем двум девицам? Вдруг я его недооцениваю, вдруг я в нем чего-нибудь не разглядела?»

— Почему? — полюбопытствовал приставучий мсье Тосс.

— Я в первой половине дня тренируюсь, — ответил Карлос и для наглядности сократил какой-то там бицепс-трицепс на своем полуоголенном плече.

«Нет, — возразила я сама себе, наблюдая, как у Анатоля от накатившей радости глаза поменяли цвет: был серый и тут же возник голубой. — Ничего-то я не упустила. Все, как было задумано природой, так и есть».

— Тренируешься — это хорошо, — одобрил лучезарный провокатор. — На каких, расскажи мне, снарядах? А то мне тоже надо бы форму восстановить, знаешь, совсем потерял ее из-за сидячей работы.

— Хотите, — простодушно предложил мой наемный возлюбленный, — завтра вместе пойдем на фитнес? Я вам покажу несколько легких упражнений для начала. — И не было в его словах ни надменности, ни превосходства, лишь доброе, человеческое желание помочь.

Но коварный Анатоль не спешил броситься в объятия коллективной физподготовки. Он подался вперед, нависнув над столом, в голосе у него появились доверительные нотки.

— Это ты сам все накачал, всю эту свою мускулатуру? — спросил он простодушно. — Никто не помогал?

Мой горделивый мальчик наконец почувствовал подвох.

— А что? — спросил он с опаской.

— Да нет, я просто так. А можно потрогать?

Ах, какие страшные сомнения стали раздирать моего мальчика, адское напряжение отразилось на его челе.

— Ну потрогайте, — все же великодушно позволил он.

Анатоль просто подскочил на стуле от радости. Он еще больше перегнулся через столик и, ощупывая неестественные утолщения на оголенных загорелых предплечьях Карлоса, приговаривал восхищенно:

— Вот это да! Ну, ты даешь, старик! Такой бицепс отрастил. Ты, Карлсон, просто мастер. Я горжусь тобой, нет, правда, горжусь...

Я с трудом удерживалась от хохота, сцена была невероятно комичной: смуглый юный Карлос приподнял согнутые в локтях руки до уровня головы и так поднатужился, что стал еще смуглее обычного. Бицепсы его налились и раздались вдвое больше обычного, да еще под майкой в районе груди набухло, стало выпирать и проситься наружу. И вот этого греческого бога, представшего перед нами, понурыми земными обитателями, во всей своей красе, ощупывает, перегнувшись через столик, небритый, явно пьяный, совсем не смуглый, мало выпирающий Анатоль.

Описанной сценой любовалась не только я, она привлекла всех, кто находился в кафе. Человек двадцать вертели головами, пытаясь понять, что же происходит за нашим столиком. Девушки — те две, которых Карлос покинул ради Анатоля, — в отличие от меня не считали нужным сдерживать смех.

— Девушки, — позвал их едкий ценитель чужих бицепсов, — не желаете насладиться мужской плотью? Идите к нам.

Конечно же они поспешили приобщиться к процессу. Карлос, кстати, вовсе не возражал, более того — когда девушки подошли, он еще сильнее напряг свою фигуру.

Теперь его уже трогали трое, и я было подумала, что пора прекратить это измывательство, но в такой серый, скучный день цепляешься буквально за все. И я не прекратила.

Постепенно стали подтягиваться новые любители мужской плоти, и скоро вокруг нашего столика собралось еще человек шесть-семь. Обступив нас плотной толпой, кто с бокалом в руке, а большинство в очевидном подпитии (повторяю, день был скучный), они обсуждали вслух Карлосовы прелести, трогая его за оголенные бугорки. Он же, дурачок, воспринимал происходящее как должное и продолжал самозабвенно выпячивать свою мускулатуру. «Странный, конечно, юноша, — подумала я. — Да где другого сейчас найдешь?»

— Хорошо, господа, достаточно, — наконец я решила прервать развлечение. — Карлос, голубчик, опусти, пожалуйста, руки, — велела я молодому, но незатейливому богу. Тот послушался, но нехотя, мне показалось, даже с обидой.

А вот Анатоль слушаться не пожелал. Он окинул меня лучистым взглядом, не спеша, с очевидным удовольствием сделал глоток из стакана и обратился к окружающим:

— Друзья, как вы полагаете, будут ли у меня шансы на победу, если я сойдусь с нашим героем в рукопашном поединке? Или не будут?

Я только покачала головой — какие же новые фантазии завладели хмельной головой мсье Тосса? Впрочем, так как ситуация спонтанно оживилась и заметно улучшала общий тонус, я пока решила не вмешиваться.

Похоже, неожиданный вопрос озадачил присутствующих. Все молчали, но Анатоль пристально обвел взглядом каждого, и кто-то не выдержал и признался со сдержанным смешком:

— Мало у вас шансов. Совсем мало.

— А другие как думают? — Мой зарвавшийся соавтор перевел свой лучистый взгляд на остальных зрителей. И те сразу загалдели, зашумели, и из общего гула я уловила единогласное сомнение в бойцовских способностях Анатоля.

— А я думаю, у меня есть шанс, — не согласился камикадзе, — и не один. Как ты считаешь, Карлсон?

— Вы не обижайтесь, Анатоль, — ответил мой красавчик великодушно, — но я думаю, что шансов у вас нет. — И тут же одарил всех нас яркой, тоже великодушной улыбкой.

— Ну что же, — не унимался любитель рукопашной, — кто поддержит меня? Никто? — Он еще раз обвел взглядом присутствующих. — Ставка, скажем, сотня. Раз никто, я сам ставлю на себя. — И он достал из кармана пиджака кошелек и извлек оттуда купюру в сто евро. — Найдется еще хоть одна отважная душа?

— А знаете что, — неожиданно согласилась одна из двух белокурых девиц, — я, пожалуй, буду за вас. Сколько вы сказали — сто?

Она открыла сумочку и выложила деньги на стол. Неожиданная поддержка вызвала заметное оживление. Голоса, смех, шутки — все слилось; народ полез за деньгами, рядом с Карлосом возникла приземистая стопка денег. Мальчик растерянно посмотрел на меня, и его влажному, бархатному взгляду я отказать не смогла.

— На, возьми, — передала я ему сотню, — это твоя ставка.

Сама я решила не ставить, выбирать между возлюбленным и соавтором — дело неблагодарное.

— А что, вы действительно драться будете? Кулаками? — полюбопытствовала девица, та, которая поставила на Анатоля. Потому как все остальные выбрали силу, молодость и красоту.

— Да ладно, что мы, гладиаторы, что ли? — удивился Анатоль. — Смотри-ка, старик, — обратился он теперь к своему сопернику, — крови им захотелось. — И сразу ко всем остальным: — Он же меня убьет тут же. — И снова к Карлосу: — Мы же с тобой, старик, люди цивилизованные. Мы увечья друг другу наносить не собираемся. Как же нам лучше разрешить наш принципиальный спор? — задумчиво размышлял Анатоль. — Может, будем канат перетягивать, вон снимем с девушки платок... а? — Он указал на девушку с платком.

Карлос тоже задумался, серьезно, основательно. Сцена выглядела крайне комично, все вокруг страшно радовались, на шум и смех подходили все новые зрители.

— Нет, — наконец не согласился Карлос, — платок может не выдержать, порвется. Да и короткий он. Давайте лучше на руках... — И он, согнув руку в локте, крепко установил его на стол и растопырил ладонь, показывая своей петушиной стойкой, что абсолютно готов к бескомпромиссному бою.

— Ну что же, — легко согласился петух постарше, — на руках так на руках.

Он поднялся со стула, снял пиджак. В принципе у него были достаточно широкие плечи, да и мышцы под рубашкой тоже обнаружились. Если бы его не ставить рядом с Карлосом, он бы вообще выглядел вполне атлетично.

— А что, если ты проиграешь, старик? — хитро предположил Анатоль, усаживаясь крепче на стуле, даже поерзал, видимо, в поисках оптимальной для зада позиции. — Я ведь тогда все деньги заберу. А тут немало накопилось. — Он указал взглядом на высокую стопочку.

— Ну что же, — великодушно согласился Карлос, — тогда заберете.

— Конечно, заберу, — подтвердил хвастливый писака. — Ты ведь сам знаешь, что и тридцати секунд не продержишься. Только людей подведешь, — он обвел взглядом окружающих, — а они доверились тебе, денег не пожалели. Нехорошо, старичок.

Его голос звучал настолько уверенно, даже безапелляционно, что если бы не лучистое веселье, наотмашь бьющее из глаз, можно было бы предположить, что он говорит серьезно. Похоже, даже Карлос засомневался и как-то притих.

— Посмотрим-посмотрим, — заметил он слишком уж философски.

— Вы будете судьей, — назначил меня Анатоль. — Вы самая нейтральная здесь. — И, тут же смерив меня демонстративно подозрительным взглядом, не в силах остановить расползающуюся улыбку, переспросил: — Вы нейтральная?

— Нейтральная, нейтральная, — успокоила я его.

Я, конечно, не одобряла происходящего на моих глазах измывательства над хоть и платным, но все равно иногда близким для меня юношей. Но с другой стороны, несолидный мсье Тосс предупредил меня заранее, что собирается чудить. К тому же тот факт, что Карлос будет вскоре вознагражден и морально, и, что для него важнее, — материально, меня успокаивало.

А вот достопочтенная, как говорится, публика была несказанно, абсолютно, невыносимо счастлива еще и оттого, что серый, тусклый день вдруг разом заполнился непредвиденным и оттого еще более ценным развлечением.

— Ну давайте, сэр, вашу ладонь, — обратился насмешник к Карлосу и тоже хлопнул согнутым локтем по столу, растопырил пальцы, весь напружинился — в общем, проявил себя знатоком в армрестлинге. — Давайте, мадам, отсчитывайте.

Что отсчитывать, я не знала, и потому, просто подождав секунд десять, пока их ладони приноровятся друг к другу, спросила как могла строго: «Готовы?», на что оба бойца ответили утвердительно. Я выдержала еще одну короткую паузу, а потом вскрикнула слишком уж энергичным для своего возраста голосом: «Начали!»

Как они оба напряглись! Любо-дорого было смотреть. Оба покраснели: ну, Карлоса я таким уже наблюдала, а вот физически взволнованного Анатоля мне прежде встречать не приходилось. А жаль! Он мелко подрагивал скрещенной в противоборстве рукой, упираясь всем телом, его лицо, как пишут в романах, исказила гримаса — но не страсти или испуга, а всепоглощающей концентрации. Рот растянулся, глаза сузились, по искаженному лицу во все стороны побежали морщины, казалось, что ему больно, что он подвергается мучительной пытке. Хотя никакой пытке он не подвергался, сам придумал это дурачество для своего же собственного удовольствия.

А вот мой рельефный избранник выглядел божественно невозмутимым — ни тебе морщин, ни зверского выражения на лице. Спокойно, легко, даже вдохновенно у него получалось, не менее вдохновенно, чем во время иных физических упражнений, за которыми мне не раз удавалось наблюдать.

Я перевела взгляд на их руки — в конце концов, именно ими мальчики и состязались — и с изумлением обнаружила, что они практически не сдвинулись с места, как стояли где-то посередине, так и продолжали стоять, лишь подрагивали мелко от напряжения.

— И это все, что ты умеешь? — процедил Анатоль на удивление внятно искривленным, скрежещущим ртом.

Мой благородный Карлос ничего не ответил, лишь покраснел еще сильнее. Вернее, не покраснел, а поскольку был смугл, побелел скорее.

Народ вокруг хоть и затих поначалу, но теперь не выдержал и снова загалдел, активно выплескивая свои эмоции, болея в большинстве своем за молодость и красоту. А как же иначе, деньги ведь не зря поставлены. Лишь авантюрная блондинистая девица по-прежнему предпочитала зрелость и опыт.

А зрелость между тем продолжала подначивать молодость всеми возможными способами.

— Давай, давай, — скрежетал ядовито Анатоль, — жми, ну чего ты? Ну напрягись, покажи людям силу. Зря, что ли, ты качаешься по утрам? Или не можешь больше? Ну хочешь, попроси кого-нибудь помочь.

Неизвестно, донимали ли Карлоса заносчивые комментарии, но виду он не подавал, только тужился еще сильнее. Рука его вздулась до неимоверной толщины, и не знаю, как насчет эстетики — я, например, сторонница пропорциональных размеров, — но с точки зрения общих объемов выглядела внушительно. Думаю, что женщины, присутствующие здесь, не могли не впечатлиться этаким чудом.

Тем не менее руки обоих моих мужчин, стиснутые в тесном рукопожатии, почти не двигались с места, так и застыли посередине. Я-то была убеждена, что их соперничество закончится мгновенной победой молодости и напора, но Анатоль, видимо, тоже оказался, как говорится, не лыком шит и успешно противостоял. Я, да и не только я, — остальная публика тоже заметно зауважала его, и оказалось, что конечный результат уже и не так важен, процесс захватывал куда сильнее.

Так они застыли минуты на две или больше, я не засекала. Анатоль все подначивал безответного Карлоса едкими репликами, но тот не подавал виду, и тогда коварный искуситель попытался его примитивно подкупить:

— Треть всей ставки тебе. Если сейчас сдашься. Слово чести. Получишь треть. Давай решайся. — Но Карлос не мог решиться. — Смотри, не сдашься прямо сейчас — ничего не получишь, — пригрозил взяточник.

Он продолжал уговаривать, но Карлос был неподкупен, а публика просто лезла на стену от смеха и удовольствия. Я тоже радовалась, но тихо, про себя, не нарушая свой судейский нейтралитет.

Потом наконец-то руки качнулись — совсем немного, но взаимное сцепление все же переместилось в сторону Анатоля, его рука подломилась, что означало, что силы покидают упорного, но утомленного бойца. Стало понятно, что еще какая-нибудь минута и ладонь Анатоля будет придавлена к жесткому, безучастному столу.

Вокруг стало совсем шумно. Болельщики, позабыв о материальном, в смысле о сделанных ставках, в основном стали поддерживать слабеющую сторону, и возбужденные, нетрезвые голоса рикошетом отражались от стен гулкого помещения. Сразу возникло общее, коллективное возбуждение, когда каждый хлопает в ладоши, говорит, не слушая соседа, пытается отпустить очередную, только что изобретенную шутку. И все при этом смеются, переглядываются, — в общем, полнейшая ажитация, сбивающая концентрацию, отвлекающая.

Вот я и пропустила. Что-то случилось, а я пропустила. Сначала казалось, что рука Анатоля подломилась, так стремительно она, припечатанная сверху смуглой ладонью, стала падать вниз и, лишь не дойдя до поверхности стола каких-нибудь пяти сантиметров, резко затормозила.

И сразу же что-то произошло, я не поняла, что именно, какое-то движение под столом, стремительное, едва различимое, оно тут же оборвалось приглушенным, сдавленным звуком. Карлос как-то неловко вздохнул, дернулся, но было поздно — сцепленные руки метнулись в противоположную сторону, и никто не успел разобрать, как это могло случиться, почему ладонь Карлоса оказалась намертво прижата к плоскости стола. А Анатоль с невероятно довольным, просто-таки садистским видом продолжал пригвождать ее к поверхности, как будто хотел втереть ее туда.

Наконец он поднял лицо к зрителям, радостные лучики плескались в его глазах, а вместе с ними несдержанное, даже неприличное для взрослого человека озорное счастье.

— Я же тебе говорил, предлагал треть, — обратился он к несчастному побежденному. — А ты на принцип пошел. Глупый, заметь, принцип. — И Анатоль встал из-за стола, победно подняв руки.

Никто не мог понять, что же такое произошло, как могло случиться, что богоподобный Карлос оказался так неожиданно посрамлен. И прежде всего сам Карлос. Время шло, а он никак не мог прийти в себя. Но как только пришел, так заорал:

— Это нечестно! Так нельзя. Он ударил меня под столом. Он меня ударил ногой. — Он взмахнул руками и снова закричал: — Так нечестно! Надо заново, он меня ударил.

Он обращался то к одному, то к другому, ища поддержки у разнузданной, легковесной публики. Но поддержка не находилась. Лишь один высокий, полноватый мужчина посочувствовал, повздыхал вместе с ним, даже поинтересовался: «Куда он тебя?» А потом, кивая понимающе головой, поделился, видимо, собственным опытом: «Да, в мягкое — это больно», — и снова сочувственно вздохнул.

Все совсем развеселились — смеялись, кричали, галдели, поздравляя чемпиона, а мне стало жалко моего мальчика, он чуть не плакал и все продолжал попусту негодовать.

— Так нечестно, — повторял он, — он ударил меня под столом ногой, носком ботинка. — Но его никто не слушал.

Хотя зря он не обратился ко мне, в принципе я могла аннулировать результат, все же я была рефери. Но он почему-то не обратился, и я не аннулировала.

Один лишь победитель постарался утешить побежденного:

— Ничего, старик, привыкай. Дальше хуже будет, — ободряюще похлопал он Карлоса по плечу, как мне показалось, даже с сочувствием. Впрочем, может быть, мне показалось.

А потом нечистоплотный победитель просто подобрал со стола все деньги — и свои и чужие, отыскал глазами ту единственную, которая поверила в него с самого начала, и передал ей аккуратную стопочку.

— Почему бы нам не отметить вместе, ведь это ты окрылила меня на подвиг. Давай возьмем шампанского, скотча, ну и чего-нибудь вкусного. Чего-нибудь экзотически не швейцарского. Справишься сама, я пока душ приму? Жду тебя в номере, — и он назвал цифру, которую я и так знала.

Уже выходя из кафе, мсье триумфатор обернулся и, направляя указательный палец в мою сторону, как бы намекая на что-то, о чем только мы вдвоем могли знать, крикнул:

— Завтра! — И хотя я поняла, повторил: — Завтра продолжим.

* * *

Прошло около пяти лет. Элизабет исполнилось уже тринадцать, когда она узнала, что у ее матери появился новый мужчина. Открытие не удивило ее, она вообще не понимала, как мать может обходиться, как Элизабет говорила своим подружкам, «без отношений».

Дело в том, что пять лет для детства — огромный промежуток, и Элизабет никаким образом больше не напоминала того милого и наивного ребенка, каким была прежде.

Она изменилась внешне, вытянулась так, что догнала ростом свою мать, и обещала вырасти еще на дюйм, а то и на полтора. И вообще она стала очень похожей на Дину, не фигурой — сравнивать тринадцатилетнюю девочку и взрослую, миновавшую молодость женщину совершенно ни к чему, — но прежде всего чертами лица, выразительными, полными эмоционального накала, в ее случае еще совсем не реализованного. А кроме того, походкой, жестами и теми едва различимыми нюансами, которые как раз и определяют индивидуальность каждого человека.

Впрочем, изменения, произошедшие с Элизабет, были связаны не только с ее внешностью. Изменился и ее характер, интересы, само восприятие мира и, как следствие, ее отношение к людям в целом и к матери в частности. Ведь Элизабет вошла в тот сложный период, который называется подростковым возрастом.

Она развивалась чуть быстрее своих сверстниц, как обычно развиваются девочки в неполных семьях, лишенные более жесткого, более консервативного отцовского влияния. К тому же материнская личная жизнь, которую невозможно полностью скрыть от детских глаз, создает у девочки-подростка ощущение доступности мужчин и их необходимости в жизни, а значит, разогревает помыслы и воображение ребенка.

Конечно, в нашем случае влияние личной жизни матери на Элизабет было весьма ограниченным. Дину никак нельзя было упрекнуть в легкомыслии — за десять лет с момента смерти ее мужа, отца Элизабет, в ее жизни присутствовал всего один мужчина. Да и то, как мы знаем, Динино отношение к Расселу было весьма серьезным, с надеждой на замужество, на создание семьи. И не ее вина, что Рассел оставил ее.

И все же та самая сцена, которую невольно подсмотрела Элизабет в свой день рождения, не изгладилась из ее памяти. Наоборот, со временем она представлялась ей все живее, все отчетливее, обрамленная все большими деталями, красочными, захватывающими.

Сам Рассел казался ей теперь не просто красивым и мужественным, он принял романтический образ мужчины-завоевателя, которому невозможно ни противостоять, ни отказать. Особенно когда Элизабет вспоминала испуганные, взволнованные мамины глаза, ее прерывистую речь, ее явную беспомощность, физическую и эмоциональную, перед этим высоким и сильным мужчиной.

В своих вечерних воображаемых историях, которые со временем стали отдельным, особым миром, преобладающим порой по интенсивности и красочности над миром реальным, Элизабет ставила себя на место матери, постоянно сравнивая себя с ней. Нет, в отличие от Дины она не была бы взволнованной и испуганной, она бы сумела контролировать и направлять сильные мужские руки и большое тело, которое само наверняка бы стало покорным и отзывчивым.

Именно противопоставление себя Дине, в котором мать обязательно оставалась посрамленной, стало основной темой вечерних фантазий и постепенно перешло в реальную жизнь. Элизабет разглядывала свою мать, оценивая, надо сказать, крайне критически, ее женские качества, подробности ее фигуры. Ей не нравилась ни материнская грудь — слишком большая, по-животному оттянутая, ни объемный, начинающий терять форму зад, ни тяжелые, белые, черезчур налитые икры.

Ни одна деталь материнского тела не выдерживала никакого сравнения с ее, Элизабет, телом, когда она разглядывала себя, стоя у зеркала в своей спальне, обязательно заперев предварительно за собой дверь, чтобы никто не мог отвлечь ее от увлекательного, требующего приятной концентрации созерцания.

Ей нравилось в себе абсолютно все — небольшая, округлая грудь, прогнутая в изгибе спина, крепкие упругие ноги, даже кожа у нее была другая, даже походка более легкая, невесомая... И Элизабет делала несколько шагов, игриво ступая сначала на носок и лишь потом на всю ступню, провожая в зеркале свое обнаженное отражение до тех пор, пока оно не исчезало из золоченой рамы.

Ей нравились движения рук, когда пальцы, тонкие, длинные, двигались по груди и плавно переходили на живот, плотный, чуть выпуклый, и ладонь ощущала упругую податливую теплоту, и непонятно, от чего исходила большая радостная истома — то ли от ладони, то ли от самого живота. А скорее всего, от прикосновения кожи к коже, теплоты к теплоте, и ознобная струйка пробегала по спине, и надо было передернуть плечами, чтобы избавиться от нее.

Элизабет пододвигала к зеркалу кресло, залезала в него с ногами и вглядывалась в свои глаза, как они широко открывались от изумления, — ей нравился ее немного диковатый, неземной взгляд. А потом она опускала глаза ниже, к руке, которая вслед за взглядом сама уже ползла вниз, медленно, плавно, потому что некуда было спешить, потому что время растворилось в ней, перестало существовать. Или наоборот — это Элизабет растворилась во времени, какая разница, — ведь оставались только широко раскрытые, изумленные глаза и извивающаяся рука на красивом, поблескивающем влажными крупинками животе.

Она еще разглядывала себя какое-то время, подробно, каждый раз удивляясь причудливости деталей, пока свет не начинал досаждать, и тогда ей приходилось вставать с кресла и перебираться на кровать, стоящую тут же, неподалеку. И она падала в нее лицом вниз, уткнувшись в мягкое одеяло, чтобы не проникло ни света, ни тени, только слитные картинки внутри плотно сжатых век. Все начинало мутиться и постепенно исчезать, одно за другим, постепенно, оставляя только звучащие невдалеке всплески слов, расплывчатые образы двух людей, мужчины и женщины, ее собственнное, мелко вздрагивающее тело и неудержимую силу, устремляющуюся от живота не только вниз, сковывая ноги, но и мутной волной окутывающую голову, так что потом уже ничто не имело значения, ни голоса, ни картинки перед глазами — вообще ничто.

Потом, когда потрясенная, каждый раз не понимая до конца, что именно с ней произошло, она лежала без движения, приходя в себя, и мир снова просачивался в нее своим светом, звуками, формами предметов, Элизабет думала, что Рассел конечно же не случайно бросил ее мать. Дина просто не сумела удержать красивого, чувственного мужчину — ни телом, раздавшимся и потерявшим стройность, ни слишком преданным, докучливым собачьим взглядом, ни руками с полными, лишенными артистической гибкости пальцами, которые не могут так томительно скользить, как умеют пальцы Элизабет.

Еще она думала, что если бы на месте матери была она, то Рассел никогда бы не посмел уехать один в Нью-Йорк, во всем конечно же вина матери, и в какой-то момент Элизабет начинала жалеть, как ей казалось, немолодую, усталую, несчастную Дину. В конце концов, говорила она себе, мама не виновата, что она недостаточно умела в том, в чем не мешало бы быть умелой.

Изменения, произошедшие в жизни семьи Бреман, были связаны, как ни банально это звучит, прежде всего с бытовыми проблемами. Дело в том, что дом, в котором жили Дина и Элизабет, — большой, вместительный, построенный в классическом викторианском стиле и когда-то нарядный и богатый, — со временем все больше ветшал, терял первоначальный вид и переставал отвечать требованиям уютной, наполненной повседневным удобством жизни.

Нет, стены не покосились, крыша не протекала, и все основные системы — отопление, электричество, газ — работали исправно. Признаки упадка касались прежде всего мелочей: половицы скрипели все докучливее, дверные петли покосились, краска поблекла и начала шелушиться, а местами даже отлетать. Да и раковины постоянно засорялись, что вызывало нешуточную панику, особенно у Дины: ее начинало подташнивать при виде мутной мыльной жидкости, которая, стремительно раздуваясь, грозила выплеснуться через край.

По понятным причинам ни мать, ни дочь не могли предотвратить медленного, но неуклонного обветшания дома. И перед Диной замаячила неприятная перспектива ремонта, которой она противилась всей душой. Ведь для того, чтобы освободить рабочее пространство для ремонтной бригады, им с Элизабет необходимо было пусть временно, но выехать из дома. А куда, в гостиницу? Поломать налаженную, размеренную жизнь? А как же дочь, а как же она сама?

Затем ей пришла в голову другая мысль: им нужен работник, этакий «мастер на все руки», который, не нарушая их привычной жизни, желательно незаметно будет подправлять, подбивать, прочищать, подкрашивать одну комнату за другой, не затрагивая остальных частей дома. Мысль понравилась Дине, и она стала пытаться ее реализовать.

Впрочем, вскоре выяснилось, что задача невыполнима. Можно, конечно, было нанять бригаду рабочих, но постоянное присутствие в доме оравы громкоголосых, неопрятных мужиков не входило в Динины планы. Отдельных мастеровых, которых рекомендовали Дине ее знакомые, перспектива длительного вялотекущего ремонта не прельщала. Их интересовали проекты краткосрочные, которые можно выполнить за несколько дней, получить оплату по максимуму и двинуться на другой объект. А к Дине надо было приезжать каждый день, да еще бог знает сколько недель подряд...

Оставался последний вариант. На их участке, в тридцати метрах от дома, находился маленький коттедж, куда сваливали за ненадобностью старые ненужные вещи — мебель, книги, надоевшую утварь. Одну половину коттеджа можно было освободить и обустроить под временное жилье, в котором мог бы разместиться работник.

Но кто захочет покинуть свой собственный дом, семью, друзей — и ради чего? Ради того, чтобы жить в плохоньком, заваленным хламом коттедже и каждый день не переставая возиться в чужом, большом, трещащем по швам доме?

Рабочие продолжали приходить, торопливо, напористо осматривали фронт нескончаемых работ, что-то записывали, соображали. А потом разводили руками и, находя любые отговорки, отказывались и с облегчением уезжали на своих маленьких открытых грузовичках, ругая себя за зря потраченное время. Так продолжалось больше месяца, и с каждым новым днем Дина приходила во все большее отчаяние, в нервное, беспомощное смятение: ей казалось, что никого не удастся найти, хоть сама надевай комбинезон и бери в руки малярную кисть.

Но в результате ее упорство было вознаграждено. Невысокий, медлительный, немолодой человек в коричневом потертом пиджаке долго и придирчиво осматривал комнату за комнатой, неловко задирая голову, забавно вертя ею. Он напоминал усталую птицу, которая осторожно вытягивает шею, чтобы подхватить с руки мякиш хлеба. Осмотр занял около часа, а потом Дина повела мужчину в кухню, где предложила ему на выбор кофе, сок, колу или минеральную воду.

— Простите, я не расслышала с первого раза ваше имя, — смущенно улыбнулась она, наливая кофе в две большие фарфоровые чашки.

— Да-да, конечно, — закивал работник, соглашаясь, и неловкая, виноватая улыбка растянула его узкие неровные губы. — Имя у меня длинное, на английском его непросто выговорить, зовите меня Влэд, так будет проще.

— Влэд, — повторила Дина, — так вы могли бы взяться за ремонт дома? Я уже говорила, мне бы хотелось, чтобы ремонт шел постепенно, комната за комнатой. Чтобы мы с дочерью могли продолжать жить здесь.

— Да-да, я понимаю, — снова закивал Влэд, и снова виноватая улыбка тронула его длинные, растянутые губы. — Думаю, я смог бы взяться за ремонт, только... — Он отхлебнул из чашки кофе и как бы засомневался: неуверенный жест руки, взгляд темных, смущенно скользящих глаз. — Знаете, ремонт ведь растянется надолго, а мне к вам ездить неудобно каждый день. Я живу далеко, а машины у меня пока еще нет.

— Вы могли бы жить здесь, — предложила Дина. — У нас, если вы заметили, вот там, — она махнула рукой на лужайку, — маленький домик, коттедж. В нем давно никто не жил, но вообще-то его вполне можно приспособить для жилья. Думаю, вам было бы в нем удобно, в нем все есть — ванна, даже маленькая кухня. Хотя обедать вы могли бы у нас. Но если вам захочется что-нибудь приготовить самому, то пожалуйста, это тоже вполне возможно. Только там надо все проверить, прежде всего плиту, работает ли.

Она говорила, а сама думала, что ничего не знает о человеке, которого собирается нанять на работу. Она даже не знает, каким образом он появился у нее, кто его направил, — перед ней за последнее время промелькнуло столько похожих друг на друга мужчин в рабочих комбинезонах, столько записок с рекомендациями, что она совсем запуталась.

«Конечно же, — подумала она, — мне следует расспросить его, кто он, откуда, ведь он даже не похож на рабочего. А еще акцент, у него совершенно очевидный акцент, какой-то европейский». Но какой именно, этого Дина определить не могла.

— Да вы не беспокойтесь, я все проверю, исправлю, если потребуется, — снова смущенно улыбнулся Влэд. — Так что вскоре смогу переехать к вам... — он тут же перебил себя и, видимо, испугавшись собственной оговорки, даже замахал руками, — я имею в виду — в коттедж, вон тот, о котором вы говорили.

Они еще обсуждали ремонт, оплату за работу, отдельную смету на материалы, когда сначала хлопнула входная дверь, раздались быстрые легкие шаги, и в кухню влетела вернувшаяся из школы Элизабет. Увидев незнакомого мужчину за кухонным столом, она попыталась сдержать очевидное возбуждение, но, так и не сумев, подбежала к Дине и прижалась к ней своим стройным гибким телом.

— Мама, — произнесла Элизабет звенящим от восторга голосом, — меня приняли в театр! Представляешь, только одну меня из всех девочек нашего класса! — И она прижалась к Дининому плечу, и обхватила мать за голову, и звучно поцеловала ее в щеку.

— Как чудесно! — Дина тоже обняла дочь. — Я так рада за тебя, солнышко. Но давай поговорим об этом чуть позже. А сейчас я хочу тебе представить мистера Влэда, он будет у нас делать ремонт. А поселится он в нашем коттедже, чтобы не тратить время на дорогу. Влэд, это моя дочь Элизабет, — обратилась она к мужчине, который, забыв про кофе, внимательно разглядывал мать и дочь сразу погрустневшими, казалось, даже повлажневшими глазами.

— Очень приятно, — кивнул мужчина и почему-то тяжело, печально вздохнул.

— Что вы вздыхаете? — удивилась Дина и не смогла сдержать улыбку.

Влэд вздохнул снова.

— Да видите ли, вы вдвоем так чудесно смотритесь. На вас обеих достаточно посмотреть, чтобы понять, что вы счастливы, что любите друг друга. От вас исходит тепло и, как бы сказать... — он запнулся, — наверное, уют прекрасной, доброй, слаженной семьи. — Его голос немного задрожал, возможно, от волнения, и оттого акцент еще сильнее проявился в каждом слове.

Он вообще говорил не так, как обычно говорят простые рабочие. Да и не выглядел как рабочий — его одежда, пусть заношенная, потертая, но опрятная, была даже в каком-то смысле элегантна: белая рубашка без галстука с расстегнутой верхней пуговицей, серые отглаженные брюки и коричневый в толстый рубчик пиджак с немного полинявшими локтями. Лицом он тоже не походил на пролетария, оно казалось слишком эмоциональным, легко откликающимся на чувство и так же легко чувство выражающем. Все оно было каким-то неправильным, ассиметричным, перекрученным, что ли, возможно, от многих мелких морщин, неравномерно разрезавших лоб, скулы у глаз на отдельно возникшие островки. Нос был длинный и тоже неровный, кривой, и такие же длинные, неровные, узкие губы. Темно-каштановые, почти черные волосы начинали седеть, но пока что только у висков, — наверное, ему было где-то около сорока, хотя выглядел он старше.

— А где ваша семья? Вы живете один? — воспользовалась Дина возможностью выведать о нем как можно больше — в конце концов, этот совершенно незнакомый человек будет ежедневно находиться в их доме.

— Да я ведь приезжий, — снова тяжело вздохнул Влэд. — Я не так давно в Америке. Я эмигрировал в эту страну, — продолжал пояснять он, и морщины разрезали его лицо еще резче, а улыбка, неловкая, виноватая, так и не сходила с его губ.

— А откуда вы приехали? — снова поинтересовалась Дина.

— Да где только меня не носило. Пришлось помыкаться. — И Влэд снова вздохнул, видимо, тяжелые вздохи вошли у него в привычку. — В Америку я приехал сразу после войны из Англии. А в Англию я попал в тридцать шестом из Германии, когда нацисты захватили там власть. Хорошо, что мне вовремя удалось ускользнуть. До Германии я какое-то время жил в Праге. А вообще-то... — Тут Влэд задумался, и в кухне возникла пауза. Она разрасталась и заполняла пространство, оседая в воздухе, и казалось, что Влэд колеблется — продолжать или нет. Лоб его собрался в гармошку, в глазах появился вполне различимый налет усталой печали. Он снова вздохнул. — Знаете, я потерял свою семью давно, еще в молодости, и так не смог никогда восстановить... — Он запнулся. — Меня все бросало, бросало. Потом снова потери, война, там ведь в Европе ужасно. Отсюда, из благополучия, даже невозможно представить. — Снова пауза. — Но, знаете, осталось в памяти, так и не вытравилось... Когда я был ребенком и ложился спать, я любил, чтобы дверь в мою спальню оставалась приоткрыта, чтобы луч света из коридора пробивался ко мне... Знаете, он даже не освещал, а приносил с собой звуки дома, его тепло, уют — голоса родителей из гостиной, их разговор, смех; мама что-то рассказывала отцу, а тот лишь отвечал, я не слышал слов, только ритмичные, успокаивающие голоса. А еще шум воды на кухне, это няня мыла посуду, гремела кастрюлями, что-то готовила на утро. Иногда мама, думая, что я уже уснул, садилась за фортепьяно и начинала наигрывать что-то несложное, мелодичное, а отец даже не подпевал, а скорее мурлыкал. И знаете, у меня возникало чувство, что это не лучи света тянутся ко мне в спальню, а лучи любви. Я просто ощущал любовь, можно сказать, физически, мне казалось, я пропитывался ею. И тогда, ребенком, свернувшись калачиком в своей постели, я знал, что я сохранен и отгорожен от окружающего, часто злого, часто несправедливого мира, и буду сохранен, пока существует этот дом и люди, его населяющие. Пока существует любовь, которую они несут.

Он замолчал, лицо его еще больше разделилось на части, как будто на дольки: щеки, лоб, нос, — все ушло в разные стороны, а глаза снова подернулись влажной прозрачной пленкой, которая не сползала каплями вниз, а стояла и замерзала, и стекленела с каждой секундой.

— А потом, когда все разрушилось, мне так и не удалось... — У него не получалось унять дрожь в голосе. — Знаете, я в своей жизни поменял множество квартир, домов в разных городах, иногда неплохих квартир в совсем неплохих городах, но так никогда и не получилось... — он снова тяжело вздохнул, — не удалось воссоздать ощущение дома. Дома не в смысле жилья, куда приходишь спать после работы, а дома... — он сбился на мгновение, — где вместе с лучами света тебя греют лучи любви. Приют несложно найти, даже убежище, но дом — так никогда и не удалось.

— А где сейчас ваша семья? — Дина почему-то инстинктивно притянула, прижала к себе стоящую рядом дочь.

— Да все разрушено. Окончательно, полностью. — Влэд пожал плечами, как бы не понимая, кто и зачем разрушил его прошлое. — Ни дома, ни людей, в нем живущих, ни места, — вообще ничего.

— Вы имеете в виду войну? — снова спросила Дина. — Я знаю, я читала, там происходили страшные события, в Европе.

— Не только войну. Но и войну тоже, — расплывчато ответил Влэд и снова замолчал, снова задумался, да так глубоко, что казалось, даже забыл, где он находится, забыл, что рядом люди.

Пауза разрасталась и неуклюже повисала в воздухе. Элизабет посмотрела на мать и округлила в изумлении глаза, мол, что это с ним, может, он того, не в себе? Но тут рассказчик вздрогнул, пальцы его левой руки нервно пробежали по лбу, как бы ощупывая, как бы собирая из многих отдельных кусочков в единое целое.

— И вот сейчас, когда я увидел вас двоих, я, знаете, ощутил первый раз за долгое время... Я ощутил лучи любви, исходящие от вас обеих, я сразу понял, что вы неразлучны сердцами, душами, понимаете? Ваша дочь так сильно любит вас, Дина, она так привязана к вам, поверьте мне, я вижу.

— Я надеюсь, что вы правы, — засмеялась Дина, не зная, как закончить этот неловкий разговор, который вот так неожиданно перешел грань приличий и вторгся в ее личную жизнь, в жизнь ее семьи. — Вы давно занимаетесь ремонтами? — сменила она тему и тут же заметила, как сразу осекся Влэд, как сжалось и обострилось его лицо, как напряглись, потирая одна другую, ладони.

— Я, конечно, не профессионал, — закивал он согласно. — Я занимаюсь ремонтами скорее по необходимости, вот уже больше года, с тех пор как попал в Америку. Но вы не волнуйтесь, я ответственный, аккуратный, и я внимательно осмотрел все и понял, что вам требуется. Тут нет ничего сложного. Думаю, вы останетесь довольны. Необходимые инструменты у меня тоже имеются. — Он снова улыбнулся, снова кривой растянутой улыбкой, казалось, что он все время извиняется.

— Ну что же, чудесно, — закивала Дина, обрадовавшись, что утомительный поиск мастера завершен. — Когда вы сможете приступить?

— Сегодня что, среда? — начал прикидывать Влэд. — Я смогу переехать в пятницу. За субботу и воскресенье я обустроюсь в коттедже, а в понедельник смогу приступить. Вы с какой комнаты хотите начать?

Они еще говорили минут десять. Все это время Элизабет удивленно рассматривала Влэда, а потом тот встал, как-то вычурно поклонился сначала матери, потом нарочито гротесково дочери и откланялся, обещая приехать через два дня.

Когда он ушел, Дина вопросительно взглянула на дочь, как бы спрашивая ее мнение. Но Элизабет только округлила глаза и покачала головой:

— Странный какой-то дядечка. Ты видела, он тут чуть не расплакался, да и все эти разговоры о доме, лучах любви... Патетика! Ты вообще его рекомендации проверяла? Может, он... того, поехавший головой?

— А мне показалось, он хороший человек, — не согласилась мать. — Думаю, что он и работать будет хорошо. А то, что он расчувствовался здесь, так что ж... Он одинок, все потерял, вот и не смог сдержаться. Эмоции, конечно, излишние, но его можно понять. Нет, — снова повторила она, — я думаю, нам повезло, он выглядит порядочным, добросовестным человеком. — Дина задумалась, но тут же спохватилась: — Ты лучше расскажи про театр. Это же такая новость. Давай рассказывай.

И Элизабет тут же с горящими, восторженными глазами, сбиваясь и обгоняя себя, принялась подробность за подробностью описывать сегодняшний так удачно прошедший школьный театральный кастинг.

Собственно, с этого дня их жизнь изменилась, но не радикально, а скорее плавно, как и сам ремонт, не вмешивающийся в распорядок их размеренного, налаженного существования. Тот факт, что в доме появился новый человек, тем более мужчина, который хоть и уединенно, но проводил в нем большую часть дня, вносило понятное возбуждение в общую атмосферу прежде обыденной повседневности.

Влэд появлялся в доме в девять часов утра, одет он был, скорее, как художник, а не маляр, в синий халат чуть ниже колен, в аккуратные брюки и, главное, в берет — да и понятно: шпаклевка, побелка оседали на голове, отчего темные волосы там, где они не были прикрыты беретом, тут же седели, и тогда Влэд становился забавным, как какой-нибудь добрый сказочный персонаж.

Элизабет любила забегать в ремонтируемую комнату, садиться на пол, прислонившись спиной к стене, и болтать с Влэдом, пока тот неспешно, плавными ровными движениями что-то отмывал, оттирал, подкрашивал. То ли от этой нарочитой неспешности, то ли от выверености каждого движения, но в комнате было чисто, да и сам работник выглядел опрятно — на халате, брюках, ботинках не было видно даже пятнышка. Много раз Элизабет загадывала, что вот сейчас на Влэда все же что-нибудь капнет, брызнет, осядет, она даже придумала такую игру, но ничего не капало, не оседало, и выходило, что Элизабет все время проигрывала.

Каждые пятнадцать минут Влэд слезал со стремянки и делал несколько шагов в сторону, тоже неторопливых, и поднимал глаза к только что обработанному участку либо потолка, либо стены. Он мог так стоять несколько минут молча, как бы раздумывая, и со стороны действительно выглядел художником, оценивающим свою работу.

— Вам только мольберта не хватает, — пошутила однажды Элизабет, как всегда сидящая на полу, упираясь согнутыми в коленках ногами в пол, и Влэд кивнул.

— Да вот он, мой мольберт, — указал он на потолок, — только жаль, что я фресок не умею писать. Вообще-то когда-то я учился рисовать, хотя очень давно, я даже балуюсь иногда для собственного удовольствия. — Он постоял, посмотрел на потолок и произнес задумчиво: — Ну так что, может быть, уговорим маму испортить одну комнату и попробуем расписать потолок фресками? — Он снова помолчал, не переставая разглядывать свою работу. — Но только при одном условии...

— При каком? — не выдержала Элизабет его нарочитой неторопливости.

— Мы будем вместе работать над росписью, вдвоем, да еще маму подключим.

— Правда?! — обрадовалась Элизабет, но тут же засомневалась: — А вдруг мама не разрешит? Мы же можем все испортить: и потолок, и всю комнату.

— Вполне можем испортить. — согласился Влэд. — Но можем и не испортить. Вдруг у нас получится красиво? И мы не узнаем, пока не попробуем. Вот и получается, что пробовать всегда правильно. Конечно, надо подготовиться как следует, придумать сюжет, нарисовать эскизы, кальку и прочее, дело-то непростое, но зато сколько удовольствия!

— Ой, можно, я тоже буду придумывать сюжет? — тут же загорелась Элизабет. — У меня есть идея, мы сейчас в театре готовим спектакль по... — она уже готова была рассказывать, но Влэд ее перебил:

— Конечно, мы будем придумывать вместе. Но все-таки нам надо сначала получить мамино разрешение. Давай вечером, в шесть часов я зайду к маме, ты там тоже будь, и мы начнем ее уговаривать. Глядишь, и уговорим.

Элизабет закивала, потом задумалась, пальчики ее левой руки затеребили выбившуюся из косы прядь.

— А что за имя странное — Влэд? Это что, твое настоящее имя?

Влэд ответил не сразу, только после того, как снова залез по стремянке под потолок.

— Да нет, Влэд — это сокращение. У меня длинное и неудобное имя, здесь, в Америке, его никто выговорить правильно не может, то так исковеркают, то иначе. Вот я и решил его упростить.

— Ну и плохо упростил, — посетовала Элизабет, — мне не нравится, слишком вычурно. Ты же у нас в доме живешь, вот и имя твое должно быть домашним, как, например, мамино — Дина. Или вот меня мама зовет Лизи, тоже по-домашнему получается. А у тебя Влэ-эд... — Она растянула звуки, особенно выставив наружу заносчивое «э». — Что-то слишком торжественное, римское, что-то от императоров, от амфитеатров. А ты на амфитеатр, кстати, совсем не похож. Тебе не идет торжественное, сам посуди.

Влэд оттуда, с верхней ступеньки стремянки, только пожал плечами.

— Ну и как ты хочешь меня называть? — спросил он, проводя ладонью по потолку, как бы проверяя на ощупь, достаточно ли тот гладкий и ровный.

— Не знаю, но как-нибудь мягко, по-домашнему, — повторила Элизабет и задумалась. — Может быть... — сказала она и задумалась снова. — Может быть, Ву-Ву? — предложила она наконец. — Как ты считаешь?

Он усмехнулся оттуда, сверху.

— Почти угадала. Но тогда лучше Во-Ва. Как ты думаешь?

— Не знаю, — пожала плечами Элизабет. — А что, если просто Во?

— Как-то слишком по-китайски, — засмеялся сверху Влэд.

— Ну, а что плохого в Китае? — удивилась Элизабет, а потом добавила: — Ну хорошо, так и быть, я к одному китайскому Во добавлю другое китайское Во. Теперь ты будешь Во-Во, ладно?

— Тогда я тебя буду звать так же, как и мама, просто Лизи, — предложил Во-Во, тщательно вытирая руки белой тряпочкой. — Хотя нет, я тебя буду звать Лизонька, как тебе? По-моему, хорошо звучит.

— Непривычно, конечно, но хорошо, — легко согласилась Лизи. — Так значит, вечером мы будем маму уговаривать, ну, насчет рисунков на потолке, этих, как они называются...

— Фрески, — напомнил Во-Во, и Лизи закивала, соглашаясь.

— Ну да, фрески.

Дину они уговаривали недолго. Да она и не была против, скорее наоборот, ей нравилось, что девочка будет занята чем-то интересным, даже творческим, да еще дома — такой семейный совместный проект. Ее только интересовало, не повредит ли он самому ремонту, не затянет ли его? Но Влэд заверил, что фресками он будет заниматься только вечером, после окончания рабочего дня.

Потом они выбирали комнату и решили начать с самой дальней — хотя бы будет не обидно за испорченный потолок, если роспись не получится.

— Но ведь Во-Во сказал, что он сможет все исправить, закрасить, и ничего видно не будет, — заметила Лизи.

— Во-Во? — подняла на нее глаза мать. — Это кто? Не вы ли, Влэд?

Тот только пожал плечами.

— Ну да, мама, — снова вмешалась Лизи. — А кто же еще? Посмотри на него, какой он Влэд? Конечно, он Во-Во, или Ву-Ву, или просто Во. Наш старый китайской друг Во. — И она засмеялась.

Дина посмотрела на Влэда с деланым осуждением.

— Вы ей разрешаете так вас называть, Влэд? — спросила она, но тот лишь улыбнулся:

— Конечно, хорошее имя, мне самому нравится.

Оказалось, что расписывать потолок — дело сложное и трудоемкое. Сначала они вдвоем, Влэд и Элизабет, долго рылись в библиотеке, пытаясь найти книги по технике росписи, но в библиотеке таковых не оказалось. Тогда они просмотрели целую кипу каталогов и выискали все же толстенный фолиант, который оказался практическим руководством для профессиональных художников. Но так как выбора не было никакого, пришлось заказать его. Книга должна была прийти только через две недели, а пока они вдвоем стали придумывать сюжет для фрески — что на ней изображать, как, в какой манере, ну и прочие технические детали.

Каждый вечер они собирались на кухне. Влэд уже был умыт после рабочего дня, он успевал переодеться, приносил с собой листы бумаги и карандаши, они садились за стол и начинали фантазировать.

Элизабет, как и полагается подростку, часто горячилась, идеи рождались в ее голове безостановочно, она дергала Во-Во за рукав, заглядывала ему в глаза, пытаясь выразить в неловких и неумелых словах то сумбурное, что громоздилось в ее воображении.

Тот внимательно выслушивал и пытался навести хоть какой-то порядок в нагромождении слов. Порой он бросал быстрый многозначительный взгляд на Дину и понимающе, немного снисходительно улыбался, мол, игра и есть игра и мы, взрослые, участвуем в ней только ради ребенка. Впрочем, он сам часто увлекался, перебивал Элизабет на полуслове, начинал спорить эмоционально, возбужденно. Когда же решение в результате находилось, они оба выглядели счастливыми, что умиляло Дину, которая, находясь рядом, мало вмешивалась, лишь улыбалась, наблюдая за увлеченными девочкой и взрослым мужчиной.

В результате после долгих дискуссий, после того, как были изучены десятки альбомов с репродукциями, решено было использовать классический сюжет о трех грациях, две из которых определились быстро и легко — Дина и Элизабет, а вот насчет третьей возникли споры.

Элизабет настаивала, чтобы третьей грацией стал сам Во-Во, ее безудержно веселила сама идея изобразить немолодого, коренастого мужчину в позе грации. Она просто умирала от хохота, пытаясь выразить словами комичность образа, как Во-Во будет выглядеть в полупрозрачной, воздушной тунике, но слов недоставало, и Элизабет хваталась за карандаш, пытаясь рисовать.

Во-во сопротивлялся, говорил, что даже в качестве юмористического сюжета не подходит для грации. Да и потом, изобразить комичность с технической точки зрения, особенно для них, не умеющих хорошо рисовать, абсолютно непосильная задача. Дина поддерживала его, ее вообще смущала некоторая фривольность сюжета, так как на всех изученных ими классических картинах тела граций просвечивали сквозь тонкую ткань.

Вообще просмотр альбомов с репродукциями картин старых мастеров, где человеческое тело демонстрировалось достаточно откровенно, создавал определенную неловкость, во всяком случае для Дины. Она чувствовала, как некое напряжение растворялось в воздухе вечерней кухни и сгущалось в нем, сублимируясь в почти материально ощутимое наэлектизованное поле. «Может быть, только я одна его ощущаю?» — спрашивала себя Дина.

Она вглядывалась в лицо дочери, в лицо Влэда и пыталась найти в них если не ответ, то хотя бы намек, но те беззаботно болтали, смеялись, перебивая друг друга, увлеченно рассматривая что-то на испещренных набросками листах.

Все же Дина предложила другой, более нейтральный сюжет, известный как «Яблоко раздора», когда три богини предстают перед Парисом с просьбой выбрать самую красивую из них. В ответ Элизабет тут же обозвала мать ханжой и еще долго бросала на нее гневные, возмущенные взгляды.

В итоге решено было пойти на компромисс — трех богинь изобразить в виде граций. Во-Во же должен был предстать в качестве самого Париса, хотя Во-Во — Парис не казался Элизабет таким же забавным, как Во-Во — грация.

Впрочем, Элизабет тут же решила, что Афродитой, богиней красоты, будет именно она, а пастушок Парис вместо накидки из овечьей шерсти будет облачен в рабочий халат Во-Во и опираться будет не на традиционный пастуший посох, а на длинную малярную кисть.

— А вместо яблока, — тут же подхватил Во-Во, — богини будут протягивать Парису теннисный мячик. Так мы картину и назовем: «Теннисный мячик раздора».

— Почему теннисный мячик? — не поняла Элизабет.

— Ну не яблоко же, — пожал тот плечами, а потом добавил: — Да и вообще теннис — чудесная игра.

— Вы, Влэд, играете в теннис? — удивилась Дина.

— Да, когда-то играл, — ответил Влэд и тут же почему-то вздохнул. — Не могу сказать, что хорошо, но для любителя вполне прилично. Даже юношей в каких-то соревнованиях участвовал. Впрочем, я уже сам не уверен, было ли это, так давно.... — и он сбился, и замолчал, и снова вздохнул, как будто выпуская из себя тяжесть прошлого.

Дина попыталась заглянуть ему в глаза, чтобы отыскать в их глубине боль и потери и сравнить их со своими потерями и болью, но ей не удалось — Влэд опустил глаза к столу, к иллюстрированным альбомам, к красочным репродукциям.

А вот Элизабет ничего не хотела замечать, да и не могла.

— Правда?! — вскрикнула она и схватила Во-во за рукав. — Я тоже играла несколько раз, всего несколько, и у меня получалось лучше, чем у других. И вообще, я так хочу научиться хорошо играть в теннис. Ты меня поучишь? Ну пожалуйста, ну Во-Во, прошу тебя, ну что тебе стоит, — принялась притворно канючить Элизабет, артистично подражая интонациям маленькой капризной девочки. Она наморщила носик, собрала лобик в складки, наполнила мольбой глаза — точь-в-точь готовый расплакаться ребенок.

— Лизи, Лизи, — со смехом одернула ее Дина, — у мистера Влэда и так не остается свободного времени, ему наверняка не до уроков тенниса. Если бы я знала, что ты хочешь играть в теннис, я бы наняла для тебя инструктора.

— Но мама, — маленький ребенок в исполнении Элизабет закапризничал еще сильнее, — я не хочу инструктора. Я хочу, чтобы меня учил Во-Во. Правда, Во, ты будешь меня учить?

— Конечно, если мама не возражает, я с удовольствием. Вот только где нам взять время? Вечера у нас заняты картиной, остаются только субботы и воскресенья. Вы как, Дина, не против?

— Да нет, — ответила та. — Если вам не жалко собственного времени, я буду только рада, если девочка научится играть в теннис.

Постепенно жизнь дома Бреманов вошла в налаженный ритм, и выяснилось, что дни Элизабет полностью заполнены — утром и днем школа, потом дополнительные занятия в школьном театре. Домой она возвращалась усталая и голодная, но не умея, как любой подросток, отдыхать, находила отдых скорее в смене деятельности и впечатлений: наскоро перехватив что-нибудь на кухне — тарелку с хлопьями или сандвич с ореховым маслом, бежала в комнату, где работал Во-Во. Там она садилась по привычке прямо на пол, прислонясь спиной к стене, и они начинали болтать.

Элизабет рассказывала о прошедшем школьном дне и, конечно, о театральной репетиции, а потом расспрашивала Во-Во о его жизни, особенно о той прошлой, европейской части, которая представлялась ей особенно загадочной, даже таинственной.

Во-Во отвечал неторопливо, не переставая орудовать кистями, шпателями, валиками, какими-то другими странными на вид приспособлениями. Казалось, что неспешные слова только помогают неспешным рукам, и наоборот — руки помогают словам, что и те и другие выполняют разные части единой работы.

Элизабет никогда не могла разобраться, что в историях Во-Во правда, а что выдумка, хотя она не сомневалась, что выдумка присутствовала, особенно если судить по выражению лица Во-Во — его глаза сразу сужались и наполнялись лукавством, губы, как всегда, растягивались в улыбку, но не в усталую, извиняющуюся, к какой привыкла Элизабет, а наоборот, в ироническую, подразумевающую вымысел. Они как бы говорили: мое дело рассказать историю, а вот решить, что в ней тебе по вкусу, — уже твое дело.

Оказывается, Во-во участвовал в экспедиции на Северный полюс и охотился на белых медведей и даже вел дневники экспедиции, но их сейчас нет, они остались в Европе, в тайном месте, и когда он поедет туда, он их обязательно привезет и даст почитать.

А еще он был альпинистом и в Альпах карабкался по скалам и забирался на самые высокие горы. Однажды, когда он лез по отвесной скале, началась ужасная метель — там, наверху, высоко в горах, это обычное дело, вскоре наступила ночь, и ему пришлось ночевать прямо над пропастью, болтаясь на веревке. Утром метель закончилась, и друзья вытащили Во-Во наверх.

Когда рабочий день заканчивался, Во-Во уходил к себе, в свой коттедж, но через час-полтора возвращался уже умытый, причесанный, аккуратно одетый. Тогда они все вместе усаживались в столовой за накрытым столом, где во время обеда разговор продолжался в том же русле — Дина и Элизабет расспрашивали Во-Во о его прошлой жизни, а тот продолжал рассказывать свои небывалые истории.

У него был приятель в Европе, мошенник, в общем-то настоящий криминальный тип. Нет, он никого не убивал, просто оказывал богатым людям всякие хитрые услуги и за это получал много денег.

Например, один его клиент захотел избавиться от жены. Дело было в Германии, еще перед войной, и жену он ужасно не любил, у него даже наступали приступы астмы по ночам.

Разводиться было хлопотно, к тому же он не хотел делить солидное имущество, вот он и нанял приятеля Во-Во, чтобы тот помог ему избавиться от супруги. И тот разработал следующий план.

Клиент открыл гостиницу, которую по разным техническим и налоговым причинам записал на жену. Та, конечно, не возражала, ничего плохого в том, что бизнес принадлежит ей, она не видела. Хотя к ведению дела не имела никакого отношения, не понимая в нем ничего и не вмешиваясь в него совершенно. Она вообще была большая модница, любила кафе и выезды на природу, ухаживания галантных кавалеров и не смогла бы понять разницу между сальдо и бульдо, даже если бы и хотела.

Муж же с помощью товарища Во-Во стал использовать гостиницу в различных сомнительных целях — размещал в ней нелегальных эмигрантов из зараженной революцией Российской империи, сомнительных девушек, занимающихся сомнительными делами (здесь у Элизабет возник вопрос, но она перебивать рассказчика не решилась).

В итоге подозрительной гостиницей заинтересовалась полиция и в одну прекрасную ночь ворвалась в нее с шумом, визгами, фотовспышками, — в общем все, как полагается.

Правда, предусмотрительный супруг с помощью друга Во-Во за неделю до облавы выехал в Швейцарию, где у него как раз оказались неотложные дела. Там, в Цюрихе, а может, в Женеве, на берегу симпатичного озера он и задержался сверх необходимого.

А вот его супружница никуда не выезжала, да и зачем? Ей и в Берлине было хорошо — кафе, ухажеры, магазины — много ли, в конце концов, надо симпатичной, не сильно обремененной замужеством женщине. Но тут выяснилось, что она еще и владелица ужасного притона, во всяком случае, с точки зрения настырной полиции, которая тут же по ее душу и явилась. Женщина так и не сумела понять, в чем ее вина, она вообще во всем подобном плохо разбиралась, но и оглянуться не успела, как оказалась за решеткой. Ей конечно же следовало нанять адвоката, но на адвоката требуются деньги, которых, как неожиданно выяснилось, ни в банке, ни в разных укромных загашниках совсем не оказалось. Пришлось довольствоваться государственным адвокатом, к которому, как все знают, можно и не обращаться — ровным счетом никакой пользы. Так она в тюрьме и осталась, и даже, видимо, прижилась там, как сумела.

А вот ее муженек прижился совсем к иным условиям, не требующим жесткого тюремного распорядка — ни подъема по сигналу, ни коллективных каш с похлебками, ни таких же коллективных душевых. Нет, его жизнь была устроена исключительно индивидуально с максимальным удобством.

А приятель Во-Во сначала совсем неплохо заработал, а затем, заливаясь от смеха, рассказал о проделанной комбинации самому Во-Во.

Элизабет слушала с раскрытыми глазами, не зная, верить или нет. Ей вообще многое было непонятно: почему муж хочет отделаться от жены? Как можно невинную женщину посадить в тюрьму? Да и вообще, кто может быть настолько коварен, чтобы заранее все спланировать, продумать и выполнить?

И все же что-то непонятым образом возбуждало ее в рассказе — может быть, именно коварство и запланированность, с которыми ей самой никогда не приходилось сталкиваться, а может быть, неясная мысль, что оказывается, жизнь не однозначна, что в ней существует много разных пластов. И тот факт, что время добираться до них скоро придет, а возможно, уже пришло, вызывало у Элизабет не до конца осознанное волнение.

— Не может быть! — воскликнула она. — Ты все выдумал, так не бывает.

Во-во внимательно вгляделся в нее, как бы рассматривая каждую деталь по частям — разгоряченные, с ярким румянцем щеки, прядь волос. сбившуюся на глаза, движение руки, безуспешно пытающееся эту прядь приструнить.

— Почему не может быть? — Он растянул свои узкие, кривоватые губы. — Конечно, может. Еще как может.

— Ну, и чем дело закончилось? — не стала спорить Элизабет.

— Ничем. Одинокий муж вернулся в Берлин, где и прожил счастливо несколько лет. Больше не удалось. Не потому, что закончился срок отсидки супруги, а потому, что к власти пришли нацисты и он вскоре сгинул в одном из так называемых «трудовых» лагерей. Впрочем, совсем не из-за этой аферы, а абсолютно по другой причине. — Во-во выдержал паузу и продолжил: — Что приводит к одному существенному выводу...

— ...что не надо было строить козни своей жене, — предположила за рассказчика Элизабет.

— Отнюдь нет, — возразил тот. — Что не надо было возвращаться в Берлин. Сидел бы в Швейцарии — так наслаждался бы жизнью до сих пор.

— Грустный конец. Если только вы не придумали всю историю с самого начала, — произнесла Дина задумчиво.

Элизабет взглянула на мать. Та сидела, откинувшись на спинку стула, и тихо, будто в такт какой-то только ей различимой мелодии, покачивала головой. И при этом неотрывно смотрела на Во-Во. Но взгляд ее был также рассеян и неопределен, как и голос, он будто расплывался по всему пространству комнаты, по воздуху, ее наполняющему.

Тогда Элизабет почувствовала нечто неопределенное, расплывчатое, словно что-то живое пронеслось по комнате. Какая-то волна. Плотная, напряженная. Она взвинтила до предела сразу повлажневший воздух, а потом, видимо, через кожные поры, видимо, расширив их, проникла внутрь самой Элизабет. И из плавной, воздушной внезапно преобразилась в тяжелую кровавую волну, которая по венам стремительно взлетела вверх, прихватив остатки дыхания, наполняя цветом щеки, шею, даже лоб, даже руки. Элизабет стало сразу жарко, она даже задержала очередной вдох, чтобы тот не получился слишком шумным, заметным. А еще защекотало в животе, не внутри, а на самой поверхности, да так остро, что ей пришлось положить ладонь, чтобы сдержать волнение, пока то постепенно не стихло.

Впрочем, никто ничего не заметил. Во-Во продолжал улыбаться своей растянутой узкогубой улыбкой, отчего его глаза тоже сузились: они скользнули по Дине, пытаясь нащупать ее расплывчатый взгляд. Но только скользнули едва-едва и, сузившись еще больше, скакнули в сторону.

— Вы все выдумали, Влэд, — повторила Дина, имея в виду только что рассказанную историю. — Вы наверняка все выдумали, сознайтесь, ведь я права?

— Как знать, как знать, — проговорил Влэд, неопределенно покачивая головой, и тут же повернулся к Элизабет: — Ну что, Лизи, завтра суббота. Пойдем на корт к десяти часам, чтобы успеть поиграть до жары?

— А давай пораньше, — предложила Элизабет, которая всю неделю ждала урока тенниса. — А то опять будет, как в прошлый раз, когда ты к двенадцати устал и больше не хотел играть.

— Да нет, — не согласился Во-Во, — два часа вполне достаточно. Надо, чтобы игра была в радость.

— Мне в радость, — заверила Элизабет.

— Я знаю, — согласился Во-Во. — Если ты захочешь, мы сможем поиграть еще и в воскресенье.

— Ну давай в девять. Ну пожалуйста!.. — Элизабет сморщила лобик, округлила глаза, придав своему личику умоляющее выражение.

— Лизи, — пришлось вмешаться матери, — мистер Влэд устает в течение недели. Он ведь много работает, и наверняка ему в субботу хочется выспаться. Не настаивай, ведь ты...

— Что вы, Дина, — прервал ее Влэд, — я привык подниматься рано, мы можем начать и в девять, если ты, Лизи, так хочешь.

— Ну вот, видишь, ты такая приставучая, что мистер Влэд не может тебе отказать. — И Дина, хоть и пыталась говорить наставительно, но тоже не смогла сдержать улыбки. — А теперь, пожалуйста, мыться и спать, юная леди.

— Но, мама, — заканючила Элизабет, — ну, я еще посижу, можно?

— Нет, золотко, — Дине пришлось добавить в голос твердости, — умываться и в кровать.

— Но, мама, вы же еще сидите. Вы же не идете спать, — снова закапризничала Дина, чувствуя живую, подступающую к горлу обиду — вот сейчас она пойдет спать и пропустит... что-то очень важное, какой-то недоступный для нее секрет.

— Лизи, — вмешался Во-Во, — если ты завтра хочешь играть в теннис, тебе надо выспаться.

— Знаете что, — поддержала его Дина, — я поеду завтра вместе с вами. Посмотрю, чему ты, девочка, там научилась за два месяца. — И она погладила дочь по голове. — А теперь, милая, иди спать.

— Ты вправду поедешь? — удивилась Элизабет, поднимаясь со стула.

— Конечно, детка, — ответила ей Дина с улыбкой. — Сладких тебе снов.

— Спокойной ночи, мама. — Элизабет подошла и, как всегда перед сном, обняв Дину за шею, поцеловала ее в щеку. И, дождавшись ответного поцелуя, повернулась к Во-Во: — Спокойной ночи, Во-Во. — Она заколебалась на мгновение, сделала один-два неуверенных шага в его сторону, а потом, как будто мгновенно отбросив сомнения, рванулась к нему, и быстро, на одном единственном импульсе, прильнула к жесткой, шершавой щеке и поцеловала. А потом замерла, ожидая ответного поцелуя. Во-Во поднял глаза над склонившейся головкой, посмотрел вопросительно на Дину и, получив в ответ лишь мягкую улыбку, чмокнул девочку куда-то в макушку.

— Приятной ночи. До утра, — произнес Во-Во и снова посмотрел на Дину.

— Приятной ночи, — повторила Элизабет и, выскочив из комнаты, застучала легкими ножками по ступенькам лестницы, ведущей на второй этаж в ее спальню.

Что же произошло, почему Элизабет поцеловала Во-Во? Была ли это обыкновенная детская непосредственность или просто накопившаяся потребность в мужской заботе, которую обычно ребенок получает от отца? Или все же провокация зарождающейся женщины, желание хоть вскользь, но стать причастной к тайне взрослых, к тайне, которую она ощутила сегодня в первый раз? Элизабет не знала, она лишь чувствовала себя довольной, умиротворенной и засыпала со счастливой улыбкой.

На следующий день утром, слишком, может быть, ранним утром для субботнего дня, они все втроем сели в Динин «Додж» и отправились на теннисный корт, до которого и пешком-то было не более двадцати минут. Дина сидела за рулем, Во-Во рядом, на пассажирским сиденье, и только Элизабет, которая хотела поначалу примоститься там же, поймав недовольный взгляд матери, уселась сзади.

Первые двадцать минут заняла разминка, несколько кругов медленного бега вокруг корта. Потом бег с короткими ускорениями. Потом боком, подпрыгивая. Дина сидела на скамейке рядом, смотрела, слушала, улыбалась дочери, подбадривая.

— Приставной шажок, Лизи, — не переставал повторять Влэд, прыгая вместе с девочкой вдоль бровки. Он был в холщевых спортивных брюках, белой рубашке с отложным воротом и длинными рукавами, в спортивных туфлях. В отличие от него Элизабет была одета в коротенькие, обтягивающие шорты, майка на узких бретельках открывала не только руки, но и плечи.

— Легче, Лизи, легче... будто ты танцуешь... ножки, как в танце... и тело взлетает вверх... — говорил Влэд отрывисто, переводя дыхание после каждой короткой фразы, сам пытаясь двигаться быстро и легко.

Потом они заняли место на корте, Элизабет отошла на заднюю линию, Влэд, наоборот, подошел к самой сетке. Рядом с собой он поставил ведерко, наполненное теннисными мячиками. «Откуда у него столько мячиков?» — удивилась Дина.

— Давай Лизонька, ножки пошли! — крикнул Влэд. — Тренируем форхенд.

И Дина увидела, как задвигались, будто в мелком ритмичном танце, ноги дочери, как сразу серьезно стало ее личико, как оно исполнилось упрямой решимостью.

Полетел первый мячик, за ним сразу второй, потом, без промедления, третий.

— Легче, Лизи, легче! — покрикивал на девочку Влэд. — Не контролируй тело, оно само знает, что делает, доверяй своим ножкам, подходи к мячику. Смотри, этот чуть короче, иди на него, а следующий длиннее. Подлетай, подлетай к нему.

Элизабет слушала своего наставника. Ее ножки порхали по поверхности корта, ракетка мелькала в воздухе, но Влэд продолжал прикрикивать, и мячики летели все быстрее и быстрее.

— Давай, малыш, ракетка вверх, как флажок. А теперь пошли ноги, и ракетка падает, плечо вперед, разверни, покажи мне свою спинку. И снизу вверх, всем телом, с поворотом ног, вверх, добавь кистью вращение и не останавливай руки. Рука идет за спину, за плечо. Сразу назад, ножки не стоят, двигаются, танцуют, а теперь приставным шагом в исходную позицию.

Мячики продолжали лететь, Элизабет била их, разворачивая плечи, вкладывая в удар все свое стремительное гибкое тело. Дина загляделась на дочь. Она и не предполагала, что в ней столько упорства, страсти. Конечно, страсти, достаточно только посмотреть на искривленный напряжением рот Элизабет, на закушенную нижнюю губу, на то, как она отдает всю себя каждому удару, забыв о матери, о Влэде, вообще обо всем окружающем, расслабленном в дремоте субботнего утра мире.

А еще Дина подумала, что она, оказывается, многого не знает про свою дочь. Она, мать, родила, воспитала ее, а вот не поняла, не раскрыла до конца. А чужой человек, всего пару месяцев назад появившийся в их жизни, взял и легко выявил характер девочки.

Дине стало немного обидно, но вместе с тем она не могла оторвать от дочери взгляда, не могла не любоваться ею, ее легкими стремительными движениями, тому, как она вся отдалась игре.

— А теперь бэкхенд, — перевел Влэд полет мячиков под удар слева. — Больше разворачивайся, спину, спину мне покажи... и... удар. Вверх, вверх руки, за спину, левая нога вперед. И сразу назад, поскакала. Приставным. А теперь... — не умолкал Влэд, продолжая посылать стремительные мячи.

Дина перевела взгляд на него. В нем она тоже открыла что-то новое, чего не видела прежде. Окрепший, с командными нотками голос — куда делась мягкость и усталая медлительность? А движения рук — они были по-прежнему плавные, размеренные, но теперь в них присутствовала твердость. Дина постаралась заглянуть Влэду в глаза. Она сидела далеко, но ей показалось, что из них исчезло постоянное жалкое, виноватое выражение, к которому она уже успела привыкнуть. Вместо него появились внимание, концентрация, даже уверенность. «Неужели он может быть уверенным в себе?» — подумала Дина в изумлении.

Двигался он, конечно, не так легко, как Лизи, но ноги его без труда скользили, безошибочно находя нужное место на корте, мячик еще только подлетал, а Влэд уже подстраивался под удар.

«Видимо, — подумала Дина, — жизнь ему досталась тяжелая. Видимо, он, как и я, многое пережил и выстрадал, многое потерял, если его так поломало со временем. И все же он не потерял себя, он наверняка сможет возродиться из пепла, особенно если ощутит опору, поддержку близкого человека».

Минут через двадцать, когда Элизабет устала и кожа ее стала влажной и заблестела на ярком солнце, Влэд объявил перерыв. Они подошли к скамейке. Дина смотрела, как Лизи, сдерживая тяжелое, воспаленное дыхание, глотает воду из бутылки, как обтирает себя полотенцем, как рассеянно глядит по сторонам, не замечая ничего вокруг.

— У вас очень способная дочь. У нее хорошие ноги и быстрые руки, из нее могла бы получиться хорошая теннисистка. Ей, конечно, надо еще много тренироваться и работать над техникой, но кто знает, возможно, в будущем она могла бы играть на самом высоком уровне.

— Да бог с ним, с теннисом. — Дина прикрыла глаза ладонью, как козырьком. — Вы лучше скажите, откуда у вас силы на все берутся? Вы так эмоционально отдаетесь игре, будто у вас открывается второе дыхание.

— Знаете, — Влэд сел на скамейку, но чуть поодаль от Дины, — в моей жизни появился смысл. Раньше никакого смысла не было, а сейчас вот появился.

Дина повернула голову, заглянула Влэду в лицо. Глаза его снова наполнились тяжелой, щемящей влагой, про такие говорят «глубокие», когда чувство из глубины, перемешавшись с частичками души, выплескивается наружу. Вот только у Влэда оно было несчастным, жалким, ищущим сочувствия. «Как легко может меняться этот человек», — подумала про себя Дина.

После перерыва Дина, сославшись на дела, уехала, а Элизабет и Влэд продолжили тренировку. Теперь они стали использовать весь корт — сначала перебрасывая мяч кроссом, справа направо, потом обратным кроссом. Вскоре задача была усложнена, и Элизабет должна была три раза подряд бить кроссом, а четвертым ударом посылать мяч по линии. У нее не всегда получалось, не так просто изменить угол удара, особенно когда мяч летит быстро.

Если мяч улетал в аут, Элизабет расстраивалась и демонстративно поворачивалась спиной к Во-Во, будто это он виноват в ее ошибке, но перед следующим розыгрышем она снова собиралась, пытаясь послать мяч точно и сильно, так, чтобы ее соперник не успел достать его. Во-Во вытягивался, почти стелился над поверхностью корта, пытаясь дотянуться до ускользающего мяча, но ракетка лишь ловила и пропускала через струны пустой воздух, и тогда Элизабет сжимала кулачок и, потрясая им в напряжении, громко выкрикивала короткое и жесткое «Yes!».

Так они играли еще минут двадцать, а потом, когда дыхание девочки стало сбиваться и кожа снова заблестела мельчайшими крупинками пота, они подошли к скамейке и Элизабет долго, протяжно, смакуя каждый глоток, глотала воду из бутылки, затем обтирала себя насухо полотенцем — руки, плечи, лицо, ноги, — неспешно, основательно. А Во-Во стоял поодаль и не мог оторвать от нее взгляда.

Элизабет, без сомнения, знала, что ее гибкое, легкое тело — настолько легкое, что казалось, оно сделано из воздуха, дышит им, впитывает его, — не может не приковывать внимания. Она не раз ловила на себе пристальные мужские взгляды — в них читалось чувство, пусть оно пока оставалось непонятным, нерасшифрованным. Да она и не пыталась разобраться в нем, главное, что это чувство, иногда ломкое, зависимое, иногда восторженное, что-то шевелило внутри Элизабет, переворачивало, отчего ей становилось как-то необычайно приятно.

Вот и сейчас, заметив взгляд Во-Во, она так и не поняла, что стоит за ним — наверное, восторг, даже любовь, даже обожание. Скорее всего, обожание отца, любующегося своей выросшей дочерью и вдруг неожиданно связавшего ее молодость, красоту с собой, со своей собственной жизнью и молодостью. Ведь возможно, что Во-Во, который когда-то давно потерял дом, близких и вдруг, пусть и не в полной мере, пусть частично, обрел их снова, всю свою так долго копившуюся, не имеющуюся выхода любовь направил на этого хрупкого, грациозного подростка.

— Знаешь, чем хорош теннис? — спросил Во-Во, когда они сели передохнуть на скамейку, и, не дожидаясь ответа, добавил: — Потому что теннис — единственный игровой вид спорта, когда соперники сходятся один на один. Существуют еще шахматы, конечно, но в этом смысле шахматы и теннис схожи.

— Ну и что? — спросила Элизабет, которая не совсем понимала, к чему он клонит.

— Да потому что, когда играешь один на один и кто-то должен выиграть, а второй проиграть, тогда борьба развивается совсем по иным законам. Техника, мастерство, конечно, важны, но исход игры часто определяет характер — уверенность, злость, желание победить. Знаешь, именно твоя уверенность может зародить неуверенность в сопернике. И получается, что помимо соревнования в мастерстве теннис — это прежде всего борьба характеров. Побеждает не тот, кто лучше играет, а тот, у кого сильнее характер.

Они помолчали, Элизабет еще пару раз глотнула из бутылки.

— Ну что, — сказал Во-Во через несколько минут, — сыграем теперь настоящую игру. Один сет. У тебя силы есть еще?

— Конечно, — кивнула Элизабет и как бы в подтверждение своих слов легким прыжком соскочила со скамейки. — Ты подаешь первый, Во-Во! — крикнула она и, согнув спинку, мягко пружиня на ножках, приготовилась принимать подачу.

Во-Во подал несильно, мяч отскочил недалеко от линии, но пританцовывающие ножки Элизабет успели к нему, и мягким слайсом она направила мяч на противоположную часть корта. Но Во-Во оказался именно там, где опустился мяч, и кроссом перевел его под ее бэкхенд. И тут вместо того, чтобы ответить обратным кроссом, Лизи незаметным движением выполнила дроп-шот — короткую подрезку, и мяч, перелетев через сетку, шлепнулся прямо за ней. Во-Во рванулся было вперед, но, понимая, что ему не успеть, остановился, не пробежав и трети расстояния.

— Умничка, Лизонька! — крикнул он. — Ты замечательно видишь корт. А еще ты быстро думаешь и принимаешь решения. Умничка. Старайся постоянно менять темп игры, ставь противника в тупик, как меня сейчас.

Они поиграли еще немного, и каждому удачному розыгрышу Лизи Во-Во радовался больше своей соперницы. Конечно, она видела, как он восхищается ею — ее грацией, ее легкостью, ее молодостью, — как его кривоватая узкая улыбка, обычно напряженная и вымученная, расслабилась, как восторженно блестят его глаза, впитывая каждое ее движение, каждый шаг быстрых ножек, каждый поворот округлого плечика, каждый взмах оголенной руки.

Элизабет все видела, ей нравилось вызывать у него восторг, и она еще быстрее двигалась по корту, порхала по нему бабочкой, безжалостно нарезая удары. И от каждого успеха, от каждой выигранной подачи ее собственное возбуждение нарастало тоже, даже не возбуждение, а азарт, кураж, чувство счастливой удачи.

Вот она, подбежав к короткому мячу, пустила его по диагонали, навылет, и когда беспомощный Во-Во оказался рядом, Элизабет, сама не зная зачем, просто от распирающего ее восторга протянула свою гибкую руку и, обвив оторопевшего соперника за шею, притянула к себе, так что только сетка еще как-то разделяла их, и чмокнула звучно куда-то, не разбирая, не то в щеку, не то ближе к шее. И, тут же отпустив его, отбежав назад, она, заливаясь смехом, с лукавыми, полными счастья глазами, крикнула ему что-то задорное, дерзкое, что-то про его медлительность, и еще, что он никогда не сможет выиграть у нее. Вообще никогда.

— А ведь скоро я стану еще быстрее. А ты только будешь стареть, — смеялась она.

А он стоял, ошалевший, ошарашенный то ли неожиданным, порывистым поцелуем, то ли ее игривостью, и все смотрел на счастливое, полное восторга девичье лицо.

Но счастливое состояние гармонии, как известно, хрупкое состояние и, увы, не может длиться долго. Вот и для Элизабет оно вскоре закончилось.

Была очередная суббота, и они с Во-Во, как всегда, играли в теннис. Они провели на корте минут тридцать, когда двое ребят лет восемнадцати с ракетками и мячиками зашли на корт и сели, раскинувшись на скамейке. Под их ироничными взглядами с репликами, прерывающимися нарочито громким, не скрывающим двусмысленности смехом, Элизабет сразу же сникла. Ее задор улетучился, тело стало непослушным, ноги утратили легкость, каждое движение давалось с усилием, и она не успевала к мячам, мазала удары, отчего со скамейки летел еще более издевательский смех.

После очередного удара, когда мячик вяло и неуверенно застрял в сетке и Элизабет почти что в слезах, обессиленно ссутулившись, пошла назад к линии, Во-Во, подойдя к скамейке, попросил ребят вести себя потише.

— Мы еще будем играть полчаса, — сказал он. — А вы нам мешаете, вы ведь сами понимаете...

Но те не дослушали.

— Полчаса?! — вскрикнул один из них с наигранным возмущением. — Ты чего, мужик, с катушек, что ли, слетел? — И он обратился к своему товарищу, который тоже возмущался и тоже размахивал руками: — Ты посмотри, Том, он хочет, чтобы мы ждали еще полчаса. Как тебе это нравится? — А потом опять в сторону Во-Во: — Ты вот что, мужик, ты давай заканчивай, минуты три-четыре мы еще подождем, а потом забирай свою сладкую дочурку и сматывайся.

Элизабет, услышав перепалку, вернулась назад к сетке и, скрестив руки на груди, переводила взгляд с ребят на Во-Во. Она слышала, как изменился голос Во-Во, как неожиданно вдруг проступил сильный, почти незаметный прежде акцент, неловкий, с заостренным, потерявшим плавность, режущим «р».

— Позвольте узнать, на каком основании вы требуете, чтобы мы освободили корт? Вы только что пришли и по всем правилам должны ждать один час, пока мы не закончим игру. Причем ждать не здесь, а вон там. — Во-Во указал на лужайку за пределами площадки. Он вообще говорил медленно, с трудом подбирая слова, будто хотел справиться с волнением, будто делал над собой усилие.

— Да потому что... — засмеялись ребята, в их смехе было больше издевки, чем веселья, — ...ты со своей дочуркой играть не умеешь совершенно. И незачем вам попусту занимать корт. Особенно когда мастера пришли, — добавил один из них и посмотрел на товарища, и теперь они вдвоем просто покатились от смеха. — Давайте, три удара — и валите отсюда, — проговорил он сквозь смех.

— Даже если вы играете лучше нас, — возразил Во-Во, делая упор на каждом слове, — это не дает вам права выгонять нас с корта. Невзирая на уровень игры...

— Слушай, — прервал его парень, — потренируйтесь сначала у стенки, потом приходите играть на корт. Хотя нет, — возразил он самому себе, — вам и стенка не поможет, вы сами...

— А с чего вы взяли, что вы лучше играете? — вмешалась Элизабет. — Я, например, в этом не уверена. Мне вообще кажется, что мы выиграем у вас вчистую.

Ее запальчивость насмешила парней еще сильнее.

— Хорошо, — сказал один из них, успокоившись, — давайте сыграем одну коротенькую игру. Кто выиграет, тот и останется на корте. Но только быстренько, нам неохота терять время.

— Ты как? — повернулся Во-Во к Элизабет.

— Да я с удовольствием. — Похоже, к ней снова возвращалась уверенность.

Пока ребята вставали со скамейки, крутили руками, разминая суставы, Во-Во подошел к Элизабет.

— Они, возможно, неплохо играют, — сказал он ей. — Я тебя только об одном прошу, Лизи: если мы проиграем, ты не расстраивайся.

— Ну, это мы еще посмотрим, — упрямо пожала плечами Элизабет.

— Конечно, мы поборемся, — согласился Во-Во. — Но ты не расстроишься, обещаешь?

— Не расстроюсь, — снова пожала плечами Элизабет и заняла свое место на задней линии. — Ну что?! — крикнула она ребятам, которые, похоже, уже тоже были готовы к игре. — Давайте посмотрим, правда ли все, что вы нам тут напели. Про мастерство и прочее.

Они договорились сыграть короткий сет до победы в четырех геймах, и Элизабет с Во-Во быстро проиграли первый гейм. Ребята действительно играли хорошо и сразу обрушили на Элизабет с Во-Во такой град ударов, что те пришли в себя, лишь когда гейм был закончен.

Потом пары менялись сторонами, и во время короткого перерыва у скамейки, когда времени хватило только на пару глотков из бутылки, Во-Во, касаясь Элизабет плечом, проговорил коротко:

— Нам надо зацепиться в этом гейме. Завязать борьбу. Сейчас моя подача, и ты бей только в одного из них, в того, кто повыше. Бей прямо в него, у него похуже координация, и его можно смять. Прямо в него, поняла? Их надо лишить уверенности, настроя на быстрый выигрыш.

Второй гейм действительно отличался от первого. Первый мяч после резкой подачи Во-Во был отправлен в аут, и счет быстро стал пятнадцать—ноль. Ребята заметно занервничали — это было первое очко, которое они проиграли.

Теперь подачу Во-Во принимал тот самый долговязый парень, и Во-Во подал прямо в тело плоским, длинным ударом. Парень успел отскочить, но удар у него не получился, он успел только подставить ракетку, мяч взвился над сеткой, Элизабет подлетела к нему и смэшем снова послала в тело долговязого, который так и застыл у задней линии.

Мяч прорезал воздух, но парень успел загородиться ракеткой и снова отбил мяч на противоположную сторону. Элизабет было двинулась к нему, но сзади раздался крик «Мой!», и тут же приземистое, широкое тело расчетливо, без спешки подстроилось под удар. Элизабет увидела лишь короткий взмах, в него была вложена злость и резкий напор, и мяч, пробивая воздух, ринулся в сторону долговязого. Он летел прямо в голову, этот маленький жесткий снаряд, и хотя долговязый мог еще отклониться, он почему-то присел, выставив ракетку вверх, как будто сдавался. Мячик, поймав струны, отскочил от них, но на сей раз ему не хватило прыти, и он, зависнув в воздухе, плюхнулся, даже не долетев до сетки.

— Тридцать—ноль, — удовлетворенно кивнул Во-Во и подошел к Элизабет. Они опять плечом к плечу прошли свою половину корта.

— Отличный смэш, ты умничка, Лизи. Еще пара таких ударов — и мы его сломаем. Играй только в него, второму вообще мяч не давай, пусть он останется вне игры. А этого мы с тобой разделаем под орех.

Так они играли до конца гейма — все удары направляли только на долговязого, так что другой парень только подпрыгивал на своей четвертинке корта, пытаясь дотянуться до пролетающих мячей, но они избегали его, и вскоре гейм был закончен.

Да и следующий продолжался не долго. Игра у ребят совсем разладилась, долговязый — тот, в которого постоянно летели мячи, — совсем стушевался, и если от ударов Элизабет он еще как-то отбивался, то с резкими, прямо в тело, ударами Во-Во ничего не мог поделать.

— Что вы только в него играете? — возмутился напарник долговязого, когда Элизабет и Во-Во выиграли следующий гейм. — Боитесь, что ли, по-честному?

— А разве мы не по-честному? Играем, как можем, с вами, с мастерами! — громко с вызовом крикнула Элизабет, и когда они находились у скамейки, чтобы снова глотнуть воды и обтереть полотенцами потные лица, заглянула в лицо своего партнера.

Если бы она не знала, что это ее Во-Во, если бы перед ней стоял незнакомый человек, она испугалась бы. Даже не хищного выражения, даже не плотно поджатых губ, не искривленной недоброй, растянутой больше обычного улыбки, а затаенности. Будто задумано что-то коварное, мстительное, подвластное только его воле, до чего никому никогда не догадаться, но что неминуемо произойдет.

— Ты приготовься, — процедил он безгубым ртом, и даже взгляд, всегда тихий, мягкий, готовый понять, сейчас казался холодным, отгородившимся. — Они чувствуют, что им не выиграть, и готовы на все. Думаю, они переймут нашу тактику и будут лупить по тебе. Ты будь осторожна, не подходи близко к сетке, стой на задней линии, играй только в долговязого и не старайся его переиграть, отвечай длинными свечками. Помни, они будут играть в тебя, — повторил он, когда они уже шли на свою сторону корта.

Теперь подавала Элизабет, и ее хоть и подкрученная, уходящая в сторону, но мягкая девичья подача давала соперникам возможность направлять мяч именно туда, куда они хотели. А хотели они — Во-Во был прав — бить прямо в Элизабет. Первые несколько мячей она отбила легко, прямо на долговязого, но тот тоже стал метить в нее, выключая из игры Во-Во, удары набирали силу, и Элизабет было все сложнее догонять мячи и отвечать свечами под заднюю линию. В конце концов свеча получилась короткая, и долговязый вколотил ее в корт смэшем по диагонали.

Следующий розыгрыш стал повторением предыдущего, из четырех участников играли только двое — Элизабет и долговязый, другие двое только провожали пролетающие мячи беспомощными взглядами. Счет стал ноль—тридцать.

— Надо же, он изо всех сил в тебя лупит, паразит, в тринадцатилетнюю девочку, — пробурчал Во-Во, когда они сошлись в середине корта. Он посмотрел на противоположную сторону корта: — Слушай, Лизи, подай-ка ты не сверху, а снизу, подрезкой, как можно ближе к сетке, дроп-шотом.

Подача вышла удачной, короткой, подкрученной. Впрочем, долговязый к ней успел, но он оказался слишком близко от сетки для широкого свинга, и единственное, что ему оставалось, — это короткая подрезка. Аккуратно, расчетливо он двинул мяч в сторону от Во-Во, но тот легко догнал его и мощным топ-спином послал его, как всегда, в тело долговязого. Их разделяли всего-то четыре-пять ярдов, и парень не успел ни отпрыгнуть, ни прикрыться ракеткой, мяч влетел прямо ему в живот, казалось, он пытался проткнуть, насквозь пронзить худощавое тело. Но он был мягким и упругим, этот мячик, и только поэтому отскочил и, попрыгав еще немного по корту, замер у самой сетки.

А дальше все произошло совсем быстро, Элизабет как ни пыталась, так и не смогла припомнить в точности — то ли долговязый перегнулся в поясе и сначала присел на корточки, а потом как подрубленный повалился на землю, схватившись за живот руками, то ли его партнер, отбросив в сторону ракетку, ловко перемахнул через сетку и уже наступал, нависал над Во-Во, теснил его.

— Ты что, мужик, делаешь? — повторял он одно и то же. — Ты зачем такое делаешь, а?

Элизабет успела взглянуть на Во-Во и испугалась. Холодное, бесчувственное, безжалостное лицо прорезал длинный, безгубый рот, глаза сузились до едва различимых щелочек.

— Ты зачем так, мужик? Ты же специально так. Ты же в него специально метил, — продолжал повторять одно и то же парень, но Во-Во протянул левую руку, как бы определяя дистанцию между ними.

— Не касайся меня, — предупредил он. — Вообще не дотрагивайся.

Правой рукой Во-Во по-прежнему сжимал ракетку, но совсем не так, как во время игры, а как орудие, готовое поразить. И Элизабет поняла: если парень попытается оттолкнуть руку, попытается нарушить пространство, определенное ею, Во-Во ударит его ребром ракетки по лицу. Или по шее. А что произойдет потом, один бог знает.

Возможно, парень тоже понял это, он остановился.

— Зачем ты так, мужик? — снова повторил он, видимо, не зная, что сказать еще. — Ты же специально. А если бы мы так...

— Мы были в игре, — проговорил глухо Во-Во. — Все было в пределах игры, в пределах правил.

— Но ты же специально, — еще раз сказал парень, заводя себя этой единственной фразой. — Зачем специально?

Второй, долговязый, уже пришел в себя, поднялся с земли и, задирая ноги, медленно перелезал через сетку.

— Мы играли в теннис. На счет. Не надо играть на счет, если не можешь держать удара, — снова проговорил Во-Во, так и не опуская руки.

— Я играю на счет! — закричал парень, и лицо его раскраснелось. — Я-то играю, и никто никогда, слышишь? Никогда не бил специально в соперника, особенно у сетки. Потому что можно нанести травму, понимаешь?

— Значит, мы играли в разные игры, — только и заметил Во-Во.

— Фак, ты, мужик, меня достал. Откуда он такой взялся? — Парень повернулся к долговязому, который уже перелез через сетку и теперь стоял совсем близко.

— Да французик, похоже, лягушатник, — пожал плечами долговязый. — Он и по-английски говорит с трудом.

— Ты чего, французик, что ли? — переспросил у Во-Во парень. — Парле, силь ву пле?— и он засмеялся своей незатейливой шутке. — Ты чего к нам приехал, мы же вас только что освободили?

— А может, он славянин, — предположил долговязый. — Гляди, Том, у него акцент, похоже, славянский, польский или русский.

— Кто его знает, — поддержал долговязого Том. — Хотя он больше на французика похож, от него и воняет, как от французика.

Элизабет заметила, как вздулись жилы на правой руке Во-Во, на той, которой он держал ракетку.

— Если вы согласны, что проиграли и игра закончилась, то отойдите. А то...

— Что «а то»? Что ты сделаешь? Вали в свое говенное Бордо или откуда там ты взялся.

— Что «а то»? — подхватил долговязый.

— А то я разотру тебя, как вот этот плевок. — И тут из узкого, длинного рта Во-Во вылетела плотная струйка слюны и, пролетев короткий ярд, хлопнулась собравшейся каплей на спортивный ботинок Тома.

Тот не поверил своим глазам. Он так и стоял, ошарашенно пялясь на носок своего тапка.

— Ты чего, мужик?.. — повторил он наконец. — Ты чего?.. У тебя чего, проблемы, ты чего нарываешься? А ну вытри, или мы тебя заставим. Правильно, Макс?

— Ну да, — согласился, хотя и не очень уверенно, долговязый.

— Вытри, — настойчиво повторил парень и оттолкнул выставленную Во-Во руку и сделал еще один шаг вперед.

Элизабет была уверена, что Во-Во сейчас ударит его, она даже сделала инстинктивный шаг назад, зажмурилась, уже содрогнулась от ужаса и дикости того, что неизбежно должно было сейчас произойти.

Но ничего не произошло. Лишь быстрый, торопливый говор долговязого:

— Подожди, Том, давай лучше полицию вызовем. Может, он нелегал, пусть они разберутся. Зачем нам мараться-то? Пусть они его назад в свою Полонию и отправят, или Франконию, или куда там ему полагается.

— Точно, — согласился Том. — От таких надо очищать страну. Давай, сходи за полицией, а я его здесь постерегу. Я уверен, что он нелегал, тут столько этого дерьма понаехало последнее время.

Элизабет все еще стояла зажмурившись, все ждала стремительной, ужасной развязки, но вдруг почувствовала, как сломалось, рухнуло разом напряжение, будто лопнул сильно надутый воздухом шарик. Она увидела, как рука Во-Во, еще секунду назад готовая к удару, ослабла, лицо потеряло отточенность, заостренность, да и вся фигура обмякла, утратила сжатую сбитость.

— Да ладно, ребята, — теперь уже Во-Во отступил на шаг назад, — ладно вам, — повторил он и замолчал, видимо, не зная, как продолжить. Ему надо было сделать над собою усилие, преодолеть себя, у него была всего секунда, не более, и он преодолел.

— Зачем нам ссориться, я случайно, — он кивнул головой на ботинок, на распластанный плевок на нем.

Даже ребята, кажется, опешили от такой неожиданной перемены. Еще мгновение назад им казалось, что драка неминуема, и вдруг их уверенный, напористый противник разом смутился и сник. Они так и не успели понять, почему, что именно произошло. Не поняла и Элизабет.

Она стояла рядом, чуть сбоку, готовая прийти на помощь Во-Во, если вдруг потребуется. Она испытывала странное, непривычное возбуждение, она первый раз в жизни оказалась вовлеченной в конфликт, во враждебную конфронтацию, но Во-Во может рассчитывать на нее, она его не бросит, одного против двоих. Он смелый, мужественный, и как это важно, что рядом есть такой человек, сильный мужчина, который не даст в обиду... Для всех важно, но особенно для девочки, у которой не было отца.

И вдруг такая резкая перемена — почему, зачем? Отчего он сдается, идет на попятную?

— Гляди-ка, Том, а мужик-то сдрейфил, — первым догадался долговязый. — Похоже, он точно нелегал, вон как полиции испугался.

— А может, он ёще и преступник какой, — поддержал товарища Том. — Точно, надо сгонять за копами.

Руки Во-Во, большие, жилистые, еще недавно полные напряженной мощи, только беспомощно разошлись в стороны.

— Да что вы, парни? — снова попытался он смягчить ситуацию. — Какой я преступник, какой нелегал? Вон у меня и документы в кармане, и права автомобильные. Вот, смотрите. — Он полез в задний карман брюк, суетливыми пальцами расстегивая на нем пуговицу, извлекая вчетверо сложенную бумажку. Но она ребят, конечно, не интересовала.

— Да хрен с тобой, — оттолкнул его руку с бумажкой Том, — ты лучше ботинок вытирай. Сам обгадил, сам и вытирай.

«Не может быть», — успела подумать Элизабет, хотя уже знала, что вот сейчас Во-Во наклонится, присядет на корточки и оботрет ладонью пыльный, действительно обгаженный ботинок. И она не ошиблась. Во-Во торопливо порылся в кармане, в том, заднем, где лежали права, пытаясь, видимо, отыскать салфетку или носовой платок, но не нашел, потом в другом кармане — там тоже ничего не было. И тогда он и в самом деле присел на корточки к ногам удивленного легкостью победы Тома, склонился над выставленным вперед ботинком и ладонью провел по запыленной, мокрой коже, отчего на той осталась длинная темнеющая влажная полоса. Потом он посмотрел, насухо ли вытер поверхность ботинка, и то ли из присущей ему добросовестности, то ли из желания угодить провел ладонью еще раз, и влажная полоса расширилась, как будто ботинок начали чистить, но не закончили.

— Похоже, он был чистильщиком сапог у себя в Бордо, — засмеялся долговязый. — Языком еще лучше бы вылизал. И не только ботинки. — И он захохотал, довольный своей шуткой.

Том тоже засмеялся, но не так жизнерадостно, ему вдруг стало неприятно, что взрослый мужчина так легко сломался и что он, Том, в принципе незлой парень из приличной семьи, заставил унизиться другого, пусть и неприятного, пусть и неподатливого человека. Да еще на глазах у его совсем молоденькой, слишком худой, но все равно симпатичной дочки. И неразборчивое, шершавое раздражение поднялось в нем, оставляя жесткий, царапающий осадок.

Во-Во наконец поднялся с корточек, его тело заметно всколыхнулось и вздрогнуло от лишь частично вышедшего наружу натужного вздоха. Он снова развел руками.

— Ну что, теперь больше никаких обид? Все в порядке, да?

— Все в порядке, — согласился сразу погрустневший Том и первый повернулся в сторону скамейки, подхватил сумку и побрел с корта. Долговязый потянулся за ним, лишь пару раз обернувшись на них, на Элизабет и Во-Во, одиноко и беспомощно оставшихся стоять на разом опустевшем корте.

Во-Во повернулся к девочке, он попытался улыбнуться ей, но у него не получилось — так, жалкое подобие усмешки промелькнуло на искривленных губах.

— Ну что, может, поиграем еще немного? — предложил он неуверенно, сам понимая бессмысленность сказанного.

Потом они шли по дороге к дому, разом ссутулившиеся, с тяжелыми, болящими в мышцах ногами, как будто усталость, два часа кряду отгоняемая на корте, сейчас разом навалилась на них, подминая. Они молчали, Элизабет смотрела под ноги, умышленно избегая взглядов Во-Во, которые он то и дело, она чувствовала, бросал на нее. И от его побитого, виноватого взгляда ей становилось неловко, даже неприятно. Поэтому она еще ниже опускала голову к земле, сосредоточенно, слишком внимательно глядя себе под ноги — только чтобы не видеть сейчас его, этого упавшего в грязь, пошлого, маленького человечка, который еще совсем недавно казался ей большим, сильным, гордым... Почему?! Почему?! И она снова сглатывала накопившийся в горле комок, слишком твердый и колкий, с соленым привкусом мелкой дорожной пыли, так и забивающей нос, глаза, рот.

— Я не мог, понимаешь, не мог, — проговорил Во-Во глухо, казалось, откуда-то издалека. — У меня временная виза, и если возникнут проблемы с полицией, мне ее не продлят. Они ведь только ищут повод, к чему придраться, и вышлют меня при первой возможности. Понимаешь?

Он замолчал и снова смотрел на нее, и ее щека начинала нестерпимо гореть.

— Ага, — ответила она, провожая внимательным взглядом каждый камушек на дороге. Это она сейчас придумала такую игру — тот камушек, который будет самый круглым, тот она и поднимет и бросит, как бейсбольный мячик, в ствол одного из стоящих вдоль дороги деревьев. Интересно, попадет она или не попадет?

Они прошли еще минут пять молча, их улица уже была вот за тем, ближайшим поворотом, когда его голос из ватной толщины достиг ее слуха.

— Лизонька, пойми, я не могу уехать, не могу вернуться. — Теперь в его голосе помимо жалости была еще и мольба. — Пойми, там все сожжено полностью: ни людей, ни домов, ни земли, и моя жизнь там сожжена. Я спасся, я убежал, но у меня больше нет прошлого, оно уничтожено. Я могу существовать только здесь, только отделенный от прошлого тысячами миль. Понимаешь? Особенно сейчас, когда у меня появились вы — ты и твоя мама. Понимаешь, я не могу вернуться назад, никак, ни за что...

Она больше не могла выискивать глазами камушки на дороге, они все казались ей одинаково круглыми, такими же круглыми, как набухшая, но не выкатывающаяся, почему-то застрявшая капля в глазах. Ей не было жалко его, да она и не разбирала, что он говорит, она слышала лишь причитания, мольбу, и они были ей противны, брезгливо неприятны, будто ее заставляют касаться чего-то холодного и скользкого. А он все вглядывался в нее, идя рядом, стараясь обогнать, забежать вперед, заглянуть в глаза. В которые не должен был заглядывать.

— Понимаешь? Ты понимаешь, Лизонька? — продолжали суетиться вокруг нее слова.

— Конечно, — кивнула она, слава богу, до дома оставалось совсем немного.

Все же он забежал вперед, попытался взять ее за руку, но она инстинктивно отдернула ее, и он наверняка все понял, нельзя было не понять, и ушел к себе, в свой коттедж, в котором продолжал жить все эти месяцы с момента появления в их с мамой доме. В их с мамой жизни.

А Элизабет поднялась на второй этаж и заперлась в своей комнате. Она сбросила спортивные туфли, сняла носочки, горящими от усталости ступнями с удовольствием коснулась прохладного пола. Потом легла на кушетку, разбросав руки в стороны, и стала рассматривать невысокий белый потолок, выискивая неровности в наплывах старой краски. Потом потолок надоел своей однообразной белизной, и она повернулась на бок, положа под щеку ладонь, и теперь разглядывала комод, стоящий у противоположной стены, как будто видела его в первый раз.

«Как он мог? — продолжала Элизабет перебирать в голове несколько простых слов, переставляя их в незамысловатом порядке. — Как он мог так унизиться перед какими-то мальчишками?! Он ведь изменил себе! Да что там себе! Он изменил ей, Элизабет, которую слащаво называл на свой лад Лизонькой. А она, дура, она ведь приняла его всерьез, она-то думала, что он ради нее действительно на все готов. Да и она сама, она ведь тоже была готова, она бы заступилась за него там, на корте. А если бы его избили и он не мог бы ходить, она бы тащила его на себе до дома».

Тут она представила, как именно она бы тащила его, как тяжело ей было бы, как опирался бы он на ее плечо. Она видела такое в военных фильмах, так санитарки выносят раненых с поля боя. Ей бы было непосильно тяжело, она бы надрывалась, плакала, но несла. А там, дома, она бы сначала обтерла его краем смоченного полотенца...

Тут Элизабет сама не заметила, как ноги ее подогнулись в коленках и глаза, не закрываясь, совсем безучастно остановились на железом замке комода, она лишь чувствовала, как ветер из открытого окошка колышет легкую, белую занавеску, как та прогибается округлыми складками под неровным порывом. Точно так же внутри ее что-то прогибалось от такого же округлого, складчатого напряжения, и трепетало, и пыталось найти выход, но никакого выхода не было, кроме одного, оставшегося.

Потом она, наверное, задремала, но ненадолго, а потом снова лежала, хотя липкая сырость захватывала верхнюю часть ног, и пора было в душ, чтобы смыть ее теплой водой вместе с соленой потной пылью.

Там, в душе, она снова подумала, как низко он пал, как изничтожил себя. Она закрыла глаза под ласковыми струями теплой воды — это было совсем легко. Память тут же вернула недавнее: он, скорчившись на коленях, проводит ладонью по ботинку, а потом не знает, что делать с испачканными мокрыми пальцами, и так и не решается вытереть их о брюки. Почему-то именно от этой испачканной ладони ей стало особенно противно. Нет, она уже никогда не сможет относиться к нему, как прежде, так доверчиво, так «по-настоящему». Ей понравилось слово, и она стала повторять: «Я относилась к нему по-настоящему. А он оказался мелким, жалким, ничтожным. И все, что он мне рассказывал, все было неправдой. А я ведь относилась к нему по-настоящему».

Она упрямо повторяла одно и то же, стараясь не плакать, стараясь вычеркнуть, вывести его, как грязное пятно, из себя, из своей души, оттуда, куда она его так доверчиво впустила. Вычеркнуть! Надо вычеркнуть!

С тех пор она переменилась к нему: не заходила в комнату, которую он ремонтировал, не сидела, как прежде, вечерами на кухне, где мать продолжала пить с ним кофе. Элизабет даже не интересовалась, выходит ли фреска, даже ни разу не посмотрела на нее. Она и с ним старалась больше не встречаться, а когда случайно сталкивалась, уже не могла назвать его по имени, а кивала равнодушно, будто постороннему.

Дине же она заявила, что у нее много уроков, да и занятия в школьном театре отнимают время, и она больше не может, да и не хочет принимать участия во всем этом. Она так и сказала «во всем этом», специально не уточняя, даже развела руками для наглядности.

Мать как-то слишком быстро и слишком согласно кивнула.

«Неужели она все знает? — думала Элизабет. — Не может быть, чтобы он сам рассказал ей о своем унижении. А если рассказал, то значит, он не стыдится ее. А если не стыдится, то значит, они вдвоем переступили стыд...» Элизабет догадывалась, пусть смутно, что стыд можно переступить, только когда возникает близость. Какая именно близость, она догадывалась тоже. Так в ней и закралось подозрение.

Она не шпионила, не караулила, просто стала более чуткой, более внимательной. Например, вечером, прощаясь перед сном, по привычке целуя мать в щеку и лишь у самого выхода кивнув тому, другому, она недвижимо замирала сначала в холле, потом на лестнице и напрягала слух, пытаясь уловить хотя бы обрывки фраз. Но взрослые на кухне долго молчали, видимо ожидая, когда заскрипят ступеньки лестницы, и их взаимный сговор вызывал жгучую обиду, как будто ее снова предают, но на этот раз мать. Подозрение тут же усиливалось — ведь сговор возникает только у договорившихся, сблизившихся людей.

Однажды она все же не вытерпела. Проскрипев ступеньками лестницы наверх, нарочито хлопнув дверью спальни, Элизабет через несколько минут как можно тише приоткрыла дверь и выскользнула наружу, чтобы на носочках, медленно-медленно, едва ступая, спуститься вниз.

Она была уверена, что раскроет этот ужасный заговор, что застанет мать врасплох. Сначала, затаившись в холле, она будет долго подслушивать их разговор. А потом неожиданно появится в проеме двери, и как же будет забавно наблюдать за их изумленными лицами! Тогда мать наверняка поймет, как это подло — сговариваться против дочери. Особенно с посторонним, по сути, чужим человеком.

Но ее ждало разочарование — дверь на кухню была плотно закрыта, ни щелочки, ни обрывка звука. Очевидно было, что эти двое на кухне хотели отгородиться именно от нее. Элизабет снова стала подниматься по лестнице, уже не обращая внимания на скрип ступенек. Тут же подступили слезы, подкатились к глазам, предательство матери было так очевидно, что, обессиленно рухнув на кровать, перестав сдерживать себя, Элизабет разрыдалась.

Впрочем, прошло совсем немного времени, и все раскрылось.

В ту ночь Элизабет почему-то проснулась — то ли слишком ярко светила луна на безоблачном, почти беззвездном небе, то ли было душно и маленькое, хоть и поднятое до упора окно не давало ночной свежести проникнуть в застоявшийся комнатный воздух.

Элизабет пролежала несколько минут на кровати, глядя через поднятую фрамугу окна наружу, и почему-то ее охватило беспокойство. Беспокойство разрасталось, ночь давила безмолвностью, хотелось пить, тело подернулось легкой, влажной испариной. Элизабет даже не знала, который сейчас час, она поднялась с кровати, надела длинную, до колен майку на узкие плечи, стала спускаться вниз. Уже на лестнице ее удивила мертвая тишина ночного дома, он казался брошенным, необитаемым. Дверь на кухню была открыта, но кухня ничем не отличалась от остального дома — такая же темная, безжизненная, отчужденная.

Элизабет налила себе воды из крана, она была теплая, слишком пресная, но от нее стало немного лучше, не так пугающе одиноко. Потом Элизабет снова побрела к лестнице, снова поднялась на второй этаж, подошла к спальни матери, толкнула дверь, та поддалась легко, без напора. В комнате никого не было, все те же мрачные, кажущиеся из-за темноты слишком большими, тяжелыми, слишком расплывчатыми предметы мебели, словно кто-то накрыл их толстой, сглаживающей контуры материей.

Элизабет стало не по себе.

— Мама, — позвала она и снова: — Мама!

Никто не отзывался, стояла все та же глухая, ошарашивающая, подступающая к самым ступням, карабкающаяся по ним, по ногам, по телу к самому горлу пустота ночного дома. Где мама, куда она исчезла? А что, если с ней случилось что-нибудь? Ведь может случиться все что угодно!

Так же осторожно, словно боясь растревожить прислушивающуюся к шагам тишину, Элизабет снова спустилась по лестнице вниз, заглянула в гостиную, в столовую, подумала, а не спуститься ли в подвал, решила, что лучше не стоит. Вместо этого она подошла к входной двери, потянула — дверь оказалась не заперта. Тоже странно, обычно дверь всегда запиралась на ночь.

Уже на веранде ночь предстала перед Элизабет во всей красе. Полная, до неприличия большая луна раскрашивала желтым кусок неба. Цвет сгущался и менял оттенки, смешиваясь сначала с темно-синим, а потом с черным, начинал вязнуть в нем, создавая приглушенный отблеск, — она вообще была слишком обнаженная, эта луна, слишком выпуклая, будто бесстыдно предлагала себя. И оттого, наверное, лужайка перед домом выглядела таинственной и загадочной и приглашала на свои запутанные ночные дорожки.

Элизабет, как была в длинной ночной рубашке, босиком спустилась с веранды и ступила на влажную от росы траву, сделала еще несколько неуверенных шагов, а потом совсем замерла. Слева у коттеджа заливавший поляну лунный свет отступал под напором другого света — тоже желтого, но более жесткого, навязчивого. В нем было значительно меньше оттенков, в этом свете, он был упрощен до грязно-желтого, искусственного, создающего много ненужных, тоже искусственных теней.

Так оно и было: из бокового окна коттеджа расползался едкий, фальшивый, лицемерный электрический свет, он словно ничего не хотел освещать, а наоборот, хотел все утаить, сохранить в секрете.

Элизабет скользнула по траве, собирая ступнями росистую, освежающую влагу, подошла к дому, пригнулась перед окном, а потом, припав к стене, едва-едва, одним глазком заглянула внутрь.

Напрасно она осторожничала. Окно было приоткрыто, белая занавеска отодвинута в сторону, старый медный торшер с матерчатым желтым, усиливающим электрический свет абажуром неровно освещал комнату. Но в ней никого не было — пустое, совершенно равнодушное пространство. Элизабет подумала, что легко могла бы вскарабкаться на невысокий подоконник и влезть внутрь, она даже оперлась руками на выступ, подпрыгнула, подтянулась, закинула ногу, но тут же соскочила бесшумно, упруго, как кошка, приземлилась в прохладную траву. Там, внутри комнаты происходила какая-то зажатая возня, будто двигали мебель, но тихо, чтобы не услышали, приподнимая поочередно один бок за другим, перемещая по сантиметрам.

Элизабет прислушалась. Точно, в соседней комнате, совершенно темной, застывшей в темноте, что-то происходило: то хлопало оставленное открытым на сквозняке окно, то раздавался скрип несмазанной двери, то скрежет вынимаемого из дерева ржавого гвоздя. Но все как-то приглушенно, будто через плотную, поглощающую звук тряпку.

Отчетливая, острая, как игла, догадка уже уколола волнением сердце Элизабет, она услышала, как исступленно громко, намного громче, чем звуки, доносящиеся изнутри, забилось ее сердечко, она даже испугалась, что это услышат в доме.

Еще тише, чем прежде, лишь касаясь кончиков травинок, она подкралась к соседнему окну. Долго стояла у стены рядом, боясь заглянуть внутрь, боясь, что либо обезумевшее сердце, либо неровное, шумное дыхание выдадут ее. Звук изнутри стал отчетливее, он уже не сливался в один неразборчивый, механический скрежет, он распадался на куски, очеловечился — вот процедился вздох, в конце его выскользнуло и забилось отчетливое, растянутое, высокое «и». Потом опять вздох, точно такой же, с таким же выдавленным, живым, дрожащим окончанием, потом опять, почти неотличимый, и еще, и еще, как будто заела и закружилась окольцованная в воздухе звуковая фраза без окончания, без продолжения.

И вдруг где-то в середине, вдогонку, разбрасывая на ходу в стороны ритмичные вздохи, вырвалось совсем иным звуком, коротким, плотным, долго сдерживаемым, зажимаемым. «Т-а-а-к» — накрыло сверху и замолкло, и снова одиночный, сдавленный, очень грудной, и теперь понятно, что женский вздох с неестественным, слишком высоким по звучанию «и», оборванным на середине, как будто забыв про смычок, дернули пальцем по самой нежной скрипичной струне.

Элизабет набрала в грудь больше воздуха, чтобы не надо было то и дело заглатывать его внезапно высохшими губами, и медленно двинулась влево, к самому краю приоткрытого окна. Когда она проскользнула, прижавшись к серо-зеленой от ползущих лунных лучей стене дома, и остановилась на черном, уходящем чернотой внутрь проеме окна, она замерла. И застыла как вкопанная — застыло ее дыхание, разом онемевшие ноги, руки, шея.

Из глубины небольшой комнаты в ярде, не больше, на нее смотрела мать. Вернее, смотрела не на нее, а сквозь нее — настолько бессмысленным, остановившимся был Динин взгляд, будто он заплутал, потерялся, полностью лишился основы. Глаза были выпучены, шарообразны, и поэтому, наверное, вылезшие из орбит, они ничего не в состоянии были различить, да и не пытались. Можно было подумать, что это мертвые глаза, если бы они редко, обрывчато не моргали, но вздрагивающие, хлопающие ресницы создавали впечатление еще большей искусственности — будто у куклы, которую то поднимают вверх, то снова кладут навзничь.

Сначала Элизабет ничего не замечала, кроме этих ненатурально раскрытых, ничего не видящих глаз, все остальные черты терялись, вышли из фокуса, но потом Динино лицо отступило, немного разгладилось в перспективе. Постепенно Элизабет отделила дрожащую улыбку, подергивающую Динины губы, их уголки ходили в каком-то мелком, едва различимом ритме. Так же, как и во взгляде, в улыбке была шальная отрешенность, что-то потустороннее, полуобморочное, что-то от той же куклы, которую научили улыбаться.

Тут в глубине комнаты произошел какой-то сдвиг, колебание, и улыбка стремительно слетела с Дининого лица, он вдруг исказился мучительной гримасой, но не мгновенной, скоротечной, а длительной, размазанной во времени, как медленно и плавно размазывается масло. Губы отошли, оттопырились, открывая плотно сжатые зубы, даже сейчас в ночи, в ее лунном свечении, отчетливо белые, потом и они приоткрылись, будто пытались что-то сказать, но успели лишь прихватить нижнюю губу — плотно, до остервенелого напряжения, до очевидной, раскидистой боли.

Взгляд Элизабет заскользил по лицу матери, останавливаясь на мелких влажных бусинках, покрывающих не только ее лоб, но и нос и щеки. Их было много, этих бусинок, несчетно, и они были совсем ничтожные, с игольное острие, Элизабет и не заметила бы их, если бы они не отражали желтовато-зеленоватый отблеск луны, повторяя его, бесконечно размножая на Динином лице. И только после того как Элизабет смогла вместить в себя их матричное поле, только тогда ее взгляд отступил еще дальше и охватил всю перспективу — едва различимые очертания глубокой комнаты, тени в свете луны, с трудом пробивающей сгустки застоявшейся, пластами сдавленной темноты.

И оказалось, что рядом с окном на уровне подоконника на плоскости письменного стола грудью полулежит Дина, упираясь в него локтями, с усилием сдерживая напор своего вздрагивающего тела, распластав руки по жесткой деревянной поверхности, то мстительно сжимая пальцы в кулаки, то наоборот, беспомощно разжимая их, неестественно растопыривая до упора, особенно почему-то мизинцы. Бретелька ночной рубашки съехала с плеча, оголяя не только его, но и часть полной, плавной груди, лицо то разглаживалось, то снова искажалось хищной, животной гримасой. Казалось, что оно постоянно вздрагивает, словно удивляется.

Вздрагивание перешло на грудь, она заколыхалась, пытаясь выскочить из едва сдерживающей чашечки ночной рубашки, и только оттого, что была сплюснута поверхностью стола, еще как-то ухитрялась оставаться в ней. Вздрагивание захватило судорожные, ищущие опору руки, потом все тело, будто набегающая волна поднимала его, и не в силах унести, отпускала, оставив на месте. Вздрагивание распространилось на стол, и он тоже шатался вместе с телом распластанной на нем женщины, оно перешло, казалось, на всю комнату, на раздвинутые легкие занавески, на тени в глубине, так же медленно вздрагивающие, будто в унисон, даже на колеблющийся, колышущийся воздух.

Да и далекий, едва различимый контур мужской фигуры, который определился там, в глубине комнаты, открытый лишь частично, лишь лицом, шеей, плечами, тоже колебался, только значительно резче, крепкими, тяжелыми толчками, ударами, которые, теперь это было очевидно, и создавали все остальное колыхание.

Потом в сознание Элизабет хлынули звуки — все тот же ритмичный вздох, который она услышала вначале, только сейчас повизгивающее, пронзительное «и» дополнилось более глухим звуками, так что они сплелись в растянутое «а-а-и-й...». Каждое сотрясение Дининого тела вызывало это протяжное, шаманское причитание, словно движение и звук были связаны воедино, словно без звука исчезло бы и движение, пропало, растворилось бы в ночи. А на женский вздох нечасто, с пропусками, с промежутками накладывалось мужское удаленное, глухое, на полном, отрешенном выдохе «т-а-а-к».

Элизабет вгляделась в темноту, пытаясь рассмотреть лицо мужчины — как всегда растянутые, искривленные губы, неровный, бугристый нос, полуприкрытые глаза — от них веяло страданием и еще почему-то мольбой. И сочетание тяжелых, разящих толчков и жалкого, умоляющего лица неприятно поразило Элизабет.

Она сразу почувствовала страшную, тяжелую усталость, ноги ее сами подогнулись в коленях, и она поползла по стенке вниз, пока сырая трава не стала неприятно холодить ее ягодицы, пролезая, протискиваясь, щекоча влагой между расставленных, выставленных коленками вверх ног. Элизабет пришлось приподняться и подсунуть под себя край майки, чтобы защитить тело от мокрой навязчивой травы.

Так она и сидела под окном, подперев себя лунной стеной дома, она не хотела, не могла больше смотреть внутрь. У нее и без того застыло в глазах искаженное, натужное, тупое выражение на лице женщины, которая, наверное, была ее матерью, но которая сейчас совершенно на мать не была похожа. А еще там, в глубине, лицо тяжело трудящегося мужчины, который кроме жалости вызывал только брезгливость и желание отвернуться, забыть о нем, вычеркнуть из памяти.

Сидя внизу, она теперь слышала только сочетание вздохов, ползущих оттуда, из окна, разрастающихся, входящих в шаманский, неистовый транс. Теперь мужской вздох слышался никак не реже женского, он тоже вклинился в воздух, и женский вторил ему, вплетался в его глухие звуки своими высокими, почти визжащими тонами. И так они, подгоняя друг друга, перехлестываясь, нарастая, начали вываливаться из глубины окна, из темноты, которая уже не в силах была их сдержать. Сначала ее пробил короткий мужской крик, пугающий, хриплый, неразборчивый. Он выстрелил поначалу плотным, сбитым в упругую массу сгустком, но сразу распался, сжался, потерял напор, сдавил себя, будто рукой зажали рот, будто перехватили горло. И так, приглушенно, он тек и наслаивался тяжелыми хриплыми слоями, длинными, вязкими, и, похоже, не думал останавливаться.

И только тогда, когда он уже совсем измельчал, потерял силу, его сначала догнал и тут же накрыл крик женщины. Крик этот нельзя было назвать ни пронзительным, ни даже визжащим, он просто ломал все возможные преграды — старый коттедж с его сейчас, в ночи, серо-зелеными стенами, саму ночь, лунные дорожки, которые она накидывала с неба между разрядившимися деревьями, да и само небо с всего несколькими едва заметными звездами. Крик возносился к ним, сам становясь частью ночи, неба, лунного света, и ничто не могло его остановить.

Элизабет продолжала сидеть внизу под окном, отрешенная, растерянная, беспомощная, она не могла совместить этот дикий, кошачий визг с ровным, всегда выверенным голосом своей матери. Как и не могла совместить с образом матери то пустое, бездумное, похотливое лицо, в которое только что вглядывалась.

Она даже не заметила, как женский крик перешел в плач, даже не в плач — в рыдание, тоже насыщенное, тоже сразу заполнившее ночь. Тут же мужской голос, почти неузнаваемый, с надрывом, с тяжелым хрипловатым придыханием проговорил:

— Ну что ты, что случилось?

Но рыдание продолжалось, и мужской голос повторил:

— Что с тобой? Что-нибудь не так?

— Нет, все так, — вплелись в рыдание с трудом различимые слова.

— А в чем же дело? — снова спросил мужчина обретающим дыхание голосом. В нем слышалась искренняя забота и еще понимание, желание помочь.

— Не знаю, — ответила женщина и снова захлебнулась слезами.

— Ну что ты? Ну успокойся. Ну что ты? — повторял мужской голос одно и то же. — Так же не нельзя, ну скажи мне, в чем дело?

— Да нет, ни в чем, — прорвалось сквозь истерику. А потом снова: — Не знаю, ничего не знаю.

— Успокойся, успокойся, Дина. Все хорошо, все будет хорошо. Поверь мне, все теперь устроится и будет хорошо. Ну, успокойся.

И действительно, прошло время, и истерика стала спадать, паузы между всхлипами становились все длиннее, и постепенно их стали заполнять внятные, членораздельные слова.

— Не знаю. Извини, что сорвалась... — Снова всхлип, но теперь лишь одиночный. — Просто накопилось много. Не смогла сдержаться. — Еще один короткий всхлип. — Но теперь все, все вышло. Теперь лучше.

— Я знаю, тебе было тяжело все эти годы. Одной. Но теперь мы будем...

— Да, мне было тяжело, — перебила его Дина. — Мне даже некому было рассказать. Я, наверное, сама не понимала. А сейчас вот накатило. Прости. — Она глубоко выдохнула, как будто действительно освобождаясь от чего-то давящего. — Просто не сдержалась.

— Да ничего, конечно, я понимаю, — заторопился мужской голос. — Кому понять, как не мне. Мне ведь тоже было одиноко, пустынно одиноко. Я думал, что все закончилось, что больше в жизни ничего не будет. А вот видишь, как получилось.

— Да, — снова выдохнула Дина.

— Видишь, как удивительно я нашел тебя. И Лизи тоже. Если бы мне полгода назад сказали, что я найду вас, я бы только посмеялся. А теперь... Знаешь, вот говорят, счастье — абстракция. А я его чувствую, реальное счастье, я почти могу его осязать. — Он помолчал. — Теперь все будет хорошо, обещаю тебе, все будет хорошо.

— Не знаю, посмотрим, — проговорила Дина, но голос ее, теперь уже совсем оправившийся, показался Элизабет рассеянным, лишенным уверенности.

Она вообще мало что поняла из этого обрывочного, построенного на вздохах, междометиях, интонациях диалога. Да она и не хотела в нем разбираться, она навалилась холодеющими от росы коленками на легко проминающуюся траву и так на коленках, подгребая себе руками, не приподнимаясь, чтобы не заметили из окна, как дикий зверек, поползла в сторону, туда, где, если пересечь залитую луной лужайку, высились три этажа их дома.

Она тут же забралась в свою кровать, плотно завернулась в одеяло, свернулась клубочком; ее знобило до дрожи, до мелких конвульсий. Почему-то заболел живот, а потом и все тело, особенно ноги, особенно в самом верху, как будто из них тянули жилы. К горлу подступили слезы, и она заплакала, но в отличие от рыданий матери ее плач был тихий, едва различимый. Просто щеки стали холодными, словно она их тоже погрузила в росистую траву, а потом и ладонь, которой она постоянно их утирала. Потом сырость расползлась по подушке, и стало совсем холодно, и Элизабет сначала перевернула подушку сухой, незаплаканной стороной, а потом легла на спину, чтобы успевать вытирать слезы, пока они не скатятся вниз. Но на спине тяжело было справиться с дрожью, и Элизабет снова пришлось повернуться на бок и снова подогнуть ноги в коленках, подтянуть их как можно ближе к животу — так дрожь меньше била и разбирала по частям ее ноющее, шаткое тело.

Она ни о чем не думала, в голове мелькали обрывки, разрозненные лоскутки плохо связанных словосочетаний, а губы повторяли их шепотом, почти про себя. Элизабет попыталась прислушаться.

«Как она могла? — шептали губы. — Как она могла? С ним. С этим. С ничтожеством. Как она могла до него опуститься?»

Элизабет напрягла растекающееся сознание, и снова перед глазами встало лицо матери — глаза, улыбка, колебание полной, едва прикрытой рубашкой груди. И тут Элизабет вдруг поняла простое и совершенно очевидное:

«Да она обыкновенная шлюха. Она готова лечь под любого мужика, просто мужика не находилось. Вообще никакого. Был один, Рассел, но тот отказался от нее. Потому что разве можно сравнивать Рассела с ней? Ей подходит только этот, и когда он появился, жалкий, ничтожный, ничего, кроме жалости, не вызывающий, она тут же легла под него».

А потом появилась еще одна простая мысль:

«Да она такая же ничтожная и жалкая, как он сам. Они вообще два сапога пара. И теперь нашли друг друга. А я, Элизабет, осталась одна, совершенно одна, никому не нужная. Вообще никому».

От этой обидной мысли слезы еще обильнее покатились из глаз, она не успевала смахивать их совершенно промокшей ладонью, и дрожь, немного утихнув, уступила место бессильному сну, в который Элизабет тихо, незаметно погрузилась.

Сон был поверхностным, он незаметно подменил реальность — комнату, ночь, ее саму, ее мать, почему-то Рассела, почему-то Во-Во. Сон не просто снился, а реально происходил с ней, она чувствовала все, что было в нем, — чутко, остро, как даже наяву никогда не чувствовала.

Все та же комната в коттедже, глубокая, с расплывчатыми, зыбкими тенями. Потом появилось лицо, черты его никак не хотели фиксироваться, они наплывали друг на друга, то отступая, то приближаясь, и только когда приближались, становясь более отчетливыми, напоминали Динино лицо. Но лицо отъезжало, искажаясь, в нем появлялось нечто чужое, и тогда Элизабет напрягалась всем телом, плотнее сжимая глаза — до рези, до боли, но все равно не могла его узнать.

«А что, если это я сама?» — возникла невероятная мысль.

Возможно, разобраться было трудно из-за колыхания, оно почему-то перешло и на Элизабет, ее тело колыхалось вместе с воздухом, комнатой, тенями, ее заполняющими. Колыхание проникало внутрь, плавное, ритмичное, оно растекалось, кружило и неожиданно сбивало сердце вниз, как будто сама Элизабет проваливалась в бездонную воздушную яму и безудержно скользила вглубь, даже не пытаясь ухватиться, остановиться. А оторвавшееся сердце остро, до смешного неправдоподобно плескало горячим жидким раствором, легким и тягучим, обволакивающим, затормаживающим движения.

Тут вдруг оказалась, что бездна, в которую Элизабет падает, совсем не бесконечна, и вот сейчас она врежется в жесткий, колкий край. Она пробовала пошевелиться, чтобы избежать удара, увернуться, но оцепенение сковало ее, напряженное тело застыло, окаменело и не отзывалось.

Но когда столкновение стало неизбежным, когда оно должно было выбить из нее дыхание и жизнь, резкая, живая струя взвила ее вверх, и телом завладела легкость, воздушная, небесная, и Элизабет, расправив руки, полетела сначала вверх, а потом над землей, освобождаясь от собственного веса, от ненужного больше притяжения.

Она летела и боялась упасть с такой невероятной высоты и знала, что никогда не упадет, что умение летать у нее врожденное. Ей было чудесно парить, чувствуя себя совершенно свободной, ей казалось, она в первый раз поняла слово «счастье» не умом, а своим легчайшим, освободившимся телом.

...С этого дня, вернее, с ночи, отношения между Элизабет и Диной резко изменились. Даже не потому, что Элизабет обиделась на мать, разочаровалась в ней. Совсем нет. Просто какой-то механизм, прилежно вращавший шестеренки внутри Элизабет и вызывавший ее преклонение перед матерью, желание подчиняться, уверенность, что Дина умнее и сильнее ее, этот механизм вдруг в одночасье сменил режим, перешел на иную ось, на другой диапазон вращения. И теперь стало на удивление понятно, что ничем мать не умнее и не сильнее ее. Наоборот, она слабая, уязвимая женщина, которая просто скрывала свою уязвимость все эти годы.

А еще она не разбирается в жизни, иначе не связалась бы с этим ничтожеством, не повелась бы на его пустые байки. Ну да, она слабая и нелепая и ничего не понимает, достаточно вспомнить ее лицо — каким пустым и беззащитным оно было, когда «этот» сзади старался над ней.

Но теперь все будет наоборот, поняла Элизабет, она больше не нуждается ни в помощи, ни в заботе. Да и разбирается в жизни лучше матери. Она бы не отпустила Рассела, ее бы он не бросил, да и «этого» она могла, если бы захотела, легко увести. Нет никакого сомнения, что могла бы, достаточно вспомнить, как он смотрел на нее длинным, процеживающим и в то же время жалким, молящим взглядом. Но ей, Элизабет, он не нужен совершенно никогда... А вот мать легко поддалась и согласилась... Да потому что она слабая и ничего не понимает.

Конечно же Дина заметила перемену в дочери — раздраженный голос, резкий тон, дерзость. Теперь Элизабет редко оставалась дома, будто тяготилась им, тяготилась общением с матерью; она пользовалась любой возможностью уйти, и возвращаясь поздно, иногда даже пропуская обед, не утруждала себя объяснениями, отделываясь лишь общими ничего не значащими отговорками.

С «этим» Элизабет полностью прекратила общение, только кивала ему, когда встречала в доме. Он, правда, попытался пару раз вызвать ее на откровенный разговор, узнать, что же произошло с ней, ведь он привязан к ней, любит. «Как дочь», — сказал он однажды, отводя глаза, но так неестественно, что Элизабет фыркнула в ответ и рассмеялась ему в лицо:

— Родите себе дочь и любите ее. Мама еще не старая, вполне может вам родить. А меня как дочь любить не надо, у меня был собственный отец. Я другого не ищу, — отрезала она и повернулась и вышла из гостиной, где они случайно столкнулись.

Она специально ему так ответила, специально дала понять, что все знает, пусть они смутятся, пусть матери будет стыдно. К тому же ее раздражало лицемерие, постоянный обман, когда в ее присутствии они вели себя, как будто между ними ничего не происходит, как будто он по-прежнему наемный работник, а она хозяйка. «Хотя кто хозяин, а кто работница, мы знаем», — думала про себя Элизабет и улыбалась.

Конечно же «этот» все рассказал Дине, и та два дня, пытаясь перебороть неловкость и избегая смотреть дочери в глаза, искала возможность поговорить с ней. Все же она улучила момент, когда Элизабет на кухне мастерила себе нехитрый сэндвич, намазывая на хлебный тост жирный слой орехового масла, сверху покрывая его клубничным джемом, что означало, что она уходит из дома и к обеду не вернется. Дина села на стул и, глядя на профиль Элизабет, каждый раз до оторопи удивляясь, как дочь все же похожа на нее, проговорила, пытаясь найти правильный тон, скрыть подступающее волнение:

— Лизи, я хочу поговорить с тобой. — Дина выдержала паузу, ожидая реакции дочери. Та лишь пожала плечами. — Ты уже, верно, знаешь, что у нас с мистером Влэдом... — она запиналась, подбирая правильные слова, складывая их в правильную фразу, но у нее не получалось все равно, — что у нас с Влэдом отношения...

Элизабет снова пожала плечами, отошла к холодильнику, открыла его, достала галлон молока, повернулась к матери спиной, как будто та и не с ней говорила.

— Давно было пора, — проговорила она, но Дина не расслышала, слова погрузились и утонули в камере холодильника.

— Что-что? — переспросила Дина.

— Давно было пора, — повернулась Элизабет к матери, и та вздрогнула — она никогда прежде не видела у дочери такого холодного, безразличного, лишенного эмоций лица. И от этой леденящей отстраненности Дина совсем смешалась, чувствуя, что отдает себя на суд собственной дочери, которая еще недавно, еще вчера была милым, ласковым ребенком. А сегодня уже, похоже, нет.

— Что ты имеешь в виду? — спросила Дина, волнуясь все сильнее, понимая абсурдность собственного вопроса.

— Я имею в виду, — нарочито медленно проговаривая слова, ровным голосом проговорила Дина, — что тебе давно было пора с ним сойтись, с этим. Чего ты тянула так долго, он уже сколько... — она зашевелила губами, считая про себя, даже стала загибать пальцы, — уже четыре месяца живет у нас. Сама посмотри, сколько времени ты упустила.

И то, как она загибала пальцы, и ее тон, и слова — все говорило о нескрываемой издевке. Но Дина сделала вид, что не заметила ее.

— Для всего требуется время. Вот и мне потребовалось, чтобы понять, что мистер Влэд очень хороший, добрый, заботливый и порядочный человек, и я...

— Ты влюбилась в него, что ли? — оборвала ее Элизабет и снова повернулась к ней спиной.

Оказалось, что Дина совсем не готова к такому вопросу.

— Влюбилась? — повторила она. — Я не знаю. Я чувствую, что он очень хороший человек и мы подходим друг другу. А люблю ли я его? Не знаю. Конечно, я чувствую к нему...

— Зачем же ты спишь с ним без любви? — еще раз оборвала ее Элизабет. Она обернулась к матери и смотрела на нее своими новыми чужими, холодными глазами.

Дина снова не нашлась сразу.

— Это сложно, Лизи, — начала было она. — Я же говорю, он очень хороший, мне хорошо с ним.

— Да ладно, тебе просто нужен мужик. Тебе просто необходимо трахаться, как и всем остальным. Чего уж там, — ответила за нее Элизабет. — А этот подвернулся, вот и все. Другого ведь не было, где тебе взять другого? — Элизабет хотела быть жестокой и была жестокой. Она хотела сверлить мать холодным, железным взглядом и сверлила. — Был у тебя Рассел, но он бросил тебя. А теперь подвернулся этот. Ты и с Расселом спала и с этим стала. Был бы на его месте другой, ты бы и с другим не побрезговала.

— Это неправда! — вскричала Дина. — Почему ты такая жестокая, я же твоя мать, я посвятила тебе свою жизнь, я пожертвовала ею ради тебя! — Она задыхалась, пытаясь сдержать слезы, пытаясь еще хоть как-то совладать с собой.

На секунду ее голос на гране срыва, ее умоляющий взгляд тронули Элизабет, ей захотелось подойти к матери, обнять, прижаться. Но тут же другое лицо — тупое, животное, искаженное искусственной, будто у куклы, гримасой возникло в сознании и все затмило, и Элизабет передернула плечами, будто отмахиваясь от подступившей было жалости.

— Да перестань, я не жестокая, я просто говорю правду, ты сама знаешь. А если тебе она не нравится, то извини, в том не моя вина. А насчет пожертвованной мне жизни... Это так глупо, так избито, в каждом фильме про родителей есть похожие слова.

— Потому что это правда! — не выдержала Дина, срываясь на крик. — Просто ты не понимаешь...

— Не кричи на меня, я не виновата, что у тебя не сложилась личная жизнь, — оборвала ее Элизабет и, взяв с собой тарелку с сэндвичем и стакан молока, она вышла из кухни и пошла наверх, в свою комнату, так и не обернувшись на окончательно растерявшуюся, так и стоящую посередине кухни мать.

После этого разговора Элизабет еще больше отдалилась от матери. Даже когда она оставалась по вечерам дома, что случалось не часто, она почти не выходила из своей комнаты, перестала спускаться на обед — сама мастерила себе что-то нехитрое — либо сэндвич, либо спагетти с томатным соусом — и вместе со стаканом сока уносила к себе в комнату.

К тому же в театре они под руководством учительницы литературы мисс Прейгер ставили «Двенадцатую ночь» Шекспира и Элизабет получила роль Марии. Конечно, она хотела играть Оливию, она считала, что у нее есть полное право на главную роль — без сомнения, она была самая способная и самая красивая из всех девочек в театре. Но, наверное, именно поэтому мисс Прейгер относилась к самоуверенной Элизабет с заметным предубеждением и всячески старалась охладить ее энтузиазм.

Тем не менее постановка продвигалась, и Элизабет получала колоссальное удовольствие от каждой репетиции. Память у нее была отменная, роль она запомнила с лету, а вот как создать образ — над этим она неустанно думала, подбирая для каждой сцены нужное выражение лица, голос, походку, оттачивая их даже дома, в своей комнате перед зеркалом.

Она и вправду не на шутку увлеклась театром, возможно потому, что ей нужна была замена дому, во всяком случае, эмоциональная, и театр, пусть и школьный, любительский, подходил для этого лучше всего. К тому же с Элизабет произошла еще одна перемена — ее стали интересовать мальчики. Она стала замечать их внимательные, а потом сразу, без перехода, заинтересованные взгляды, как они скользят по ее телу, останавливаясь на вырезе белой блузки, а потом чуть ниже, на ее небольшой, но крепкой груди. Сначала ее, разумеется, смущала их откровенность, но вскоре они стали привычны, даже приятны, и она разочарованно удивлялась, если кто-либо из старших ребят не останавливал на ней пристального, оценивающего взгляда.

Ей самой нравились именно старшие ребята, чем старше — тем лучше, даже не школьники, а учителя, например мистер Гиппс, учитель физики — высокий, худой, всегда подтянутый, аккуратно одетый, с копной вьющихся, с ранней сединой волос.

...Но мистер Гиппс находился за пределами мира Элизабет, и она могла только мечтать, как он будет рассматривать ее с первого, учительского ряда на премьере спектакля, особенно в той сцене, где она прикрыта всего-навсего короткой туникой, которую специально подпояшет широким поясом, чтобы более отчетливо выделить талию и узкие, стройные бедра. А когда спектакль закончится, он будет поджидать ее на боковой улице в стороне от чужих глаз, и когда они останутся вдвоем... Ну, а дальше шли фантазии, в той или иной степени присущие всем девушкам, которым через два месяца исполнится уже четырнадцать лет.

Впрочем, мистер Гиппс так и остался мечтой, а значит, выбирать Элизабет приходилось среди ровесников. Ей хотелось отношений, и эмоциональных, и физических, тем более что многие девочки уже имели определенный опыт и без стеснения делились им. Собственно, и в классе, и особенно в театральной уборной, расположенной за сценой, не только старшие девочки, но и ровесницы Элизабет только и говорили, что о мальчиках — не об абстрактных, а о конкретных, знакомых, которые прямо сейчас переодеваются в своей мальчишеской уборной и через двадцать минут выйдут вместе с ними на сцену. Назывались имена, давались характеристики, происходил обширный обмен опытом относительно того или иного героя, следовали предостережения или, наоборот, рекомендации. И все это со смехом, с горящими от возбуждения и задора глазами, с разрумянившимися щечками.

Конечно, не все участвовали в подобных пересудах; те, кто поскромнее или помоложе, предпочитали в основном слушать и запоминать. Элизабет, не имея возможности похвастаться собственными достижениями, как правило, отмалчивалась, а когда кто-нибудь из подруг уж слишком навязчиво приставал к ней с расспросами, она прямо отвечала, не смущаясь, что ничего еще не пробовала, даже не целовалась. Девушки с пониманием кивали, сочувствовали и засыпали Элизабет советами, каждая своими, относительно того или иного потенциального ухажера.

Советы были полезными, ведь всегда хорошо, прежде чем сделать окончательный выбор, особенно в том, в чем не очень разбираешься, прислушаться к мнению тех, кто перепробовал разное и понимает, о чем говорит.

Как ни странно, для Элизабет вопрос влюбленности не стоял. Может быть, потому, что она еще не была готова к влюбленности, а может быть, в практичной до цинизма подростковой атмосфере сексуальное любопытство значит больше, чем эмоциональная потребность.

К своему четырнадцатому дню рождения Элизабет свой выбор сделала. Роджер не только получил наилучшие рекомендации от подруг, мол, он умелый и романтичный и красиво ухаживает, он действительно был симпатичным мальчиком. Ему уже исполнилось семнадцать, он гонял на спортивном «Олдсмобиле», на заднем сиденье которого, как говорили девочки, было удобно целоваться, а если одну ногу положить на сиденье, а другую закинуть на спинку переднего, то тогда... И дальше шел подробный рассказ, не только возбуждающий, но и поучительный.

Именно потому Элизабет и выбрала Роджера, что он был проверенным и опытным, она хотела, чтобы все произошло легко и быстро и желательно без боли. Девчонки рассказывали, что бывает очень больно, так, что потом несколько дней сидеть неудобно, и еще бывает много крови. Крови Элизабет тоже не хотела, разве что немного, для виду, для ощущения, но идея перепачканных ног и одежды, необходимость где-то как-то впопыхах отмываться... нет, такая перспектива ее не прельщала.

«Правда, он подкладывает простынку, которую возит в багажнике, — говорили знающие девчонки, — а еще пару полотенец, всегда, кстати, чистых, специально, чтобы было чем вытереться».

В спектакле Роджер играл сэра Тоби Белча, и когда они репетировали, Элизабет часто ловила на себе его блестящие, влажные взгляды. Он не раз намекал, забрасывал удочку, не согласится ли эта симпатичная девочка со стройным телом, аппетитной попкой и ясным взглядом провести вместе с ним вечер. Но не находя в реакции Элизабет однозначного подтверждения, он все оборачивал в шутку, в товарищескую игру.

К концу сентября, через месяц-полтора после своего дня рождения Элизабет окончательно решила, что ей пора, что вечерние почти ежедневные попытки заглушить нервозное, лихорадочное томление пусть ненадолго, хотя бы до утра, ее больше не устраивают.

Все равно ночи проходили слишком живо, слишком осязаемо, сон постоянно повторялся — именно тот, где лицо матери плавно становилось... нет, не ее лицом, скорее она примеряла его на себя, делала своим, начинала видеть его глазами, слышать его ушами. Даже улыбка, эта нелепая, застывшая, искусственная улыбка Дины тоже становилась ее улыбкой.

И оттого, что ночь подменила день, а сон — явь, воображаемое мужское тело, созданное ее фантазией, подменило тело живое — Элизабет твердо решила, даже не умом, а чувством, что ей пора.

В тот день на репетиции она была особенно озорна, глазки стреляли лукавством, голос звенел, тело было легче и гибче обычного. Репетировали сцену во дворце, тоже лукавую и озорную, и миссис Прейгер постоянно хвалила Элизабет, думая про себя, что вот, наконец, девочка прислушалась к ее указаниям и поняла, как следует играть.

Элизабет и в самом деле выделяла какую-то особую энергию, в одном месте она должна была подойти к Роджеру (вернее, к персонажу, которого тот играл) и дотронуться до его руки. И когда ее пальчики скользнули по внутренней стороне запястья Роджера, когда они прошлись легким щекотным перебором по коже, так что разлетелись мурашки, когда ее смеющиеся глаза не по требованию роли, а по собственному очевидному желанию заглянули ему в глаза, сказав взглядом значительно больше, чем слетающие с губ шекспировские строчки, Роджер сразу все понял.

И сразу же, как только объявили перерыв, он подошел к ней и как всегда, облекая свои намерения в шутку, продекламировал, неловко подражая шекспировскому слогу, комично выпучивая глаза и в показном отчаянии протягивая к ней руки:

— Где, Лизи, нам с тобою найти дворец, который нас укроет от глаз чужой толпы?

Элизабет прыснула, у нее сегодня вообще было смешливое настроение, и ответила в том же шутливом духе, сама стараясь подстроить речитатив под ритмику «Двенадцатой ночи»:

— Пусть домом будет нам высокая трава, луна на небе, звездное мерцанье и теплый ветер, и еще... — тут она сбилась и, так и не придумав, что «еще», добавила уже в совсем другом, будничном тоне: — Ну и вся эта остальная ерунда.

И оттого, как забавно она оборвала поэтическую строчку, как неожиданно переменила тембр голоса, ей самой стало смешно. Они оба засмеялись, а потом Роджер придвинулся к ней ближе, совсем близко, и произнес демонстративно заговорщицким, делано гнусавым голосом, оглядываясь подозрительно по сторонам:

— Ну так что, я заеду сегодня за тобой. Поедем в наш дворец, что ли.

— Давай заезжай. Почему не съездить, — легко согласилась Элизабет и, чтобы подбодрить его, снова протянула руку, как недавно во время репетиции, но теперь дотронулась только до предплечья и тут же, боясь, что он неверно поймет, отдернула руку назад.

Дома она занервничала. Запершись, как обычно, в своей комнате, она не знала, куда себя деть — ложилась на кровать, потом вскакивала и садилась за небольшой письменный стол в углу, раскрывала книгу. Но, просмотрев глазами с полстраницы и убедившись, что ничего в результате не прочитала, она снова бросалась на кровать и зарывалась лицом в мякоть подушки и зажмуривала с силой глаза. И из хаоса, из обрывков сбившихся мыслей она могла выхватить лишь один, яркий, стремительный, как близкая молния: «А может быть, не надо? Может быть, ни к чему?»

Одновременно ее охватывал страх, мгновенный приступ, неожиданный, как спазм, будто кто-то ворошит внутри нее сухой палкой, как ворошат палкой затухающий костер, и она сжималась, напрягая руки, подтягивая колени к животу, и страх отпускал. И она снова понимала, что поедет, что решение принято и от нее даже не зависит, просто надо, пора, так должно быть.

Тогда она переворачивалась на бок, жмурясь, удивляясь остроте слишком яркого, еще не потухшего дня, и открывала иллюстрированный журнальчик специально для девочек ее возраста. Но беспокойное возбуждение не отпускало, и она перекатывалась на спину и разбрасывала вдоль тела руки, поднимая глаза в потолок.

К девяти часам Элизабет была уже готова, успев принять душ, надев свежие узкие трусики, белую маечку прямо на голое тело — ее небольшим, округлым крепким грудям опора была не нужна. «Не то что матери», — подумала она. Потом она пролезла в короткую юбку, набросила на плечи легкую курточку, решила не застегивать ее, подошла к зеркалу, придирчиво оглядела себя, осталась довольна — майка контурно облегала тело, а юбка открывала стройные ноги. Элизабет вообще всегда нравилась себе, что придавало уверенности. А уверенность, особенно сегодня, ей не помешает.

И все же она не могла подавить волнение, и когда за окном мигнул фарами «Олдсмобиль» Роджера, ей пришлось несколько раз глубоко вздохнуть, чтобы успокоить дыхание, даже подойти к окну, прислониться щекой к холодному отрезвляющему стеклу.

Мать сидела в гостиной, читала книгу в бумажном переплете, Элизабет пробежала глазами по обложке, пытаясь разобрать название, но не разобрала. Она остановилась в проеме двери, не входя в гостиную, всем своим видом показывая, что спешит и не расположена к долгой беседе.

— Я ухожу, — оповестила она Дину холодным, не допускающим возражений голосом.

— Так поздно?

— Ага, — кивнула Элизабет, готовая повернуться и уйти.

— Но уже девять часов... — удивилась Дина и поднялась с кресла, сделала несколько шагов, как будто если расстояние между ними сократится, то и слова ее легче дойдут до дочери.

— Ну и что, — пожала плечами Элизабет и повернулась и пошла к двери, не обращая внимание на мать.

— Девять часов, — повторила мать, — куда ты собралась?

— За мной Роджер приехал, — на ходу сообщила Элизабет. — Мы покатаемся немного.

— Роджер? — Теперь голос Дины не содержал ничего, кроме изумления. — Какой Роджер?

— Роджер Спринглер из одиннадцатого класса. — Элизабет все же остановилась у самой двери. — Ты же знаешь его.

— Ну да, — кивнула мать, только сейчас начиная отходить от шока. — Но почему ты меня не предупредила?

— Вот я тебя и предупреждаю. — Элизабет снова пожала плечами.

— Ты должна была меня предупредить заранее, а не перед самым выходом. Ты должна была спросить моего разрешения. Не забывай, юная леди, тебе всего четырнадцать лет. — Дина старалась говорить строгим голосом, в прежние времена строгий голос действовал. Но времена, похоже, переменились.

— Мне не «всего» четырнадцать, мне «уже» четырнадцать, — вздохнула Элизабет, и в голосе ее скользнула усталость, будто все эти разговоры уже случались и прежде и наскучили ей и больше не имеют смысла. Она взялась за ручку входной двери. У Дины еще оставался шанс остановить дочь, но она не знала как.

— Когда ты вернешься? — Она снова попыталась вложить в голос строгость, но теперь и строгости не вышло.

— Приду, — неопределенно пообещала Элизабет и дернула на себя дверь. Та широко распахнулась, смешивая домашний воздух с воздухом темного, осеннего, но еще теплого вечера.

— Не позже одиннадцати, — уже в спину дочери проговорила Дина, понимая, что в ее голосе больше просьбы, чем приказа.

Дверь захлопнулась. Дина подошла к окну, оперлась руками на раму, прислонилась к стеклу воспаленным лбом. Она лишь через минуту заметила, что слезы тихо, беззвучно скатываются по ее щекам, капают на подоконник. Она смотрела, как ее дочь, единственная, маленькая, любимая Лизи, которой она отдала все, что могла, спрыгивает со ступенек, как бежит через лужайку — легко, расслабленно, счастливо, не думая ни о чем, не тяготясь ничем. Там за лужайкой, на дороге стоит красный открытый «Олдсмобиль», раздвигая темноту призывным светом фар. К нему и стремится ее слишком быстро повзрослевшая дочь.

Она-то думала, что все идет правильно и хорошо, что дочь растет благодарной, нежной, ответственной девочкой. Да, она так думала и только недавно поняла, что ошибалась. Что-то произошло. Что — она не знала сама. Может быть, все дело в ее связи с Влэдом? Хотя вряд ли. При чем тут Влэд? Просто Лизи вошла в переходный возраст, и с ней теперь трудно справиться. Хотя справлялась ли она с дочерью прежде? Наверное, тоже нет. Она всегда была слишком мягкой, податливой, а девочке нужна была твердая рука отца. Но что делать, если отца не было, если они потеряли его много лет назад.

Дина плакала, но причиной ее слез в действительности была не непослушная и дерзкая Элизабет, а прежде всего она сама. Дочь своей быстро набирающей силу молодостью только подчеркивала, оттеняла и так очевидный факт, что Динина молодость прошла, что ее женская судьба перевалила через пик, через экватор, и дальше, в будущем все будет только хуже, более блекло, уныло.

Хотя что у нее было в жизни? А почти ничего. После смерти мужа ей был подарен лишь один счастливый период — те самые месяцы, которые она провела с Расселом. Месяцы, которые из ее памяти не исчезнут никогда. Но она не смогла удержать его, Лизи была права, когда выкрикнула ей в лицо эту обидную правду. Впрочем, и не такую уж обидную, Дина ведь и сама не раз признавалась себе, что не сумела, не смогла удержать Рассела, что, если говорить честно, — просто не знала, как. Теперь-то она знает, но теперь уже поздно. Так всегда бывает: когда случай представляется, тогда — не ценишь, думаешь, что тебе и так полагается. А ничего ведь не полагается, за все надо цепляться, а цепляться она не умела никогда. Да и сейчас не умеет.

Машина на дороге отвернулась фарами от дома, теперь они били вдоль дороги, еще секунда-другая — и она исчезнет в ночи, увозя ее дочь. Слезы не останавливались, так и продолжали неспешно, тихо катиться, ничему и никому не мешая. Вообще ничему и никому.

Да, сейчас у нее есть Влэд. Тихий, деликатный, аккуратный, с всегда печальным, признательным взглядом. Он любит ее, без сомнения, любит и постоянно пытается проявить свою любовь, и возможно, когда-нибудь она будет с ним счастлива. Но не сейчас. Ведь иначе она бы не скрывала его ни от дочери, ни от знакомых, иначе он давно бы жил с ней в ее комнате, в ее постели. Но живет он по-прежнему в коттедже, по-прежнему занят ремонтом, по-прежнему она обращается с ним, как хозяйка с наемным рабочим. И только иногда, раз в три дня, только когда ей нужно, она приходит к нему и видит, знает что он всегда ждет ее, по глазам видит.

Наверное, она стесняется его. Может быть. Конечно, он забавный, все эти рассказы из прежней его жизни... как будто и не с ним они происходили. Раньше она думала, что он все придумывает, что он вообще большой выдумщик. И только когда увидела его на теннисном корте, поняла, что он разный, просто не раскрывается полностью перед ней. И как ни странно, она не знает, какой он на самом деле. Как будто в нем много граней, но к ней он повернут всегда лишь одной.

Конечно, ей больше нравился тот, на корте, в нем чувствовалась мужская сила, но она исчезла и больше не повторялась.

Хотя нет, иногда она повторяется, когда они занимаются любовью. И хотя Дина не видит ни его лица, ни даже тела — там узкая неудобная кровать, в коттедже, и они должны это делать стоя — она чувствует энергию, резкую, злую — и тогда ей нравится. Она даже боится тогда оглянуться и увидеть его просящие глаза, его ненатурально длинные, всегда искаженные виноватой улыбкой губы. Нет, она предпочитает не оглядываться, а лишь прислушиваться телом, а что там происходит в ее голове, ее фантазии — это уже ее личное дело и никого это не касается.

«Кто знает, — снова подумала Дина и первый раз вытерла слезу рукой. — Кто знает, может быть, все изменится и когда-нибудь станет правильно и хорошо, может быть, она привыкнет к нему... и все будет хорошо».

Машина уехала. Дина постояла еще немного у окна, и лишь когда слезы остановились и высохли на щеках, она вздохнула и двинулась внутрь дома, чтобы умыться, привести себя в порядок и позвать Влэда — пусть придет, они посидят на кухне, попьют чаю, пусть он расскажет что-нибудь.

Элизабет, сев в машину, улыбнулась Роджеру продуманно и так же продуманно подставила губки для поцелуя. Она заранее решила сразу дать ему понять, что сегодня готова на все и теперь дело только за ним.

Он конечно же откликнулся и приник к ней, но так быстро отстранился, что она даже не успела приоткрыть губы, принять его поцелуй в себя, и так ничего и не почувствовала, только скользкую влажность на губах, которую она вытерла рукой. А ведь это был ее первый романтический поцелуй. Самый первый!

«Наверное, он не хочет прямо перед домом», — предположила Элизабет и не показала своего разочарования.

— Ну что, куда поедем? — посмотрел на нее Роджер. Он улыбался, вид у него был довольный, а еще он был хорошенький, и Элизабет подумала, что правильно сделала, выбрав именно его.

— Да куда хочешь! Какая там у тебя программа? — ответила она ему достаточно двусмысленно и тоже засмеялась.

— Ну, тогда поехали за город, — начал расставлять ловушки Роджер. — Знаешь, на Бикон-хиллс есть такая маленькая дорога, она подходит к самому краю холма, и оттуда обалденный вид на город. Очень красиво.

— Конечно, поехали, — ответила Элизабет и откинулась на мягкое, удобное сиденье, все-таки она очень нервничала и ничего не могла с собой поделать.

По дороге Роджер что-то рассказывал, но она не очень прислушивалась; она была напряжена совсем как встречный ветер, упруго огибающий ветровое стекло открытого «Олдсмобиля», цепляющий за ее длинные, распущенные сейчас волосы.

Они въехали на вершину и медленно, словно на ощупь, подрулили к самому склону холма. Роджер выключил мотор, фары погасли, и машина вместе с подступающими деревьями, вместе с узкой проселочной дорогой отступила в неразборчивую тень ночи, особенно густую здесь, вдали от города, вдали от электрического света.

Как полагается, они пересели на заднее сиденье, Роджер сказал что-то про городок внизу, про то, как он красиво выглядит отсюда, с высоты холма. Элизабет посмотрела вниз, там было много огней, и еще она разглядела отчетливые полосы улиц, они разрезали пространство на почти ровные прямоугольники, заполненные маленькими, кажущимися отсюда игрушечными домиками и множеством все еще, несмотря на осень, пышных деревьев, — но было ли это красиво, Элизабет не знала. Все вообще немного расплывалось, горло пересохло, сердце надорванно бесилось в грудной клетке, и оттого, наверное, что-то неправильное случилось с дыханием. Ей стало сложно дышать, и поэтому приходилось заглатывать воздух слишком тяжелыми, с трудом вмещающимися в горло кусками.

Роджер сказал еще что-то, теперь, кажется, про небо, что-то про звезды на нем, и Элизабет по инерции кивнула. «Да-да, — согласилась она, — очень красиво», — и замолчала.

Потом произошло что-то еще, какое-то движение, что ли, она не различила, будто впала в транс, только тяжело втягивала свежий вечерний воздух.

Наконец глаза Роджера оказались близко, так близко, что слились в один большой немигающий глаз. Снова слова, но теперь шепотом, они были лишними, ненужными, — что-то про нее, про то, как она ему нравится, с самого первого раза, и как он... Элизабет не хотела их и, видимо, именно для того, чтобы их пресечь, сама двинулась вперед, совсем немного, на дюйм, не больше. Но дюйма оказалось достаточно.

Губы, которые она встретила, оказались безвкусными. Почему-то она всегда думала, что целоваться — это вкусно, как сосать клубничную конфетку, а оказалось, что никакого вкуса нет. Может быть, лишь легкий запах — не то колы, не то жвачки. А еще ее смущала сухость своих губ и мокрая влажность его слишком скользких, слишком настойчиво стремящихся внутрь. Она не противилась и приоткрыла рот, зная, что так надо, и тут же что-то упругое, быстрое, хищное, проскользнуло внутрь, и ей пришлось заставить себя не отпрянуть, не отстраниться.

Ей показалось, что рот полностью заполнен, что в нем не хватает места, и она постаралась открыть его шире, так широко, как только могла, как делала это у врача-отоларинголога или у дантиста. Дышать стало легче, хотя его губы наращивали движения — мяли, комкали, плющили ее губы, поочередно то верхнюю, то нижнюю, не умея накрыть их одновременно.

Нельзя сказать, что ей было уже очень неприятно, только тяжестью набухала на весу напряженная шея. Да еще руки, не зная, что делать, попытались было успокоиться на его плечах, но не удержались и снова потерялись в пустоте.

Потом очень скоро она почувствовала у себя под майкой его руку сбоку на ребрах. Она знала, что его рука должна там оказаться, она ожидала ее, и все равно прикосновение было неожиданным, чужим, инородным, отчего-то холодным на ее вздрагивающей, сразу подернувшейся мурашками коже. Пальцы, тут же воспользовавшись отсутствием лифчика, не встретив преграды, поползли к ее груди, и комок, который стоял у Элизабет где-то на уровне живота, расширился, сразу раздулся и пополз вверх, сначала к горлу, а потом еще выше, к голове. Та наполнилась вязкой, тяжелой, расплавленной массой, опутывая слух, зрение, отодвигая этот мир в сторону, далеко, за пределы необходимости.

Пальцы трогали, то грубо, придавливая, наступая, то скользили по поверхности, и огненная масса в голове Элизабет начала светиться, излучать, взрываясь яркими вспышками. Ей пришлось открыть глаза, и когда светящиеся вспышки отступили, она увидела лицо Роджера совсем близко: губы его шевелились, наверное, он что-то говорил. Элизабет заставила себя сконцентрироваться и услышала слова.

— С самого начала, с первого дня, как я увидел тебя, — шелестели они в густой тишине, — знаешь, все так изменилось в моей жизни. Я стал думать о тебе почти постоянно. А сейчас понял, что я тебя просто люблю. Я люблю тебя, понимаешь люблю, лю...

— Не надо, — прервала поток шелеста Элизабет, — тебе не надо ничего говорить.

— Почему? — не понял Роджер, и даже пальцы его застыли в растерянности.

— Я и так не против, — промолвила Элизабет и легонько пожала плечами.

— Не против чего? — Его рука соскочила с груди и остановилась где-то сбоку, где уже не чувствовалась с прежней остротой.

— Ну, ты знаешь, — снова пожала плечами Элизабет и тут заметила, что ее пальцы цепляются за кожаную обивку сиденья, будто оно брыкалось и на нем трудно было удержаться.

— Ты правда не против? Прямо сегодня? Сейчас? — Лицо Роджера отодвинулось еще дальше, Элизабет уже могла разглядеть не только его отдельные черты, но и охватить взглядом целиком. Ей показалось, что в нем появилась неуверенность, сомнение, что ли.

— Ну да, — искренне удивилась она. — А разве не для этого мы сюда приехали?

— Ну, в общем, да, — промямлил Роджер. — Я просто думал, что ты хочешь встречаться сначала, ну, хотя бы несколько раз.

— Зачем? — снова не поняла Элизабет. — Зачем оттягивать, если и так все понятно?

— Ну, это да, — как-то опять неуверенно согласился он. — Просто другие девчонки, как правило, не хотят в первый раз.

— А мне все равно, — ответила Элизабет. Ей на самом деле было все равно.

— Ты классная девчонка, я всегда знал, — кивнул Роджер и, снова пристроившись к ее телу, снова навалился.

Губы его опять раскрылись в скользком поцелуе, да и рука тут же объявилась на прежнем месте, и вроде все происходило так же, как несколько минут назад, вот только клейкая, слепящая масса в голове Элизабет, рассосавшись, больше не хотела сгущаться и заволакивать заново.

Потом рука исчезла, и тут же Элизабет обнаружила ее совсем в другом месте, значительно ниже — она вспарывала и без того короткий подол юбки, ощупывая ее ноги, лихорадочно передвигаясь по ним, все выше и выше, скатываясь с округлых поверхностей, погружаясь в расселину между ними, сжатую, плотную, почти непроницаемую.

— Раздвинь ноги, — прозвучал близкий шепот, настолько близкий, что казалось, он исходит изнутри ее самой. — Раздвинь, — повторился он через мгновение.

И она послушалась и развела ноги, так что узкая щель превратилась в широкий провал, и его рука беспрепятственно заскользила по внутренней стороне образовавшейся дуги, углубляясь, пока наконец не достигла упора.

Элизабет не хотела думать о его руке, старалась не замечать ее прерывистых, нервных движений, — пусть делает, что полагается. Но не думать не получалось, она всем телом, всем обостренным, сжавшимся в чуткий острый комок сознанием только и следила за рукой Роджера, только и отмеряла каждый пройденный им сантиметр, только и фиксировала каждую частичку доставшегося ему тела. И когда она поняла, что пальцы руки, сами волнуясь, неумело, впопыхах пытаются отодвинуть в сторону полоску трусиков, застрявшую между ее ног, Элизабет, ожидая неминуемого, вся сжалась и напряглась и сразу почувствовала себя маленькой, и уязвимой, и беззащитной.

Потом она терпела, ожидая, когда пальцы наконец разберутся в новом для себя знании, но они путались и терлись, причиняя — нет, не боль, а чужеродное, шершавое неудобство, и губы Роджера, так и не отпуская ее широко открытого рта, снова вдыхали в нее шелестящий шепот.

— Ты совсем сухая, — шептали губы, а потом повторяли: — совсем сухая.

Элизабет сразу почувствовала себя виноватой, хотя и не знала, в чем; жесткие пальцы все так же елозили у самой поверхности, пытаясь проникнуть внутрь.

— Послушай, — сказала она, отстраняясь, освобождая губы, — давай сразу. Не надо всего этого. — И тут же, боясь быть непонятой, добавила: — Ну, всего этого. Лучше давай сразу.

Снова неуверенные глаза Роджера, снова его рука застыла, даже перестала досаждать.

— Ты уверена? — спросил он.

— Конечно, — ответила она и, когда он отстранился, двинула бедрами, приподняла их и двумя руками прямо из-под юбки стащила с себя трусики и протянула их мягкий, матерчатый обруч через согнутые в коленках ноги, через даже не сброшенные легкие туфельки.

— Я у тебя не первый, да? — спросил Роджер, наблюдая за ее поспешными движениями.

— Конечно, первый, — ответила Элизабет. — А почему ты спрашиваешь?

— Да так, — помялся он. — Как-то ты слишком спешишь, как будто тебе только одно нужно.

Элизабет не поняла.

— А тебе? — спросила она.

— Ну да... — Он кивнул, но даже в темноте было видно, что как-то неуверенно. — Мне тоже.

— Так как мне лучше лечь? — спросила Элизабет и вдруг неожиданно для самой себя поняла, что больше не волнуется. Еще минуту назад ужасно волновалась, так ужасно, что не могла поймать дыхание, а вот теперь почему-то совсем не волнуется.

— Ты что, ни разу в машине... или только делаешь вид? — спросил Роджер. В темноте он уже не выглядел таким симпатичным.

— Да я же говорю, что вообще ни разу, — повторила Элизабет и снова приподняла бедра, устраивая их удобнее на кожаном сиденье машины.

— На тогда, возьми. — Роджер потянулся вперед всем телом, перегнулся через переднее сиденье, покопался там, вернулся, в руке у него оказался большой белый комок. — На, подстели под себя.

Элизабет взяла полотенце, раскрыла его, в темноте оно не казалось белым, скорее серым, а еще не было видно, чистое оно или нет. «Наверное, чистое», — подумала она. Потом ей пришлось снова приподнимать бедра, запихивать под них полотенце, юбка полностью задралась, она не была больше юбкой, скорее широким поясом, и теперь ягодицы вдавливали не гладкую кожу сиденья, а жесткое рифленое полотенце.

Роджер суетился рядом, стаскивая с себя брюки, почему-то он все делал неловко в этом маленьком, не приспособленном для подобных дел пространстве. Элизабет не хотела смотреть и подняла глаза вверх.

Оказывается, там было небо — совсем близко, с тихими, большими и маленькими, яркими и тусклыми звездами, и она совсем успокоилась и подняла одну ногу и закинула ее на спинку заднего сиденья, а другую, наоборот, опустила вниз, на пол, и так, с раскрытыми глазами, стала ждать. Лишь однажды она отвлеклась от неба и скорее по инерции спросила себя: «А надо ли? — И ответила: — Да, надо! Пусть они будут знать, что я теперь другая».

Наконец Роджер стянул с себя брюки, он продолжал говорить что-то, но она не разбирала слов, потом снова неприятное, натирающее ощущение там, в самом низу живота, похоже, он опять пытался помочь себе пальцами.

— Давай лучше начинать, — предложила она, так и не отводя глаз от просторного неба, и тут же охнула от распластывающей, подминающей тяжести, выбивающей из нее вместе с дыханием все внутренности, все соки, все возможные вздохи и стоны. Она и не ожидала, что мужское тело может оказаться таким невыносимо тяжелым, что его еще надо суметь вытерпеть.

Элизабет думала, что умрет, что задохнется, но когда первый шок прошел, ее тело нашло какие-то свои, неведомые пути и каналы и она смогла сначала вдохнуть, а потом выдохнуть, а потом еще. Она заерзала по плоскости сиденья спиной, устраиваясь удобнее под чужим телом, которое все копалось там, внизу, шурша и копошась; она не знала, что именно происходит, да и происходит ли вообще. Может быть, уже произошло, она просто не заметила? А все потому, что кроме тяжести она вообще ничего не чувствовала, главное сейчас было — преодоление тяжести и возможность дышать.

Только один раз она попыталась поднять голову и посмотреть туда, где продолжалось мелкое, неразборчивое шевеление, но ничего не увидев, кроме темного стриженого затылка и крупных, все заслоняющих плеч, она снова опустила голову на податливое кожаное сиденье, и снова ее взгляд растворился в ночном распластанном небе, и звезды, нависшие над ней, — лишь они одни занимали ее внимание.

— А, черт, — проговорил хрипловатый, напряженный голос, и Элизабет, понимая, что что-то происходит неправильно, не так, как должно быть, снова подняла голову и спросила:

— Ну как, все в порядке?

— Черт, — вместо ответа выругался голос и добавил через мгновение: — Фак, что ж ты такая сухая?! — А потом еще через несколько секунд: — Ну что ж это не получается?!

Элизабет ничего не ответила, она не чувствовала себя виноватой, это была его забота — сделать так, чтобы все получилось, она ему все дала, теперь его забота.

— О, фак. Ну вот... — снова проговорил Роджер, — теперь уж точно не получится.

— Почему, в чем дело? — спросила Элизабет, не поднимая больше головы.

— Что ты думаешь, сколько я могу пытаться? — сказал он, и Элизабет вдруг поняла, что тяжесть ослабла, и, воспользовавшись этим, глубоко и свободно вздохнула.

— А что? — опять спросила Элизабет, так и не понимая, в чем дело, что с ним произошло.

— Да опал. — Голос Роджера сместился куда-то в сторону, хотя и недалеко. — Помоги. Ты должна мне помочь. — А потом повторил: — Думаешь, я могу так до бесконечности?

— А что сделать? — спросила Элизабет, по-прежнему не понимая, что же все-таки случилось.

«Может, это и хорошо, — подумала она, — что ничего не вышло, главное, я попробовала, а раз не вышло... может, и к лучшему».

— Возьми его. — Она по-прежнему не видела лица Роджера, ей казалось, что небо опускается все ниже и ниже, она никогда не видела такого низкого неба. Она никогда не смотрела на него так долго, и оказалось, что его очень, слишком много и оно может плавно, медленно опускаться.

— Давай, — согласилась Элизабет и протянула руку по направлению к голосу куда-то в сторону и вниз, но там оказалась пустота, больше ничего.

Роджер перехватил ее запястье, пальцы его были влажные, и направил; ее раскрытая ладонь тут же наткнулась на что-то мягкое, гладкое, юркое. Скорее инстинктивно, чем намеренно, Элизабет сжала пальцы, обхватывая это теплое и податливое, и они застыли на нем, не двигаясь, не чувствуя никакого движения в ответ. Она пролежала так еще минуту, но ничего не менялось, только небо все ниже и ниже опускалось прямо не нее.

— Ну, что ты? — раздался голос Роджера.

— А что делать? — спросила Элизабет, а сама подумала: «Ну неужели это всегда так сложно и неинтересно?»

— Что ты дурочку валяешь? — Теперь в его голосе появилось заметное раздражение. — Поласкай его.

— Как это? — не поняла Элизабет и даже разжала пальцы. — Как его поласкать?

Но она не дождалась ответа. Взамен тяжесть исчезла полностью, принося освобождение и удивительную легкость во всем теле. Элизабет уперлась руками в сиденье, приподнялась. Казалось, ровным счетом ничего не изменилось, ее ноги все так же раскинуты — одна заброшена на спинку сиденья, другая спущена книзу, юбка задрана и скомканным кольцом держится на животе, и только Роджер мелко подпрыгивает на месте, пытаясь натянуть трусы.

— Ты чего это? — удивилась Элизабет. — Что, все, что ли, закончилось?

— Да ну тебя, ты издеваешься только, — проговорил Роджер, не переставая подпрыгивать. — Ты специально.

— Ты о чем?

— Да ладно, — наконец он натянул трусы, длинная рубашка тут же покрыла их, — как будто не знаешь.

Но Элизабет не знала.

— Так чего? Ничего не получилось? — спросила она, хотя теперь уже сама знала, что не получилось. Она не расстроилась, но и не обрадовалась, скорее ей было все равно.

— А ты как думала? — Он был растерян, обижен и не скрывал этого. — Как тут могло получиться, когда... — и он замолчал.

Теперь, когда Элизабет поняла, что продолжения не будет, она сбросила задранную ногу со спинки сиденья, оттолкнулась спиной, села. Роджер вышел из машины и теперь подпрыгивал на траве, пытаясь натянуть брючину на ногу. Он выглядел забавно.

— Ты злишься? — пожалела его Элизабет.

— Еще бы, — подтвердил он и попал наконец ногой в брючину.

— Да ладно тебе, — пожала она плечами.

— Тебе, похоже, «ладно». А мне не ладно.

— А чего, ты все еще хочешь?

Видимо, такого нелепого вопроса он не ожидал. Он даже замер от неожиданности, даже перестал прыгать и наступил ногой на вторую, все еще не натянутую брючину.

— А ты как думаешь? — Он уставился на нее, не скрывая удивления.

— А чего же ты тогда не смог? — засмеялась Элизабет. Почему-то ей нравилось его поддразнивать.

— Ну да, получится тут с тобой. Тебе ведь самой не хочется. — Он снова стал прыгать на одной ножке.

Элизабет вдруг стало обидно.

— Почему это мне не хочется? Конечно, хочется. Здесь просто тесно. Знаешь что, — вдруг поняла она, — давай по-другому.

— По-другому? — Роджер натянул вторую штанину и теперь стоял, поддерживая пояс брюк руками. — Как по-другому?

Не отвечая, Элизабет вышла из машины; ее белые трусики забились в щель между сиденьем и спинкой и торчали там легким светлым пятном на тяжелой, темной коже. Она не спеша обошла машину, высокая трава холодила лодыжки, и остановилась у плоского широкого багажника.

— Давай так, — проговорила она и нагнулась и свесилась на еще более холодный и сырой, чем трава, металл машины, и уперлась на него локтями, легла грудью, прильнула к нему лицом.

— Так? Ты шутишь? — раздался изумленный голос Роджера сзади. Элизабет снова не видела его лица, теперь только долину внизу и огни города. Они тоже успокаивали, как звезды до этого.

— Ты шутишь? — повторил голос.

— Нет, конечно. — Она даже покачала головой.

— Но ты же говорила, что у тебя в первый раз. Или ты обманывала?

Она ничего не ответила, ей надоело постоянно уверять его, ей хотелось смотреть на огни внизу.

— Так в первый раз не делают, — сказал Роджер, но неуверенно.

— Почему? Какая разница? — наконец ответила Элизабет, но тихо. Она не была уверена, слышит ли он ее.

— Ну хорошо, как знаешь, — проговорил Роджер. — Вернее, как хочешь.

Тут, по-видимому, он снова стал прыгать на одной ноге, теперь стягивая с себя брюки. Но Элизабет не смотрела на него, она не сводила глаз с огней внизу, особенно с одного, он почему-то завораживал ярким, слишком желтым фонарным светом.

К тому же он колыхался, будто сам фонарь раскачивался от ветра, хотя никакого ветра Элизабет не чувствовала. И все же свет, бросаемый им, вернее, жирное желтое пятно, растекающееся от него в разные стороны, совершало плавные, почти круговые движения, словно сигналило, словно что-то пыталось передать на расстоянии. Глаза Элизабет остановились на нем, зафиксировались, она хотела обернуться, но не смогла оторвать глаз от света и только вздрогнула, когда почувствовала удар свежего, холодящего воздуха по оголенным ягодицам.

— Раздвинь ноги, — прозвучал сзади знакомый голос, и она послушалась, она сама знала, что так надо.

— Согни немного, — последовала следующая команда. — Нет, не так сильно, — поправил он, и она догадалась, что слишком высока для него.

Потом наступила пауза, она не была длинной, но казалось, что тянется вечность — тело с каждым мгновением становилось все напряженнее, все жестче, пока совсем не окаменело. В голове билось лишь одно муторное ожидание, оно раскручивалось все сильнее и сильнее, разгоняя страх по спирали, он возник неожиданно, вдруг, и теперь бил наотмашь своими стремительными лопастями, корежа все на пути, подавляя чувства, желания, как анестезия, замораживая и притупляя их. И Элизабет поняла: она должна смотреть на это желтое пятно внизу и вглядываться в него и не отводить глаз, соединяя его с ожиданием, потому что оно тоже часть анестезии и тоже замораживает и притупляет.

Именно поэтому, наверное, она ничего не почувствовала. Вообще ничего. Только непривычное ощущение наполненности, будто в нее влили плотную вязкую массу, но массу чужеродную, аморфную, которая не раздражала, не причиняла боль, но и не облегчала, не выводила того, что засело в глубине — страх, ожидание, скованность — наружу.

Она хотела чувствовать, ей было обидно не чувствовать, обидно за себя, и она еще пристальней вглядывалась в далекий желтый свет, колеблющийся, двоящийся. Она не хотела да и не могла от него оторваться, и вдруг он разошелся, раздался, и Элизабет, не обращая внимания на мелкие, торопливые, ненужные толчки сзади, увидела в нем собственное лицо, зависшее над гладкой поверхностью, и свои склоненные плечи, и свою грудь. И все было знакомо и понятно — блуждающая, почти неживая улыбка, устремленные в одну точку глаза, — они были совершенно застывшие, поражали отсутствием жизни, но почему-то именно сейчас они были правы, именно такие, остекленевшие, они имели глубокий, вечный совершенно ясный смысл.

И тут в мутящееся, улетающее, попавшее за порог реальности сознание Элизабет тихо, едва-едва заплыла очевидная, простая мысль, что это не она стоит склоненная, распластанная по металлической гладкой поверхности, а Дина. Вернее не так — она, Элизабет, стала сейчас Диной и делает то, что должна делать Дина, и чувствует, что та должна чувствовать и делает это с *ним*, с тем человеком, с которым должна делать Дина. И даже ни к чему оборачиваться и пытаться убедиться, что это *он*, просто иначе не могло быть.

И когда все наконец встало на свои места и слилось воедино, там, внутри ее что-то обожгло, небывало остро, как не бывало никогда, а потом еще раз обожгло, совсем не больно, пробирая до самой кожи, до мурашек на ней. И она подалась корпусом назад, пытаясь растянуть, удержать, не выпуская, впрочем, завороженным взглядом скользящее, колеблющееся лицо, обрамленное желтизной фонарного света, и все в ней набухло, налилось и расширилось — не только снаружи, но и внутри — и стало больно упирающимся в металл соскам, как будто заостренные маленькие стрелы впились в самые кончики. А еще стало тянуть в животе, тяжело, надрывно, и Элизабет судорожно схватилась рукой за живот, пытаясь развести эту тяжесть, но не смогла — казалось, еще секунда, и тяжесть прорвет тонкую кожную оболочку и взрывом извергнется наружу.

Но тут толчки сзади заторопились и сразу перешли на мелкий, неразборчивый, лихорадочный ритм, и наполненность внутри как-то слишком безвольно сжалась и тут же разжалась, а потом отпустила и освободила полностью.

Элизабет не шевелилась, все так же пристально вглядываясь в плывущее в желтеющем мареве лицо, но его колебание расползлось, и оно стало теряться, пожираемое ярким фонарным светом.

— А... — раздалось сзади, и снова: — А...

Она оглянулась, Роджер стоял, опустив голову, что-то пристально разглядывая внизу. Тут она поняла, что все закончилось, что больше ничего не будет, хотя тяжесть в животе все еще давила и не думала рассасываться, и хотелось тереться о край выступающего багажника, чтобы хоть как-то ее разогнать. Но вместо этого Элизабет выпрямилась, обернулась, она попыталась разглядеть подробнее, что там Роджер изучает внизу, но ее глаза после яркого желтого пятна ничего не видели в этой кромешной темноте, замыкаемой полукругом подступающего леса.

— Так ты меня все-таки обманула, — проговорил Роджер куда-то вниз, и Элизабет ничего не поняла.

— Ты о чем? — спросила она, хотя ей было совершенно неинтересно.

— Так о том, что это у тебя не в первый раз. — Он наконец поднял голову и посмотрел на нее.

— Что не в первый раз? — снова не поняла Элизабет.

— Да ладно, кончай из меня дурака делать. Ты не девственница, и нечего было разыгрывать из себя девственницу.

— Как это не девственница?

— Это у тебя надо спросить как. — В голосе Роджера звучала откровенная ирония. — В принципе мне все равно, какая мне разница, просто не надо из меня дурака делать, — повторил он.

— Откуда ты знаешь? — Элизабет сама была удивлена.

— Так нету же ничего. — Теперь его голос был еще и разочарованным.

— Чего «ничего»? — снова спросила Элизабет.

— Так вообще ничего. Крови нет, и не почувствовал я ничего.

— Какой крови, чего ты не почувствовал?

— Как чего? Ты что, придуриваешься? — Казалось, он начинал злиться. — Девственности твоей не почувствовал.

— Странно, — удивилась Элизабет и повторила: — Странно. А где ж она?

— У тебя надо спросить, — буркнул он и нагнулся к земле, поднял брюки.

Уже по пути домой, когда машина медленно, переваливаясь с боку на бок, ехала по проселочной ухабистой, спускающейся с холма дороги, Роджер, смотря только вперед, будто Элизабет и не было рядом, сказал туда же, вперед:

— Мне-то все равно, просто обидно, что ты меня обмануть хотела.

— Я не хотела, — ответила Элизабет после паузы, так же, как и он, глядя только вперед. Но он не обратил внимания на ее слова.

— Я сразу догадался, что у тебя уже было, с самого начала. А когда ты сказала, чтобы я сзади вошел, я вообще стал уверен, просто хотел убедиться.

— Почему? — Элизабет так и не поворачивала головы.

— Просто хотел убедиться, — повторил Роджер.

— Нет, почему ты так подумал, когда я предложила, чтобы сзади?

— Да потому что девчонки никогда не хотят так в первый раз.

— А как они хотят? — спросила Элизабет, ей на самом деле было интересно.

— Да ну тебя, — огрызнулся Роджер. — Тебе бы только издеваться. — И он замолчал.

Лишь когда они подъехали к дому, он повернул к ней голову.

— Тебе все-таки было хорошо? — спросил он.

— Ну конечно, — кивнула Элизабет.

— Может быть, как-нибудь еще раз встретимся? — Теперь он смотрел только на нее, ему даже пришлось остановить машину. — Ты, конечно, красивая, и все у тебя так устроено правильно... — он помедлил, — там, — пояснил он.

— Может быть, — согласилась Элизабет. — А у меня не будет ребеночка? — спросила теперь уже она.

— Да нет, не будет. — Роджер посмотрел вперед, и машина снова поехала. — Я предохранялся. Тебя пожалел.

— Спасибо, — сказала Элизабет после паузы, когда они подъехали к ее дому. Ей оставалось только чмокнуть его на прощание, сказать «спокойной ночи» и выскочить из машины.

Дина ждала ее и, как только хлопнула входная дверь, выскочила в коридор.

— Ты вернулась, Лизи? — спросила она. Почему-то ее лицо было красным, особенно щеки.

«Похоже, она не тратила время зря и делала то же, что и я, — подумала Элизабет. — Ну что же, пусть делает, если ей необходимо. В любом случае теперь мы с ней сравнялись. Во всем, даже в этом».

— Да, мама, — ответила Элизабет. И зачем-то подошла и поцеловала мать в щеку — они были почти одного роста. Ей показалось, что от матери действительно пахло *его* запахом. Или ей только показалось?

— Я устала, пойду спать. Сколько времени? — спросила она.

— Как раз одиннадцать, — ответила Дина.

— Ну видишь, ты просила не позже одиннадцати, я и вернулась, как ты просила. Я послушная дочь? — И, не дождавшись ответа изумленной Дины, Элизабет стала подниматься по ступенькам — она и в самом деле вдруг почувствовала себя совершенно выбившейся из сил.

В своей комнате она полностью разделась, пошла в ванную, села на керамический край ванны. Спустила ноги вниз, включила воду. Струя тут же покрыла ее пузырчатой, теплой лаской, грохотом маленького водопада отогнала все другие внешние, ненужные звуки.

«Он сказал, что там ничего нет, — подумала она. — Как такое может быть? Нет, он наверняка ничего не понял».

Она поставила ступню на сливное отверстие, и вода медленно стала подниматься — сначала она покрыла ступню, потом поползла по лодыжке, осторожно, ощупывая ровной линией каждую строчку ее кожи, покрывая ее, поглощая, чтобы так же плавно и разборчиво перейти к следующей. Когда вода доползла до середины узкой, едва выделяющейся полукругом икры, Элизабет сползла вниз на гладкое, скользкое дно и села, так и не разгибая колени, так и не отпуская пяткой жадную, засасывающую дырку на дне.

— Как могло ничего не быть? — произнесла она в шум плюхающийся вниз струи и сама не услышала своего голоса. — Разве так бывает?

Она выгнулась, склонилась — ее распущенные волосы поплыли по поверхности — и заглянула вниз в колышущийся от колышущейся воды разрез между ног. Но так ничего и не увидела, чего не видела прежде, — лишь плотную, сжатую, совсем недлинную линию, не пускающую внутрь себя ни воду, ни взгляд. Тогда она опустила руки в воду, раскрыла линию пальцами и, не отрывая взгляда, позволила им потеряться внутри.

Она поводила ими, трогая ребристые, пугающе диковинные, доступные только на ощупь стенки, прошлась по кругу, содрогнулось спиной, ощутила мурашки, мгновенно взбухшие на коже, будто изморось ветвистой мелкой молнией разбежалась по телу.

— Действительно ничего нет, — снова проговорила вслух Элизабет, и ей почему-то стало обидно. Она попыталась вспомнить, а было ли прежде? Нет, она никогда не замечала. Она вынула пальцы, поднесла к лицу, понюхала — они пахли совершенно чужим запахом, резким, искусственным, абсолютно не подходящим ей. Тогда она снова раздвинула линию пальцами и другой рукой начала накатывать на себя подводные потоки.

Плотная стенка воды тыкалась в нее, плавно огибая, нежила, гладила, сдавливала, и Элизабет даже не заметила, как глаза ее закрылись и набухшая тяжесть вновь налилась вокруг пальцев, а вода стенка за стенкой накатывала, и скоро тяжесть, так долго сдерживаемая, не выдержала и разорвалась, и Элизабет, все сильнее сдавливая ресницы, сама не замечала, как тело ее раскачивается, догоняя и обгоняя подводные наплывы.

Потом, когда дрожь прошла, она, так и не открывая глаз, снова понюхала пальцы — теперь они пахли привычно ею, почти полным отсутствием запаха — лизнула, вкус тоже был привычным, едва различимым.

— Какая разница, была или не была? — снова сказала Элизабет в грохот струи. — Теперь уже в любом случае нет. — Она задумалась, потом удивилась мысли: — А может быть, я просто не достаю? Вот и он не достал. — Она засмеялась, и радостный, громкий смех легко перекрыл шум хлопающих по поверхности всплесков. Затем, отодвинув ногу, зажимающую отдушину для воды, она внимательно, будто в этом был некий важный смысл, наблюдала за закручивающимся на дне водоворотом, как он втягивает в себя послушную, податливую воду.

С этого дня Элизабет еще больше отдалилась от матери, от ее забот, от ее отношений с «этим», вообще от всего, что происходило в доме. Мать больше не раздражала ее, как прежде, просто перестала вызывать эмоции — ни преклонения и безотчетной любви, как когда-то прежде, в детстве, ни осуждения, как еще недавно. Просто Элизабет погрузилась в свою собственную жизнь, жизнь подрастающей девушки.

Школа и особенно театр с его ежедневными репетициями занимали не только день, но и ночные мысли Элизабет, наполняли ее мечты и фантазии. Она видела себя в Голливуде или по крайней мере на Бродвее, окруженная поклонниками, вниманием прессы, восторженными зрителями.

Все говорили, что она способная, да еще с запоминающейся, выразительной внешностью, с гибким, но уже женственным телом, с чувственным лицом. Элизабет и сама стала осознавать, что может многое, она почти физически ощущала свой талант, свой дар — назовите как хотите, будто в ней появился еще один внутренний орган, схороненный где-то в глубине между ребрами, на уровне груди.

Ее отношения с Роджером закончились после той самой единственной их встречи, хотя он не раз предлагал встречу повторить. Но Элизабет уклонялась, отделывалась отговорками, и в конце концов Роджер понял, что продолжения не будет.

Самое странное, что, встречая его почти ежедневно, Элизабет ничего ровным счетом не чувствовала — ни волнения, ни ощущения, что каким-то образом связана с ним, — абсолютно безразличный, пусть и симпатичный, но ничем не отличающийся от других парень. Она и вела себя с ним, как чувствовала, — доброжелательно и равнодушно, и никакой игры в ее поведении не было. А что касается бродящих в ней желаний, то она отлично справлялась сама, как правило, в ванной, используя новый опыт водных потоков, каждый раз совершенствуя и дополняя его.

Дина конечно же заметила перемену в дочери. Перед ней стоял выбор — попытаться повлиять на Элизабет, вернуть ее, снова приблизить к себе или не вмешиваться, дождаться, когда дочь повзрослеет и разберется во всем сама. Но первое требовало упорства и работы, даже борьбы, а бороться было не в характере Дины, и она отошла в сторону, предоставляя жизни развиваться по собственному сценарию.

Лизи, решила она, унаследовала правильные гены, получила хорошее воспитание, в конце концов и то и другое возьмет свое. А сейчас — ну что же, сейчас у нее издержки переходного возраста, игра гормонов, и ничего с этим не поделаешь, незачем ломать копья, можно только навредить. Она советовалась с Влэдом, и тот соглашался, тоже призывал к терпению, сам пытался наладить отношения с Элизабет. Но та на него вообще внимания не обращала, как будто он и не существовал.

Дина с Влэдом по-прежнему своих отношений не афишировали, при дочери вели себя как совершенно чужие, как хозяйка с наемным рабочим, и только поздним вечером, когда Лизи уже наверняка спала в своей комнате наверху, они закрывали кухонную дверь, и он обнимал ее, а она приникала к его плотному жилистому телу и замирала. Иногда он начинал целовать ее — осторожно, аккуратно, как будто боялся повредить, и она отвечала — страстно, иногда чересчур, слишком требовательно — она сама понимала это, но не могла, не умела сдержать себя. И когда мир вокруг начинал мутиться и расплывался, она отстранялась от него и говорила, скорее требовала: «Пойдем к тебе».

Ей так и не удалось преодолеть себя и оставить его в своей спальне, даже не из-за Лизи, она в своих собственных глазах так и не смогла «узаконить» их отношения. Он нравился ей, она была признательна ему, он с каждым месяцем становился все ближе, но все равно в ее сознании он оставался временным, нанятым ремонтировать дом рабочим, и преодолеть эту грань ей было не под силу.

Там, в коттедже, в его комнате, она всегда доходила до предела, он умел затронуть что-то в ней, и когда ее тело замирало вместе с последним длинным, протяжным стоном, она была благодарна ему и даже целовала его жесткое сухое лицо, но никогда не оставалась на всю ночь. Может быть, на час, редко на два, но почему-то ей необходимо было вернуться домой, и она возвращалась.

Так прошло больше полугода. Закончилась зима, и наступал май, когда Элизабет почувствовала, что с матерью, да и с «этим» происходит что-то неладное. Особенно с «этим». Он погрустнел, помрачнел, его и так не молодое лицо разрезали горестные морщины, губы еще больше сузились и растянулись. А глаза — так те вообще источали столько скорби, что Элизабет не могла смотреть на них без улыбки.

Мать тоже нервничала: резкие движения, голос с надрывом, все у нее валилось из рук — посуда, ложки, вилки, — да и в глазах тоже появилась если не сама тоска, то предчувствие ее. Элизабет улыбалась, думая с веселой иронией, что, видимо, секс делает людей похожими, особенно этих двоих несчастных, наконец-то нашедших друг друга горемык. Она бы не удивилась, если бы у матери растянулись и сузились губы, а у «этого» растянулось бы что-нибудь другое. В общем, эта нервная парочка развлекала Элизабет.

Но жить с постоянно страдающими людьми все же утомительно. Однажды Элизабет задержалась на кухне, смешивая кукурузные хлопья с молоком, — она спешила, через час надо было бежать на репетицию, когда, громко хлопнув дверью, на кухне появилась мать. Элизабет покачала головой: раньше, когда в доме не было нервнобольных, дверь в кухню вообще никогда не закрывалась.

— Ты чего это в таком плохом настроении? — не сдержалась Элизабет. — Уж не беременна ли? Уж не ожидать ли мне сестричку? А может, братика? — И она наполнила рот молочно-кукурузной смесью, разжевывая хрустящие, ломкие во рту хлопья и морщась от удовольствия.

— Да перестань ты ерничать, — оборвала ее мать. Первым порывом Дины было отчитать дочь за издевательский тон, но она сдержалась. Ей вдруг захотелось поговорить с Лизи по-доброму, поделиться с ней, как с подругой, как со взрослой, все понимающей женщиной. Она так устала от их постоянной борьбы, а тут, может быть, Элизабет поймет, и они снова станут близки.

— Просто у Влэда неприятности, — сказала Дина и заглянула дочери в глаза.

— Что, пришлось задницу кому-то подтирать? — не изменила тона Элизабет. Но Дина не поняла.

— Что-что? — переспросила она. — И тут же, не дожидаясь ответа, добавила: — У него ведь временная виза. Он подал документы на продление, но ему отказали. Он должен уехать из страны в течение трех месяцев. Две недели уже прошли.

— И ты из-за этого нервничаешь? — искренне удивилась Элизабет, и наполненная ложка упала обратно в тарелку и потонула в ней. — Так ты что, выходит, влюбилась в него? — Сама мысль, что мать может полюбить «этого», казалась Элизабет нелепой, смехотворной.

Но Дина не заметила очередной насмешки или не хотела замечать.

— Да, наверное, — неожиданно для самой себя согласилась она. — Я привязалась к нему. Не знаю, влюбилась ли, но определенно привязалась. И если он уедет, мне будет его не хватать. К тому же я знаю, как ему там будет плохо.

— Так ты не хочешь, чтобы он уезжал? — Элизабет не верила своим ушам. Неужели ее мать все-таки влюбилась в такого пигмея? Надо же, никому не удается этого избежать, все вляпываются. Только ей одной удалось.

— Нет, Лизи, не хочу, — ответила Дина и утвердительно кивнула.

«Похоже, она действительно влюбилась в него», — снова подумала Элизабет, но ей почему-то больше не хотелось подсмеиваться над матерью. Наоборот, ей захотелось помочь этому слабому, неумелому, зависимому женскому существу — она чувствовала себя не только сильнее, но и мудрее матери.

— Так выйди за него замуж, — нашла она быстрое решение и от его очевидной простоты пожала плечами.

— Ты полагаешь? — проговорила мать в раздумье. — Я тоже думала об этом. Похоже, это единственное, что даст ему возможность остаться здесь. Но я не знаю... замужество — это так серьезно.

— Ты же только что сказала, что любишь его, — возмутилась Элизабет. — Как можно быть такой рохлей? Ты все-таки удивляешь меня.

Она замолчала, ведь получалось, что она уговаривала Дину выйти замуж. Но неуверенность, беспомощность матери бесила ее еще больше. Ну неужели не понятно, что если полюбила человека, то надо бороться за него, не позволять ему уйти. И не важно, хочет ли он уйти сам или кто-то хочет, чтобы он ушел, — все равно надо бороться. А мать только сходит с ума, нервничает, вот, хлопает дверью, а решиться ни на что не может. «Как я могла родиться у этой женщины? — подумала Элизабет. — Наверное, я унаследовала гены отца, вот он же не боялся летать, не боялся погибнуть».

— Брак — это ведь на всю жизнь, — в раздумье произнесла Дина.

— Ну да, конечно, я понимаю, лучше ничего не делать и вновь остаться несчастной, одинокой. Ты ведь была несчастной до него. — Элизабет разгорячилась, она сама не осознавала, что выговаривают ее быстрые возбужденные губы. — Если он уедет, ты снова будешь одна. И этот дом снова опустеет.

Что она говорит такое? Неужели она сама не хочет, чтобы он уезжал? Может быть, именно поэтому она и уговаривает мать? Нет, не может быть!

— Ты сама должна понимать — мне осталось три года, и я закончу школу, а потом уеду, тут даже без вопросов, я точно уеду. И ты останешься одна.

— Да-да, — вдруг быстро заговорила мать. — Ты права, конечно же ты права, я не должна его отпускать. Все-таки наша жизнь стала лучше с тех пор, как он появился. Ты права, я предложу ему жениться на мне, сам он никогда не решится.

Он такой деликатный. А ты умница, Лизи, ты все понимаешь лучше меня. Спасибо тебе.

Элизабет видела, как беспокойство и нервная растерянность постепенно покидали Динины глаза, и на их место так же постепенно стали наползать слезы, наполняя прозрачной, выпуклой влагой, и от нее глаза стали казаться выпуклыми, и непонятно было, что удерживает слезы, почему они не выкатываются.

В конце концов они все же не удержались и узкой, едва заметной бороздкой покатились по щекам. У Элизабет самой что-то сдавило внутри, сжало горло, ей сразу стало жалко маму из-за ее неумения жить, ее слабого характера, ее мягкости, беззащитности. Наверное, Элизабет первая сделала движение навстречу, едва заметное, едва уловимое, но его было достаточно. Дина почти упала на нее, обняла, приникла, слишком мокрые капли сразу залили щеку Элизабет, шею, так что стало холодно.

Дина плакала беззвучно, про себя, только подрагивала тихо плечами, а Элизабет гладила мать по спине и шептала ей что-то тихим голосом, пытаясь успокоить, утешить. И вдруг на мгновение что-то вновь сдвинулось в ее сознании, реальность вывернулась наизнанку, и она, как тогда, на холме, вдруг ощутила, что жизнь сделала оборот, полный цикл, и все перемешалось — начало, конец — все перепуталось, поменялось местами. И тихо рыдающая женщина — это на самом деле она сама либо в прошлом, либо в будущем. А другая женщина, которая сейчас утешает ее, слабую, беспомощную, требующую заботы, должна быть ее мать.

Чувство было настолько сильное, что Элизабет испугалась на мгновение и хотела было даже отстраниться, но она лишь крепче обняла мать, лишь заботливее примостила свою щеку к мокрому, холодному лицу, ее руки еще нежнее и заботливее поглаживали вздрагивающие плечи и спину.

— Все будет хорошо. Все хорошо, — услышала она свой голос и поняла, что теми же самыми словами Дина когда-то давно, в детстве, успокаивала ее.

А Дина сквозь рыдания успела почувствовать, что лед растоплен, что дочь вернулась к ней, единственная, любимая, и от этого заплакала еще горше и никак не могла остановиться.

В мае Дина с Влэдом расписались: тихо, незаметно, буднично, пригласив на короткую, скромную церемонию только двух-трех знакомых соседей. А в августе пришли документы из министерства натурализации, извещающие о том, что Влэд получил постоянный статус пребывания в Соединенных Штатах Америки.

Когда Элизабет достала из почтового ящика официальное письмо и отнесла его матери, та, заметно растерявшись, не решаясь распечатать конверт сама, торопливым, взвинченным от напряжения голосом позвала Влэда. Тот прибежал откуда-то из глубины дома, где как всегда что-то тихо, неслышно, почти незаметно мастерил, и, увидев взволнованное лицо жены и официальный конверт в ее руках, сразу все понял.

Руки его, попытавшись сначала аккуратно распечатать конверт, не выдержали и резким, судорожным движением разорвали бумагу, лицо сразу покраснело и налилось кровью, даже шея, казалось, набухла. Потом он за несколько секунд пробежал короткий текст глазами, и их выражение изменилось, словно плавная волна смыла неуверенность и затаившийся страх, принося на их место восторг и радостное возбуждение.

— Ну как? — не выдержав, первая спросила Дина, и только тогда Влэд поднял глаза. В них стояли слезы, неестественно живые, будто маленькие, живущие там зверьки выскочили из своих норок.

— Дина... Диночка... Лизонька... они мне разрешили, — проговорил он дрожащим голосом и шагнул вперед, распростер руки, сгреб ими мать и дочь, притянул к себе, прижал. На секунду Элизабет почувствовала запах его тела, резкий, слишком мужской, но не отстранилась — лучше запах, чем со стороны смотреть, как взрослый мужчина заходится в истерике. Кто знает, может, он сейчас возьмет и заплачет.

— Девочки мои, как я счастлив, я теперь буду с вами навсегда. И никогда... Ни я от вас... Ни вы от меня... — бормотал Влэд, Элизабет почти ничего не разобрала.

Да она и не пыталась разобрать, она думала, что все в принципе сложилось удачно, пусть он остается — мать будет пристроена, а она, Элизабет, сможет заниматься театром и при первой же возможности отвалит из этого захолустного, мещанского, душного городка, поступит в театральную школу или сразу в студию.

Наконец он отпустил их обеих. Дина тут же достала бутылку шампанского, они ее раскупорили, разлили по бокалам, даже налили немного Элизабет. Чокнулись, она выпила, бодрые пузырьки защекотали горло, весело ударили в голову.

— Ну что, девочки, — проговорил счастливый Влэд, — поехали отмечать! Сначала завтракать в самый хороший ресторан, а потом... Куда вы хотите потом?

Элизабет молчала, она вообще никуда не хотела с ними ехать, но и отказаться не могла. В конце концов, у них праздник.

— Поехали на озеро. Не нужен ресторан, лучше устроим пикник. Возьмем корзинку с едой, шампанское положим в кулер, воду, фрукты, мясо... и проведем день на озере, — предложила счастливая Дина.

— Конечно, — тут же поддержал ее Влэд. — Погода чудесная, давайте действительно устроим пикник.

Элизабет было совершенно безразлично, она не хотела ни купаться, ни загорать. Но если взять хорошую книгу, часа три она смогла бы выдержать.

Полчаса они собирались, потом уселись в Динин «Додж» и покатили на озеро. За руль сел Влэд, мать устроилась рядом, на переднем сиденье, и Элизабет сзади наблюдала, как он протягивает руку, берет ею ладонь матери, поглаживает, пожимает. Ну, когда ему не надо было переключать скорость.

«Осмелел, — заметила про себя Элизабет и усмехнулась: — Меня больше не стесняется. А чего ему стесняться?

Теперь он женатый гражданин с американским паспортом. Что ему я?»

И в тот же момент в зеркале, кажется, оно называется зеркалом заднего вида, она встретилась с его взглядом, ощупывающим ее лицо — внимательно, тщательно, пытаясь ничего не пропустить, не оставить неизученным. На мгновение Элизабет почудилось, что кто-то иной, незнакомый сидит за рулем. На нее смотрели не затравленные, жалобные глаза, к которым она привыкла, а озорные, лукавые, приглашающие к игре, как бы говорящие: подключайся, вдвоем будет веселее. Она вспомнила: когда они играли в теннис когда-то давно, его глаза тоже становились такими же озорными и блестящими. Да, когда она была ребенком, они вместе играли в теннис, но какое значение это имеет сейчас? Никакого!

Борьба их взглядов продолжалась всего несколько секунд, и он первым не выдержал. Машина вильнула раз, два, Дина охнула, схватила его за руку.

— Влэд, ты что? Осторожнее, пожалуйста! — И потом, когда машина нашла дорогу, выровнялась на ней, Дина добавила: — А то мы так до озера не доедем.

На берегу они разложили подстилку, расставили складные стулья, маленький столик на непрочных ножках, кулер с шампанским, свертки с едой, нарезанный ломтями хлеб, фрукты. Разлили шампанское, Элизабет тоже налили, правда, лишь полбокала.

— Может быть, ей не надо? — неуверенно посмотрела Дина на Влэда.

— Да ладно, она уже взрослая, посмотри на нее, — усмехнулся Влэд и снова смерил Элизабет озорным взглядом: — К тому же такой день сегодня...

Они выпили, потом жевали бутерброды. Он ел быстро, жадно, Элизабет заметила, как энергично ходили желваки на его скулах. Она сама лишь отрезала кусок груши, откусила — груша была мягкая и сочная, но больше почему-то не хотелось.

— Ну что, пойдем купаться? — предложил Влэд и начал расстегивать рубашку. — Вы как, девочки?

Дина встала, стала стягивать через голову легкое платье, оголяя сначала полноватые ноги, колени, потом показались панталоны купального костюма почему-то красного цвета.

«Зачем она надела красный купальник? Он же ей не идет, только подчеркивает ее возраст», — подумала Элизабет.

Дина продолжала тянуть платье вверх; когда голова скрылась и потерялась в вороте, она замешкалась, какое-то время так и стояла с оголенными до бедер ногами в туфлях на высоких каблуках, неловко утопающих в песке, казалось, что голова, скрытая в складках материи, полностью отсутствует. Она выглядела не только неловкой, но и комичной — тяжелые бедра, опущенный зад, мягкие, слишком белые, лишенные мышц ноги. И в довершение всему еще и головы нет. Просто «всадник без головы» какой-то, усмехнулась про себя Элизабет и почему-то взглянула на «этого». И ей показалось, хотя возможно, только показалось, что на его губах, как всегда узких и растянутых, промелькнула быстрая усмешка. Мелькнула и тут же пропала.

— Я здесь посижу, — сказала Элизабет, когда Дина все же справилась с платьем и, согнувшись, расстегивала ремешки на туфлях. — Не хочу купаться.

— Почему? — спросила Дина, не поднимая головы, сидя на корточках.

— Пойдем-пойдем, — тут же поддержал «этот» и зачем-то похлопал Элизабет по плечу. — Там хорошо, прохладно.

— Неохота, — ответила Элизабет с искусственной ленцой и передернула плечами, освобождаясь от забытой на них ладони.

— Ну, как знаешь, — с показным равнодушием заметил «этот». — Ну что, Диночка, пойдем?

И они вдвоем пошли к воде — почти одинакового роста, только он значительно жилистее и шире в плечах. Элизабет вообще первый раз видела его без одежды. Оказалось, что у него сильное, плотное тело с густой порослью волос на груди, почти без лишнего жира, со смуглой, на вид грубой кожей.

Это не было гладкое, ровное, резвое тело юноши, в нем, несмотря на сухость и жилистость, чувствовались тяжесть и замершая, угрожающая усталость. Казалось, что они — тяжесть и усталость — могут быть разом сброшены и угроза сразу станет явной. Элизабет уже видела этот трюк там, на теннисном корте.

Он обнимал Дину за плечи, она тоже обвила рукой его талию, а потом он, вдруг нагнувшись, резким, неожиданным движением подхватил ее — сначала одной рукой под колени, потом другой, обхватив за спину, — поднял, чуть прогнулся спиной назад, наваливая ее большое тело себе на грудь.

— Отпусти, отпусти, я тяжелая. Надорвешься! — закричала мать в притворном ужасе, но «этот» склонил голову, что-то шепнул, Элизабет не услышала, и в ответ раздался слишком громкий, слишком молодящийся Динин смех.

Элизабет провожала взглядом эту нелепую, комичную парочку — широкий, коренастый мужчина тащит на себе немолодую, отяжелевшую дамочку с рыхлыми ляжками, с задорно болтающимися ступнями, поблескивающими свеженакрашенными ногтями, со слишком пышной грудью, наваливающейся на ее мягкий живот, при этом дамочка счастливо хохочет в полный голос. Элизабет даже поморщилась. Вспомнила свое тело, которое каждый день придирчиво изучала перед зеркалом — небольшую, аккуратную, чуть вздернутую вверх грудь, плотный, очерченный барабанной округлостью живот, два крепчайших полушария ягодиц, прогибом отделенные от спины.

«Я никогда не стану такой, как она, — подумала Элизабет и снова поморщилась. — Лучше уж умереть в молодости, чем стать такой коровой. Как он ухитряется таскать ее на руках, действительно ведь можно надорваться?»

«Этот» внес Дину в озеро и продолжал нести, пока вода не дошла им до пояса. Там Дина, хохоча и отбиваясь, все-таки вырвалась, соскочила с его рук, взвизгнула, видимо, от холодящей резкости воды. Потом они поплыли: Дина медленно, брассом, плавными ровными движениями, не погружая голову в воду, аккуратно держа ее строго вверх, боясь испортить прическу. Он плыл за ней, его сильные руки рывками разрезали воздух, снова уходили под воду, исчезали там надолго. Он умышленно плыл за матерью в метре позади, хотя казалось, одним взмахом руки мог догнать, накрыть, насесть на нее.

Они не оглядывались. Элизабет открыла кулер, достала наполовину заполненную бутылку шампанского, налила себе в бокал, отпила, снова налила, посмотрела, сколько осталось в бутылке. «Да ладно, не заметят», — сказала она и поставила бутылку назад.

Когда она снова посмотрела на озеро, на плоскую гладь воды, то разглядела только одну точку, да и то вдалеке, на середине озера, даже было непонятно, чья это голова — мужская или женская. Потом вверх поднялись две едва различимые черточки рук и голова исчезла. Элизабет присмотрелась: поверхность озера была совершенно пустая, сиротливая, как будто ее ничто не тревожило — ни сейчас, ни прежде, вообще никогда. Элизабет приподнялась на подстилке, села, вгляделась в блестящую, режущую глаза гладь озера. Ничего. Она почувствовала, как сердце неожиданно плеснуло в груди горячей, обжигающей волной и громко, торопливо застучало. «Где же они?» — подумала Элизабет и встала на ноги — так ей было лучше видно.

И тут голова над водой появилась снова. Кто это, мать или «этот», Элизабет не могла различить, слишком далеко, слишком много блестящих, слепящих бликов. Потом прошло еще несколько длинных секунд. Элизабет почувствовала страх, а потом сразу возникла догадка: «А что, если он утопил ее?» И тут же догадка сменилась уверенностью, полной, непререкаемой, словно иначе и быть не могло. «Конечно, он мог ее утопить. Она вышла за него замуж, он получил документы, и больше она ему не нужна. Мы ведь ничего не знаем про него, он всегда отмалчивается. И в его лице много странного». Мысли выстреливали с невероятной скоростью, одна наваливалась на другую и, не успевая раствориться, тут же поглощалась следующей. «Подплыл сзади... Поднырнул... Схватил за ногу... Утянул вниз... Придушил... А потом скажет — утонула». Страх разрастался и заполнил грудь, горло, сдавил свинцом ноги — Элизабет не могла пошевелиться. «Зачем ей самой нырять? Она же голову мочить боится». Страх проник в горло, ей стало тяжело дышать, она попыталась сглотнуть его, но он застрял в горле и стал подниматься к голове. «Мама, мамочка, ты где?» — Элизабет попыталась крикнуть, но у нее не получилось ни хрипа, ни даже шепота. «А потом он приплывет назад и сделает что-нибудь со мной, ведь я единственная свидетельница». Она оглянулась, обвела берег взглядом — нет, не единственная, вдалеке, на другой стороне озера были люди. Несколько... Элизабет пригляделась. Четверо... Похоже, семья... Двое взрослых и дети. «Может быть, надо бежать к ним? Кричать, просить о помощи. Может быть, они защитят».

Но она никуда не побежала — не смогла, лишь снова обвела взглядом лоснящуюся на солнце поверхность озера. И не поверила — головы было две, они приближались к берегу, увеличиваясь в размере, она даже теперь могла различить лица.

«Дура, — подумала про мать Элизабет, — так меня напугать. Что за идиотские игры?! Будто ребенок заигралась».

И действительно, теперь было видно, что они оба смеются — мать и «этот»; волосы у матери выбились из пучка и, мокрые, падали в воду, но она смеялась действительно как маленькая девочка. Никогда прежде Элизабет не видела ее такой счастливой.

«Дура, — снова подумала Элизабет, — чего так развеселилась? Из-за того, что «этот» рядом? Тоже мне радость».

Она снова налила в бокал шампанского, выпила половину, страх тут же исчез, будто его смыло.

«А я тоже, что за глупые мысли лезут в голову. — Элизабет проглотила остаток пузырящейся жидкости из бокала. — Я тоже дура. — Она легла спиной на подстилку. Небо было такое же блестящее, как и озеро, и тоже голубое, вот только бликов на нем было меньше. Оно утомляло, это яркое вязкое небо, и Элизабет закрыла глаза. — Хотя вообще-то «этот» может...» — просочилась последняя мысль, а потом все сразу отступило и покрылось абсолютно ничем.

Разбудило ее чужое дыхание. Она повернула голову, приоткрыла глаза: слева на подстилке лежал «этот» — рука поднята и заброшена за голову, щека примяла предплечье. Он смотрел на нее медленным, серьезным, внимательным взглядом, будто пытался найти в ее лице что-то новое, чего никогда прежде не видел. Элизабет не отвела глаз. Их разделяло всего пол-ярда, она чувствовала исходящий от его тела влажный, разбавленный в солнце запах озера. Они смотрели друг на друга долго, так и не сказав ни слова, а потом ей надоело, и она отвернулась и опять стала глядеть вверх на небо, которое сейчас было еще более голубым, чем тогда, до сна.

Элизабет лежала на спине, не отводя взгляда от неба, пытаясь хоть как-то вобрать в себя его бездонность, и знала, что он все так же лежит рядом и так же, подперев щеку рукой, неотрывно смотрит на нее.

А потом она почувствовала нити. Или нет — волны. Они тянулись от него, легко пронизывая разделявшее их пространство, и огибали ее тело плавной уютной волной, и укутывали его, пеленали, превращали в кокон. Она явно чувствовала их, они, словно живые, входили в ее поры, во все миллионы клеточек, заползали в глаза, рот... Наверное, именно поэтому она услышала свое дыхание — слишком шумное, неприличное, а еще неуместно вздымалась грудь, она тоже не умела скрыть волнения.

А он продолжал смотреть на нее и наверняка все понимал. Может быть, он тоже чувствовал эти нити, эти волны, может быть, они распространялись в оба направления и накрывали его тоже, — Элизабет не знала и не хотела знать.

— Где мать? — спросила она, сдерживая дыхание, загоняя его, разнузданное, внутрь.

— Переодевается, — раздался его голос, но Элизабет не повернула головы, она смотрела на нарезанное воздушными слоями небо.

— Ты зря не пошла купаться, — снова проговорил голос. — Вода очень теплая.

— Ага, — ответила Элизабет и замолчала. Потому что небо над ней закончилось и воздушная бесконечность закончилась тоже, все оказалось заслонено головой матери. Она склонилась над Элизабет, и той ничего не оставалось, как вглядываться в ее лицо, как до этого она вглядывалась в небо.

— Было так здорово, Лизи, — сказала Дина, улыбаясь. — Влэд нырнул и не появлялся целую вечность, наверное, минуты две. Я так испугалась, что сама нырнула, даже прически не пожалела. — Тут только Элизабет заметила, что голова матери повязана полотенцем. — А потом он вынырнул, представляешь, он может находиться под водой...

Элизабет давно не видела Дину так близко. Оказалось, что у нее морщинки под глазами, и неровная, мятая кожа на щеках, и очень мягкие, любящие, не скрывающие любви глаза. И вообще, лицо было родным и любимым до боли, до приступа разрывающей сердце жалости.

Именно такой она навсегда запомнила свою мать, именно «до разрывающей жалости». Потому что через две недели Дина исчезла, и вот такая — любящая, любимая, близкая, родная — больше не появлялась никогда. Во всяком случае, наяву.

* * *

В отличие от большинства пожилых дам я не истерична. Обычно я прагматична, расчетлива и... какое еще было слово... ах, да — цинична. Можно было бы назвать меня типичной стервой, но в типичные стервы я не подхожу по возрасту.

Но сегодня я проснулась не в своей тарелке — все тело болело, даже подняться с постели было непросто. Позвала Карлоса, но он не откликался. Тут я вспомнила, что вчера перед сном его тоже не было в наших апартаментах. Кобеленок, наверняка опять вскарабкался на какую-нибудь крепкопопую сучку. Либо на ту белокурую, молодящуюся, лет под тридцать немку, которая дефилирует повсюду в более чем откровенном купальнике, да еще на высоких каблуках, раскачивая в такт бедрами. Либо на француженку, которой и молодиться ни к чему и лифчик незачем.

Ну ладно, пусть только вернется, мой смуглокожий Дон Жуанчик, я ему за завтраком устрою еще одно удовольствие. Не менее продолжительное и интенсивное, чем ночное.

Пришлось вставать, разминать зудящие суставы незамысловатыми упражнениями — начиная с ног, потом живот, ягодицы, конечно... Хотя этим уже ничего не поможет. Поднимаемся выше по телу. Доходим до глаз — десять минут на разработку мышц глаз. Потом снова спускаемся вниз, к самому сокровенному — там ведь тоже кое-какие мышцы еще остались. Могла бы их и не тренировать, но в привычку вошло, практикую еще со времен бальзаковского возраста — потому и объемный Карлос все еще как-то чувствуется.

В общем, через час хоть как-то собрала себя по частям.

Теперь доза таблеток — те, которые по утрам, до еды, потом водные процедуры в джакузи. Позвонили из ресторана, спросили, где я буду завтракать: в номере или спущусь вниз. Сказала, чтобы принесли сюда.

Вылезла из воды, обтерлась. Еще двадцать минут втирала в себя всякое разное, по тюбику на каждую часть тела — хотя тюбиками моим частям уже не поможешь. И все же простое самоуважение требует.

Когда в халате вышла в гостиную, завтрак уже был накрыт. Выпила апельсинового сока, поковыряла ложкой овсянку, они ее делают для меня по специальному рецепту, но все равно одной завтракать было скучно. Да и настроения никакого.

Позвонила вниз, сказала, что мой Карлос бесследно пропал. «Уж не случился ли у нас в отеле несчастный случай? — предположила я в телефон. — А может быть, и не несчастный. Может быть, его убили, например женщины замучили, а тело съели, особенно отдельные части. Что, если у нас в отеле каннибалки завелись?»

Этот кретин Жюстен с ресепшн даже не понял юмора, наверное, подумал, что бабка полностью выжила из ума.

У них вообще так, у этих крепкомозглых швейцарцев: если ты сама не засмеялась — они не въезжают, все принимают всерьез. Но вот если засмеялась, отмашку дала, значит, это шутка и им тоже надо реагировать. Вот так у них все под контролем. «Орднунг», одним словом, хоть и местный, швейцарский.

— Что вы, мадам, — ответил мне идиот-консьерж на полном серьезе, — у нас в отеле криминал исключен.

— Так вы думаете, он жив, мой бедный Карлос? — пролепетала я с надеждой. — А где же тогда тело?

— Мы сейчас его найдем, мадам, — тут же засуетился недремлющий страж отеля.

— Да уж, найдите, пожалуйста, — пробурчала я недовольным голосом. — А то количество чаевых, которые я выделяю персоналу в виде благотворительности, может резко сократиться.

— Слушаюсь, мадам, — откозырял Жюстен. Когда дело касается чаевых, они тут же начинают соображать, где шутка, а где нет.

Мне наконец-то полегчало, и я смогла глотнуть кофе. Проведя почти всю жизнь в Европе, единственное, в чем я не изменила своей американской родине вместе с ее американским флагом, — так это кофе. Как приучилась с детства хлебать эту штатовскую бурду, так и хлебаю ее до сих пор, пренебрегая вкуснейшими французскими кофейными напитками. Ведь должно же хоть что-то роднить меня с великим народом, из которого я давно выросла.

Ах, как я люблю первый глоток свежего кофе утром! Сначала ополоснуть рот апельсиновым соком, дать ему всосаться, а потом, после паузы, глотнуть кофе... Я даже поморщилась от удовольствия. Особенно когда представила, как они сейчас под всякими предлогами с извинениями проникают во все номера, где проживают потенциальные соблазнительницы моего Карлоса. И, застукав наконец где-нибудь моего полуобнаженного красавца, бросают ему мимоходом, что, мол, его ожидает срочное сообщение на ресепшн. Очень срочное. Не терпящее отлагательств. Никаких.

Как бы туп ни был мой неверный возлюбленный, он сразу все понимает, у него округляются от страха глаза, он забывает о незавершенном своем удовольствии и, поспешно прикрыв свое божественное тело, бросается вон из номера. «А как же завтрак?» — капризно кричит ему вдогонку перевозбужденная, недоудовлетворенная развратница, но в ответ ей раздаются лишь торопливые шаги.

Представив эту сцену, я сразу начинаю чувствовать себя значительно лучше, даже улыбка появляется на морщинистых губах.

А сцену я, кстати, представила совершенно правильно, так как минуты через три-четыре дверь широко распахнулась и в гостиную влетел всклокоченный, перепуганный, словно ошпаренный Карлос. Глядя на него, мне пришлось проявить недюжинную силу воли, чтобы не расхохотаться. Но дело есть дело — он заслужил взбучку, он ее и получит.

— Кэти, ты звала меня, ты сердилась? — начал он дрожащим голосом.

— Кого трахал? — перебила я, угрожающе сдвинув брови.

— Я?! Я?! Да ты что?! Как ты могла подумать? — начал он трепетной скороговоркой, и глаза его сразу наполнились искренностью и чистосердечием.

Почему в альфонсы не идут люди хотя бы со средним IQ, а только одни идиоты? Вот признался бы честно, кого трахал, да рассказал бы подробности: как трахал, что она при этом верещала, мне ведь интересно, всегда ведь встречаются нюансы — я бы, глядишь, и простила изменника. А если бы приподнял настроение, ввел в сексуальный азарт, еще бы и награду заслужил.

Но для такого поворота хоть какой-то сообразительностью надо обладать. А сообразительность и Карлос — вещи несовместные.

— Да ты что, Кэти? Как ты можешь такое подумать? — заверещал он томным, обиженным голосом. — Ты же знаешь, что я... — И тут же лезет ко мне под халат, чтобы вот таким первобытным способом сбить мой решительный настрой.

Ну, и что он там нашел новенького? Ничего. И на настрой не повлиял, только получил по рукам.

Хотя, надо признать, все же он молодец — всю ночь отрабатывал и снова готов. Вот что молодость и латинистость делает с людьми.

Но сказала я совсем другое:

— Я с тобой, милый друг Карлос, только потому и связала себя узами, что ты мне казался порядочным молодым человеком. Ты мне нравился как цельная личность, как индивидуум. Я тебя ценила за твои высокоморальные качества. Что мне нужно, в конце концов, как не простое понимание честного, искреннего человека? Но оказалось, что я ошибалась... — Тут он с вытаращенными глазами попытался меня прервать, но я не позволила: — Оказалось, что ты совсем другой. Оказалось, что ты порочный, неверный и, клянусь Девой Марией ты спал сегодня с другой женщиной.

Почему я вспомнила про Деву Марию? А, ну да, она же в их латинской религии значит многое. Почти все.

— Кэти, Кэти, подожди, прошу тебя, — начал причитать и канючить он.

— А я-то, наивная дуреха... — Тут я, конечно, подпустила в голос слезу, в глаза уже давно ничего подпустить не получается. — Я-то, дуреха, думала, что ты мне родная душа, я даже вписала тебя в завещание, положив тебе...

Тут я начала соображать, что бы такого могла бы ему отписать, даже если бы лишилась рассудка. И решила, что настолько лишиться рассудка я не смогла бы никогда. Так цифра и не прозвучала, когда дело касается цифр, лучше обходиться без конкретики. А то еще придушит прямо здесь, прямо сейчас — вон как вспыхнули его томные глазенки.

— Но сейчас я вижу, что все напрасно, ты мне чужой, чуждый, а главное — наши взгляды на мораль расходятся. — Снова слеза в голосе, теперь от обиды за наивные, несбывшиеся надежды. — И вот я позвонила своему адвокату и велела ему вычеркнуть тебя из завещания.

Я взглянула на бедного мальчика. Я никогда не била собак, но побитая собака наверняка именно так и выглядит.

— Кэти! — только и вырвалось у него.

— И вообще, если еще такое повторится, — заметила я более решительным голосом, — мне придется тебя отправить туда, откуда в свое время я тебя прихватила. И не будет больше в твоей латинской жизни ни трехразового питания, ни хорошего коньяка по вечерам, ни прозрачного бассейна, ни даже ежедневной смены постельного и нательного белья. И вообще мне давно рекомендовали филиппинцев, они верные и чуткие сердцем. Ты понял меня, дружок?

Если раньше он казался напуганным, то сейчас, когда я вспомнила про филиппинцев, его охватил ужас — я с трудом удержалась, чтобы не расхохотаться.

— Кэти, — шевелил он побледневшими губами, — прости меня, Кэти, обещаю, что больше никогда… Прости.

И я простила его. А что еще мне оставалось делать, слабой, мягкосердечной женщине крайне преклонных годов? В конце концов, мне необходимы разнообразные оздоровительные процедуры, только с их помощью я ухитряюсь поддерживать хоть какую-то бодрость организма. К тому же он так театрально закатывал глаза, мой неутомимый, переполненный страстью красавчик, когда принялся самозабвенно замаливать свои грехи.

Вышла я из номера вполне довольная утренней частью дня. А ведь начинался он тоскливо — вот что значит сила воли и умение управлять собственным настроением и организмом.

Подошло время выпить бокал вина — это я позаимствовала у моих сводных братьев-французов. Один бокальчик красного, желательно бургундского, часов в одиннадцать-двенадцать, обильно запитый водой, потом маленький эспрессо, чтобы полностью ликвидировать хмельные алкогольные последствия. Второй бокальчик — уже вечером, но уже без эспрессо. Главное, чтобы каждый день, как лекарство. Очень помогает.

Итак, я направилась на веранду, но в холле наткнулась на моего маститого соавтора.

— Мсье Анатоль! — окликнула я его вполне дружелюбно. А вот он на мою дружелюбность дружелюбностью не ответил. Наоборот, когда он вскинул на меня свои ясные очи, в них отчетливо читалась озабоченность и что-то еще… Ну да, беспокойство.

— А, это вы, Кэтрин. Добрый день, рад вас видеть, — заявил он мне, хотя насчет «рад», похоже, явно преувеличил. Более того, он тут же невежливо повернулся ко мне спиной, разговор с клерком у стойки ресепшн был для него, очевидно, дороже сердечных отношений с соседкой, соавтором и просто хрупкой женщиной, раскрывающей перед ним душу. Но хрупкой женщине был дороже он, и вообще она не отличалась щепетильностью. Поэтому окончательно повернуться спиной у него не вышло.

— Господин сочинитель, что-то вы пропали, я уж начала бояться, не случилось ли с вами что-то вроде творческого запора. Когда, знаете, сидишь-сидишь, тужишься-тужишься, а никак не выходит.

Он даже не улыбнулся — сухой, деревянный человек.

— Нет, никакого запора, я писал, — отрезал он коротко.

— Ну и как? — снова доброжелательно поинтересовалась я.

— Кэтрин, я могу с вами поговорить откровенно? Но только не сейчас, минут через десять. — Ах, как он хотел отделаться от меня, даже глаза горели от нетерпения.

— Что-нибудь случилось? — забеспокоилась я вслед за ним.

— Я вам расскажу через десять минут, хорошо? — невежливо оборвал он меня и взял за руку и пожал, давая понять, что мне пора оставить его в покое. — Так где вы будете?

— На веранде, как всегда, — пообещала я и сжалилась на ним и оставила наедине с клерком. В конце концов, он взрослый мужчина, из тех, у кого бывают личные проблемы.

Впрочем, не настолько личные, чтобы беззастенчиво скрывать их от меня. С веранды отлично просматривается холл, вот я и наблюдала, как Анатоль что-то высказывал клерку, энергично шевеля губами. Как жалко, что я не умею читать по губам.

Потом клерк стал куда-то звонить, а Анатоль нервно постукивал костяшками пальцев по мраморной стойке. Он и в самом деле казался весьма озабоченным, озабоченность так и читалась на его взволнованном лице.

Я видела, как клерк повесил телефонную трубку и отрицательно покачал головой. Похоже, что-то у моего напарника сегодня не склеивалось. Безумно хотелось узнать, что именно.

Наконец принесли бокал бургундского — я в последнее время предпочитаю «Шато де Пеньер». Первый глоток я, надо признаться, и люблю больше всего, особенно когда вино стоит несколько сотен за бутылку. Не знаю, как где, но здесь, в Швейцарии, что подороже, то, как правило, и лучше.

Я предчувствую его, первый утренний глоток, как он обволакивает вкусами — не каким-то одним, примитивным, а сочетанием, в котором если не натренирован, то и не разобраться. Но ведь и во время выступления большого симфонического оркестра только специалист может выделить флейту и отличить ее от кларнета.

Так вот, сегодня первый глоток прошел незамеченным — концентрации не хватило, вся в любопытство ушла.

Похоже, объяснения с клерком ни к чему не привели, Анатоль достал мобильный, стал кому-то звонить, потом выругался — пару-троечку крылатых слов я все же ухитряюсь читать по губам. Ну а затем, недовольно качая головой, направился ко мне. С шумом отодвинул стул, присел на самый краешек.

— Кэтрин, тут такое дело... — начал он и сбился. Пауза затягивалась, но я проявила выдержку. — Мне нужна машина. Срочно. Я здесь без машины, вы ведь знаете. Пытался заказать, взять в аренду, но с их швейцарской заторможенностью все надо делать заблаговременно. Они могут подогнать машину только завтра, а мне она нужна прямо сейчас, срочно. Не можете ли вы одолжить свою? На день, максимум на два.

Как-то это было не по-швейцарски, даже не по-французски. Скорее по-американски. Но американские простецкие привычки здесь, в вымуштрованной Европе, не поощряются. Впрочем, я космополитка да и сама не очень вымуштрована, я могла его понять. Но одолжить свой дорогущий «Порше»? Я, конечно, на многое готова ради друга, но и у самопожертвования имеются пределы.

Он заметил мое сомнение — а как же иначе, писатели должны быть наблюдательными.

— Знаю, так не очень принято, особенно здесь, но ситуация совершенно экстраординарная. Иначе бы я вас не утруждал.

— А что все-таки случилось? — Теперь, когда он оказался в моих цепких лапах, я могла дать волю любопытству.

— Конечно, я вам расскажу, — согласился он и придвинулся поближе. Меня, без сомнения, ожидала тайна. Я глотнула из бокала, но снова не почувствовала вкуса вина. — Дело в том, что мне только что позвонили, сообщили... — Я хотела спросить, кто, но сдержалась, побоялась спугнуть тайну. — В общем, меня разыскивают два человека, уже давно. — Ну надо же! Все-таки я была права, он без сомнения где-то набедокурил. — Я даже не знаю, кто они и что им нужно... — А вот это вы оставьте для других, милостивый государь. Например, для наивной швейцарской полиции.

— Поэтому вы и пытаетесь так энергично избежать с ними встречи? — все же не выдержала я.

— У меня, конечно, есть предположения, кто они, эти люди. Но так или иначе, я не желаю с ними встречаться.

— Так кто же они? — не выдержав, задала я вопрос в лоб.

— Вы удивитесь, — он даже улыбнулся, правда, несколько смущенно, — но они мои персонажи.

— Кто? — не поняла я.

— Персонажи. Герои одной из моих книг.

— Вас преследуют герои ваших книг?! — искренне поразилась я. Последовала пауза, я даже успела сделать еще один глоток — опять никакого вкуса. — Может быть, милый соавтор, вам требуется не простой автомобиль, а специализированный? — предположила я. — Называется «скорая психиатрическая помощь». Думаю, его можно подогнать незамедлительно даже в заторможенной Швейцарии. Главное, их там предупредить, что у пациента агрессивная паранойя и галлюцинации. Вы, кстати, не опасны для соседствующих с вами дам?

— Да нет, Кэтрин. — Наконец-то он засмеялся. — Я понимаю, в это трудно поверить, но меня действительно преследуют мои персонажи. Знаете, я когда пишу, часто использую реальных людей в качестве прототипов. Конечно, я не копирую их один к одному, многое изменяю, но факт в том, что в моих книгах порой присутствуют реальные люди под своими настоящими именами.

Я сделала еще один большой глоток — вкус уже не имел никакого значения.

— По-видимому, эти двое прочитали про себя в моей книге, и что-то их не устроило. Вот они и пытаются встретиться со мной, ищут меня, преследуют. Сейчас мне позвонили, сообщили, что они узнали, где я нахожусь, и направляются прямо сюда. Часа через два-три, думаю, заявятся.

— Ну и почему бы вам с ними не встретиться? К чему эта игра в кошки-мышки? Встретились бы, может, они ваши почитатели, хотят, чтобы вы им автограф дали. Вас разве не учили, что трудности надо встречать лицом к лицу?

— Чему меня только не учили, — отмахнулся Анатоль, а потом добавил: — Да не хочу я с ними встречаться. Знаете, от маниакальных фанатов всегда исходит потенциальная угроза. Нормальный мужчина не будет ездить по миру и преследовать другого мужчину. К тому же я человек достаточно замкнутый, мне не нужно лишнее общение. Мне легче избегать их, чем выяснять, что им надо.

Я не знала, как отреагировать. Но реагировать надо было:

— Да, странная история. Я не уверена, милый друг, что вы мне во всем чистосердечно признались, что ничего не утаили.

— Вы скоро сами сможете легко убедиться, дорогая Кэтрин. Они будут здесь, будут выспрашивать обо мне. Вы с ними сможете поговорить. К тому же я выписался из отеля, чтобы они меня здесь не поджидали.

Тут я подняла удивленно брови: он ведь, кажется, просил у меня машину, а сам выписался.

— Конечно я вернусь, — правильно истолковал он мое удивление, — и проживу здесь еще несколько недель, ведь надо закончить нашу книгу. Но вы им скажите, что я выписался и уехал в неизвестном направлении. Пусть ищут. Да и заодно расспросите, какое у них ко мне дело. Потом расскажете.

— То есть вы меня оставляете на линии огня, можно сказать, в качестве заложника? — уточнила я.

— Ну, что-то типа того, — согласился он и тут же добавил: — Так вы одолжите мне машину?

— Конечно, одолжу, — пожала я плечами. — Я надеюсь, вы умеете управлять автомобилем? Здешние горные дороги вам по силам?

— Да какая разница, машина ведь наверняка застрахована. — Видно было, что он расслабился, вот и начал шутить.

— Да я за вас беспокоюсь, мне ваша жизнь дорога, драгоценный вы мой. Кто же книгу допишет? Кстати, как продвигается сюжет? — Я подозвала официанта. — Передайте в гараж, чтобы мой автомобиль подогнали к выходу. Когда вам надо уезжать? — обратилась я к беглецу.

— Ну, с полчаса у меня еще есть, — кивнул он.

— Да, пусть подгонят не позже, чем через полчаса, — отпустила я официанта. — Надеюсь, вы эти полчаса проведете со мной? — снова перевела я взгляд на Анатоля.

— Конечно, — согласился он.

— Так как вам пишется? — снова заострилась я на творческом процессе.

— Тяжело, сложный текст. Взросление девочки, переход в подростковый возраст, первый сексуальный опыт, взаимоотношения с матерью, динамика этих взаимоотношений — трудная тема, особенно когда отводишь на нее всего несколько десятков страниц. Основной сюжет ведь, насколько я понимаю, еще впереди.

— Да, — согласилась я, — все еще только впереди.

— Да и любовник матери все усложняет, этот Влэд. Какой-то он неоднозначный получается. С одной стороны — подавленный, вечно виноватый, жалкий эмигрант, а с другой — в нем порой появляется живость, даже лихость. Как, например, на теннисном корте. А порой он вообще кажется опасным, затаившимся. Я ведь пишу с ваших слов, я сам еще не знаю продолжения. Что от вашего Влэда ожидать? Кто он — жертва или злодей? Я не знаю. Вы бы пояснили, чтобы я четче смог выписать его образ.

Теперь уже задуматься пришлось мне, вспоминая.

— Да он таким и был, неопределенным, — развела я руками. — А разве мы всегда одинаковые? Мы же разные, многогранные, и все зависит от того, какой гранью мы повернемся и как на нее упадет лучик света, как он отразится, как раскрасит. Да и потом, жизнь часто бьет, и те, кто прежде, как вы выразились, были лихими, от ее ударов порой становятся жалкими и подавленными. От потерь, которые несут прожитые годы.

— То есть нам не надо оттачивать образ? — переспросил Анатоль.

— Думаю, не надо. Он же утончается при заточке, — попыталась пошутить я, но похоже, неудачно. — Влэду было за сорок, когда ему пришлось начинать жизнь сначала, с нуля. К тому же кто знает, что он потерял, что оставил позади? Бывают потери, от которых невозможно оправиться, каким бы беззаботным человек ни был прежде.

— Ну что ж, пусть будет неопределенность образа, — согласился Анатоль. — Не всегда же все прописывать сразу.

Мы помолчали.

— Ладно, спасибо за машину. Я, пожалуй, поеду, — сказал после паузы мой соратник по литературной борьбе.

— Я надеюсь, вы все же вернетесь? Я не за машину переживаю, а за наше общее дело. Оно, как и любое дело, должно быть завершено.

— Вернусь, вернусь, — пообещал он и поднялся. — Завтра вернусь, самое позднее послезавтра. Надеюсь, они тут не останутся меня поджидать.

— Что же вы все-таки натворили, почему за вами охотятся? Не думаете же вы, что я поверила вашему объяснению?

— Скоро вы все узнаете из первых рук, — пообещал Анатоль. — И со мной, надеюсь, поделитесь.

Он уходил от меня в сторону ворот, где уже блестел мой шикарный кабриолет, а я думала, что он не менее неоднозначен, чем Влэд, мой таинственный мсье Тосс.

Дальше по расписанию у меня намечались сначала теннис, потом, после ланча, бассейн с последующим массажем. Но бассейн с массажем на сегодня, по-видимому, придется отменить, так как обещанное развлечение — явление преследующих Анатоля субъектов — назначено на полуденные часы, а пропустить такое удовольствие я просто не имела права.

Я вернулась в номер, переоделась для тенниса — коротенькие юбочки мы, конечно, оставим для молоденьких девушек и дамочек среднего возраста, меня красят только спортивные белые брюки да майка, не очень открывающая декольте. Что ж поделать, если каждый возраст имеет свою эстетику? И если они не совпадают, возраст с эстетикой (я-то насмотрелась на обнаженных сверх меры старушек да старичков в обтягивающих шортах), то это вызывает по меньшей мере жалость, а порой и брезгливость.

Ах, теннис! После того как я перестала привязываться к мужчинам, ты — моя единственная страсть. Конечно, нет ничего общего между мной «прошлой» и мной «настоящей». Раньше я вполне прилично играла. Сейчас же мне доступна только парная возня, но и на том спасибо, в мои года многие без посторонней помощи и передвигаться не могут. Но мастерство, как известно, не пропьешь, вот и мне не удалось. Ведь главное в теннисе — предвидение, умение читать соперника, а в предвидении я всегда была на высоте. Так что в здешних теннисных кругах меня ценит даже молодежь. Это я о тех, кому едва за шестьдесят. И правда, моя подрезка с бэкхенда весьма стабильна.

Пропущу описание теннисного матча, как и последующих двух часов. Главное, что к четырем я заняла наблюдательный пост на веранде, ожидая прибытия гостей. Впрочем, они все не появлялись, и я развлекала себя тем, что представляла, как должны выглядеть преследователи упорхнувшего пегаса Анатоля.

Мое воображение рисовало их типичными персонажами детективных сюжетов — коротко стриженными качками со следами преступного прошлого на грубых лицах. Видимо, сказались издержки американского воспитания и пристрастие к голливудским стандартам.

Но я полностью ошиблась. И вообще, приезжие меня разочаровали.

Во-первых, они прикатили не на большом блестящем автомобиле с затемненными окнами, как должны путешествовать мафиози. Нет, вместо него к воротам подъехал и, помявшись от неуверенности, вполз внутрь поскребанный и обшарпанный «Фольксваген» — на таких в либеральных европейских столицах колесят не менее либеральные интеллигенты.

Дальше — больше. Из «Фольксвагена», неуклюже складываясь пополам, вылез долговязый господин лет сорока, в очках, с короткой ухоженной бородкой клинышком, в твидовом пиджаке с кожаными заплатками на локтях, в помятых холщовых брюках. Он близоруко щурился и поправлял длинным толстым пальцем дужку очков на переносице. Такие неповоротливые экземпляры попадаются только среди немцев или голландцев, да и то в больших городах типа Берлина или Амстердама. Работают они либо в школе учителями, либо в крайнем случае адвокатами, защищая таких же, как они, либеральных интеллигентов от притязаний разведенных жен на их ограниченную, но регулярную зарплату.

В общем, вид первого из преследователей резко сдул искусственно раздутую интригу детективного сюжета.

Длинный немец-голландец обошел автомобиль и открыл дверцу с пассажирской стороны — из нее тут же высунулся ортопедический костыль, именно такой, какой рано или поздно ожидает меня. Конечно, я ожидала, что следом появится инвалид или, что еще хуже, матрона вроде меня. Но я опять ошиблась — уже который раз за один день.

Из машины вслед за клюкой, подпрыгивая на одной ноге и осторожно ступая на другую, довольно ловко для хромого выпрыгнул складный и ладный паренек. Настолько ладный, что я подумала: предела совершеству нет и моему Карлосу есть еще над чем поработать.

Обтягивающая белая майка без рукавов только подчеркивала гармонию тела, мышцы так и выпирали многочисленными квадратиками на животе, а бицепсы, трицепсы и прочие мускулы поражали эластичностью и не создавали образ качка-культуриста. Нет, казалось, что это белокурый Аполлон спустился с заоблачного Олимпа, и слова «изящество» и «грация» тут же завертелись в моей голове.

Правда, как оно всегда бывает, разочарование не заставило себя ждать. Ну конечно, проницательно сообразила я, перед нами типичная парочка типичного сексуального меньшинства, особенно если учесть обтягивающую безрукавочку молодого красавчика и сутулую нескладность долговязого герра адвоката.

Но жизнь опять внесла поправки в мои скороспелые выводы. Когда они подошли ближе, выяснилось, что красавчик уже не так молод, как казалось издали, ему хорошо за тридцать, да и вообще, он заметно потаскан — лицо усталое, с ранними морщинами, то есть на роль мальчика для услад либеральных адвокатов он не годится.

Опираясь на костыль и припадая на одну ногу, он вслед за долговязым последовал в отель, где они и остановились у стойки ресепшн. Пришлось встать и последовать за ними — там, в холле на кожаном кресле я и расположилась. Слышно было плохо, но все же кое-что из их разговора я разбирала.

— Какое вы назвали имя? — переспросила девушка за стойкой. Звали ее Патриция, но для близких друзей заведения вроде меня — просто Пэт.

— Нам нужен Энэтоли Тосс, — заново произнес длинный либерал, и я чуть не захлопала в ладоши — на сей раз знание жизни меня не подвело, он действительно был немцем, немецкий акцент я различаю с закрытыми глазами.

Пэт улыбнулась, качая отрицательно головой. Она всегда улыбалась, независимо от того, в какую сторону качалась ее голова.

— Постоялец под таким именем у нас на данный момент не зарегистрирован, — ответила она. — К тому же я все равно не могла бы вам помочь, мы не сообщаем информацию о наших гостях, если не получили от них специального разрешения.

— Не может быть! — искренне изумился немец. Но на этом его искренность закончилась: он заметно покраснел, напрягся и тут же попытался соврать: — Мы хорошие товарищи Энэтоли, он нам сам сообщил, что находится в вашем отеле.

Без сомнения, это была ложь во спасение, во всяком случае, во спасение меня, потому что наконец-то на моих глазах возникла и стала разрастаться интрига.

— Но, фройляйн, — нажал на Пэт немец, — герр Тосс ожидает нас. Вот, посмотрите мои документы, — тут он залез во внутренний карман твидового пиджака и достал какое-то удостоверение, — я Макс Вейнер, профессор Берлинского университета. А мой товарищ, вы, наверное, про него слышали, известный артист балета Роман Стоев. Он звезда, мировая знаменитость.

Тут Пэт зарделась, хотя я не была уверена, что она знала что-нибудь о Стоеве или о балете. А вот я, в отличие от нее, не только знала, но и видела Стоева на сцене — божественного, неповторимого. Все сразу встало на свои места — и Аполлон, и изящество, и даже хромая нога — я читала, что Стоев повредил ногу на репетиции. Впрочем, как писали, травма не серьезная, звезда пропустит всего лишь один сезон. Хотя мы, те, кто знает балетных не понаслышке, понимаем, что легкость и высота прыжка ему, увы, больше не гарантирована.

— Я понимаю, — тем временем снова засияла улыбчивая Пэт, — но к сожалению, ничем помочь не смогу. Извините. — И видимо, именно по ее дежурной улыбке, или же просто хорошо зная швейцарско-немецких девушек, которые, в отличие от девушек американских, если говорят «нет», то их уже ничем не проймешь, странная парочка сразу заметно сникла, стала рассовывать документы обратно по карманам и, разочарованная, отошла в сторону.

Там, в стороне, они постояли немного, помялись, переступая с ноги на ногу в заметной задумчивости. В принципе пора было удалиться, так сказать, не солоно хлебавши, но им невероятно повезло — на помощь им поспешила суховатая леди в возрасте, случайно оказавшаяся сидящей в кресле неподалеку. То есть я.

— Молодые люди, — приподнялась я с кресла, — простите меня, но я совершенно случайно подслушала ваш разговор. — Тут они взглянули на меня весьма неприязненно, как на докучливую старую каргу. Которой я, кстати, и являюсь. — Дело в то, что я имею удовольствие быть знакомой с мсье Тоссом.

Возникла немая сцена, их разочарованные лица тут же приобрели выражение льстивой учтивости, похоже было, что они сразу сильно меня полюбили. Хотя в искренности их чувств я все же сомневаюсь.

В любом случае наживку они проглотили, и теперь мне оставалось, как говорят любители-рыболовы, всего лишь подсечь. И я подсекла.

— Я хорошо знаю вашего друга, Анатоля Тосса. Он еще сегодня был здесь, мы разговаривали, но, к сожалению, часа три тому назад он отбыл.

Они переглянулись и направились ко мне. Я весьма дружелюбно им улыбнулась.

— Вы уверены, что это был именно Энэтоли? — задал вопрос долговязый в твидовом пиджаке.

— Во всяком случае, он мне так представился. Он прожил здесь недели три-четыре, но сегодня почему-то вдруг уехал.

Они снова переглянулись. В принципе, если бы я не знала, что один из них невинный профессор, а другой — не менее невинная балетная прима, можно было бы и испугаться — так мрачно и двусмысленно они переглядывались. Впрочем, в мои лета мужчин уже не боятся, это мужчины боятся моих лет.

— Может быть, мы перейдем на террасу, сядем за столик? — предложила я.

— Конечно-конечно, — закивали они, соглашаясь, и почетным караулом обступили меня с двух сторон — длинный и сутулый шел впереди, раненый артист балета хромал сзади.

Мы расселись, тут же подскочил расторопный официант Франсуа, мне самое время было выпить чашку зеленого чая, он, как известно, предохраняет от старческого слабоумия, которого в моем возрасте следует опасаться. Двое моих кавалеров попросили по бутылочке «Перье» — ну, артисту трезвость не помешает, а вот почему бы не выпить долговязому? Ах да, он же за рулем. Значит, догадалась я, раз он не пьет, то собирается скоро уезжать. Что меня вполне устраивало.

— Так вы уверены, что это был Энэтоли? — повторил профессор, почему-то ударяя имя моего соавтора на второе «э».

— Знаете, друзья, — изобразила я кокетливую улыбку, — я и в себе не всегда уверена, не то что в молодых мужчинах.

— Zeig ihr das Foto, — сказал тот, кто назывался Стоевым, тому, кто назывался Вейнером. На вполне, как ни странно, приличном немецком. Которым, к слову сказать, я сама довольно сносно владею. Впрочем, я не собиралась щеголять всеми своими лингвистическими познаниями. Более того, я продемонстрировала полное невежество по отношению к родному языку Гете и Рильке.

— Что сказал ваш друг? — смастерила я беспомощное лицо. — Из всех иностранных я владею лишь французским. Да и то неважно. Мы, американцы, — настоящие островитяне, мы, в отличие от вас, европейцев, монолингвистичны.

— Роман попросил показать вам фотографию Энэтоли. Чтобы мы были уверены, что говорим об одном и том же человеке.

— Конечно-конечно, — закивала я, а профессор полез в свой твидовый пиджак и извлек оттуда фотографию.

У меня даже участился пульс от удовольствия — все развивалось почти точно по сюжету.

Я взяла фотографию в руки. На фоне какой-то весьма паршивой европейской речки и весьма традиционного здания из красного кирпича, изобилующего архитектурными излишествами, позировал для камеры молодой, привлекательный на вид мужчина с голубыми холодными глазами. Он был в джинсах, в коричневой кожаной куртке, в руке держал свернутый трубочкой не то журнал, не то газету.

Несомненно, мужчина на фотографии имел полное сходство с другим мужчиной, который три часа назад укатил на моем открытом «Порше». Только на фотографии он был лет на шесть-семь помоложе. Я утвердительно кивнула.

— Конечно, это мой хороший друг, мсье Тосс, — вернула я фотографию немецкому флегматику. Он зачерпнул ее своими слишком большими, слишком неуклюжими, наверняка нечувствительными пальцами. Я редко ошибаюсь в мужских пальцах: про то, чего от них ожидать, я успела узнать за свою жизнь многое. — Правда, тут, на фотографии, он значительно свежей, чем в жизни. Но насколько я понимаю, у него всегда утомленный вид, когда он пишет. А он, бедняжка, так выкладывается, совсем не щадит себя... Вы же знаете, что Анатоль писатель? — стрекотала я, заманивая доверчивого противника в свои вязкие, липкие, словоохотливые сети.

— Ну конечно, — согласились эти двое почти одновременно, а флегматичный профессор тут же добавил: — Так выходит, что вы хорошо его знаете?

— Мы подружились за эти несколько недель, — заверила я его. — Здесь, знаете, в этой швейцарской глуши редко встретишь интересного собеседника.

— Да-да, — пробормотал немец, и они снова переглянулись.

— Versuch so viel, wie moeglich Informationen zu bekommen, — снова невежливо перешел на недоступный мне немецкий герр балетный артист. Что в переводе означало: «Постарайся выведать у нее как можно больше информации». Я, конечно, окинула их беспомощным взглядом.

— Что-что? — добавила я для пущей убедительности.

Профессор заметно напряг свои профессорские мозги, потому что многие профессорские мозги не очень подходят для выведывания у посторонних их житейских секретов. Ну действительно, ведь если они с Энэтоли друзья, то какая информация их может интересовать? Они и сами все должны знать о своем друге.

Он еще подумал с минуту, запивая свои мысли чистым «Перье» без газа, и ничего, похоже, не придумал.

— Простите, как вас зовут? — поинтересовался он взамен.

— Зовите меня просто Кэтрин, — сердечно представилась я, растапливая улыбкой лед первого знакомства.

— Видите ли, фрау Кэтрин, — начал немец и снова сбился, — мы сказали не всю правду там, на ресепшн... — Я удивленно подняла брови — мол, неужели? Как такое может быть?! — Видите ли, мы лично с Тоссом не знакомы, мы много наслышаны о нем, даже имеем к нему некоторое отношение, но случая познакомиться нам не представилось. Хотя нам этого очень бы хотелось.

Я тут же поздравила себя с успехом: все-таки знание жизни и людей — полезное знание. Ведь вот так, совершенно незаметно, я подвела их обоих к тому, что они не только добровольно мне открылись, но и готовы чистосердечно отвечать на вопросы. А вопросы, кстати сказать, у меня имелись, и не в единственном числе.

— Чем же он вас заинтересовал, наш неуловимый Энэтоли? — подтолкнула я разговор в нужном направлении, вслед за немцем коверкая имя бедного моего соавтора, ударяя его на второе беззащитное «э».

— Понимаете... — профессор стал подыскивать трудные английские слова, — дело выглядит достаточно странным... — и он снова замялся. Я не перебивала, пусть мнется, сколько ему требуется. — Можно сказать, почти метафизическое перед нами дело. У Тосса есть книга, называется «Фантазии женщины средних лет», она достаточно известна, даже пользуется успехом. Так вот, эта книга попалась в руки Роману, — он указал на Стоева. — Роман получил травму, он сейчас не репетирует, вот и листает время от времени книги.

— Наверстывает пробелы балетного детства, — зачем-то вставила я, зная, что балетные в детстве ничего, кроме балета, не видят. Но шутка оценена не была, во всяком случае, серьезный профессор взглянул на меня с очевидным недоумением и поправил дужку очков. Ну и поделом мне, надо знать, с кем шутить.

— Так вот, Роман начал читать «Фантазии женщины...», — продолжал Вейнер, — и каково же было его удивление, когда он наткнулся на свою фамилию. Там есть рассказ в книге, совершенно отдельный, не имеющий к главному сюжету отношения, так вот, в рассказе присутствует персонаж по фамилии Стоев, артист балета. — Здесь, видимо, я должна была проявить изумление, и я его проявила, но без слов, только мимикой. — Более того, я там тоже присутствую как профессор Берлинского университета Вейнер, и мы с Романом там тоже друзья, как и в реальной жизни.

Тут я перестала изумляться только лицом и перешла на слова:

— Может быть, Энэтоли где-то встретил вас обоих и использовал в качестве прототипов? Достаточно известный литературный прием. Только Тосс к тому же использовал ваши реальные имена. Но такое тоже бывает.

— Вполне вероятно, — закивал своей большой очкастой головой Вейнер. — Мы тоже так поначалу подумали. Правда, сюжет рассказа совершенно не соответствовал событиям нашей реальной жизни, да и наши характеры отличаются от описанных в рассказе...

— Расскажи мадам Кэтрин о Жаклин, — вмешался Стоев на сей раз на английском, который в его балетном исполнении понять было куда сложнее, чем немецкий. Но при этом он так взмахнул рукой, так грациозно, в движении было столько откровенной красоты, что я тут же простила ему чудовищный акцент.

— Сейчас-сейчас, — пообещал профессор, — сначала я расскажу о нас с тобой. Так вот, поначалу мы удивились, и только. Но потом... — Он снова начал выдерживать длинные паузы. — Потом стали происходить вещи непонятные. — Я подалась вперед в нетерпении. — Просто, можно сказать, необъяснимые вещи... — Я подалась вперед еще сильнее. — Я бы сказал, метафизические... — Ну сколько можно тянуть, мне некуда уже было подаваться. — Понимаете, то, что написано в рассказе, стало происходить в реальной жизни.... — И он замолчал окончательно, явно смущаясь собственных слов. Молчала и я, тоже смутившись. Я всегда пасую при появлении чертовщинки.

— Я знаю, в это трудно поверить, но многое... не все, но многое, что написано у Тосса, стало свершаться с нами.

— Например? — поинтересовалась я.

— Расскажи ей о Жаклин, — снова вставил Стоев.

— Да-да, сейчас, — снова пообещал Вернер, — сначала о нас с тобой. Например, Роман вскоре получил травму голеностопа, подвернул ногу на репетиции. Понимаете, Кэтрин, книга издана за пару лет до этого, когда Роман был абсолютно здоров, и в ней Стоев тоже артист балета, звезда, но после травмы он уже не выступает. То есть его травма оказалась предсказана.

Тут я пожала плечами — совпадение, конечно, но не вопиющее, я в жизни встречала и не такое.

— Может быть, это просто совпадение, — озвучила я свои сомнения.

— Я тоже так думал, — согласился Стоев на английском. — Но потом все оказалось не так. — Очевидно, на этом языке он умел говорить только короткими, корявыми фразами. Впрочем, зачем балетным слова? Их язык — язык движения и жестов.

— Потом оказалось, что Роман неожиданно встречает женщину, которую знал еще в молодости, ну, вы понимаете, с которой в молодости его связывали любовные отношения. И у них все возобновляется. Тоже, как описано в рассказе.

Я снова пожала плечами, мол, чего только не бывает.

— Мы бы и на это не обратили внимания, — согласился Вейнер, — но странные совпадения продолжались. Сейчас не буду вдаваться в подробности, но то, что описано в рассказе, стало в какой-то мере происходить и со мной. Мы с Романом обсудили происходящее и пришли к невозможному выводу: Тосс описал нашу жизнь, но не прошлую, а будущую. Не с абсолютной точностью, но все равно совпадения поражают.

Становилось интересно. Надо же, мой соавтор обладает даром ясновидения, может, он и мне чего-нибудь нагадает. Хотя что меня ожидает в недолгом будущем, я и так знала — в моем возрасте вариантов не так уж много.

— А вы считаете, что подобных совпадений не бывает? — решила я еще больше подзадорить флегматичного немца.

— Совпадения случаются, конечно, разные. Знаете, я биохимик и, естественно, материалист и дарвинист, меня сложно сдвинуть с научного пути и заставить поверить в чудеса. И все же мы с Романом решили во всем этом разобраться.

— Мы встретились с другими героями книги, — встряла балетная звезда, которой явно претили медлительность и основательность его ученого друга.

— То есть вы оказались не единственными живыми прототипами книги? — возбудилась я еще сильнее, представляя, какое удовольствие получу, когда Анатоль закончит турне по Альпам и возвратится в нашу родную обитель.

— Да-да, — поддержал его немец. — Мы с Романом решили проверить, нет ли у других персонажей книги живых прототипов. Сначала просто ради смеха, думали, никого не найдем. Просто поискали в Интернете имена... Имена, конечно, выскочили, каких только имен в мире не бывает, кого-то мы сразу отсеяли — по возрасту или по месту жительства. Кому-то позвонили, опять же ради смеха. Многие с нами даже говорить не хотели, думали, это розыгрыш или еще хуже, мошенничество. Но два человека все же подошли под описание — один из них Август Рицхе, у него, как и написано в книге, картинная галерея в Париже. И оказалось, что он действительно знаком с художником Марком Штаймом — другим персонажем книги. Мы Августу выслали книгу, и он сразу узнал себя в литературном герое, носящем его имя.

— Неужели? — изумленно покачала я головой. Похоже, сюжет закручивался и обещал забавную интригу.

— Да. Представляете, как все получилось? — пробормотал Вейнер и снова поправил большим неуклюжим пальцем дужку очков. — Потом я по университетским каналам вышел на другого персонажа книги — профессора Теллера. Он известный медик в Штатах, преподает в Гарварде, у него там лаборатория. Сначала он мне не поверил, но я послал ему книгу — она существует и в английском переводе, — и он перезвонил.

— И с ним тоже стало происходить то, что описано в книге, как, вы сказали, она называется?..

— «Фантазии женщины средних лет», — напомнил Вейнер и уставился на меня все с той же флегматичной улыбкой. Я закивала, заулыбалась в ответ. Тут он понял, что напряженность момента достигла предела, и продолжил: — Мы все не могли поверить, ни мы с Романом, ни Рицхе, ни Теллер, но, внимательно во все вникнув, убедились, что с нами происходит именно то, что написано в книге. Так или иначе, в большей или меньшей степени, но происходит. И обратите внимание, мы не какие-нибудь легковерные простофили, — он так и сказал: «простофили», — доктор Теллер уважаемый ученый, я тоже всю жизнь в науке, у нас утилитарный подход к проблеме, основанный на научных методах, на статистике. Да и Роман, и герр Рицхе — тоже весьма образованные люди.

— Конечно-конечно, — подтвердила я, глядя на прекрасного Романа Стоева, как он, откинувшись на кресле, осматривал окружающую панораму — в основном ровненькие ряды попок загорающих у бассейна женщин. Потому что в отличие от большинства балетных мужчин Стоев, насколько я знала, был женат и разведен уже раза три или четыре. И каждый раз на женщине. Что говорило о нем с непривычной для балетного мира гетеросексуальной стороны.

Надо заметить, что головки, прикрепленные к лежащим попкам с помощью других частей тела, поочередно оборачивались и встречали взгляды божественного артиста с нескрываемым интересом. Да и как ему, этому спустившемуся на землю Аполлону, можно отказать?

— Так вот, мы сами не могли поверить. Но потом встретились все впятером, Теллер прилетел специально в Париж...

— Почему впятером? Вы же назвали только четыре персонажа, — тут же подловила я Вейнера на неточности.

— Был еще Алекс Мадорский, — пояснил за товарища расслабленный танцор.

— Да-да, я забыл сказать, — поспешил исправить оплошность немец, — мы еще нашли Алекса Мадорского, но потом, чуть позже. Он владелец инвестиционной компании на нью-йоркской бирже. Вернее, был владельцем, он сейчас под следствием, и ему пришлось уйти в отставку. Он тоже присутствует в книге, и у него тоже произошли совпадения.

— У него больше всего совпадений, — проломился через английскую фразу Стоев. Он пододвинул пустое кресло и положил на него больную ногу. Ну что же, звезды избалованы и чураются общественных предрассудков. К тому же любая нога Стоева — несомненное сокровище, и ее следует пестовать и лелеять.

— Ну да, в книге описана ситуация, когда финансовую компанию, которой владеет Мадорский, начинает преследовать ФБР. Так вот, когда книга была издана, ничего такого не происходило, но через три года на Мадорского действительно завели дело.

— Но... — попыталась встрять я с сомнением. Впрочем, Вейнер оставил мое сомнение при мне.

— Вы опять скажете — вероятное совпадение. Мол, Тосс, зная каким-то образом Мадорского или прочитав о нем, мог догадываться, что тот ведет рискованные операции, и предположил, что компанию ждут государственные проверки.

Мне оставалось только кивнуть.

— Я бы с вами согласился, если бы подобные совпадения не произошли со всеми нами. Понимаете, со всеми пятью взрослыми мужчинами. Даже с шестью: судьба Марка Штайма, художника, тоже соответствует литературному описанию. Просто он не захотел с нами встречаться, он вообще мрачный, странный человек.

— Расскажи фрау Кэтрин про Жаклин, — снова заметил расслабленный Стоев и повернул лицо так, чтобы продемонстрировать глазеющим на него девушкам свой римский волевой профиль.

— А кто такая Жаклин? — поддержала я преемника Баланчина.

— Сейчас расскажу, — пообещал Вейнер, но сначала подозвал официанта и заказал чашечку латте. Все же до чего они невозмутимы, эти немцы: в самом интересном месте — и отвлечься на латте!

— Итак, мы все были по меньшей мере заинтригованы. Что за метафизика такая? Ведь получалось, что Тосс предсказал наше будущее. Как мы ни старались, мы не могли найти ответ. Решили исследовать текст глубже, я имею в виду текст «Фантазий...». Там, в основном сюжете, главную героиню зовут Жаклин. Мы, все шестеро, как говорится, второстепенные персонажи, — тут они вдвоем усмехнулись: и нависший над столом Вейнер, отчего сам стол стал казаться маленьким, игрушечным, и откинувшийся на спинку кресла Стоев. — Вот мы и подумали: если подобные совпадения происходят с нами, со второстепенными персонажами, то что же должно тогда произойти с главной героиней?

— И вы ее нашли? — не выдержала я.

— Там, в книге, ее фамилия не названа, только профессия и место жительства. Она была архитектором и в соответствии с книгой жила сначала в Штатах, потом в Италии, потом во Франции. В общем, поиск занял несколько месяцев, одного Интернета оказалось недостаточно, пришлось звонить, писать письма, ездить в разные города. Я даже взял отпуск, а Роман в любом случае отдыхает, залечивает травму.

— Ну да, — кивнул Роман и развернул плечи для замерших у бассейна девушек.

— Так вы ее нашли в результате? — повторила я нетерпеливый вопрос.

— Как вам сказать, — замялся немец и отпил из сразу ставшей малюсенькой в его руке чашки, которую официант

Франсуа незаметно поставил на стол. Что и говорить, тут официанты вышколены отменно. — Мы нашли ее. Вернее — информацию о ней, нашли ее след. Мы встречались с людьми, которые ее знали, просматривали документы, мы провели большую работу за эти месяцы и немало выяснили про Жаклин. Мы, например, знаем, что многое, что описано в книге, произошло с ней на самом деле, в реальной жизни. Правда, мы не уверены, что было вначале — ее жизнь была описана, а потом прожита, как это произошло с нами, или Тосс следил за ее жизнью и описывал ее. Но самое удивительное, что Жаклин исчезает приблизительно за месяц до того, как книга была напечатана и увидела свет.

— Как это исчезает? — не поверила я и тут же поняла, что мне необходим бокал бургундского, хотя время для него еще не подошло.

— А вот так — ее след обрывается. Мы знаем, где она жила в последний раз, были в ее квартире, разговаривали с соседями. Она исчезла. Вообще. Полностью. Хозяева открыли дверь квартиры, в которой она жила, так как оплата была просрочена за два месяца, там было все прибрано, но самой Жаклин не было. Ни ее, ни ее вещей. На столе были оставлены деньги и еще записка, извещающая, что ей срочно необходимо уехать. Но мы не уверены, что это ее почерк. Если и ее, то она явно очень спешила, нервничала. Так мы и не смогли ее найти.

— Но что с того, что женщине пришлось срочно уехать? — высказала я сомнение в загадочном исчезновении Жаклин. — Я сама когда-то была женщиной и сама несколько раз спешно покидала насиженные места. Я даже денег не оставляла. И записок тоже.

— Вот как? — закивал большеголовый немец. А вот Стоев закинул руки за голову и зачем-то теперь рассматривал свой забинтованный голеностоп. — Просто там, в книге, в этих «Фантазиях...» все так непонятно обрывается, вам надо бы прочитать книгу самой, чтобы мне ее вам не пересказывать. Там в конце появляется сам Тосс как автор книги. Понимаете, он и реальный, живой человек, но и литературный персонаж тоже, как и все мы. И в конце книги получается, что жизнь Жаклин предопределена. Там так и написано от имени Тосса: «Ты прожила жизнь, которую я описал», — собственно, этим книга и завершается. Вернее, не завершается, а обрывается. В общем, все крайне странно с учетом всех этих совпадений. Странно и непонятно... — Он снова замолчал, снова поправил дужку очков, снова приложился губами к утонувшей в ладони чашечке.

— Я вообще считаю, что Жаклин больше нет, — выдавил из себя еще одну английскую фразу Стоев. На сей раз фраза была подлиннее и далась ему труднее, мне даже пришлось напрячься, чтобы разобрать его нечленораздельные звуковыделения. Впрочем, Стоеву я могла все простить.

— Да, Роман считает, что Жаклин погибла после того, как книга о ней была написана. Я имею в виду «Фантазии женщины...», — пояснил Вейнер. — Он считает, что Тосс ее использовал, а потом как-то уничтожил.

— Убил?! — вырвалось у меня, честное слово, непроизвольно. Я ведь еще недавно водила знакомство с Анатолем, сотрудничала с ним на литературном, так сказать, поприще, он сейчас пользуется моим автомобилем — и на тебе! Оказывается, он тоже убийца, и в этом ничем не отличается от меня. Впрочем, я с самого начала предполагала нечто подобное.

— Ну, может, и не убил, — охладил мое воспаленную фантазию немец. — Судя по книгам, примитивное убийство — не его амплуа, он вполне способен найти более изощренный способ уничтожения человека. Во всяком случае, так считает Роман. Хотя...

— Так-так, — покивала головой я. А потом задала самый главный вопрос: — Ну и зачем вы ищете встречи с Анатолем? — И тут же сама ответила на него: — Хотите узнать, что на самом деле произошло с Жаклин?

— Ну да, — согласился Вейнер. — Слишком много непонятного... — Он снова отпил кофе, оказывается, такой большой человек своим большим ртом может делать совсем маленькие глотки. — Мистически непонятного... — Теперь очередь была за дужкой очков, и он поправил ее. — Пугающе непонятного. И потом...

— Мы хотим знать, где Жаклин? Что с ней стало? — внес Стоев свою ломаную реплику на неудобном языке.

— Ну да, — закивал немец, поддерживая партнера по частному сыску. — Знаете, мы так долго занимались делом Жаклин, изучали ее прошлое... Нам теперь известна почти вся ее жизнь, и Жаклин, как ни странно это может показаться, стала нам хорошей знакомой, почти родственницей. Мы беспокоимся за нее и хотели бы узнать, что с ней случилось, почему она поспешно покинула квартиру, почему исчезла, куда? Где она сейчас?

— Говорю тебе, ее уже нет в живых, — снова встрял Стоев и шевельнул ногой, покоящейся на стуле.

— Но мы не знаем наверняка, — повернулся Вейнер к товарищу, а потом снова ко мне: — Но нам вся эта ситуация крайне... — он задумался, подбирая слово, — ...она нас крайне настораживает.

— Я понимаю, — зачем-то согласилась я, хотя совершенно ничего не понимала.

— Поэтому для нас важно, чтобы вы рассказали нам все, что знаете о Тоссе. Главное — где его найти? Куда он уехал?

Я задумалась. Конечно, я могла им многое рассказать — но вот хотела ли? Я подумала еще и поняла, что не хочу. Как я могла лишить себя удовольствия самой допросить Анатоля, когда он вернется на моем, надеюсь, не поврежденном «Порше»? Допрос с пристрастием.

— Боюсь, что я вам ничем помочь не смогу, — сочувственно вздохнула я. — Мы разговаривали с мсье Тоссом, и не раз, конечно. В конце концов, что в этом захолустье еще делать, как не разговаривать с интересными людьми, пусть даже они и злодеи.

С «злодеем» я явно переборщила, потому что напарники сразу заметно насторожились. Видимо, теперь они возьмутся и за меня — начнут вовсю изучать и расследовать.

— Но мы с Анатолем, к сожалению, не стали настолько близки, чтобы он исповедовался мне, — продолжила я, пытаясь серьезным тоном загладить свою промашку. — Хотя мне тоже показалось, что он ведет себя как-то таинственно. Я думала, у него просто такой характер, а теперь, когда вы мне столько всего рассказали, знаете, все представилось немного в другом свете.

Тут парочка как по команде расслабилась, удостоверившись, что я занимаю их бдительную сторону.

— И вы не знаете, куда он уехал? — поинтересовался Стоев, снова глядя не на меня, а куда-то вдаль.

— Понятия не имею, — призналась я чистосердечно. — Но знаете что, вы оставьте свои координаты, телефон, электронный адрес, если я что-либо узнаю, я вам обязательно сообщу. Мне самой стало жутко любопытно.

Конечно, они дали мне свои визитки. Я надела очки, там мелким шрифтом были и номера телефонов, и адреса электронной почты.

— Кстати, мсье Стоев, — заметила я как бы невзначай, — я всегда была вашей преданной поклонницей. Вы восхитительны. — Я помолчала, а потом все же не сдержалась и добавила: — На сцене.

В ответ он мне улыбнулся — все-таки какой учтивый молодой человек!

Потом мы еще немного поболтали о том о сем, они задали еще пару вопросов... и только когда они поднялись, собираясь со всей очевидностью покинуть наш благословенный альпийский рай, Вейнер склонился ко мне, он был выше меня головы на полторы.

— Знаете что, — толстым пальцем он поправил очки, — если вы с ним будете еще встречаться, я имею в виду с Энэтоли Тоссом, то будьте осторожны. То, что мы знаем о нем, говорит... — он поджал губы, — не то что бы он опасен... — Он поджал губы еще сильнее. — Но с людьми, с которыми Тосс встречается, происходят разительные перемены. — Он разжал губы. — Что-то в их жизни меняется. Иногда в лучшую сторону, иногда нет. Особенно если он описывает в книгах их жизнь.

«Как интересно, — подумала я. — Ведь Анатоль сейчас как раз описывает мою жизнь. Правда, с моих слов и мою прошлую жизнь, настолько прошлую, что я даже уже не совсем уверена, а была ли она? Хотя с другой стороны, — подумала я еще раз, — я ведь тоже описываю его жизнь. И не прошлую, а настоящую. Так что, похоже, мы квиты».

— Так что будьте осторожны, — повторил Вейнер и протянул мне свою большую, но вялую, скучную руку. Я вложила в нее свою ладонь и потерялась в ней, я бы могла вложить всю себя — и все равно бы потерялась.

А вот ладонь Стоева оказалась вполне соизмерима с моей. Зато из нее так и било энергией и свежим, жизнеутверждающим оптимизмом. Даже по пожатию понятно было, что он и сейчас готов взвиться в воздух каким-нибудь заковыристым двойным пируэтом. А может быть, и тройным. Вот только поврежденная нога не позволяет.

— Будьте осторожны, — зачем-то повторил Вейнер в третий раз, как будто знал еще что-то, чего мне так и не рассказал.

* * *

Уже после того как Дина исчезла и в доме стали мелькать то полицейские в форме, то детективы в штатском и задавать множество запутанных, часто повторяющихся вопросов, Элизабет, несмотря на невероятный, сразу же охвативший ее ужас, на непосильную усталость, как будто она не спала несколько ночей, как будто мир поплыл в безостановочном головокружении, все же начала постепенно вспоминать.

Она вспомнила, что за последние три-четыре дня Дина изменилась: радость и счастье, которыми светилось ее лицо еще недавно, вдруг сменилось растерянностью и нервозностью. Следующее, что припомнилось, было письмо, которое мать читала, когда Элизабет однажды вошла в комнату, и которое тут же скомкала и торопливо сунула в карман. Что это было за письмо и от кого, Элизабет не знала. Дальше сквозь сгустившийся от страха и отчаяния туман возникли глаза мамы — нечетко, тоже как старая, сильно потертая фотография, слишком широко раскрытые, с расширенными зрачками и почему-то красные, воспаленные, будто в них попала соринка.

— Как же ты не спросила про письмо? — спрашивал Элизабет детектив Крэнтон, он чаще всех бывал в доме и задавал больше всего вопросов.

И Элизабет созналась ему, что в последнее время она редко говорила с матерью по душам: та жила своей жизнью и казалась довольной, а она, Элизабет, жила своей.

— Но ты уверена, что твоя мама читала письмо? — уточнил детектив и записал что-то в маленьком блокноте. Он был высок ростом, немолод, со скучным, невыразительным лицом, его Элизабет тоже плохо запомнила, он, как и все остальное — новые, незнакомые люди вокруг, их лица, голоса — плыл и колебался, будто пробивался к ней через толстую слюдяную завесу.

Вообще, Элизабет почти утратила способность различать предметы в деталях, лишь общие очертания, да и то расплывчато. Про Крэнтона она запомнила только, что тот был в темном костюме, несмотря на теплую, даже жаркую погоду, в галстуке и в шляпе, которую всегда снимал, заходя к ним в дом. И еще он постоянно доставал из кармана пиджака этот маленький блокнот и всегда в него что-то записывал, но что-то очень короткое и отрывистое.

Он ходил по дому, открывал шкафы, ящики, всюду заглядывал, особенно долго находился в маминой спальне, а потом в коттедже Во-Во — там он вообще провел часа два. В доме толпилось много незнакомых людей — полицейские, какие-то мужчины в штатском, — они заходили без спроса, о чем-то тихо переговаривались.

Потом исчез Во-Во, кажется, он ушел вместе с полицейскими, и Элизабет слонялась по дому одна, а потом, обессиленная, легла на диван и пролежала на нем до вечера. Она не спала, просто лежала на спине безучастно, в коматозном состоянии, ничего не различая вокруг, вперив взгляд в потолок, там шевелилась легкая тень от раздуваемой ветром занавески, вот на ее плавном колебании Элизабет, словно загипнотизированная, и остановила свой взгляд.

К вечеру ей захотелось есть, и пришлось встать, залезть в холодильник, достать оттуда — она не помнила, что именно, помнила только, что ей пришлось разжевывать вязкие, холодные волокна, наверное мяса. Там, за кухонным столом, отставив в сторону тарелку, с которой она ела, она снова впала в беспамятство — так и сидела, раскачиваясь на стуле, уставившись в одну точку, на сей раз на шкаф с посудой у противоположной стены.

Один раз она попыталась сосредоточиться, задумалась: что же теперь, что же будет, если мама не вернется никогда? Но мысль тут же сбилась, потерялась, и Элизабет снова замерла на стуле и смотрела на стенку поверх шкафа, там набегали мимолетные, нечеткие видения — мама из детства, молодая, красивая, смеющаяся, полная жизни. Потом всплыло другое лицо, то самое, с застывшей, искусственной, лихорадочной улыбкой, оно легко затмило детское воспоминание. Но и оно оказалось подменено — тем, на пляже, когда мама склоняется над ней, сонной, едва пришедшей в себя от легкого, дневного сна. Элизабет пыталась удержать именно этот, последний Динин образ — заботливый, ранимый, полный беззащитной любви, но и его долго удержать не удалось, образ плыл, таял, растворялся на черно-белой стене.

Уже было совсем темно, когда на кухне появился Во-Во. Элизабет не слышала, ни как он вошел, ни как хлопнула дверь, просто в поле зрения попало чье-то лицо, и пришлось напрячься, чтобы понять, что это лицо Во-Во, только осунувшееся, с заострившимися чертами, с еще более глубокими морщинами, с еще больше узкими, обескровленными губами, с покрасневшими глазами, как будто он давно не ел, не спал и бродил по безводной пустыне.

Он попытался быть заботливым, погладил ее по голове, но Элизабет не ощутила теплоты — только тяжесть.

— Ты кушала? — спросил голос, почему-то непривычно хриплый.

Кажется, она кивнула.

— Ты не волнуйся, мама вернется, — пообещал голос, — обязательно вернется. Видимо, что-то случилось, что-то непредвиденное, но она не может не вернуться.

Элизабет снова кивнула, хотя она была уверена, что мама не вернется никогда. Нет, не просто «уверена» — она знала, что никогда. Почему? Откуда? Она не спрашивала себя. Но в накатившей волне ужаса, оцепенения, бессилия единственное различимое, связанное с реальностью чувство определялось лишь одним словом — «навсегда». Что случилось с мамой? — было непонятно. Но понятно, что «навсегда»! «Навсегда», «навсегда» — слово барабанило по голове, пронизывало ее, пробивало насквозь, крутилось в воздухе, составляя пространство из одних бестелых, безнадежных «навсегда».

Тяжесть не ослабевала, видимо, ладонь Во-Во по-прежнему гладила ее по волосам, пытаясь успокоить. Зачем? Элизабет пожала плечами, она ведь не плакала, не кричала, а просто сидела и смотрела в стену поверх шкафа.

— Что они говорят? — наконец-то она смогла хоть что-то произнести.

— Они ничего не знают, — ответил Во-Во. — Сказали, что будут искать, взяли с меня подписку о невыезде. — Он попытался усмехнуться, но у него не получилось — просто бледные искривленные губы. — Непонятно, зачем... как будто я собираюсь куда-то уезжать.

— Ты не собираешься? — вдруг испугалась Элизабет. Если раньше ужас затаился в ней, парализуя, то сейчас он одной мощной волной растекся по телу, накрыл голову, сдавил грудь, горло. Ужас и еще отчаяние.

— Ты не собираешься? Ты не уедешь? — шептала она и сначала почувствовала, как мокро стало груди, потом влажной стала майка, и лишь потом услышала всхлип и поняла, что плачет. Вернее, рыдает. Ее стала бить истерика. То, что накапливалось, сдерживалось в эти дни: страх за прошлое, за настоящее, за будущее, — все вырвалось сейчас наружу слезами, криком, дрожью, которую невозможно было унять. Тело Элизабет содрогалось, билось всеми своими разрозненными частями, казалось, что оно сейчас разлетится на куски, что его невозможно удержать — так его переламывало, выворачивало наружу, будто оно не желало больше быть цельным, собранным воедино телом.

И только чтобы не дать ему распасться, Элизабет схватилась за что-то твердое и не отпуская прижалась, подтягивая к себе, как единственную опору, за которую еще хоть как-то можно было уцепиться, удержаться. Ее трясло, колотило, слезы смешались с какой-то слизью, все вокруг было мокро, холодно, бессильно.

— Ты не уедешь?! Не уедешь?! Не уедешь... — шептала она. Или не шептала, а наоборот, кричала, ведь ничего уже невозможно было разобрать — ужас длинными, извивающимися щупальцами проникал еще глубже, корежа все на своем пути.

— Конечно нет. Нет... — Она только запомнила это единственное «нет», а потом силы покинули ее полностью, совершенно, оставляя в трехмерном пространстве лишь одно легкое, бессильное тело.

Утром она очнулась на диване в гостиной. Под головой подушка, ноги укрыты пледом, она одета так же, как и вчера, от истерики, слез, дрожи не осталось и следа — все достаточно четко, достаточно реально. Элизабет услышала стук и скрежет в дальней комнате, она поднялась, ее немного пошатывало, но это ничего, с этим она могла справиться, и пошла на звук. Во-Во на корточках возился в углу комнаты, что-то там зачищал, прибивал. Услышав ее, он поднял голову.

— Мама не вернулась? — зачем-то спросила Элизабет.

— Нет, — он поднялся на ноги, — но знаешь, Лизи, я думаю, все должно быть, как всегда, ничего не должно меняться. Я буду работать, как работал, ты будешь ходить в школу, играть в театре, и когда мама вернется, здесь будет все, как было при ней. Она и не заметит изменений. А она наверняка вернется.

Элизабет кивнула: то, что он говорил, не имело никакого значения.

Днем снова приехал детектив Крэнтон, сказал, что они ищут Дину и что обязательно найдут.

— Человек не может исчезнуть, не оставив следа. Да и с твоей мамой ничего не могло случиться, — заверил он Элизабет и добавил: — Ничего плохого.

Потом они поднялись в ее комнату, она села на стул у письменного стола, он на стуле рядом, куда она обычно складывала одежду. На нем и сейчас лежала одежда, но она сбросила ее на пол, ближе к платяному шкафу, ей было все равно, что этот полицейский подумает о ней.

— Я хотел бы задать несколько вопросов, — улыбнулся Крэнтон как можно мягче, но улыбнуться мягко у него не получилось.

Элизабет кивнула.

Он начал расспрашивать об их семье, о родственниках, в смысле, есть ли у них родственники. Потом об отношениях с мамой, об интересах Элизабет в школе, в театре, не ругались ли они, есть ли у Элизабет бойфренд. Сначала Элизабет отвечала откровенно, искренне пытаясь помочь, но потом что-то насторожило ее — слишком конкретные были вопросы, слишком угрюмое лицо у Крэнтона. Постепенно она начала чувствовать недоверие к этому сумрачному, незнакомому человеку и стала отвечать осторожно, скупо, задумываясь над каждым его вопросом.

Потом он стал расспрашивать про Во-Во: как тот попал к ним в дом? Что Элизабет о нем знает? Какие у них отношения? Всегда ли он находился в доме или уезжал иногда? Почему Дина решила выйти замуж за своего работника? Не ссорились ли они?

Элизабет насторожилась: ей стало понятно, что именно Во-Во интересовал Крэнтона прежде всего, а все предыдущие вопросы только подводили разговор к цели. А целью был Во-Во. И Элизабет стала еще более внимательно следить за своими ответами.

Да, говорила она, она думает, что мистер Влэд и мама любили друг друга. Ничего плохого о нем она сказать не может, он всегда хорошо относился к ней. Нет, они никогда не были особенно близки, но он проявлял заботу о ней... Как о дочери, — подумав, добавила она.

— А ты не знаешь, как он сделал твоей маме предложение? Долго ли мама думала? Как ты считаешь, он любил маму? Или просто женился, чтобы остаться в стране? Его виза ведь истекала.

Элизабет снова задумалась, она должна была ответить правильно, а то они отберут у нее и Во-Во.

— Мне кажется, мама любила его. Я уверена в этом. У них уже давно были отношения, хотя они старались их не показывать. Нет, я не знаю, как он сделал предложение. Мама только однажды сказала, что думает выйти за Влэда замуж. Она звала его Влэдом, — пояснила Элизабет.

Крэнтон продолжал делать пометки в блокноте, лишь иногда поднимая глаза. — Мама сказала, что они думают пожениться, что они любят друг друга, и спросила, что я думаю об этом. Ну, и я сказала, что Влэд мне нравится, что он подходит маме. Вот и все.

— И твоя мама не говорила о том, что его виза заканчивается? — спросил Крэнтон с совершенно безразличным видом.

— Нет, ни слова, — сказала Элизабет, стараясь, чтобы голос ее не подвел.

— Ага, — лишь заметил Крэнтон и что-то пометил в блокноте. — И как они жили все это время, с тех пор, как поженились?

— Мне кажется, они оба были довольны, — пожала плечами Элизабет, как будто по-другому и быть не могло. Но тут же оговорилась: — Вернее, счастливы.

— А как ты чувствовала себя, когда мама вышла замуж?

— Вы о чем? — не поняла Элизабет.

— Ну, тебе стало лучше? — спросил Крэнтон и оторвал глаза от блокнота. В комнате становилось душно, несмотря на открытое окно. Казалось, что духота исходит именно от него, от этого сумрачного, дотошного человека в костюме. — Твои отношения с мамой стали лучше? Или, может быть, наоборот, они ухудшились?

— Да нет, все было хорошо. — Элизабет задумалась. — Очень хорошо. — И она снова почувствовала подступающие к горлу слезы.

— А как складывались твои отношения с отчимом? — задал новый вопрос Крэнтон, но даже не оторвал глаза от блокнота, будто и так знал ответ.

— Да нормально, — снова пожала плечами Элизабет, и Крэнтон кивнул.

— Ну тогда давай перейдем к тому дню, когда ты видела маму в последний раз. — От слов «в последний раз» слезы поднялись и подкатились к глазам Элизабет. — Я понимаю, тебе тяжело, — на секунду показалось, что хмурый мужчина в плотном темном костюме все понимает, — но нам надо разобраться, мы же должны найти твою маму. И нужно, чтобы ты все хорошо вспомнила.

Элизабет кивнула.

— Итак, когда ты видела маму в тот день?

Элизабет задумалась, прикрыла глаза, и тут же совсем недавнее прошлое накатилось на нее мелькающими, разноцветными картинками.

— Я спустилась вниз к десяти часам утра. — Она не вспоминала, а просто пересказывала кадры, которые скользили перед ее глазами. Только кадры были не непрерывными, как в кино, а одиночными, будто фотографии. Ведь если разложить много фотографий, а потом их быстро перелистывать, то получится нечто вроде фильма. — Мама уже была внизу, одетая, как будто готовилась уйти, хотя обычно она никуда так рано не уходила. Обычно она любила долго, не спеша пить кофе. Но тут она была одета, даже в шляпке, а в руках исписанный листок. Она стояла ко мне вполоборота и читала этот листок, и вид у нее был взволнованный, как будто там написано что-то важное. Я подумала, что это письмо, хотя когда оно пришло и от кого, я не знаю. Его могли принести, когда я была на репетиции, я вам говорила.

Элизабет приоткрыла глаза, оказалось, что реальность снова подернулась плотной пеленой, через которую она не могла пробиться. Пришлось снова прикрыть веки, там было намного лучше, в ее счастливом, разноцветном прошлом.

— Когда мама увидела меня, она тут же спрятала письмо в карман. Не сложила осторожно, а скомкала, она наверняка не хотела, чтобы я его увидела. А еще мне показалось, что она не в первый раз его читает, просто перечитывает, но возможно, мне показалось. Я поздоровалась с ней и спросила, какие у нее планы, у меня ведь уже каникулы, уроков нет, но днем я собиралась на репетицию в театр и думала, что может быть, мы утром что-нибудь сделаем вместе. Может быть, съездим в магазин или еще что-нибудь. Она подошла ко мне совсем близко и сказала, что ей срочно надо уезжать. Что она сейчас должна уехать, но к вечеру вернется. Я спросила: «Куда ты едешь? У тебя все в порядке?» — и она почему-то обняла меня и сказала, что да, все хорошо. Потом помолчала и добавила: «Все замечательно». А потом снова добавила, что к вечеру приедет. И все. Я села завтракать, а она еще минут десять походила по дому, что-то складывала в сумочку, поднялась к себе в комнату, затем вернулась и сказала, что ей пора, что она уезжает. Я спросила: «Прямо сейчас?» — и она ответила, что да, прямо сейчас.

Слюдяное покрывало сдвинулось, и оказалось, что оно все же может пропускать через себя звуки, но слабые, глухие, невнятные.

— Что-что? — не поняла Элизабет.

— Ты заметила что-нибудь непривычное? Что дь в мме никда н ечла?

— Что? — снова переспросила Элизабет.

— Что-нибудь, что в маме никогда прежде не замечала? — наконец прорвались глухие звуки.

— Да нет... Хотя, пожалуй, она была возбуждена, особенно для утра. Когда она меня обняла и поцеловала, я почувствовала, какая она горячая, как будто у нее температура. — Тут только Элизабет поняла, что она сама горячая, будто у нее самой температура. — И еще она была очень красивая этим утром. С макияжем, нарядно одетая, как будто готовилась к важной встрече.

— Может быть, она и ехала на важную встречу, — зачем-то заметил Крэнтон, но Элизабет плохо расслышала или не расслышала вовсе.

— Да, мама выглядела взволнованной, я давно ее не видела такой, — добавила она. — Наверное, с того момента, как она вышла замуж за Влэда.

— Кстати, о твоем отчиме, ты не помнишь, где был он в то утро? — задал Крэнтон очередной будто бы ничего не значащий вопрос. Но именно он вдруг полностью прорвал слюдяное покрывало, и на Элизабет резко пахнуло опасностью. «Теперь я должна думать над каждым словом», — подумала она.

— Да он каждый день в доме работает, где-то начиная с девяти. Правда, до десяти старается не шуметь, потому что я еще могу спать.

— А тебе не кажется странным, что после того, как твоя мама вышла замуж, он по-прежнему остался жить в коттедже? Там... — и Крэнтон махнул рукой в сторону домика на лужайке.

— Да нет, — пожала плечами Элизабет. — Наверное, им так было удобнее, — предположила она искренне.

— Наверное, — согласился детектив. — Так ты видела его в это утро?

— Ну да, конечно, — тут же закивала Элизабет. — Он с утра работал в комнате, в кабинете на первом этаже. Я слышала. Он сейчас там над деревянными панелями работает, чистит их или еще чего-то с ними делает.

— Значит, ты слышала, как он работает? — переспросил Крэнтон.

— Конечно, — согласилась Элизабет.

— А когда мама уехала, ты что делала?

— Ну, я позавтракала, почитала, потом еще что-то делала, не помню. У меня же каникулы, а репетиция только в три часа. Ах да, я еще раз просмотрела текст своей роли, потом думала, как ее лучше сыграть. А так больше ничего. Полежала на диване, полистала журналы.

— А своего нового отчима, значит, ты не видела? — Почему-то Крэнтон все время называл Во-Во «новым отчимом», и Элизабет это совсем не нравилось.

— Ну как же, видела, — кивнула она. — Потом я зашла к нему в комнату, и мы поговорили немного. Я сказала ему, что мама уехала, а он сказал, что знает, что она заглянула к нему и предупредила. Я спросила, не знает ли он, куда она поехала, но он не знал, сказал только, что она должна приехать позже. Но это я и без него знала.

— А он куда-нибудь выходил в тот день? — оторвался Крэнтон от блокнота, посмотрел на Элизабет, и она сразу почувствовала угрозу. Даже не по отношению к себе, а просто угрозу.

К тому же вопрос попал в точку. Потому что Элизабет помнила, как Во-Во вышел из комнаты, в которой работал, и спросил, как долго она будет дома, не собирается ли уходить. Она ответила, что уйдет в полтретьего, не раньше. Он кивнул, но через минут десять снова пришел — она была в гостиной, лежала на диване, читала журнал — и сказал, что ему надо поехать в магазин. Чего-то не хватало для ремонта, то ли ацетона для снятия лака с панелей, то ли, наоборот, краски, в общем, она не помнила. Главное, что он уехал где-то около одиннадцати, наверное, или двенадцати, она не обратила внимания. Когда она уходила в полтретьего, Во-Во еще не возвратился, поэтому она и заперла дом на ключ. Она застала его, только вернувшись с репетиции, он работал в той же комнате над теми же панелями.

Но рассказать все это мрачному, дотошному детективу она почему-то не решилась — чувство самосохранения говорило ей, что ничего про Во-Во рассказывать Крэнтону не следует.

— Да нет, — ответила Элизабет и пожала плечами, — вроде бы он никуда не выходил. Пока я не ушла на репетицию, мне кажется, он был дома. — Она помедлила. — Да и потом, когда я вернулась, он все там же работал, все в той же комнате.

— Правда? — чуть приподнял брови Крэнтон, что, видимо, означало удивление. — А нам он сказал, что уходил. Еще когда ты была дома.

Те немногие силы, что еще оставались у Элизабет, тут же истощились, она почувствовала себя слабой, обессиленной.

— Может быть, — все же смогла выдавить из себя она. — Раз он говорит, так, наверное, и было, я точно не помню.

— Хорошо-хорошо, — как бы успокаивая ее, проговорил полицейский и задал еще один неожиданный вопрос: — У вас оружия в доме не хранилось?

— Оружия? — переспросила Элизабет, не понимая ни вопроса, ни того, почему у нее снова похолодело внутри. Неужели от предчувствия?

— Ну да, оружия, — повторил Крэнтон. — Может быть, твоя мама хранила где-нибудь ружье или...

— Зачем маме ружье? — снова не поняла Элизабет.

— Ну как... Одинокая женщина с дочкой в большом доме... С оружием многие чувствуют себя спокойнее.

Элизабет стала вспоминать.

— Ну да, кажется, был пистолет. Я раньше думала, что он игрушечный — маленький такой, чуть больше ладони, очень красивый, с белой перламутровой ручкой. Он всегда лежал в комоде в маминой комнате, я его видела там. Но я никогда не думала об этом пистолетике как об оружии, я играла с ним в детстве, он очень красивый. В нем и патронов никогда не было.

— Где, ты говоришь, твоя мама его хранила?

— В своей комнате, в комоде, — повторила Элизабет.

— Странно, сейчас там его нет, — снова поднял правую бровь Крэнтон. — Интересно, зачем твоя мать взяла его с собой, когда уходила из дома? Или его кто-то другой взял? Если его взяла твоя мама, значит, она предполагала, что ее подстерегает опасность. Ты как думаешь?

— Я не знаю, — зашевелила губами Элизабет.

— Ну хорошо, я вижу, ты устала, — Крэнтон приподнялся со стула, — тебе надо отдохнуть. Я, пожалуй, пойду. Но мне надо будет с тобой поговорить еще. Хорошо?

— Хорошо, — кивнула Элизабет. Когда детектив вышел из комнаты, у нее хватило только сил перебраться на диван и сразу же тихо заснуть.

Она не очень помнила, как прожила следующую неделю. Во-Во в тот же день опять забрали в участок, и вернулся он только к утру еще более осунувшимся, с красными, воспаленными глазами. Элизабет ни о чем не спрашивала — раз вернулся, уже хорошо, хотя она и понимала, что Крэнтон наверняка его подозревает. Она сама как-то слышала, как по радио говорили, что девять из десяти преступлений совершаются либо супругами, либо любовниками, либо знакомыми жертвы.

Через день за Во-Во приехали снова и снова увезли на допрос. Но на сей раз он вернулся к вечеру, Элизабет как раз лежала на диване в сумрачной гостиной, она не включала свет и смотрела, как от легкого сквозняка шевелятся занавески на окне. Она давно уже так лежала и смотрела на занавески, она легла на диван еще днем. Ей вообще ничего не хотелось — только лежать и не шевелиться, ну и спать, конечно. Когда она просыпалась, она продолжала лежать, все так же не шевелясь, все так же глядя в одну точку остановившимся, бессмысленным взглядом.

— Им не дает покоя, что я уезжал на два часа, — сказал Во-Во, усаживаясь рядом с ней на диван. — Они установили, что я уезжал ровно на два часа двадцать минут. Опросили соседей, те видели нашу машину. Почему-то я им вообще не даю покоя.

Элизабет кивнула. Она знала, что прошлая жизнь уже никогда не вернется, что мама ушла навсегда. Куда ушла, почему не вернется, Элизабет даже не пыталась задумываться. Понятно было только одно, что мама не вернется. Миром правила необратимость, она витала в воздухе, наслаивалась на потолке, оседала на стенах. Больше ничего не было, лишь одна прямолинейная необратимость.

Но если это так, если мама действительно не вернется, то надо бы встать и начать хоть что-то делать. Потому что нельзя же пролежать на диване всю остальную жизнь, надо както приноравливаться.

А вдруг мама все же вернется? Тогда не надо вставать, надо продолжать лежать и ждать, только ждать. Чтобы все оказалось сном, пустым, бессмысленным, нереальным, который тут же забудется. Надо спать, и ждать, и беречь силы. Они понадобятся, когда мама вернется.

Через несколько дней (сколько, Элизабет так никогда и не смогла сосчитать) в доме вновь появился Крэнтон. Элизабет все это время пролежала на диване, Во-Во приносил ей чай и нарезанные на мелкие кусочки фрукты на подносе — ничего другого она в себя впихнуть не могла.

Крэнтон вошел, окинул взглядом комнату, увидел Элизабет, кивнул, потом они с Во-Во ушли в соседнюю комнату, их долго не было, Элизабет опять тихонько задремала. Когда она открыла глаза, Крэнтон стоял чуть поодаль, Во-Во сидел на корточках у изголовья — наверное, пристальный взгляд его беспокойных, воспаленных глаз ее и разбудил.

— Они обнаружили тело... — начал он и тут же перебил себя, обгоняя второй фразой первую: — Они не знают, кто это... Просто тело женщины... Совсем не обязательно, что это мама... Скорее всего, не она... Но они хотят, чтобы мы поехали с ними... Чтобы мы сказали, что это не она...

Он говорил, но Элизабет не пыталась вникать в слова, она вообще ничего не пыталась, — холодная, удушливая волна разом накрыла ее, отделяя от всего остального мира, отделяя даже от собственного тела, пеленая в мутный, плохо пропускающий звуки и изображение кокон. И единственное, что просачивалось сквозь него тонкими, едва всасываемыми струйками, было слово — «все». Вернее, даже не слово, а состояние. Будто Элизабет нависла над пропастью, сзади еще можно нащупать опору, но впереди только бездонная, бесконечная пустота. Все!

Сразу стало холодно — кокон не грел, наоборот, леденил, выделял скользкую, липкую слизь, которая в мгновение покрыла все тело, подернув его тяжелой, ознобной дрожью.

Во-Во продолжал говорить, он сбивался, наступал одной фразой на другую, они, неоконченные, суживались, сдувались, чтобы полые, опустевшие, повиснуть в колеблющемся воздухе.

— Я сказал ему, что тебе не надо... Что ни к чему... Но он говорит... Он настаивает... Говорит, необходимо...

Воздух колебал слова, колебал свет, тот отражался очертаниями — искаженным лицом Во-Во, контурами застывшей фигуры Крэнтона. И по тому, как очертания сменяли друг друга — вот отдалился пол, мелькнул диван, потом стены, проем двери вообще съехал и расползся, и в него еще надо попасть, — стало понятно, что она движется, переступает ногами. Почему-то она не падала, наверное, кто-то поддерживал ее, а потом стало еще холоднее, просто невыносимо, она поежилась — свежий, уличный ветер раздувал скользкую влагу на ее теле.

В машине она опять провалилась в забытье, внутри него ей было удобнее и привычнее, чем снаружи. И только состояние неизбежности, необратимости, которое определялось все тем же фатальным «все», — оно единственное достигло замутненного, невесомого сознания.

Потом они, наверное, приехали, потому что болезненные контуры снова прорезались светом и гибко, волнисто забеспокоились рядом. Потом свет сменился другим — желтым, неприятным, режущим, — она не могла ступить и шага, кто-то поддерживал ее, вел, но она не чувствовала опоры. Контуры сжались сначала белым, потом синим, затем померещилась дребезжащая дверь, рядом, почти параллельно, мелькали какие-то человеческие звуки, вернее, обрывки.

«Вы должны...» — это был первый обрывок, усталый, скучный, «убедиться...» — второй обрывок, «держите в руках...» — третий. У других обрывков был совсем иной фон, его Элизабет не могла различить, лишь возбуждение, а еще слово «ей» и слово «не надо». Возможно, промелькнули и другие обрывки, но их уловить она не сумела.

А потом свет стал белым, пронзительно белым, и все вокруг белое — стены, пол, потолок, люди, различить их так и не удалось. Потому что на Элизабет наехала, почти врезалась в нее низкая, вытянутая горизонтальная плоскость — та самая, что должна была все определить, решить навсегда. Навсегда! Ее цвет был даже не белым, а ослепительным, режущим, выходящим за пределы белого, — такого испепеляющего цвета Элизабет не видела никогда. Наверное, именно невыносимой белизной плоскость притягивала взгляд, и постепенно проступили контуры, на сей раз гибкие, плавные. Вздымающиеся и падающие вниз. Они завораживали, и Элизабет попыталась разобраться в их скоплении, — это было безумно важно — разобраться, и она сделала немыслимое усилие, но все плыло, и колыхалось, и наезжало друг на друга, и она не сумела.

Ослепительно белая плоскость находилась уже совсем близко, на мгновение на нее легли плывущие, тоже колышущеюся тени, донесся вялый голос, он пытался добраться до Элизабет, прорезалось слово «приготовьтесь», Элизабет почувствовала боль в плече, мотнула головой, там что-то цеплялось за нее, что-то скрюченное, с пальцами, и сжимало.

Голова снова мотнулась, теперь вперед, туда, где только что ослепляла белизной низкая, вздымающаяся поверхность... Взрыв! В голове! В самой сердцевине. Беспощадный, крушащий. Взметнуло, разорвало на части, выплеснуло наружу покореженные внутренности, мозги, куски чувств, возможность жить, пребывать в этом земном мире, дышать, существовать. Внутри осталась лишь испепеленная, заполненная мраком пустота. Следовало бы упасть, распасться на куски, рассыпаться в пыль, но удерживают какие-то жестокие, тянущие вверх крючья.

И наверное оттого, что она не распалась, осталась жить, кокон вдруг прорезался, и Элизабет обожгло невероятной, разом обрушившейся отчетливостью, которая резала острыми, неровными краями, калечила навсегда. Грубые, нарочито яркие цвета, слишком контрастные, подавляющие невыносимо четкими деталями — от них было невозможно спрятаться, укрыться.

Перед ней лежала мама! Тихая, спокойная, безмятежная, только очень бледная. Лежала на спине с остро вздернутым подбородком, гладким, пергаментным лбом, с закрытыми глазами.

— Вы узнаете эту женщину? — раздался сзади глухой голос, который вдруг резанул по перепонкам безжалостной четкостью, он казался пронзительно громким, врывающимся внутрь, корежащим, стремительно заполняющим пустой объем головы.

— Да, — раздалось сзади другим, взвинченным голосом, который не приносил облегчения.

— А ты, Элизабет? — раздалось совсем рядом, и она невольно дернула головой, чтобы отстраниться, избежать соприкосновения.

— Да, — произнесла она и услышала себя, но как бы со стороны, как будто голос исходил не от нее.

— Это твоя мама? — Чужой голос теперь казался не глухим, а жестким, царапающим. Она не смогла ответить, только кивнула.

Глаза ее застыли на бледном лице мамы: каждая черточка, каждая морщинка, каждая, казалось, клетка впечатывалась, впитывалась в ее сознание, выжигалась в нем, их ничем, никогда не удастся уже вытравить.

Взгляд проникал в мамино лицо, деля его на бесконечные миллионы частиц, исследуя каждую из них, захватывая поочередно в обостренную память, начиная с бледного, слишком большого, слишком ровного лба, переходя на глаза, прикрытые чистыми, гладкими веками, к тихим, замершим ресницам, к маленьким, тонким, едва заметным морщинкам, разбегающимся к вискам от краешков глаз. А потом наткнулся и замер на маленьком коричневом пятнышке, затерявшемся в волосах. Элизабет и не заметила бы его, если бы не такие же темно-коричневые песчинки, разбросанные хаотично вокруг. И контраст запекшегося темно-коричневого, почти бордового, с мраморной, застывшей белизной поразил Элизабет нереальностью противоречия.

Так она и не сумела оторвать глаз от развороченного, с неровными краями плоского нароста на мамином виске, просверливающего неровную плоскость, будто фотография прожжена тлеющим сигаретным окурком.

— Она была застрелена выстрелом из пистолета, — снова раздался корежащий слух звук, словно он следил и двигался вслед за взглядом Элизабет. — Предположительно, выстрел был сделан из браунинга, хотя баллистическая экспертиза, конечно, установит точно. Вполне возможно, что это тот самый пистолет, который она хранила у себя в комнате и который, по всей вероятности, взяла с собой, уезжая из дома.

— Где ее нашли? — раздался другой голос. Он тоже разрывал перепонки резкой отчетливостью, но он хотя бы был знакомым.

— В лесу, на проселочной дороге, в ее машине, она сидела на заднем сиденье. Где-то в районе Коннектикута.

— Это же больше трех часов езды!.. — Голос дрогнул.

— Да, около того, — согласился другой, мрачный и глухой.

— Но я никогда не уезжал на шесть часов из дому. Ни в тот день, ни потом, после, — еще заметнее задрожал знакомый голос.

— Да, я знаю, — снова согласился мрачный, и они оба смолкли.

А Элизабет, вздрагивая, сжимаясь от кромсающей барабанные перепонки модуляции звука, вглядывалась в разрастающееся прямо на глазах, выпирающее по краям, но вдавленное в самой середине коричневое пятно на мамином виске. И по мере того как резче проявлялся контраст между пергаментно белым и темно-коричневым, в Элизабет поднималась волна — тяжелая, яростная, которую невозможно было остановить.

Она выползла из самого живота, овладела горлом, гортанью, оккупировала голову и уже там, внутри головы, взорвалась, и острые, режущие осколки вырвались из глаз, из ушей, из носа, рта, из всех кожных пор сломленного тела. Осколки слез, криков, тошноты, слизи, рвоты. Все утонуло в истерике, и только коричневое пятно с вывороченными краями на мертвенно белом полотне вздымалось и разрушало неживым контрастом мрак плотно сжатых глаз.

Больше она ничего не помнила. Она не теряла сознания, просто спазмы продолжали накатывать и разлетались бесчисленными взрывами — она чувствовала, как их ударные волны поглощали ее, атрофируя мышцы, сдавливая, выворачивая наружу живот, подламывая ноги. Вслед за ногами вниз заскользило все тело — медленно, плавно, лишь на ходу набирая скорость.

Потом боль под мышками: кто-то подхватил ее, пытаясь удержать, потом ноги окончательно потеряли опору, и она поплыла, качаясь на крупных, непрочных волнах. Видимо, ее глаза приоткрылись, потому что в них отразилось перекошенное, полное живой тоски лицо, тоски настолько живой, что ее можно было высасывать, пить. Тоска сочилась, вытекала крупными, выпуклыми, спешащими наперегонки каплями. Они скатывались и падали на Элизабет, принося сырость и холод, и она сначала зажмурилась, а потом и вовсе закрыла глаза.

Элизабет не знала, как она оказалась дома, в своей комнате. Когда она открыла глаза, оказалось, что она лежит в кровати одетая, за окном растеклась ночь, но даже в темноте Элизабет могла видеть, слышать, различать запахи.

Первой проявилась бледная, колышущаяся на сквозняке занавеска. Когда Элизабет присмотрелась повнимательней, оказалось, что по ней разбежалось темное, почти черное пятно с вывороченными краями. Хотя Элизабет помнила, что на самом деле пятно коричневое, запекшееся, с множеством мелких крупинок вокруг, таких же коричневых и запекшихся. И вот что интересно: если занавеска колебалась, плыла в порывах ночного сквозняка, то пятно на ней не двигалось, оно застыло отпечатком даже не на занавеске, а просто в воздухе.

Элизабет перевела взгляд от занавески на потолок: он тоже, как и занавеска, серел в темноте и тоже, казалось, колыхался. Почти посередине, прямо над Элизабет нависало все то же коричневое пятно с рваными, неровными краями. Элизабет повернулась на другой бок. Там, у стенки, стояло трюмо, оно само было коричневым, и на нем пятно выделялось значительно тусклее, но все равно было заметно, возможно потому, что трюмо колыхалось, а пятно стояло на месте. Вернее, не стояло, а висело.

Даже когда Элизабет закрыла глаза, пятно не исчезло, и она успокоилась: значит, все в порядке, значит, ни занавеска, ни потолок, ни трюмо не были испачканными.

«Хотя кто их мог испачкать? — подумала она. — Да и зачем?»

«А почему бы и нет, — ответила она себе. — Почему бы тому человеку, который убил маму, не прийти сюда, пока меня не было, и не оставить эти багровые пятна?»

«Но зачем? Зачем я нужна ему?» — спросила себя она. И даже улыбнулась своей недогадливости.

«Как зачем? А зачем ему нужна была мама? Именно затем ему и нужна я. Он преследовал маму, написал ей письмо, заманил ее, а потом, получив то, что ему нужно, убил. Но если ему нужна была мама, то наверняка понадоблюсь и я. И он придет сюда, чтобы сделать со мной то, что сделал с мамой».

Почему-то все, что Элизабет нашептывала себе, сразу показалось ей не только возможным, но и реальным. Абсолютно реальным, как будто иначе и быть не может.

Кто «он»? Что «он» хотел получить от мамы? Зачем «ему» потребовалось ее убивать? — Элизабет даже не пыталась задавать себе эти вопросы. В ее помутненном, потрескавшемся сознании сразу возник образ мужчины (без сомнения, мужчины), у него не было черт, не было лица — только контур и колышашаяся тень. И еще от него веяло коварством и смертельной опасностью. Явной, отчетливой, которая стремительно разрослась и тут же смешалась со страхом, острым ужасом — настолько острым, что его, казалось, можно потрогать, пощупать.

Элизабет поняла, что «он», этот человек, может и сейчас находиться в доме, он мог притаиться где-то в глубине и теперь выжидает, чтобы проникнуть в ее комнату.

Она прислушалась. И вправду, из монотонной ночи проявились звуки — приглушенные, они старались спрятаться, остаться не замеченными, и им бы, наверное, это удалось, если бы Элизабет не ожидала их, не вслушивалась, не знала, что они вот-вот возникнут. Скрипнула половица где-то внизу, на первом этаже, потом еще раз, но уже в стороне, и тут же почти сразу глухой шорох раздался из стены, будто там замурован человек и теперь он тяжело вздыхал.

Элизабет попыталась сдержать дыхание, чтобы оно не вырывалось из нее резко, с надрывом, чтобы оно не привлекало внимание, она замерла и сжалась — может быть, ей удастся схорониться здесь, в постели, и переждать, и «он» не найдет ее.

Она лежала так, а звуки возникали то там то тут, разные звуки, Элизабет ждала каждый из них, иногда долго, и каждый раз, дождавшись, замирала, и сердце сбивалось в чечеточный приступ, и она не отрывала взгляда от занавески — та колыхалась слишком порывисто, вздуваясь пузырями, волнами взметая края.

Сколько так продолжалось, Элизабет не знала. Полчаса, час, два? Страх не проходил, наоборот, он закручивался в спирали внутри живота, сжимая круги, цепляя за сердце, справляться с ним становилось все труднее, и Элизабет тихонько поднялась с постели и, не надевая тапочек, в одних носочках подкралась к двери. Она догадалась — ей надо бежать из дома, выскользнуть из него незамеченной, там ее будет сложнее найти, сложнее поймать. Зачем ждать, пока «он» найдет ее здесь?

Дверь поддалась почти без напора — на лестнице было темно, но глаза уже привыкли к темноте. Главное, чтобы не скрипели ступеньки, и она легонько, на цыпочках, едва касаясь носочками досок пола, так что те не успевали принять ее вес, перескакивая со ступеньки на ступеньку, наконец оказалась внизу. Остановилась, затаилась — где-то рядом глухо барабанило, как будто шаги, слишком торопливые, неестественно спешащие. Элизабет прислушалась: нет, на шаги, и тут же догадалась — это колотится ее собственное сердце.

Еще несколько шагов, и она уже в коридоре, дом — темный, пугающий, полный предательской угрозы, оставался позади, надо только отворить входную дверь. Только дверь... Но как же медленно она открывается! Как громко скрипят дверные петли! И уже непонятно, стучит ли это ее сердце или сзади действительно кто-то бежит мелкими, короткими шажками и вот-вот схватит ее за руку, вцепится в нее, потянет назад в темную неизбежность дома.

Надо успеть сделать один шаг туда, во влажную свежесть открытой ночи — свободной, спасительной, не ограниченной стенами и крышей, захлопнуть за собой дверь, отгородиться ею от дома, оставить его позади вместе со всеми страхами, со всеми, кто в нем остался.

Элизабет метнулась по лужайке, носки сразу пропитались влагой, отяжелив ноги, но она ухитрялась передвигать их внутри густой, плотной травы. Луна едва пробивалась сквозь низкие облака, и оттого темнота сглаживала тени, и надо было успеть добраться до коттеджа, пересечь лужайку, всего-то каких-то тридцать ярдов. Там Во-Во, он защитит, не даст в обиду, и тот, кто преследует ее, испугается, не посмеет приблизиться.

Дверь оказалась не заперта, она лишь скрипнула, легко поддавшись, и тут же затворилась позади, и Элизабет снова окунулась в полную, кромешную темноту. Она попыталась разобраться в контурах размытых во мраке предметов, но они были ей незнакомы, и она тут же наткнулась на что-то острое, вздрогнула от боли и лишь потом позвала сдавленным от страха голосом:

— Во-Во, ты где? — и потом снова, после короткой, наполненной напряжением паузы: — Во-Во!

И тут же увидела его слишком близко, слишком неожиданно. Почему-то он был одет — это Элизабет поняла, когда обхватила его руками, прижалась, пытаясь спрятаться на его груди.

— Что случилось, Лизи? — услышала она тихий шепот. — Ты почему не спишь? Что случилось?

— Мне страшно, — проговорила она куда-то внутрь его груди, отчего ее голос зазвучал еще глуше. — Я не могу спать. Там кто-то есть в доме. — Она еще крепче сцепила замок рук у него на спине. — Там наверняка кто-то есть. Мне страшно.

— Ну что ты, Лизонька... — Тяжелая, теплая рука легла на голову, медленно поглаживая по волосам. — Кто там может быть? Что ты, успокойся.

— Там кто-то есть, — повторила Элизабет. — Тот, кто убил маму, он теперь пришел за мной, он там, в доме. — Голос ее дрожал, она сама чувствовала, как мелко, тыкаясь в его рубашку, затряслась голова, сил хватало лишь на то, чтобы повиснуть на его твердом, широком теле.

— Не говори глупости. — Казалось, голос двигается по ее волосам вслед за рукой, поддерживая, успокаивая. — Никого там нет. Хочешь, я пойду с тобой и буду сидеть там рядом?

— Нет-нет, — проговорила Элизабет, — я не хочу туда, обратно. Я не хочу. — У нее совсем не оставалось сил. Она уже сама не знала, что произносят ее полностью намокшие соленой влагой губы. А потом, видимо, она заскользила вниз, даже руки не смогли ее удержать — она снова забылась то ли во сне, то ли в обмороке.

...Очнулась она от того, что ее била дрожь, скользкая, мелкая, зубы стучали, выбивая рубленный, дырявый ритм — видимо, именно этот каменный стук и привел ее в сознание. А еще было очень холодно — мокро, скользко и леденяще холодно. Она провела ладонями по плечам, пытаясь хоть как-то унять дрожь, хоть как-то согреться, но ничего не помогало. Пришлось открыть глаза...

Она лежала на кровати, а прямо над ней нависало лицо. Она и не разглядела его сразу, только глаза, — казалось, в них отражается весь свет, который еще можно выделить из ночи, с такой печалью, с такой тоскливой, преданной заботой они глядели на нее. Не отрываясь.

Во-Во сидел на стуле чуть сбоку от изголовья, согнувшись, в самой его позе чувствовалось напряженная усталость.

— Мне холодно, — прошептала Элизабет, втискивая тело еще глубже внутрь постели. — Я замерзаю.

— Я тебя укрыл одеялом, — ответили ей глаза, она смотрела только в них. — Ты дрожала, и я тебя укрыл одеялом. Но я могу принести еще плед. — Он почти уже поднялся со стула.

— Не надо, — пробормотала Элизабет. — Мне холодно. Ляг рядом. — И она двинула плечами, бедрами, отодвигаясь, освобождая место.

— Рядом? — неуверенно переспросили глаза, и в них стало еще больше тоски, печали, даже испуга.

Но Элизабет не ответила, она только смотрела на него и молчала. А потом веки ее отяжелели, набухли, прикрылись и лишь на ощупь, не надеясь на ускользающее сознание, Элизабет ощутила рядом большое, мягкое, упругое тепло — к нему можно было прижаться, уткнуться в него, впитать в себя, а вместе с ним хоть какое-то спокойствие, хоть какую-то надежду. Его оказалось достаточно, чтобы дрожь затихла, и рассыпанное в беспорядке тело вновь собралось воедино и добровольно отдалось сну. Наконец-то она уснула, не потеряла сознание, а уснула. Сон был наполнен яркими, нервными вспышками света — они были бѐлыми с вплетенной в белое желтизной, но попадались и цветные, и Элизабет каждый раз вздрагивала, ее руки судорожно цеплялись за единственную опору и снова расслаблялись, когда спазм отпускал.

Вскоре вспышки стали рождать тени, среди них тоже попадались цветные, а потом и формы, очертания. Сначала что-то наподобие геометрических фигур, как будто она смотрит в медленно вращающийся калейдоскоп, но потом появились овалы, можно было различить глаза, подбородок, щеки. Сначала вдалеке, на большом расстоянии, но потом расстояние стало сглаживаться, все сошлось, стало близко, знакомо, понятно. Первый раз за долгое время.

— Понимаешь, Элизабет, я долго ждала, но время наконец подошло.

— Мама, — прошептала Элизабет. — Ты вернулась, мама. Я ждала тебя, я знала, что ты вернешься.

— Ну конечно.

— А зачем же ты лежала там, на столе, под белой простыней? — снова произнесла Элизабет.

— Под какой простыней?

— Ну там, на столе, в белой комнате, куда нас привезли с Во-Во.

— Ах там... — Мама улыбнулась. — Да я просто спала. Знаешь, я так устала, что просто заснула, где пришлось.

— А они сказали, что ты мертва, — удивилась Элизабет.

— Вот глупые. — Мама улыбнулась. Ах, как сразу стало хорошо от ее улыбки! — А я просто устала и заснула. А они придумали всякую ерунду. Смешно, да?

— Так значит, ты не умерла? — спросила Элизабет, заведомо зная ответ. И от него, от его очевидной простоты по телу растеклась теплая, сладкая волна. Элизабет сразу поняла: это и есть «счастье». И ничто другое счастьем быть не может.

— Конечно нет, — ответила мама. — Глупенькая, как я могла умереть, я ведь еще совсем молодая. И я люблю тебя. Пока я тебя люблю, я не умру.

Тут Элизабет вспомнила про коричневое пятно на маминном виске, про его рваные, неровные края, про такие же коричневые точки, ведущие к нему, и теплая волна тут же рассыпалась на мелкие, колкие куски, оголив беззащитное тело.

— А это коричневое пятно у тебя на лице, сбоку? — произнесла Элизабет. — Откуда оно взялось?

— Какое пятно? — снова удивилась мама и снова улыбнулась. Элизабет показалось, что она шутит с ней.

— Пятно... Они сказали, что это след от выстрела, что тебя убили выстрелом в висок.

Тут мама уже не смогла сдержаться от смеха — такого заразительного, что Элизабет сама не выдержала и стала хохотать вслед за ней. Сладкая волна снова собралась, склеилась из только что разрозненных кусков и снова укутала тело заботливой теплотой.

— Они так сказали? — смеялась мама. — Неужели именно так? — не могла успокоиться она. — От выстрела... — Ее глаза лучились смехом, а еще любовью. Любовью к ней, к Элизабет. — И ты поверила? Ничего глупее они придумать не могли.

— Наверное, нет, — согласилась Элизабет. Сейчас она любила маму, как никогда не любила, никогда в жизни. Никого она уже не будет так любить, как сейчас она любит свою маму.

— Да я просто поранилась, поцарапалась немного, — продолжала смеяться мама. — Там был осколок, маленький камушек, кусочек щебня, я им и поцарапалась. Подумаешь, немного крови. А они сказали тебе, что это след от выстрела? Надо же такое придумать.

— Так значит, все что, они говорили, — неправда? — снова повторила Элизабет.

— Конечно, — кивнула мама.

— И все теперь будет как прежде? Ты будешь ждать меня дома, когда я возвращаюсь со школы, Во-Во будет работать в доме, и все будет, как всегда?

— Вот об этом я и хотела с тобой поговорить, Лизи.

— О чем? — не поняла Элизабет.

— О том, что так, как было прежде, уже не будет.

— Почему?

— Понимаешь, все немного изменилось. Как тебе объяснить... — Мама задумалась. Она все еще улыбалась, но теперь задумчиво. — Помнишь, я тебе говорила, что мы с тобой — по сути одно целое. Что ты и я — это одно и то же. Что ты — продолжение меня, но и я — продолжение тебя. Просто мы продолжаем друг друга в разные стороны — ты продолжение вперед...

— В будущее, — стала припоминать Элизабет. — Да, ты так говорила.

— Ну вот, видишь, умничка, ты все помнишь, Лизи. Можно назвать это будущим и прошлым, хотя это и упрощение. Скажем, что мы просто продолжаем друг друга в разные стороны, тогда ведь вообще неизвестно, кто кого продолжает.

— Ну и что?

— А то, что теперь, когда меня нет, ты должна продолжить меня.

— Я не понимаю, — удивилась Элизабет. — Ты же говорила, что с тобой ничего не произошло, что ты просто спала.

Мама снова рассмеялась:

— Так и есть, я просто сплю. И ничего не произошло. Но только ты знаешь об этом, это для тебя ничего не произошло, и именно потому, что ты продолжила меня. Иными словами, ты стала мной. Понимаешь, я заснула, а ты стала мной.

— Я не понимаю... Что это означает? — Элизабет покачала головой.

— Это означает... — сказала мама и погладила Элизабет по щеке. Касание было щекотным, но и нежным одновременно, а главное — абсолютно реальным. Элизабет даже почувствовала тепло маминой ладони. — Это означает, Лизи, что в твоей жизни ничего меняться не должно. Просто теперь ты должна жить не только за себя, но и за меня тоже. Понимаешь, теперь ты должна объединить в своей жизни две — свою и мою. Тогда и получится, что я продолжусь в тебе. Ты ведь часть меня, помнишь? Ведь не случайно мы так похожи, ты будто копия меня в молодости.

— Я должна? — переспросила Элизабет.

— Нет, не должна, конечно. Ты можешь делать, как считаешь нужным. Но так было бы правильно, понимаешь?

— Значит, я должна жить твоей жизнью? — повторила за мамой Элизабет, но повторила вопросом.

— Не только моей — своей тоже, — улыбнулась мама. — Но и моей, ты ведь уже взрослая, ты сможешь понять меня. И все тогда сойдется и будет правильно. Ты поняла?

Элизабет кивнула.

— Конечно, ты же умничка, Лизи. Ты сама во всем разберешься и все сможешь сама отобрать.

— Что отобрать?

— Ну, что взять из моей жизни, что — из своей. Ты же умничка, ты разберешься.

Мамин голос вдруг отдалился, хотя лицо все еще оставалось тут, рядом.

— Хочешь, я тебя поцелую? — раздалось уже едва слышно.

— Да, — ответила Элизабет.

А потом она увидела мамины глаза совсем близко и тут же ощутила прикосновение губ, нежных, мягких — они трепетали, вот и оставили на щеке мягкий, нежный, трепещущий поцелуй. Он так и остался на коже, не рассыпался, даже когда мама стала отдаляться туда, в туман, в темноту, и последнее, что Элизабет еще смогла увидеть, — была мамина улыбка, все понимающая, все прощающая. Вообще все!

— Но ты вернешься? — произнесла Элизабет в почти уже полную темноту.

— Ну конечно, — едва расслышала она из уже несуществующего далека. И оттого, наверное, Элизабет открыла глаза.

Она лежала, не понимая, где сон, а где реальность. Может быть, эта незнакомая комната, едва подернутая дымкой смутного, едва дышащего рассвета, и есть сон? А то, что произошло во сне, — есть единственная реальность? Элизабет лежала на кровати и не могла понять. Мамин поцелуй по-прежнему тлел на щеке, казалось, его можно было потрогать, только поднеси руку. И оттого, что она только что видела маму, говорила с ней, чувствовала ласку ее руки, ее поцелуй, — от всего этого Элизабет стало хорошо, легко, как давно уже не было. Может быть, никогда прежде.

Она лежала, потерявшись между реальностью и сном, все смешалось, да и какая разница, в конце концов? Надо просто принять и не задаваться вопросами, не спрашивать себя, не сомневаться, а просто принять.

Важно только одно — она, Элизабет, теперь стала Диной. Это главное! Все, чем занималась Дина: ее заботы, желания, привычки, — все теперь должно продолжиться в Элизабет, ничего не должно измениться. И тогда сама жизнь не изменится, снова станет прежней, понятной. Вот, оказывается, как просто.

Голова немного кружилась, она была затуманена, как дымка утреннего рассвета, неуверенно, смутно разбавляющего темный воздух, выделяя лишь очертания вокруг, лишь контуры. Так же контурами из размытой перепутанной реальности выплыло лицо спящего мужчины.

Элизабет не сразу узнала его, даже поморщилась от напряжения. Но постепенно что-то знакомое проступило сквозь мутный рассвет, сквозь мутную память. Ах да, это же Во-Во. Вернее, Влэд. Ну конечно Влэд! И она как всегда — как прошлой ночью и ночью раньше — пришла сюда, чтобы заниматься с ним любовью. Ей, Дине, нужно заниматься с ним любовью, это часть ее жизни, большая, важная часть. А ведь ничего не должно измениться — вообще ничего.

«Ничего не должно измениться», — зашевелились дрожащие, запекшиеся губы, так что она сама услышала шепот. Ей вдруг захотелось пить, сразу мучительно пересохло в горле, казалось, что вспухли, потрескались губы, ей надо было бы встать, найти воду, но она не встала. Она не могла разрушать зыбкое, едва подрагивающее соединение нереальности и яви, это чуткое состояние забытья, неосознанности и одновременно ощущение живой, отчетливой осязаемости. Как будто все ее органы существуют, чувствуют, откликаются на окружающий мир, но сам мир не конкретен, нереален, размыт, покрыт скользкой, сглаживающей пеленой. И с ним не надо спорить, не надо ему возражать, надо просто принять его.

И единственное, что ей оставалось, — это придвинуться ближе к спящему рядом мужчине, подтянуть свое тело чуть выше, так что ее лицо оказалось на уровне его лица, губы — на уровне его губ, а потом и оставшееся, бессмысленное расстояние исчезло, было измельчено в труху, в ничто.

Какие же у нее все-таки горячие, болезненно чувствительные губы! Как их саднит, как они ноют, как тяжело, мучительно дается это касание. А он как спал, так и спит, только вздохнул тихонько. Но это даже хорошо, что он не проснулся, ведь в конце концов так и осталось непонятным, где настоящий мир — во сне или здесь, среди ощутимых вещей и движений? А может быть, смешение яви и сна и есть единственная правда?

Ее ладонь легла на его лицо, узкая кисть с длинными, тонкими пальцами очертилась на большой, широкой, неровной щеке. Их несоответствие даже в смутном, рассыпанном в воздухе рассвете поразило Элизабет, грубая, дубленая кожа резко контрастировала с ее кожей, тонкой, мраморной, почти прозрачной.

Губы стали настойчивее, несмотря на боль, несмотря на вспухшую, зудящую тяжесть, они пытались войти, проникнуть внутрь, разобрать его рот на части. Жажда не отпускала, она разрасталась, пыталась завладеть всем телом, она бы и завладела, если бы он вдруг не вздрогнул и не открыл глаза.

Прошло несколько мгновений, он тоже, видимо, пытался осознать реальность, разобраться в ней. Потом он дернулся, постарался отстраниться, глаза испуганно забегали, рот Элизабет наполнил плотный воздух — наверное, он пытался что-то произнести. И она тоже прошептала туда, внутрь, в его тяжелые, неловкие, неудобные губы:

— Влэд, это я, Дина. — И снова, то погружаясь глубже, то всплывая на поверхность, она повторила: — Это же я, Влэд, я вернулась, ты ведь узнаёшь меня. Все будет так, как всегда, ничего не должно измениться... — Она сбилась, дыхание, слишком неровное, глубокое, как будто оно поднималось прямо из легких, мешало словам. Навстречу она почувствовала его дыхание, такое же неровное, нервное, набитое упругим воздухом. — Все будет как всегда, я вернулась, слышишь...

Его губы тоже начали шевелиться, смешно, непривычно; их движения обратились в слова, казалось, их можно было проглотить, не выпускать наружу, но они все же вырывались. Они несли недоумение, страх, растекающийся по воздуху ужас.

— Лизонька, девочка, ты что? — Он упирался руками в ее плечо, пытаясь оттолкнуть, отодвинуть ее от себя. Удивительно, как мало сил оказалось у этого взрослого мужчины, его вялому напору было легко противостоять. — Ты что?! — повторял он, — Ты что?! Я не могу! — и так и не сумел от нее отстраниться ни губами, ни телом.

Она без труда сломила его, навалилась всем телом, придавила, смяла его лицо, рот, губы, которые все еще пытались шептать. Она переломила их, переборола своими губами, своими словами, тоже твердившими одно и то же:

— Я не Лизи, ты понимаешь? — Длинные паузы разделяли каждое слово, все размылось окончательно, грань реальности, беспомощно мотающаяся где-то поблизости, сжалась, отступила, погрузилась в липкую, тягучую паутину, из которой не было ни возможности, ни желания выкарабкаться. Оставалась лишь одна цель — продолжить прошлое, сделать его настоящим — и она единственная имела хоть какой-то, пусть и исковерканный, смысл. — Я не Лизи, я Дина... Я вернулась... Мы должны делать то, что делали раньше... Иначе все нарушится... А мы не должны нарушать...

Он отталкивал ее неуклюже, беспомощно и продолжал бормотать что-то про «невозможно», про «так нельзя», про «неправильно».

— Не надо… не надо… Что ты делаешь! — Шепот едва пробивался к ней.

Но она делала. Она уже сидела на нем и стаскивала, стягивала вниз его пижамные штаны, а он продолжал размахивать руками, но уже не отталкивая ее, даже не пытаясь.

— Ты не можешь, не должна. Это неправильно… — Он смотрел на нее снизу расширенными глазами, полными привычной жалостливой теплоты, и глаза противоречили словам, в них вперемешку со страхом читалось желание. Они хотели ее, не могли не хотеть. Даже приоткрытый рот, даже обычно узкие губы обрели выпуклость.

— Да что ты, не бойся, перестань, — бормотала она, возясь на нем. — Я же говорю, все должно продолжаться. И я не Лизи, я Дина, не смей называть меня Лизи.

Она так и чувствовала себя, именно своей матерью. Резкое беспрекословное чувство наполнило ее — она сейчас и есть Дина, сейчас особенно. Взрослая, опытная, уверенная, она намного сильнее этого жалкого, с трясущимися губами и руками мужчины. Который и хочет и боится, и пытается оттолкнуть и не может отказаться. Наконец-то она поняла, почему ее мать приходила сюда, — с ним она становилась хозяйкой, повелительницей. А он лишь податливый инструмент, лишь исполнитель.

И она зацепилась пальцами за подол тонкой майки и одним резким движением стянула ее с себя. Она возвышалась над ним, глядя в его полные жалкого ужаса глаза, и исступленно повторяла лишь одно:

— Посмотри, посмотри… Я и есть Дина… Только моложе… Посмотри, разве я не похожа, разве ты не узнаешь?.. Посмотри…

И наконец он сдался, закивал, перестал отмахиваться, зашептал в ответ:

— Да… Конечно… Моя девочка… — И глаза его, и без того растекающиеся, поплыли еще сильнее от очевидной набегающей влаги. — Конечно… Делай что хочешь… если ты так хочешь, если ты… — Он не договорил, и глаза закрылись, и только круглые капельки выдавились из-под ресниц.

...А потом произошло что-то совсем необъяснимое, непонятно, что творили ее неловкие, торопливые руки. Она и не чувствовала ничего, только необходимость, только предназначение, все окончательно закачалось и потеряло опору, она перестала сознавать себя в тонком, рвущемся то тут, то там рассвете, она стала частью его загрязненного света, его запахом, стала еще одной рассеянной, мутной частицей.

Что-то попалось под руку, что-то крепкое, будто освобожденный из под земли корень дерева, только живее, теплее, оно горячило, обжигало непривычную, неподготовленную ладонь. Она знала, что делать, но знание это было не приобретенным, а врожденным, инстинктивным, будто вошло в нее вместе со знанием другой женщины. В нем не надо было разбираться, а просто следовать ему не переча.

Она отжалась коленками вверх и, отодвинув рукой сдавливающую материю под юбкой, оттуда, сверху, стала опускаться медленно, осторожно, будто делала это не раз, измеряя расстояние на ощупь. Нет, она не чувствовала ни прикосновения, ни теплоты, ни скользкой, стекающей с ног холодящей сырости, — она ничего не могла чувствовать именно потому, что ее самой не было ни в этой комнате, ни вообще в мире — ни слуха, ни обоняния, ни зрения. Единственное, что она еще могла ощутить, — это боль, и она вскрикнула именно от резкой, корежащей изнутри боли, но недолгой, почти мгновенной, а потом сразу ушедшей внутрь и затаившейся там рваным жжением, которое должно было досаждать, но не досаждало. Потому что именно в это мгновение все вокруг вспыхнуло, разорвалось и разлетелось на горящие, ослепительные, палящие куски, которые взмывали вверх, разбивались там вдребезги, расщеплялись на множество переплетенных лучей и так, хаотично, без какой либо системы отдалялись и не пытались возвращаться.

И она перестала существовать! Перестала быть!

Она стала этими искрящимися вспышками света, взметнувшимися вверх, стала каждой из них в отдельности и всеми вместе, она кружилась с ними завихряясь, устремляясь вверх. Да, она утратила плоть, трехмерный человеческий облик, примитивное свое сознание, у нее исчезли, пропали все земные, ничтожные чувства — она стала светом, сконцентрированными лучами, стремительно, без труда пробивающими легкий, податливый воздух, и лучи, не сдерживаемые ничем, вырывались сначала за пределы комнаты, потом за пределы лужайки, за пределы рассвета, ночи, космоса. Она была именно там, «за пределами», и несла лучами, их перемешанным цветовым сочетанием зашифрованный смысл, мысль, идею, которые сама не могла, не умела разгадать.

И только когда мысль была распространена, передана, лучи стали терять скорость, стали затихать вместе со вспышками и в конце концов осыпались горячим, дотла прогоревшим пеплом. Из которого у нее не было сил составлять себя заново.

Потом, когда Элизабет очнулась и зрение, слух, осязание снова стали частью ее, и окружающий мир начал вмещаться в реальность, и вернулась возможность его принять и оценить, она вдруг ощутила спокойствие и уверенность. Все подтвердилось, все, что говорила мама, оказалось доказанным. Она действительно стала ее продолжением, потому что та, прежняя Элизабет не могла, не умела так глубоко чувствовать, так тонко переживать, так легко подчинять себе мужчину, так умело срывать завесу с окружающего мира, обнажать его до мякоти, до нервов, до полного отсутствия смысла. Та, прежняя Элизабет, не наделенная женским даром, не умела ничего — ведь она пробовала, но у нее не получилось.

Зато получилось у новой Элизабет. И так теперь будет во всем, она станет контролировать жизнь со знанием и умением взрослой женщины, которой стала. Но и прежнюю, девичью жизнь она тоже проживет полностью. Она нашла баланс. Все уметь, знать, подчинять себе, но и не упустить ничего — кто еще может добиться такого баланса?

Элизабет попыталась сосредоточиться, выйти за пределы расплывшихся, набегающих друг на друга теней. Оказалось, что она лежит, придавив головой руку, прямо перед ней — подушка, с ее выпуклой линейной расцветки смотрят глаза, внимательные, как всегда, полные печали, тоски и главное — чувства. Но нет никакого желания разбираться в нем.

«Мама его никогда не любила, — вдруг догадалась Элизабет. — Она просто использовала его, он был нужен ей для физического удовлетворения. По сути, она использовала его, но никогда не любила, поэтому он и не переехал в дом, а продолжал жить в коттедже. Она так и не смогла сделать его равным себе. И я не смогу. Я, как и она, буду получать от него то, что мне надо, он будет доставлять мне удовольствие, но не более того. Я, как и она, никогда не полюблю его».

Элизабет снова задумалась, все так же не произнося ни слова, все так же вглядываясь в глаза, которые молчаливо вглядывались в нее.

«Но мне было хорошо с ним. Я и не знала, что бывает так хорошо. Мне открылось запредельное, суть вещей, устройство мироздания. Можно ли получить удовольствие от мужчины и не любить его?»

Она снова задумалась, не отводя своего взгляда от его глаз.

«Наверное можно, — ответила она. — Это мама наделила меня умением его чувствовать, наделила своей привычкой. Поэтому так и получилось».

Взгляды сцепились, переплелись, входя один в другой.

«Интересно, о чем он сейчас думает? Похоже, я никогда не узнаю, как и он никогда не узнает, о чем думаю я».

Элизабет закрыла глаза, потом открыла, снова поймала его взгляд.

«Все продолжится и будет, как при маме: он будет жить здесь, а я буду к нему приходить, как это делала мама, — не каждый день, а только когда мне потребуется. Он будет работать в доме, и ничего не изменится, вообще ничего».

— Девочка, моя бедная, несчастная девочка, — прошептали близкие губы на подушке и тяжело вздохнули.

Элизабет промолчала, она не чувствовала себя ни бедной, ни несчастной — все стало правильно, все заняло свои места.

— Ты и вправду, как твоя мама, — глаза моргнули, — как Дина. — Губы замолчали, потом проговорили вновь: — Я всегда любил твою маму, я боготворил ее. — Снова пауза. — Я всегда любил тебя. И всегда буду.

Элизабет не знала, что ответить, и не ответила ничего. И только когда рука его, опустившись откуда-то сверху, мелькнула перед глазами и слишком большими, жесткими пальцами дотронулась до ее щеки, она вздрогнула и скорее инстинктивно, чем умышленно покачала головой.

— Не надо, — сказала она и как бы в подтверждение слов отстранила его руку. Движение окончательно вернуло ее в действительность, в тихую комнату, наполненную уже окрепшим, побелевшим рассветом, и тут она почувствовала зудящее жжение вверху ног, от него сразу стало болезненно неприятно. Она опустила руку вниз, там было скользко и липко, настолько противоестественно липко, что пальцы отдернулись непроизвольно.

Элизабет поднесла руку к глазам, посмотрела. И пальцы и сама ладонь были измазаны темно-красным, как будто краской, она четко выделялась на белизне ладони. Ничего не понимая, не в силах сдержать мгновенно накативший испуг, Элизабет резко поднялась, села на кровати, раздвинула ноги, согнулась дугой, чтобы лучше разглядеть. Там все было в крови — белые, все еще сдвинутые трусики уже не были белыми, и внутренняя сторона бедер, и даже ниже, почти у колен, — все было замазано темно-красным, как будто небрежно провели кистью с неровными, рваными краями.

Испуг разросся, перешел в мгновенный ужас: «Откуда, почему?.. Неужели меня тоже, как маму? И я сейчас умру, как она?» Сразу стало подташнивать, закружилась голова.

— Так у тебя никого не было, — раздался близкий, щекочущий дыханием голос, и тут же ужас рассеялся, разлетелся на мелкие, ничего не значащие кусочки. Элизабет рухнула вниз, на кровать, повернулась спиной к голосу, закрыла глаза. Лежала без мыслей, без движения, прислушивалась к себе.

«Вот видишь, я тебе обещала, — прозвучал теперь внутри ее женский голос. — Теперь ты женщина. И с тобой произошло то, что происходит всегда, когда девочка становится женщиной».

— Так я у тебя был первым, — продолжал мужской голос с усиленной заботой. — Почему ты не сказала, не предупредила? Я бы тогда...

Но она перебила его.

— Да совсем ты не первый. У меня уже было.

— Откуда же тогда кровь?

— Да просто так получилось, — ответила она сначала ему, а потом себе. — Просто так получилось. Подумаешь, еще не такое бывает.

Потом она встала, там же, в комнате, сняла трусики, оставила их на полу, прямо на середине, не притрагиваясь к ним больше, и пошла в ванну, где сначала долго отмывала себя, а потом просто стояла под напором теплой воды. Струи били сверху, пытаясь окутать и согреть, а Элизабет все повторяла: «Надо же, как получилось...» — и не могла согреться.

Когда она вернулась, Влэд по-прежнему лежал на диване, трусиков на полу почему-то не было. Элизабет остановилась в ярде от кровати.

— Все остается как прежде, — проговорила она и удивилась уверенности своего голоса. — Ты, Влэд, продолжаешь работу, я занимаюсь своими делами, ты в них не вмешивайся. Я буду приходить к тебе, когда нужно будет.

Она постояла, соображая, что бы сказать еще, но ничего не придумала. Он тоже молчал, только смотрел на нее, ей даже стало неприятно от его пристального, проникающего внутрь взгляда. Она повернулась и вышла, и входная дверь, мягко пружиня, захлопнулась за ней.

Дину похоронили на следующий день. Несмотря на тихую, незаметную жизнь, которую она вела, на кладбище собралось много народу — весть о том, что Дину Бреман, приветливую, симпатичную, молодую женщину, нашли в лесу в собственной машине с простреленной головой, взбудоражила весь городок. Люди подходили к овдовевшему супругу, выражали соболезнования, вздыхали. «Как несправедливо повернулась к ней судьба, — говорили они, — только жизнь стала налаживаться, только Дина обрела долгожданное счастье, и вдруг такая трагедия. Ужасно! И надо же, в нашем городе, где ничего подобного никогда не происходило!»

Влэд кивал, вздыхал в ответ, опускал тихие, полные печали глаза, снова вздыхал.

Подходили и к Элизабет, жалели, пытались поддержать, говорили, что если понадобится помощь, чтобы она не стеснялась, обращалась. Элизабет тоже кивала, благодарила тихим, полным скорби голосом, заглядывала в глаза каждому из присутствующих. Она была уверена, что тот, кто убил маму, непременно должен быть здесь, на кладбище. Когда ее оставляли в покое, она начинала пристально осматривать толпу, выделяя по отдельности каждого из присутствующих, особенно мужчин, всматриваясь в лица, пытаясь найти что-нибудь подозрительное — улыбку или скользкий, бегающий взгляд, а может быть, и потаенный интерес к ней самой. Но ничего подозрительного она так и не обнаружила — многие смотрели на нее, в глазах читалось сочувствие, а отличить искренность от фальши Элизабет не умела.

Церемония заняла час-полтора, не более. Разные люди по очереди говорили приблизительно одно и то же — что Дина была очень приятной, положительной женщиной, что ее жизнь была посвящена дочери и семье и как обидно, что судьба обернулась к ней трагически несправедливо. «Но главное, — заканчивали они на оптимистической ноте, — что жизнь продолжается и Дина тоже продолжается в своей дочери. Посмотрите на Элизабет, она достойна своей матери — чудесная, замечательная девушка растет, и красивая, и умная, и воспитанная».

Элизабет не слушала, она ушла в себя, погрузилась в свои мысли, она понимала, что прощается с мамой навсегда, ей было очень грустно, хотелось плакать, но с другой стороны, для нее все было решено — Дина навсегда останется частью ее. А потом когда-нибудь она, Элизабет, родит дочь, и та тоже будет нести в себе часть Дины. Так думала Элизабет и снова оглядывала окружающих, пытаясь найти, выявить хоть какой-нибудь потайной знак, двойной смысл в их словах, взглядах.

Постепенно люди стали расходиться, невдалеке, у входа на кладбище, на стоянке, рассаживаться по автомобилям. Элизабет и Влэд, постояв еще недолго перед свежим земляным холмиком, последними направились к выходу.

И именно в ту секунду, когда они выходили за ворота, отраженное солнце сверкнуло в ветровом стекле красного «Бьюика», плеснуло прямо в глаза, так что пришлось зажмуриться, а потом машина медленно тронулась с места, повернула налево и так же медленно, будто бы приглашая за собой, покатила по улице. Элизабет вскинулось, какой-то почти электрический импульс пронзил ее тело, она сощурилась, пытаясь разглядеть тех, кто сидит в машине, но через узкое заднее стекло она успела различить лишь два затылка — один, кажется, женский, если судить по прическе.

— Чья эта машина? — обернулась она к Влэду.

— Какая машина? — спросил он.

— Вон та, — указала Элизабет пальцем на видневшийся уже вдалеке яркий покатый кузов.

— Не знаю. Кого-нибудь из соседей, — пожал плечами Влэд. — Там было столько людей, большинство из них я и не видел никогда.

Когда они пришли домой, Элизабет почувствовала себя совершенно обессиленной.

— Не уходи, побудь дома, — сказала она Влэду.

Тот подошел, положил ей руки на плечи, попытался притянуть к себе, они были почти одного роста, только он значительно шире. «Раза в три, наверное», — подумала Элизабет.

— Бедная, несчастная девочка, — проговорил он, но мог бы и не говорить, по его глазам и так было понятно, что она и бедная и несчастная и что он жалеет ее. Он потянулся к ней губами, успел дотронуться до шеи. Но когда она оттолкнула его, широкое, тяжелое тело тут же поддалось, ослабло, разом размякло.

— Не надо, — сказала Элизабет. — Я сама, когда надо будет. А сейчас не надо. Сейчас мне надо, чтобы ты просто был дома, пока я сплю. Я не хочу спать в пустом доме.

— Да-да, — закивал он, соглашаясь. — Хочешь, я лягу с тобой, чтобы тебе было спокойнее?

— Я же сказала, не надо, — повторила Элизабет настойчивее. — Просто будь в доме.

Она поднялась на второй этаж, ее комната была слева, мамина справа, чуть дальше по коридору. Немного постояв, подумав, Элизабет повернулась направо и, пройдя несколько шагов, открыла Динину спальню. Там все оставалось, как прежде, ничего не изменилось, и Элизабет подумала, что надо бы осмотреть комнату, вдруг она найдет какую-нибудь улику, которая поможет выйти на след. Но не сейчас, решила она, потом, сейчас ей надо спать, необходимо, у нее совершенно не осталось сил, словно ее выжали, высосали все соки. И она рухнула как подкошенная на кровать и последнее, что успела почувствовать, — мамин запах, который слегка, едва различимо окутал ее. «Теперь это и мой запах», — подумала Элизабет и заснула. Ей ничего не снилось, вообще ничего, даже мама.

Мама пришла к ней следующей ночью, когда Элизабет спала в коттедже Влэда. Она не собиралась оставаться у него, но дом снова нашептывал, окликал подозрительными звуками, и Элизабет в конце концов стало не по себе.

Влэд уже лежал в постели, было поздно, почти полночь, но не спал. «Наверное, ждет меня», — подумала Элизабет. Она неслышно проскользила босыми ногами по полу, казалось, в ночи он не замечает ее. Но когда она приблизилась, то даже в этой глухой, непроницаемой темноте она увидела устремленные на нее глаза, молчаливые: в них таились ожидание, мольба, предвкушение — все вместе.

— Девочка моя, ты пришла, — прошептал он и как-то неловко попытался приподняться. Но она, не говоря ни слова, уперлась рукой в его грудь, и он остался лежать, замерев в ожидании, в почти парализованном оцепенении.

Когда она потерялась в цветных переплетающихся туннелях, по которым неслась, скользя меж гладких стен, переходя из одного туннеля в другой, возвращаясь, сама становясь ими, их цветовые сочетания снова несли какую-то запрятанную, зашифрованную информацию, которая была доступна только ей и которую ей даже не требовалось разгадывать.

Потом туннели повернули назад и взвились спиралями, и ощущение наполненности разрослось, оно уже не вмещалось внутри и стало выбрасывать наружу вспышки — короткие, острые, они наслаивались одна на другую, пока не накрыли ярким, пугающе ослепительным взрывом, который еще надо было суметь пережить.

На этот раз мама пришла ненадолго.

— Вот видишь, Лизи, все хорошо, как я и обещала, — проговорила мама. — И впредь будет хорошо, вот увидишь. Ты все делаешь правильно. — Мамино лицо остановилось совсем близко, так близко, что можно было разглядеть каждую черточку, каждую ямочку, каждый бугорок. — Я обещала прийти к тебе, вот я и пришла. — Она снова помолчала, улыбка так и не сходила с ее губ. От нее исходило спокойствие и блаженство.

— Ты будешь часто приходить? — спросила Элизабет тихо, потому что громко не могла.

— Каждый раз, когда ты будешь здесь, я буду приходить.

— Где — здесь? — не поняла Элизабет.

— Здесь, в этой комнате, когда ты будешь засыпать на этой кровати... Тогда я буду приходить.

— С Влэдом? — спросила Элизабет, потому что снова не поняла. Дина кивнула. — Ты будешь приходить каждый раз, когда я буду заниматься с ним любовью?

— Ну это уже как ты хочешь, — засмеялась Дина. — Главное, чтобы ты входила в туннели. Ты же видела туннели?

— Да, видела, — согласилась Элизабет. — Но они возникают, только когда я занимаюсь с ним любовью.

— Ну вот видишь, — смех был мягкий, счастливый. — Зачем же ты меня спрашиваешь?

— Почему туннели? — снова спросила Элизабет.

— Потому что ты входишь в них с одного конца, а я — с другого. Главное, не выбирать, в какой из них входить. Все должно происходить само по себе, естественно.

— Они соединяют? — удивилась Элизабет.

— Ну что-то же должно соединять, — ответила Дина, и хотя голос потерял четкость, Элизабет поняла. Ей показалось, что поняла.

— Мама... — Элизабет не знала, как спросить: — Кто тебя убил?

Наверное, она напрасно спросила, потому что Дина перестала улыбаться, ее лицо стало удаляться, покрываться тенями.

— Никто, — ответила она, и Элизабет расслышала печаль. — Я же тебе говорила, что никто.

— А как же тогда...

— Не думай об этом, Лизи. Думай о том, как хорошо тебе, ладно?

— Да, — ответила Элизабет, но ответ ее уже растворился в пустоте.

Она открыла глаза. Уже светало, снова светало. Влэд спал рядом, он был теплый, почти горячий. Элизабет отодвинулась, мелкие бусинки пота соскользнули с кожи. Оказалось, что она совершенно раздета, но когда она успела снять одежду? Элизабет пожала плечами. «Впрочем, какая там одежда, — улыбнулась она себе, — майка, юбка, трусики». Тело было легким, но не только тело, на душе было спокойно и радостно, как и прошлый раз, когда приходила мама.

«Значит, я должна заниматься любовью с Влэдом, чтобы она приходила, — вспомнила Элизабет. Она посмотрела на него, в который раз разбирая по частям его лицо. — Нет, красивым его никак не назовешь. Разве что противоречие, — подумала она, — противоречие между сухой жесткостью, исходящей от его узких губ, от его грубой, почти выдубленной кожи, и теплыми, полными чувств глазами. Вот он и рождает во мне вспышки, в маме рождал, а теперь — во мне».

Влэд неожиданно открыл глаза, и она отвернулась, ей стало неловко, будто она подглядывала за ним, а он заметил. Теперь она лежала на спине, смотрела в окно напротив.

— Ты хотела что-то спросить? — сказал наконец он.

— Почему? — удивилась она.

— Ты смотрела на меня.

— Откуда ты знаешь?

— Я чувствовал. Оттуда, из сна, я чувствовал твой взгляд. Динин взгляд я тоже всегда чувствовал.

— Понятно, — пожала плечами Элизабет. А потом спросила: — Ну и с кем тебе лучше, с матерью или с дочерью?

— Зачем ты так? — Голос был переполнен обидой, Элизабет даже улыбнулась:

— А почему нет? Ты спал с ней, теперь со мной, ты можешь сравнить.

— Я любил твою мать, а теперь эта любовь перешла на тебя.

«Ну конечно, — подумала про себя Элизабет, соглашаясь. — Мама перешла в меня, а значит, и его любовь к ней перешла на меня».

— А раньше ты меня совсем не любил? — спросила она, чтобы поставить его в тупик.

— Ну почему же. Я любил тебя. Но совсем другой любовью. — Он помолчал. — Не каждая ведь любовь подразумевает любовь физическую. Любовь к родителям, например, или любовь к детям. Я любил тебя, как ребенка, как дочь дорогой мне женщины. Но случилось так, что ты заменила ее. И не моя в этом вина, так просто распорядилась жизнь.

Элизабет слушала, по-прежнему лежа на спине, глядя в полный белой пустоты проем окна, слушала проникновенный, сочащийся чувством и искренностью голос и не верила ему. Наверное, именно из-за чрезмерной чувственности, чрезмерной, нарочитой искренности. Слишком уж он хотел, чтобы она поверила.

— Так ты никогда не думал обо мне? — спросила она. — Я имею в виду, как о женщине. Никогда не представлял, как занимаешься со мной любовью? — Он не отвечал. — Никогда не фантазировал? — Он продолжал молчать. И это безвольное молчание разозлило Элизабет. — Никогда не дрочил на меня? — добавила она грубо, чтобы прервать молчание, чтобы он наконец сказал правду.

— Что ты говоришь, как ты можешь? — голос задрожал. От возмущения или оттого, что его поймали с поличным? — Как ты можешь так говорить?

— Да ладно, перестань, хватит выкручиваться, — Элизабет уже не сдерживала ни злости, ни раздражения. — Я же могу честно признаться, что думала о тебе, когда трогала себя... ну, ты понимаешь... Что же здесь такого? И я чувствовала, что от тебя исходит, как сказать... не просто интерес, от тебя исходило желание. Я видела его, слышала. А теперь ты пытаешься меня обмануть. «Жизнь распорядилась», — передразнила она его.

— Девочка моя, — голос снова изменился, в нем больше не было возмущения, наоборот, ласка, забота. Теперь он и не пытался оправдываться.

И вдруг Элизабет все поняла.

— Это ты ее убил, — вырвалось у нее.

— Кого?

Он не понял или сделал вид, что не понял?

— Маму.

Элизабет знала, что ей надо отвести взгляд от ненужного однообразия в окне, что ей надо повернуться, заглянуть ему в глаза, чтобы выявить, уличить... Но она не могла себя заставить. В них наверняка окажется слишком много чувства, слишком много печали. А выуживать из печали правду ей было не под силу.

— Почему ты так думаешь? — Как ни странно, он не стал возмущаться, не стал бестолково, хаотично оправдываться.

Элизабет помолчала с минуту.

— Ну как же... — она снова помолчала. — Ты все получил от нее, а потом она больше была тебе не нужна.

Он не сказал ни слова, теперь они молчали вдвоем.

— Она вышла за тебя замуж и погибла через каких-нибудь три-четыре месяца. А ты получил право остаться и жить здесь, в стране. Ты получил дом и деньги, ты ведь теперь законный вдовец, законный обладатель всего. Зачем тебе нужна мама? Нет, она стала не нужна.

Первый раз с момента Дининой смерти Элизабет могла четко думать, и чем четче она думала, тем проще и понятнее все становилось. Странно, но она совсем его не боялась. Хотя, если он убил маму... А вдруг он вообще маньяк? Но она не боялась. Не оттого ли, что чувствовала над ним власть, чувствовала, что он зависит от нее, что не посмеет сделать ничего плохого? Никогда.

— То же самое говорил и Крэнтон. Смешно, правда, — слово в слово. — Теперь его голос звучал серьезно, ни искусственных, притворных чувств, ни даже желания убедить, доказать. Он казался пустым, в том смысле, что был наполнен только простыми словами без каких-либо эмоциональных, требующих сопереживания оттенков.

Вдруг возникла потребность заглянуть в его лицо, в глаза, убедиться, что и они потеряли двойственность, лживую, напускную чувственность, и Элизабет оторвалась от пятна рассвета в окне, повернула голову. Но и Влэда, похоже, заворожил рассвет — он тоже лежал на спине и тоже смотрел в окно, и она разглядела лишь профиль, резкий, будто вырубленный острым резцом.

— Словно вы сговорились, словно заучили один и тот же текст. Крэнтон тоже говорил и про дом, и про деньги, и про возможность жить здесь. Но потом понял, что ошибается. Даже если рассуждать цинично, я мог получать удовольствие не только от того, что мне дала Дина, от этого пресловутого дома, пресловутых денег, но и от нее самой. Зачем мне убивать ее? Я любил ее, любил каждую секунду, проведенную с ней. Она была красива, добра, нежна. Она была превосходна во всем. Зачем?

Влэд снова замолчал, как бы ожидая ответа, но так и не дождался.

— Вот Крэнтон и поверил мне. Он согласился со мной.

— Он не знает еще об одной причине, — пожала плечами Элизабет. Этот рассвет оказался слишком туманным, слишком расплывчатым, в нем невозможно было выделить детали.

— О какой? — не понял Влэд. Или сделал вид, что не понял.

— Он не знал обо мне, — растягивая слова, будто сама не была уверена, проговорила Элизабет.

Он все же добился своего, этот рассвет, все же заворожил ее, она уже не могла отвести от него глаз. Да и не хотела. Только спокойно смотреть, спокойно думать, произносить спокойные, взвешенные слова.

— Зачем тебе была нужна мама, если есть я? Ты убил ее, чтобы остаться со мной. Чтобы спать со мной. Пока она была рядом, она бы тебе не позволила. А так видишь, как получилось... — Она помедлила, не зная, как продолжить. — Видишь, теперь ты спишь со мной.

— Но я же не знал, — слова будто выдавливались из него, медленно, с натугой. — Я же не знал, что так получится.

— Ты не знал? — не поверила Элизабет. — Ты все знал.

— Но ты же сама, первая... — Опять пауза. — Ты сама пришла ко мне. Ты сама все сделала. Я бы никогда не посмел...

Элизабет снова пожала плечами. Там, за окном, рассвет был намного ярче, чем здесь, в комнате, хотя и более неразборчивый, туманный.

— Ты все знал, — повторила она. — По-другому и быть не могло.

Она ждала, что он начнет отрицать, оправдываться, что он повернется к ней, попытается растопить, рассеять ее подозрения своим пропитанным влагой, мольбой, преданностью взглядом. Но она ошиблась.

— Ну и что, ты теперь пойдешь и расскажешь Крэнтону? — проговорил Влэд, тоже не отрываясь от окна.

Странно, но о том, чтобы пойти к Крэнтону, Элизабет не думала. Получалось, что он сам сейчас подсказал ей.

— Не знаю, — ответила Элизабет. Она и в самом деле не знала.

Теперь они молчали оба, долго, но молчание не угнетало. Рассвет, похоже, захватил и подавил их. Они лежали и совсем не касались друг друга.

— Там у них многое не сходится. Улики. Они проверяли. Тот, кто убил Дину, должен был провести с ней много времени, много часов. Там все сложно. А я никогда не уезжал больше чем на два часа. Они проверяли. Да и многое другое не сходится.

Ничего этого Элизабет не знала. Да и не хотела знать.

— Может быть, у тебя есть сообщник, — предположила она, но не настойчиво — так, на всякий случай.

— Откуда у меня сообщник? — теперь уже он пожал плечами. Элизабет поняла это по шороху подушки.

— Кто знает, — ответила она, чтобы что-то ответить. Больше ей нечего было сказать, и она ничего не сказала.

А потом, когда рассвет окончательно растворил ее в себе, когда уже ничего не имело значения, кроме одного, она все же приподнялась на локте и все же заглянула ему в глаза. Она нашла в них все, что ожидала, — и печаль, и мольбу, и преданность. Какую-то животную, собачью, безусловную, которая ничего не умела, кроме одного — любить ее.

И все произошло еще раз, именно так, как и должно было произойти, именно так, как она хотела. Снова возникли резкие, цветные вспышки, сначала одиночные, потом они покрыли все пространство, все без исключения, а следом завихрились туннели, по которым она неслась и скользила и не успевала насладиться их переплетенной бесконечностью. К которой она уже начала привыкать.

Новый учебный год начинался через три недели, но для Элизабет он так и не наступил. Потому что однажды, когда она шла по улице вдоль похожих один на другой, больших, старых, не скрывающих пристойного благополучия домов, вдоль таких же больших, старых деревьев, на поперечной улице, ярдах в ста от поворота, справа она увидела красный

«Бьюик» с закрытым матерчатым верхом. Именно тот, который она заметила на кладбище.

Сердце тут же сжалось. Что делать? Повернуть назад, домой, спрятаться в нем, схорониться, позвать Влэда? Или не обращать внимания, продолжать идти по улице, будто она ничего не заметила? Или же наоборот, подойти к красному «Бьюику», посмотреть, кто в нем сидит? Хотя бы посмотреть. А может, и заговорить, задать вопросы, попытаться разобраться самой...

Она так и не успела решить. Ноги сами повернули направо и сами зашагали в сторону «Бьюика» — чем ближе она подходила к нему, тем ярче отсвечивали на его глянцевой выпуклой поверхности блики солнца. Элизабет уже успела запомнить номер, успела разглядеть через узкое окошко на горбатом багажнике две головы внутри салона. Ей опять показалось, что одна из них — женская, очень знакомая, во всяком случае, по прическе.

Сердце с каждым шагом, с каждым глухим ударом плескало концентрированным, перенасыщенным раствором вверх, к горлу, к голове, и они немели, становились бессмысленными, ненужными, на них уже нельзя было положиться, им невозможно было доверять.

Еще несколько шагов... А что, если дверь сейчас откроется и из нее выйдет... Кто? Убийца? Убийцы? Если они схватят ее и затолкают в машину? Ведь это опасно. Очень опасно. Конечно, она будет сопротивляться, кричать. Но кто услышит ее здесь в полдень рабочего дня? Улица словно вымерла, ни одного человека. Может быть, повернуться, пойти назад, побежать?

Но ноги перестали слушать воспаленный, бессильный мозг, они вышли из подчинения, они делали то, что и должны делать ноги, — тупо передвигали тело вперед.

Элизабет еще раз оглянулась по сторонам. Слава богу, из-за угла дома, третьего по счету от перекрестка по правой стороне, вышел человек. Элизабет пригляделась — она знала его, он жил здесь, его звали мистер Дэймон, не то Дэн, не то Дэвид.

— Добрый день, мистер Дэймон, — громко сказала, почти прокричала Элизабет.

— Добрый день, Элизабет, — заулыбался он ей в ответ. — Куда идешь?

— Да так, по делам, — ответила она и даже ухитрилась улыбнуться.

— Ну да, ну да, — закивал тот.

«Теперь, если они меня похитят, он сообщит в полицию», — подумала Элизабет, так и не остановившись. Слово «полиция» неожиданно резануло ее, почему-то она никогда не думала о полиции.

До «Бьюика» оставалось шагов двадцать, не больше, еще немного, и она поравняется с ним, заглянет в боковое стекло и увидит лица. А вдруг в женщине со знакомой прической она узнает... Нет, этого не может быть. Она видела маму, накрытую белой простыней, видела маленькое коричневое пятно у виска, она видела, как заколоченный гроб опускают в могилу, засыпают землей. Но что, если вдруг...

Но Элизабет не суждено было узнать. Когда до «Бьюика» оставалось совсем чуть-чуть, он вдруг сдвинулся — натужно, словно превозмогая себя. Массивные колеса тяжело провернулись, шурша мелким, разбросанным по обочине щебнем, и, едва справившись с тяжестью наваленного на них груза, потащили его от Элизабет. Она прибавила шаг, машина ползла так медленно, едва-едва, что казалось, ее ничего не стоит догнать. Надо лишь захотеть. И Элизабет хотела — до учащенного сердцебиения, до боли в напряженных мышцах — догнать эту призрачную, но такую реальную, манящую, дразнящую машину. Только бы догнать, только бы заглянуть внутрь, только бы убедиться... больше ей не нужно ничего.

Но догнать не удавалось. Элизабет шла все быстрее, потом перешла на бег, но и машина катилась быстрее, и получалось так, что расстояние между ними не менялось: ни машине не удавалось оторваться от Элизабет, ни Элизабет — догнать машину. Она пробежала ярдов тридцать, казалось, что «Бьюик» дразнит ее, играет по своим, прямо тут же выдуманным правилам, и Элизабет осознала тщетность своих попыток догнать машину, заглянуть внутрь, понять, разобраться во всем.

От безнадежности она остановилась, прерывисто глотая воздух, чтобы хоть как-то насытить жадное от бега дыхание, так и не отпуская глазами недоступный, ускользающий «Бьюик», людей, сидящих в нем. Которые, похоже, и не собирались заканчивать игру. Потому что машина, проехав ярдов десять, вновь зашуршала колким щебнем, теперь уже останавливаясь, и замерла на обочине, маня, предлагая продолжить игру.

Но в тот момент, когда Элизабет снова сделала шаг вперед, снова в подстегивающей, разом окрепшей надежде, «Бьюик» взвился, прокрутив колеса, вместе с пылью, вместе со щебнем и, сорвавшись с места, резко вырулил на асфальт и, с каждой секундой добавляя скорость, стал ускользать в мареве душного, опаленного солнцем полудня. Элизабет так и осталась стоять, не двигаясь, остолбенев, камушки все еще скакали, прыгали по жаркому настилу дороги, только что раскрученные тяжелыми толстыми шинами, впрочем, не долетая до Элизабет и не причиняя ей вреда.

Она повернулась и направилась назад, домой. Она уже не помнила, куда и зачем шла, возбужденным, воспаленным умом Элизабет понимала только одно — этот «Бьюик» не случаен и люди, которые в нем сидят, не случайны тоже. А вдруг люди в машине пытаются заманить ее, как заманили маму, и сделать с ней то же, что сделали с мамой? Тогда их следует остерегаться, избегать.

Но что, если все как раз наоборот? Если люди в машине хотят ей что-то передать? Что-нибудь очень важное. Какое-нибудь скрытое, зашифрованное послание? Что, если послание от мамы? Может быть, сама мама все это подстроила. Ведь не случайно женщина, которую Элизабет разглядела через заднее стекло, пусть только со спины, но похожа на маму.

Сначала Элизабет решила все рассказать Влэду. Но потом передумала. Все же со стороны вся эта история про «Бьюик», про то, как он дразнил ее, наверняка выглядит глупо, да и Влэд... А вдруг он заодно с теми, кто в машине? Ведь она до конца так и не разобралась в нем и не доверяет ему.

Хотя, с другой стороны, получается, что он остался самым близким человеком в ее жизни. И не потому, что она с ним спит, что она посредством него общается с мамой, просто у нее вообще больше никого нет. А значит, его все-таки надо предупредить.

Он, как всегда, работал в доме, что-то чинил, что-то подправлял — она уже давно перестала обращать внимание на то, что он делает. Ей вообще все было безразлично.

— Влэд, мне кажется, за мной кто-то следит, — сказала она с ходу, без вступления.

Она видела, как он замер. Он сидел на корточках спиной к ней, что-то подправляя в углу на полу, — то ли плинтус, то ли еще что-то. И тут же его тело, расслабленное до этого, сразу как бы окоченело, затвердело, словно стало вырезано из мягкого, песочного, выпуклого камня. Прошло несколько секунд, несколько длинных, утомительных секунд, и он наконец повернулся к ней. Лицо его тоже было вырезано из камня. Только не такого мягкого.

— Откуда ты знаешь? — задал он вопрос, но тут же, осознав его неуклюжесть, оговорился: — Почему ты так думаешь?

Элизабет снова подумала, а не рассказать ли ему про машину, и снова решила, что не нужно.

— За мной следят, — повторила она с упрямо. — Я уверена.

— Тебе не показалось? — Лицо наконец-то оттаяло, ухитрилось расслабить черты. Он поднялся, видимо, ему было неудобно сидеть на корточках, сделал несколько шагов по направлению к ней, остановился. — Ты видела кого-нибудь? Они шли за тобой? Что ты видела? Кто-нибудь пытался говорить с тобой? С чего ты взяла, что за тобой следят? Тебе не кажется?

— Какая разница, — раздраженно ответила Элизабет. — Я тебе говорю: за мной следят, значит, так и есть. Ничего мне не кажется.

— Ты уверена? Ты ничего не придумала? — Он сделал еще один шаг, протянул руку, хотел дотронуться.

И тут терпение оставило Элизабет. То, что он не верил ей, то, что снова хотел пристать со своими ласками, похотливый козел... Или просто страх, нервное изможданющее напряжение требовали выхода, и она уже не могла сдержаться.

— Убери руки, дебил! — закричала она. — Ты что, не понимаешь, что я тебе говорю? Ты понимаешь только одно, только когда я трахаю тебя. Больше ничего. Тебе бы только быть оттраханным, старый козел, паразит. Паразитируешь на моей молодости. Я ему говорю, что за мной следят, а он пристает с дурацкими вопросами, да еще руки тянет.

И она заплакала. От усталости, от беспомощности, оттого что не знала, что происходит с ней. Вообще ничего не могла понять.

Он опешил, отстранился, даже сделал шаг назад.

— Да-да, — забубнили его узкие губы. — Конечно-конечно, — и он замолчал.

Она стояла, всхлипывала, вытирала рукой слезы, бессильным детским движением размазывала их по лицу, отчего на щеках оставались влажные, темные полосы. Видно было, что он хотел подойти, утешить, приласкать, но сдержался, не сдвинулся с места. Так они простояли минуту-две, он ждал, пока она успокоится. И она успокоилась, вместе со слезами вышли напряжение, отчаяние. Страх, наверное, остался, его не так просто выдавить вместе со слезами. Но страх можно подчинить, его можно научиться контролировать.

— Так что же делать? — спросила она наконец.

— Тебе надо умыться, — невпопад ответил Влэд, и в Элизабет снова поднялось раздражение. Но на сей раз она справилась с ним.

— Что же делать? — повторила она.

— Ничего, — он еще больше растянул узкие губы, пытаясь улыбнуться своей неправильной, кривой улыбкой. Наверное, решил, что улыбка должна успокоить ее. Но его улыбка никого не могла успокоить. — Я не дам тебя в обиду. Никому. — Он стал говорить короткими фразами из одного-двух слов: — Хватит. Достаточно. Я потерял Дину. Твою маму. Но тебя я не потеряю. Слышишь? — Она не ответила, еще раз провела тыльной стороной ладони по глазам — они плохо видели, все расплывалось. — Ты слышишь? Никто не тронет тебя. Я не дам. Не позволю.

Элизабет кивнула.

— Ты не бойся. Слышишь? — повторил Влэд.

— Да, — наконец смогла ответить Элизабет. И еще раз повторила: — Да. — И повернулась, и пошла из комнаты.

— Ты куда? — раздался сзади резкий, обеспокоенный голос.

— Умыться, — ответила Элизабет, хотя не была уверена, услышал ли он.

Но она не стала умываться, она поднялась на второй этаж и зашла в Динину комнату, где рухнула на Динину кровать и тут же мгновенно уснула. Впрочем, теперь это была уже ее комната и ее кровать.

В течение последующих четырех дней она еще два раза видела красный «Бьюик». Первый раз он неспешно проехал по улице вдоль их дома, и Элизабет, заметив его из окна, тут же бросилась на улицу, но пока она бежала, «Бьюик» уже исчез, видимо, свернул на соседнюю улицу.

Через день она снова увидела машину, на сей раз на том же самом месте, где та стояла в первый раз. Еще издали Элизабет поняла, что в «Бьюике» никого нет, и потому неспешно направилась к ней. Она обошла машину несколько раз, заглянула через боковое окно в салон, пытаясь разглядеть в нем что-нибудь особенное, необычное. Но ничего необычного не обнаружила. На заднем сиденье лежал женский журнал, мама иногда покупала такой же. У самого края, тоже на заднем сиденье, валялась бейсболка с двумя вышитыми, наехавшими одна на другую буквами «N» и «Y», что говорило о том, что владелец шапочки — поклонник «New York Yankees». И все, больше ничего, машина как машина.

И тем не менее Элизабет не уходила, она припадала то к одному окну, то к другому, складывала ладони козырьком, приставляя их к глазам в попытке уменьшить солнечные блики, — она еще надеялась что-нибудь найти там, внутри, хоть какую-нибудь подсказку. И вдруг отшатнулась, неловко споткнулась от резкого, неожиданного движения, чуть не упала. Сердце внезапно ожило и бешено скакнуло, Элизабет обернулась: чуть в глубине на крыльце ближайшего дома стояли молодая женщина и такой же молодой мужчина и громко, откровенно смеялись. Впрочем, в их смехе не было издевки, наоборот, лишь доброжелательность, приглашение разделить с ними радость. Да и лица обоих молодых людей были тоже открыты и доброжелательны. А еще очень красивы.

Элизабет шарахнулась от неожиданности, от мгновенно захлестнувшего испуга, но бояться этих двух веселых, симпатичных людей казалось глупо, даже противоестественно, и ей стало сразу неловко, оттого что она так долго, по-детски детально разглядывала их машину.

— Это над вами мы подшутили пару дней назад? — громко проговорила девушка; она перестала смеяться, смех сменился улыбкой, милой до очарования. Девушка стала спускаться с крыльца, парень обнимал ее за талию, чуть пропуская вперед. — Простите нас, — снова сказала девушка, они вдвоем подошли уже достаточно близко. — Здесь так скучно, вот мы и безобразничаем.

— Да нет, ничего, — произнесла Элизабет, она все еще ощущала неловкость.

— Мы только что поженились, у нас медовый месяц, вот мы и путешествуем, ездим по стране. А здесь у Бена приятель, — она кивнула на парня, — мистер Свэй, вы знаете его? — Элизабет кивнула. — Он нам предложил приехать на недельку. Вот мы и бездельничаем, нам здесь абсолютно нечем заняться.

Тут она повернулась к парню, заглянула ему в глаза, улыбнулась, показывая ровные белоснежные зубы, окантованные полными яркими губами, и поцеловала его откровенно демонстративно. Рука Бена беззастенчиво двинулась вверх, Элизабет заметила, как податливо промялась женская грудь под большими, длинными пальцами с ровной гладкой кожей. Наконец отпустив губы мужа, девушка обернулась к Элизабет; улыбка ее была пропитана не только кокетством, но и лукавством, и, стрельнув взглядом, полным веселого задора, она пояснила:

— Скучно тут, вы нас понимаете. Нам вдвоем скучно, — и улыбка снова перешла в смех. Парень подхватил его, стреляя в Элизабет голубыми, неестественно яркими глазами.

— Конечно, — согласилась Элизабет, -- я понимаю.

— Она понимает... — зашелся Бен, прижимая к себе молодую жену.

— Не обращайте на него внимания, — извинилась за мужа девушка. — Он всегда такой, когда дурачится. К тому же мы выпили немного, так, для настроения.

— Она понимает... — не мог остановиться голубоглазый весельчак.

— Перестань, — одернула его девушка. — Ты даже не представляешь, каким дурачком ты выглядишь со стороны. Кстати, меня зовут Джина, — представилась она и протянула Элизабет руку.

Теперь, когда они оказались совсем близко, Элизабет могла полностью оценить красоту Джины. Да и парень ей не уступал, они действительно были блестящей парой — таких красивых людей Элизабет видела разве что в кино.

Джина завораживала, такое лицо невозможно было забыть, в нем светились ум, обаяние, мягкость. Бен был чуть погрубее, попроще, но нарочитая простота только придавала его облику мужественности. Элизабет смотрела на них и не могла оторваться — они были из сказки, из недосягаемого заоблачного мира, где люди не знают забот, обид, потерь. Из мира, где и люди-то не люди, а полубоги. Из мира, в который так хотелось попасть.

— Элизабет, — в свою очередь представилась она и пожала Джине руку. Рука была мягкой, с нежной, глянцевой кожей, да и рукопожатие, хоть и казалось твердым, но ласкало, успокаивало одновременно.

— А мы знаем, — снова захохотал Бен.

Элизабет не поняла, и изумление, по-видимому, отразилось на ее лице.

— Мы знаем ваше имя, — объяснила Джина, задерживая руку Элизабет в своей и глядя на своего счастливого мужа, явно любуясь им, смакуя его красоту.

— Мы увидели вас несколько дней назад, — пояснил Бен. — И Джина говорит мне: «Откуда в этом захолустном городе такая симпатичная малышка? Такие симпатичные малышки в таких скучных городах не живут. Они должны жить совсем в других, веселых местах...», и он снова расхохотался — то ли своей шутке, то ли просто от удовольствия.

— Да не так все было, ничего подобного я не говорила, — перебила Бена жена и игриво хлопнула его по животу. — Перестань дурачиться, подумай, какое впечатление ты произведешь на Элизабет. Тебя можно испугаться, такой ты остолоп. — И она оторвала взгляд от Бена и перевела его снова на Элизабет. — Но мы спросили ваше имя, вы нам на самом деле показались не подходящей для этого места, понимаете?

Элизабет кивнула.

— Ну, вот мы и спросили, как зовут эту очаровательную девушку. Так мы и узнали ваше имя. А потом мы увидели, что вы идете к нашей машине, мы как раз только сели в нее, собирались уезжать, вот Бен и решил пошутить. Он вечно подурацки шутит.

Только сейчас Элизабет поняла, что Джина чуть старше ее самой, всего лишь на каких-нибудь три года, на вид ей казалось лет восемнадцать, не больше. Бен был постарше, ему, наверное, было двадцать два — двадцать три.

Элизабет даже зарделась. Эти двое принимали ее за равную, за человека из своего неземного мира. Может быть, она и в самом деле из него, а здесь, в этом тусклом, никчемном городишке она в ссылке, в постыдном изгнании?

— Слушайте, Элизабет, у вас какие планы на вечер?

Элизабет пожала плечами.

— Приходите к нам, мы будем дома. Бен собирается жарить мясо, все равно здесь по вечерам некуда деться, мы уже все испробовали, — только живот набивать в здешних ресторанах.

— Да и какие тут рестораны, — вмешался Бен, — одно название... Обычные забегаловки. А мы должны следить за тем, что едим. — И его потряс еще один приступ веселья.

— Бен только что получил роль в телевизионной серии, должен поддерживать форму, — пояснила Джина.

— Так вы артист? — Элизабет не верила своим ушам. — А я думаю, откуда же мне ваше лицо знакомо? А как называется серия?

— Вот видишь, милый, у тебя везде поклонницы, — улыбнулась мужу Джина и, обвив его гибкой рукой за талию, чуть притянула к себе.

— А у тебя везде поклонники, — сквозь смех проговорил Бен и чмокнул молодую жену в ее пухлые, яркие губы.

— Он такой смешной, — снова повернулась к Элизабет Джина. — За это я его и полюбила, — призналась она. — Вот, даже согласилась замуж выйти.

— Ты из-за моих денег согласилась замуж выйти. А еще из-за кольца. Я подарил ей булыжник в четыре карата, — заржал смешной Бен, но Джина вновь одернула его:

— Перестань, слышишь, не то Элизабет подумает о нас бог весть что. — Джина снова ударила его ладонью по животу, у нее на пальце действительно сверкал огромный бриллиант. — Так как, Элизабет, придете? Выпьем, поболтаем, здесь такая скука, а Бен хоть и обалдуй, но мясо готовит превосходно. Так что, придете?

— Ну да, — согласилась Элизабет.

— К семи? Чтобы не обедать поздно, не набивать живот перед сном.

— Конечно, в семь, — Элизабет снова согласилась.

Потом она пошла назад и, лишь пару раз оглянувшись, видела, как они снова обнялись, поцеловались прямо там, на улице, никого не стесняясь. Казалось, что вокруг них распространяется поле счастья, поле любви, красоты, беззаботности, и единственное, что ей хотелось, — это погрузиться в него.

Уже у самого поворота Элизабет оглянулась еще раз и увидела, как они оба садились в машину: Бен — на водительское место, Джина — на пассажирское, она уже наполовину протиснулась внутрь салона, лишь плечи и голова оставались снаружи, и Элизабет снова пронзило сходство — у Джины была абсолютно такая же прическа, какую носила Дина. Более того, сама форма головы, ее посадка, шея, разворот плеч... — Элизабет остановилась. — Она и одета была, как одевалась мама. Платье, конечно, другое, у мамы такого не было, но покрой один к одному, да и расцветка. Элизабет поднесла руку, которую пожимала Джина, к лицу — запах был настолько знакомый, что даже закружилась голова. Как она не поняла сразу — даже духи Джина носила те же самые, что и Дина.

Элизабет медленно шла по улице, спешить было некуда; жаркий переспелый воздух колыхался, как прозрачное складчатое полотно, то выпячивая контуры деревьев с неподвижными ветвями, неподвижными листьями, то наоборот, отдаляя их. Будто смотришь не сквозь воздух, а через выпуклое, меняющее очертания стекло.

«Какая же я все-таки дура, — думала про себя Элизабет, — надо же стать такой подозрительной, бояться всего, прислушиваться ко всему, приглядываться, дрожать от каждого шороха. Проехала рядом машина, а я уже в панике. Нельзя так. Надо же, приняла эту чудесную Джину за убийцу — как будто она хочет похитить, убить меня. Какая же я все-таки дура! А она правда, очаровательная, эта Джина, стильная, сразу чувствуется класс. И какая счастливая... Неужели я когда-нибудь буду такой же красивой, такой же стильной, блестящей, счастливой? Неужели у меня тоже будет красивый молодой парень, как ее Бен? Хотя он, конечно, простоват немного или, как говорится, простодушен, но, наверное, таким и полагается быть молодым, красивым, счастливым мужчинам. Им даже идет простодушие. Неужели и у меня будет любовь? Или я всю жизнь буду спать со старым, мрачным эмигрантом с жалкими, полными тоски глазами? Дура, я еще и ему рассказала о своих страхах. Он теперь будет расспрашивать, копаться во всем. Да пошел он...» И Элизабет снова стала думать о блистательной Джине, о ее счастливом муже, о красивой жизни, которую они ведут и которая когда-нибудь, возможно, станет и ее жизнью.

Когда она вернулась домой, из глубины дома раздавалась размеренная возня — значит, Влэд, как всегда, что-то мастерил. Надо же, столько месяцев работает, а все никак не закончит! Заторможенный он, слюнтяй какой-то, он специально затягивает. Что ему делать, когда он закончит ремонт, он ведь ничего не умеет? Она крикнула, что пришла, что поднимется к себе, примет ванну. Он не ответил, только возня прекратилась на мгновение, но потом возобновилась вновь.

Она зашла в Динину комнату — ванная в ней была значительно больше, чем в спальне Элизабет, — включила воду. Плотная струя плюхнулась на керамическое дно. Элизабет села на край ванны, стала смотреть на брызги, как они разлетались и, попадая наконец на растекающуюся поверхность воды, превращались в пузыри.

Потом она сняла с себя одежду. Прямо напротив ванны в стену было вмонтировано большое, в полный рост зеркало. «Не то что маленькое зеркальце в моей ванной», — подумала Элизабет. Она встала перед ним, она давно не видела себя обнаженной в полный рост, расставила ноги, двинула бедро вправо, смещая на него тяжесть тела, — такую позу принимали модели на фотографиях в глянцевых модных журналах.

«Что они нашли во мне, эти Джина с Беном? — снова подумала Элизабет. Ну, я ничего, конечно: длинные ноги, бедра, талия, плотный, чуть выпуклый живот. Все так, все правильно. И грудь ничего, можно сказать, красивая грудь, не большая, но и не маленькая, изящной формы, чуть приподнимается вверх у самого соска, как рог носорога, — она улыбнулась сравнению. — Плечи, шея — тоже тонкие, грациозные». Она повернулась вполоборота, поставила ногу на носочек, выставив вперед, согнула в коленке, снова взглянула на себя как бы со стороны. «И попка выпуклая, ровная, а главное, прогиб в спине, — она прогнулась сильнее. — Наверное, я все же ничего, если они обратили на меня внимание. Значит, я отличаюсь от остальных».

Осторожно пробуя ногой воду, словно опасаясь тут же расступающейся, обволакивающей водяной массы, Элизабет вошла в ванну, опустилась на корточки, потом легла, вытянула ноги, закрутила кран — сразу стало тихо, влажный воздух тут же затуманил зеркало напротив. Она лежала и думала о своих новых знакомых, о том, что, оказывается, есть совсем другая жизнь, совсем другие люди, совсем другие места, где интересно, свежо, неожиданно. Не то что здесь, в их однообразном, пропитанном рухлядью, скукой захолустье.

Она представила себя взрослой, шикарной женщиной, вокруг которой вьются мужчины, поклонники, ухаживают, пытаются привлечь внимание. А она награждает их улыбками, но не всех, ее улыбку еще надо заслужить. Элизабет снова поднесла ладонь к лицу, поймала запах духов, он и не думал выдыхаться, этот запах. Подумала о маме. Мама ведь тоже была красивая, могла бы жить совсем иначе, но надо же, как ей не повезло. Разменялась на тихую, постылую повседневность, которая ничего ей не дала в результате, кроме никудышного, жалкого мужчины и такой же жалкой, непонятной смерти.

Но мама была слабой, неуверенной женщиной, она боялась рискнуть, боялась нарушить привычную рутину, прорвать ее. А она, Элизабет, сможет. И не надо оттягивать, не надо ждать, надо действовать, пока она еще молода, пока у нее есть силы, желания, пока она нравится людям, привлекает внимание. К тому же, в отличие от мамы, она способная актриса, может быть, даже талантливая, во всяком случае, в их школьном театре она, без сомнения, самая лучшая. Некого даже сравнить с ней, и мисс Прейгер, учительница литературы, которая ведет театральные занятия, ей постоянно об этом намекает.

Хотя с другой стороны, тоже нашла показатель: «их театр» — маленький школьный театр в маленьком захолустном городке, где и играть-то никто не умеет. Где даже не знают, что такое драматургия и режиссура.

Элизабет усмехнулась. Конечно, надо себя попробовать в другом месте, где вокруг тебя не доморощенные любители, а талантливые профессионалы, где есть у кого поучиться мастерству. Надо уехать отсюда как можно скорее, не откладывая, — туда, где жизнь бьет ключом, где люди талантливы и любят творить. Надо кончать с этим печальным городком, где даже мухи дохнут на лету, где она и так прозябала всю свою жизнь, пора попробовать что-то иное, новое...

Но тут тело, несмотря на обволакивающее тепло воды, задрожало разом, будто в ознобе, сердце само, без спроса, вновь заколотилось в твердые глухие стенки, а глаза встрепенулись, расширились, испуганно косясь на дверь. Там была ручка, на входной двери, и она медленно поворачивалась — тихо, почти бесшумно. Как Элизабет ухитрилась расслышать ее шорох, как заметила ее движение? Наверное, лишь чутьем, шестым чувством.

Она смотрела, как медленно, почти как в замедленном кино поворачивается ручка, до отказа, словно неведомая, неземная сила вращает ее по своей воле, как медленно дернулась, поддалась дверь. Взгляд Элизабет остановился, бессильно застыл, будто оказался загипнотизированным, как и все разом окаменевшее, негодное ни для чего тело — ни для сопротивления, ни даже для крика. Надо бы выскочить из ванны, набросить на себя халат, прикрыться, ведь так, лежа в воде, она совсем беззащитна — легкая, беспомощная добыча. Это все ужас, он ветвистыми своими корнями обхватил, опутал ее тело, прорастая в мозг, в сознание, в дыхание, лишая движения, голоса.

Дверь продолжала раскрываться, чернея пустой, бездушной прорехой, а вместе с ней и ужас; он уже дополз до самых отдаленных участков, он скрутил, подавил, лишил сил, завладел всем, чем хотел завладеть.

«Вот сейчас дверь раскроется, и в ней появится...» — скользнула последняя, изгоняемая ужасом мысль. И дверь раскрылась.

На пороге стоял Влэд. Его лицо было красным, на нем вообще не осталось губ, лишь жесткие, плотно прижатые к скулам щеки. Он что-то держал в руке, какой-то рабочий инструмент, Элизабет даже не знала, как он называется, то ли долото, то ли резец с длинным железным лезвием. Ужас мгновенно сжался, отпуская разом все тело, рассыпался, растворился в теплой, парной влаге.

— Что ты тут делаешь? — закричала Элизабет, успевая подумать, что никогда в жизни ни на кого так грубо не кричала. — Подглядываешь за мной, старый онанист! Как ты можешь? Что тебе надо?! Тебе недостаточно, что я тебя облегчаю по ночам, так ты еще следишь за мной в ванне? Кретин! Закрой немедленно дверь.

Но дверь не закрылась. Элизабет видела, как он смотрел на нее, просто пожирал глазами ее разбросанное по дну ванны тело. Ей стало неудобно, таким пронизывающим казался его взгляд, она даже прикрылась руками. Слава богу, они вновь могли двигаться.

— Я никогда не видел тебя днем. Ты прекрасна. — Он сглотнул, она не слышала, но видела, как дернулся его острый, покрытый жесткой кожей кадык. Потом он шагнул к ней.

— Закрой дверь с обратной стороны! — крикнула Элизабет, в ее голосе звучала угроза.

— Но почему? — спросил он и остановился. Видимо, он и в самом деле не понимал.

— Потому что я тебе так говорю, — отрезала Элизабет. Она знала, что он подчинится, не сможет не подчиниться. — Радуйся тому, что я прихожу к тебе, понял? А сам не смей, я же предупреждала тебя. И перестань глазеть на меня. Слышишь?

Ей вдруг стала безразлична ее доступная нагота, ее распирала злость. Как он мог, как посмел следить, подглядывать за ней? И она проговорила вслух:

— Как ты посмел подглядывать за мной?

— Я не подглядывал, я случайно, — он пытался отвернуться, не смотреть на ее парящее в воде тело, но у него не получалось, он не смог отвести глаз. — Я не слышал, как ты зашла в дом, а потом сверху раздался шум. Я и подумал, что кто-то пробрался в дом и роется в комнате. — Он так и сказал — «пробрался в дом». — Вот и поднялся осторожно, чтобы посмотреть. А потом оказалось, что звуки исходят из ванной комнаты.

Почему-то его объяснение разозлило Элизабет еще сильнее. Может быть, из-за влажных, слишком чувственных глаз, которыми он продолжал проникать в нее.

— Неправда, ты знал, что я здесь, в ванной! — закричала она, не сдерживая себя. — Я сказала тебе, что буду в ванной, когда пришла. Ты просто подглядывал за мной.

— Нет, честное слово, я не слышал, — начал оправдываться Влэд, но из ванной не выходил. Так и стоял на пороге.

Элизабет поняла, что спорить бесполезно. Вот, кретин, козел, взял и испортил все — ее фантазии, ее мечтательное настроение.

— Ладно, закрой дверь, — сказала она, не скрывая раздражения.

Но он не закрывал, видно было, что он колеблется. И ей захотелось сказать что-то грубое, обидное, что-то, что вывело бы его из себя.

— Или ты хочешь, чтобы я отсосала у тебя прямо здесь?

Она видела, как он отпрянул, отшатнулся, резец с длинным узким лезвием описал в воздухе короткую дугу.

— Зачем ты так, Лизи? — Щеки его покраснели еще сильнее. — Я только хотел сказать, чтобы ты была осторожнее с теми двумя, с которыми ты познакомилась. Ведь неизвестно, кто они такие.

— Так ты за мной повсюду следишь, не только в ванной? — взорвалась Элизабет новой вспышкой гнева. От возмущения она даже приподнялась, но тут же правая рука скользнула по керамическому дну ванны, и тело, потеряв опору, снова ушло под воду.

— Ты что, постоянно за мной следишь? Как ты можешь? Кто тебе разрешал? Или ты... — смешная мысль вдруг мелькнула в голове, — или ты ревнуешь меня? — И она захохотала, немного натужно, наигранно, но достаточно вызывающе для того, чтобы он медленно, плавно прикрыл за собой дверь.

От потока свежего воздуха зеркало напротив прояснилось, и теперь Элизабет могла разглядеть в нем свое лицо. Удивительно, но оно выглядело довольным.

— Надо же, — проговорила она сама себе, — что я там ему наболтала? Что-то про «отсосать». Надо же, сказать такое! И слово подобрала. — Лицо в зеркале улыбнулось. — А как он опешил, он небось в жизни ничего подобного не слышал.

Потом она опустилась ниже, на самое дно, так что только лицо выступало из воды, и стала смотреть вверх, в потолок. Впрочем, она с трудом видела его, она снова думала о том, что в ее жизни необходимы перемены — скорые и решительные, иначе она никогда не станет такой, как Джина, а превратится в свою мать. И так же, как и мать, зря проживет жизнь.

— Бедная, несчастная мама, — проговорила Элизабет вслух и тяжело вздохнула, затем, повернув голову направо, взглянула в зеркало. Но там уже ничего не было видно, кроме потной, болезненной, белесой пелены.

К шести часам она была полностью одета. Пришлось покопаться у мамы в гардеробе, выбрать платье, которое более или менее подходило по размеру. Туфли искать не пришлось, в Дининoм гардеробе их было десятка полтора, стояли в ряд вдоль стенки и все отлично приходились по ноге.

Еще минут двадцать Элизабет просидела перед трехстворчатым трюмо, разглядывая себя в зеркале под разными углами, пока не придумала, как лучше собрать волосы в пучок, подвела глаза, подкрасила губы, снова придирчиво оглядела себя. Из зеркала на нее смотрела совершенно незнакомая девушка очень приятной наружности. Ну просто очень! И главное, уже совсем взрослая, никакой не подросток, именно девушка.

— Такая вполне может нравиться, — сообщила сама себе Элизабет и, довольная, откинулась на спинку кресла, подальше от зеркального отражения.

Главное было проскочить незамеченной мимо Влэда, конечно, плевать на него, остановить ее он в любом случае не сможет, но начнет нудить: зачем да почему. Зачем накрасилась так? Да куда собралась? Опять надо будет кричать на него, чтобы не лез не в свое дело. А портить себе настроение сейчас не хотелось. К тому же и краска могла поплыть.

К счастью, он, как всегда, находился где-то в глубине дома, и Элизабет уже из коридора, уже открыв входную дверь, крикнула только, что уходит, и тут же выскочила наружу.

Элизабет шла по улице, настроение и вправду было праздничное, как давно, очень давно не было. Да и кто возьмется ее винить — ей необходима разрядка, она не может постоянно вариться в своем горе, в ощущении потери, ей надо возвращаться к жизни — хотя бы для того, чтобы просто не умереть самой. Ей нужны люди — новые, свежие, жизнерадостные, не обремененные заботами, такие как Джина с Беном. К тому же они сами выбрали ее единственную, значит, все правильно, она часть их мира и сегодня это станет совершенно очевидно. Для всех станет.

Она подходила к перекрестку, когда ей почудилось, что она не одна. Сначала ей показалось, что кто-то за ней идет, она обернулась резко, испуганно, недавний ужас, оказывается, никуда не исчезал, он просто затаился внутри тела, сжался, выжидая момент, когда выбросить свои стремительные, цепкие щупальца. Одно из них в привычной хватке сжало сердце, оно замерло, а потом брызнуло чем-то, пытаясь вырваться, и тут же начало метаться в сдавленной грудной клетке.

Но сзади никого не было — пыльная летняя дорога была пуста, насколько хватало взгляда.

У самого поворота Элизабет еще раз обернулась — снова никого, лишь настороженное ощущение, какое-то беспокойство в тяжелом, пронизанным ослепляющими бликами воздухе.

А потом сразу, через два шага, почти без перерыва она обернулась снова. Внезапно. И что-то мелькнуло — то ли ветка, то ли тень проскользнула, но там, справа, у угла соседнего дома была нарушена идиллия раннего беспечного вечера, был поврежден его неподвижный баланс. Или показалось? Может быть, это блики, разбегаясь в душном потном воздухе, рождали галлюцинации.

Элизабет сделала несколько шагов назад, пригляделась. Конечно же там никого не было, за углом дома, незачем даже было проверять. Больше она не оглядывалась, просто быстрым шагом дошла до дома Джины, поднялась по ступенькам на крыльцо.

Дверь оказалась не заперта. Элизабет постучала, никто не отзывался, еще постучала, из-за двери слышалась громкая музыка, должно быть, хозяева просто не слышали стука. Элизабет толкнула дверь, та легко поддалась. Ни в прихожей, просторной, богато обставленной, ни в гостиной, куда Элизабет прошла, не было ни души. Радиола заполняла пространство джазом, большой бэнд, абсолютно потеряв тормоза, накручивал что-то заковыристое. Мебель была тяжелая, наверное, очень старая, подумала Элизабет, антикварная, но в хорошем состоянии. Стены обиты панелями из красного дерева, уходящими под самый потолок. Тяжелые портьеры свободными дугами закрывали часть широкого, на всю стену окна.

Элизабет остановилась посередине гостиной, не зная, что ей делать. Никто не приходил, только джаз набирал разнузданные обороты; она села в кресло, стоящее посередине комнаты рядом с журнальным столиком. Глубокое сиденье упруго приняло на себя тяжесть, тут же обхватив доверившееся ему тело.

Элизабет огляделась. На стене висели часы, они показывали тридцать пять минут седьмого, значит, она пришла почти на полчаса раньше. Как могло такое случиться? Неужели ей так сильно хотелось попасть сюда, в Джинин дом, что она забыла про время, потеряла над ним контроль? Ну и что теперь делать? Не уходить же.

Она откинулась на спинку, кресло было очень удобное, мягкое, расслабляющее, рядом, на журнальном столике, на раскрытой газете лежали два иллюстрированных журнала. Один из них частично прикрывал большую фотографию в газете. Элизабет наклонилась. Ей показалось, она видит что-то знакомое, она отодвинула журнал, на нее смотрела мама: «Жительница Бредтауна

Дина Бреман погибла при загадочных обстоятельствах. Полиция ведет расследование». Чуть правее и ниже была напечатана фотография Элизабет, конечно, черно-белой, плохой типографской печатью, а ниже еще один заголовок уже более мелким шрифтом: «Дочь Элизабет во время похорон матери».

До Элизабет снова будто дотронулись оголенными проводами, будто кто-то умышленно, изощренно вырабатывал в ней рефлекс — и сердце, и дыхание, и общее оцепенение, и сдвинувшийся, сразу треснувший мир вокруг, мало чем походивший на реальность, — все эти уже привычные признаки разом проявились, мгновенно, без промедления.

«Откуда они взяли фотографии?» — возник первый, совершенно нелепый, ничтожный вопрос.

«Ну хорошо, меня они могли сфотографировать на кладбище, но откуда у них мамина фотография? Где они могли взять мамину фотографию?»

«Ну да, — вдруг вспомнила она, — в полиции просили фотографию, не знаю для чего, и Влэд, кажется, дал им одну. Неужели они передали фотографию в газету? Не может быть, полиция не должна передавать газете... Хотя...»

Потом она подумала, что Джина и Бен знают о том, что приключилось с ней. Зачем же они тогда сказали, что спрашивали у кого-то ее имя? Почему не сказать правду? Снова зачастило сердце, снова дыхание, снова внутри головы что-то покачнулось, еще сильнее рассеяло, замутило большую темную красивую комнату с высокими потолками, сплошь покрытую деревянными панелями.

«Но газета могла попасть к ним потом, после нашей встречи. Они ведь куда-то уезжали на машине, наверное, в магазин, им надо было многое купить к сегодняшнему вечеру. Вот в магазине и увидели газету, эти местные газеты лежат на прилавках всех магазинов, на самых видных местах».

Видимо, объяснение показалось правдоподобным, мир в глазах Элизабет начал срастаться и принимать разумные, отчетливые очертания, да и сердце сразу сбавило ритм, видимо, тоже привыкло к мгновенным, хаотическим переходам.

Элизабет снова огляделась, ей становилось беспокойно и скучно одновременно. Где хозяева? Зачем они ее позвали, если не готовы к приему? Подумаешь, она пришла на двадцать минут раньше, разве это имеет значение? Почему так беззастенчиво громко играет радиола, если ее никто не слушает? Элизабет поднялась, прошлась по комнате, мягкие, толстые ковры на полу бесшумно впитывали в себя каждый ее шаг.

Из комнаты вели четыре выхода, один в прихожую — это Элизабет уже знала, еще один, очевидно, на кухню. Куда вели остальные? Дом был большой, спальни наверняка находились на втором этаже, так часто бывает. А вот лестницы, ведущей наверх, видно не было. Два других выхода находились на расстоянии пяти футов друг от друга, не больше. Постояв, поколебавшись, Элизабет заглянула внутрь ближайшего — оказалось, он вел в длинный, петляющий коридор.

Коридор пару раз поворачивал влево, он был мрачным, лампы на потолке не горели, а где выключатель, Элизабет не знала. Она миновала три или четыре двери, все почему-то с одной стороны, они были плотно прикрыты, и Элизабет не решилась ни постучать, ни приоткрыть их.

А вот последняя дверь в тупике была настежь распахнута и вела в комнату — из глубины коридора она казалась очень яркой и солнечной, солнце просто било, струилось из нее лучами. Собственно, весь коридор освещался именно из этой торцевой комнаты.

Элизабет подошла к двери. Музыка из гостиной, хоть и доносилась отчетливо, уже не донимала навязчиво ломкими, джазовыми ритмами, где-то скрипнуло, отозвалось тихим, едва различимым стоном, потом снова. Элизабет оглянулась, посмотрела по сторонам, оказывается, там была еще одна дверь, футах в шести, не больше, это оттуда доносились настораживающие, приглушенные, растянутые звуки. Стон повторился — усталый, совсем не резкий, не крикливый, не зовущий, наоборот, смягченный, вкрадчивый. Элизабет тронула ручку двери, круглый бронзовый набалдашник легко, доверчиво провернулся в ладони. Нет, она не пыталась открыть дверь, у нее даже мысли такой не было, та сама поддалась, двинулась внутрь, Элизабет даже пришлось попридержать ее, иначе бы она распахнулась настежь. Так, вцепившись в бронзовый набалдашник, чтобы щель не разрасталась, Элизабет приникла к узкой вертикальной прорези — она была у́же ее зрачка, у́же ее взгляда.

В комнате было еще темнее, чем в коридоре, окна были зашторены и свет хоть и проникал внутрь, но, преодолевая плотную материю, терял интенсивность. Элизабет напрягла глаза, те, привыкнув к темноте, кое-как отделили предметы один от другого — живые от неживых.

Ясно было, что там, в комнате, находилась какая-то конструкция, что-то непривычное, видимо, специально построенное — две поперечных перекладины, на них наклонные плоскости. На одной, перегнувшись, лежала животом женщина, вторая, установленная дальше и ниже, была не видна, наверное, женщина упиралась в нее плечами. Иначе почему плечи и шея оказались выставлены горизонтально вперед, в отличие остального тела, перегнутого через перекладину, как белье через веревку.

Лица женщины видно не было, да и тело из-за нелепой, неестественной позы узнать было невозможно. Оно было одето в трико, тоже темное, почти черное, даже не в трико, а в длинные шорты по колено и в короткую, обтягивающую майку. Майку Элизабет разглядела отчетливо — белое неприкрытое тело резко контрастировало с черной одеждой.

Шорты тоже были несуразные, какие-то неправдоподобно обширные, чрезмерно свободные, скорее, старомодные панталоны из прошлого века, они расходились в стороны круглыми, выпуклыми шарами и казалось наполненными чем-то твердым, неправильной формы. Они, эти тупые, сглаженные формы, проступали через одежду то тут то там с ритмичной периодичностью, будто внутри, в панталонах, копошилось неуемное живое существо.

Руки женщины были отведены в стороны, раскинуты до предела, как будто океанская птица расправила крылья на плоскостью воды. Длинные, гибкие, они двигались короткими, плавными взмахами, и от этого еще больше напоминали крылья большой птицы. Но главное, каждый взмах, каждое движение рук совпадало с новым тихим стоном, тем самым, который Элизабет услышала в коридоре, который заставил ее приоткрыть дверь. Казалось, он вырывался не из горла, даже не из груди, а из самой глубины, из сердцевины распластанного тела, и что-то нездоровое, животное, нечеловеческое можно было выделить из его отрешенности, что-то, что находилось вне, за пределами жизни, что было никак не связано с нею.

Но самое непонятное, непостижимое, даже пугающее заключалось в том, что голова женщины тоже была накрыта черной материей. Даже не накрыта, а помещена в нее, как фотографы помещают свою голову внутрь черного ящика перед тем, как сделать снимок. Из-за этого черного ящика женщина была похожа на древнее мифическое чудовище — получеловек, полуживотное. А может быть, на часть кошмарного, переполненного ужасом сна?

Элизабет сжалась, не в силах шелохнуться, ей показалось, что она присутствует на языческом ритуале, жестоком, с неминуемыми жертвоприношениями, — первым ее порывом было захлопнуть дверь, тут же, немедленно, и бежать из дома, не видеть, не знать, не присутствовать. Но дверь она не закрывала.

Она уже не пыталась понять происходящее, все запуталось, перестало расчленяться на детали — одна общая, бессмысленная, как полотно абстракциониста, картина. Но именно оттого, что смысл был недоступен, он завораживал таинственным подтекстом, словно открылась потайная дверца в стене и Элизабет попала в мир, о существовании которого не подозревала.

Женщина взмахивала руками то резче, то плавнее, будто то набирая высоту, то спускаясь ниже, в какой-то момент они затрепетали короткой дрожью, словно попали в невидимую сеть и запутались в ее мелких ячейках, снова раздался глухой, протяжный стон из самой глубины, и руки беспомощно затихли, сдались, казалось, что навсегда.

Элизабет тихонько затворила дверь. Возможно, она не хотела узнавать секрет происходящего, как не каждый зритель хочет узнать секрет показывающего трюки иллюзиониста. А может быть, она просто испугалась, что женщина может ее заметить.

За дверью наступила тишина: ни стонов, ни звуков. Элизабет сделала несколько шагов и оказалась в торцевой комнате, той самой, с открытым окном. Солнце уже заходило, но еще ясно освещало землю, в комнате было светло, будто Элизабет вернулась в нормальный, привычный мир, где день чередуется с ночью, где все объяснимо и доступно пониманию. Вид, открывающийся из окна, тоже был понятный и знакомый — обычная лужайка с аккуратно подстриженным газоном, несколько деревьев с широкими раскидистыми кронами, чуть дальше улица, за ней еще одна лужайка, а после нее снова дом, тоже большой, старый, красивый. Почему же он так знаком?

Рядом стоял стул, Элизабет опустилась на него в бессилии, разом наступившем, парализовавшем, — дом напротив через лужайку был их домом — ее и мамы. Хотя нет, только ее, ведь маму убили совсем недавно.

Ей потребовалось всего минута-две, чтобы прийти в себя. Ну и что, что окна выходят на ее дом? Подумаешь... У дома четыре стороны и окна каждой куда-то выходят, просто она не ожидала. Ну да, коридор был длинный и петлял, вот она и попала в пристройку, как это называется, флигель, что ли. Да, наверняка так и есть, конечно, она же отлично знает, что из окон ее дома, из гостиной видна небольшая одноэтажная постройка. Она думала, что это такой же коттедж для гостей, как тот, в котором живет Влэд. А оказывается, постройка соединена с главным домом, который и стоит чуть в стороне. Просто перехода из их окон не видно.

«И все же странно, — подумала Элизабет, — что из этого окна наш дом так хорошо виден». Она обвела взглядом комнату — ну конечно же, именно эту штуку она и искала. Ну, может быть, не именно эту, но что-то подобное. Конечно, она совсем не удивлена. Чуть в стороне, совсем близко, на тяжелой железной подставке стояла огромная подзорная труба... или как она там называется, телескоп, что ли... Наверное, больше ярда длиной, да и толщиной дюймов пять, если не больше. Она видела такие трубы в фильмах про пиратов, когда капитан стоит и смотрит через такую штуку на океан. Почему она сразу не заметила трубу? Непонятно.

Элизабет взялась за холодную цилиндрическую рукоятку: верхняя часть подставки легко сдвинулась на шарнирах, повернулась, подстраивая трубу под глаз. Элизабет вздрогнула, зажмурилась от неожиданности, снова посмотрела — сердце уже привычно, как по команде, глухо застучало на всю комнату, голова закружилась и поплыла, сознание, и так шаткое, ненадежное, каждый раз не успевающее восстановиться, снова стало путаться, отодвигая реальность. Там, в окуляре трубы все внутренности ее дома были выставлены как на ладони. Мощные линзы легко пробивали расстояние, тараня насквозь оконные стекла, как масло взрезали пустоту комнат.

Не только гостиная, не только кухня, но и ее собственная комната и Динина спальня оказались беззащитно оголены, бесстыдно открыты для чужого взгляда. Элизабет представила, как кто-то наблюдает за ней, как совсем недавно наблюдал за Диной: смотрит, как она ходит по комнате, переодевается, ложится спать, при включенном свете видно еще лучше. А вдруг... — забилась лихорадочная мысль, и Элизабет дернула палку трубы правее. Сначала та застопорилась, попыталась сопротивляться, но потом все же легко выловила окна коттеджа, сейчас, летом они были открыты настежь. Элизабет прищурилась. Отчетливость поражала — вот кровать, постель на ней, даже складки на подушке. Даже волос внутри одной из складок, ее волос. А значит, все, что происходит здесь по ночам, особенно при свете яркой луны, тоже отчетливо видно — в деталях, в подробностях, будто кто-то подошел вплотную и разглядывает через увеличительное стекло. Каждую сбившуюся морщинку ее скомканного лба, каждую бусинку пота на ее груди, каждое движение ее раскрытых губ, каждое...

Голова бессильно откинулась назад, глаза сначала наткнулись на низкий тяжелый потолок, а потом намертво закрылись. Что она чувствовала, о чем думала? Что ничего не понимает! Что вокруг нее постоянно таится опасность! Необъяснимая, ползучая, она подстерегает, выжидает подходящий момент. А еще сковала беспомощность. Как будто Элизабет связали, ноги, руки, голову засунули в мешок, и она не может пошевелиться. Она в чужой власти. Но в чьей? Кому она нужна? Зачем? А кому нужна была ее мать?

Скользнули мимо неясные минуты, и выяснилось, что сердце не только привыкло набирать скорость, но и сбавлять ее, что сознание умеет не только плыть, удаляться, но и возвращаться в реальность. Вот и сейчас там, за плотно закрытыми ресницами, оно, расплывшееся в сумятице, стало снова хоть как-то собираться в единый, пытающийся нащупать смысл фокус.

«А вдруг все это случайность, простое совпадение, — мелькнула первая неуверенная мысль. — И труба, и примостившаяся напротив ее дома пристройка? Но бывают ли такие совпадения?»

— Ах, так ты здесь, милая, — раздался сзади жизнерадостный голос. — Смотришь в телескоп Бена?

Элизабет повернулась — действительность наплывала на нее улыбающимся лицом Джины, сейчас, когда все выглядело неотчетливо, когда цвета и грани оказались сглажены, она была пугающе похожа на Дину. Как будто она искусственная копия, только улучшенная — моложе и радостнее.

— Ну и что ты там увидела? — Джина подошла, обняла Элизабет за плечи, прижалась высокой упругой грудью, приникла на секунду щекой к щеке Элизабет. Облако духов, манящих родным до боли запахом, вновь затуманило голову, качнуло комнату сначала влево, потом назад, и пока та пыталась вернуться на прежнее место, Элизабет услышала тихое дыхание, закручивающее теплый шепот в самую сердцевину мозга:

— Я так рада, что ты пришла, девочка. Я ждала тебя. — И опять касания — невольные, легкие — руками где-то на талии, сзади, чуть ниже; грудью по груди — наверное, случайное, по самому краешку; животом — тоже легкое, сразу ослабевшее; дыханием, прерываемым шуршащими фразами, может быть, даже губами... Иначе откуда взялось щекочущее осязаемое пятно, соскользнувшее со щеки на шею и растекающееся там тревожными мурашками? А еще запах, родной до умопомрачения, до обморока, притягивающий, растворяющий в себе, обезоруживающий, лишающий сил.

— Я так рада, что ты пришла. Так рада. Так...

— Откуда у вас этот телескоп? — все же сумела спросить Элизабет. Ей надо было сделать несколько шагов, там, оказывается был диван — небольшой, вишневого цвета, совсем недалеко, у противоположной стены. Сама бы она не дошла до него, и потому Джина, ведь, кажется, так звали эту женщину, помогала ей, поддерживая одной рукой за талию, а другой... Нет, Элизабет не могла уследить за обеими руками.

— Так это же Бена. Я что, не говорила тебе, Лизи? Лизи, Лизи, ты все забыла, Лизи.

Голос продолжал нашептывать ее имя, именно так ее называла мама давно-давно, в детстве, и точно таким же голосом, и точно такое же тепло исходило тогда от нее, и точно такой же запах, и руки были такие же заботливые и нежные, и их незачем было ни бояться, ни остерегаться. Таким рукам позволительно все, что они хотят.

— Он ведь у нас астроном, Бен. У него такое хобби, Лизи. Слышишь, девочка? На, выпей шампанского

В руку попало что-то легкое, полупрозрачное, потом в рот полилась жидкость, она была сладковатая, шипучая и почему-то слегка вязала рот. Элизабет пила ее и никак не могла напиться, только вокруг все становилось еще более расплывчато, словно комната погрузилась под воду и надо пробиваться через ее толщу, чтобы до чего-нибудь добраться.

— Он его повсюду таскает с собой, этот телескоп. Слышишь, Лизи? У тебя такая нежная кожа, особенно здесь...

— Зачем? — произнесла Элизабет вязкими губами. Или ей показалось, что произнесла?

— Он любит смотреть на звезды, — засмеялся голос. Этот смех тоже впитывался в Элизабет с детства, втирался в кожу, входил в доверие, становился неотделимым. — Он их считает. — Снова смех, но теперь чуть резче, погрубее. — Тебе так удобно? Откинься на спинку, расслабься, вот так. Дай, я еще налью. Только держи бокал покрепче. Держи-держи, а то упадет. — Снова смех, снова губы, совсем рядом.

— Зачем? — пробормотала Элизабет, хотя ей уже было почти безразлично.

— А он счетовод, — пошутил мамин голос и снова засмеялся. Хотя мама никогда так не шутила. Мама, неужели она здесь, неужели не умерла? Но она же умерла! Или... — А еще он подглядывает в чужие окна, — снова проговорил голос и снова оборвался коротким смешком. Окна тоже его хобби. — Ну, положи ножку мне на коленку, ах, как тут мягко и нежно и почти нетронуто, ты, Лизи, чувствуешь — мне так приятно тебя ласкать.

— Да, — зачем-то ответили губы, хотя она ничего не чувствовала. Почти ничего.

— Он и в твои окна подглядывал. Твой же дом там, напротив. Мы не знали, просто случайно увидели тебя там. Как тебе, Лизи, тебе не душно, девочка? Давай расстегну платье. Чтобы легче было дышать. Ты, главное, чувствуй меня, Лизи. — Потом долгая пауза. Такая долгая, что Элизабет чуть не потерялась в ней. — Ты выпей еще, тебе будет лучше, — вернулся голос к лицу. Элизабет подняла тяжелые веки, мамины глаза смотрели на нее с любовью, заботой, лаской. Значит, все в порядке, глаза снова можно закрывать. — Приподнимись немного, ты можешь? Я стащу с тебя трусики, Лизи. Так тебе будет удобнее и мне тоже. Вот так, ну, еще немного.

— И что вы там видели, в окне? — снова выговорили губы, несмотря на тяжеловесную несговорчивость, несмотря на то что не хотели ничего выговаривать.

— Да все, — снова легкий, щекочущий смешок. — Все, что ты делала, все мы и видели. Знаешь, нам очень понравилось. Не только мне, но и Бену тоже. Он скоро подойдет, совсем скоро. Ты не против? — Элизабет показалось, что она пожала плечами, какая ей разница. — Знаешь, мы так долго потом занимались любовью и представляли, что ты с нами. Раздвинь ножки пошире, я так давно хотела... — Голос удалился и долго не появлялся. Совершенно непонятно, куда он делся. Главное было — не потеряться, не раствориться в бессознательности, не исчезнуть.

— Ты такая там мокрая, я такого и не видела. Ты просто вся истекаешь. Ты сама чувствуешь? Какая ты мокрая?

— Ага, — кивнула Элизабет, хотя не чувствовала ничего, так, небольшое неудобство, не больше. А еще стало тяжело дышать, что-то сдавливало грудь и каждый раз требовалось усилие, чтобы не только вздохнуть, но и выдохнуть.

— Хочешь попробовать себя? — прошептал голос, который перестал быть только лишь голосом. Он перелился в суть, в субстанцию, в трепещущее, вплетающееся существо.

Элизабет не успела ответить — мягкое, податливое, влажное, очень живое уперлось в губы, она лишь приоткрыла рот, и настойчивая мягкость проползла внутрь вместе с запахом, вкусом — незнакомым, резким. Но даже внутри мягкость не останавливалась, она твердела, раздвигалась, округлялась, продолжая шептать туда, внутрь, в глубину:

— Это и есть ты, ты слышишь, чувствуешь?

Элизабет попыталась ответить, но ее губы шевелились впустую, ничего не вытекало из них, да и не могло.

Потом раздался другой запах — долгий, тягучий, вязкий, он покрывал тяжелым, толстым слоем, будто одеялом.

— На, затянись, — послышалось откуда-то то ли изнутри, то ли снаружи.

— Что-что? — хотела переспросить Элизабет, но не смогла, что-то лезло в рот, на сей раз жесткое, раздвигало губы.

— Вдохни в себя, — попросил голос.

— Зачем? — спросила Элизабет и вдохнула.

Сразу перехватило горло, потом еще глубже, и еще, а потом тут же широкой волной поднялось вверх и накрыло вместе с головой. Она закашлялась, попыталась поймать дыхание, вдохнула еще. Покрывало стало плотнее, но оно не давило, оно оказалось воздушным.

— Запей теперь, — снова в рот полилась жидкость. Элизабет чуть не захлебнулась, но все же отдышалась.

— Ты такая красивая, особенно сейчас, жаль, что ты не видишь себя, — прошептал голос. Почему-то он больше не смеялся, он стал прерывистым.

— Ты тоже, — прошептала Элизабет сквозь покрывало, оно окутывало все плотнее и плотнее.

— Так ты не против, чтобы пришел Бен? — зачем-то спросил прерывистый голос. Зачем? Он ведь же уже спрашивал. И она ответила.

— Бен, она не против. Иди сюда, — позвал в сторону голос. Теперь он казался резче и отрывистей. Но это уже не имело значения.

— Не против или хочет? — почти сразу откликнулся мужской голос, но вдалеке, на расстоянии. Элизабет хотела открыть глаза, посмотреть, кто он, этот самый Бен, но так и не открыла. Не было сил, да и какая разница, в конце концов.

— Так она хочет? — снова со смехом повторил мужчина, но уже ближе. А потом смех прервался.

— Фак, ну и вид у нее, — проговорил он подрагивающим голосом, который как будто сразу высох, оскудел, выпарил из себя смех. До дрожи выпарил. — Фак, как она заводит.

— А я? — зашелся женский голос, почему-то совершенно незнакомый, чужой, с обидой.

— Ну и ты тоже, — легко согласился мужчина. — Какой у нее животик, посмотри, так и хочется положить на него руку.

— Так положи, — сказала женщина.

Пауза.

— Фак, как дрожит под рукой, — мужской голос, смешавшись с хрипом, сломал паузу. — Повезло же этому старому козлу. Как все же красива невинность.

— Ну какая это невинность, мы с тобой видели.

— Да ладно, все же не ты со своими подругами.

— Тебе что-то не нравится?

— Ладно-ладно, мне все нравится. Ты тоже выглядишь классно. Я обожаю тебя, когда ты такая.

— А я тебя, когда ты такой, — женский голос снова приблизился.

— Задери ей повыше юбку, хочу полюбоваться, как там все. — Пауза. — Фак. Какой же все-таки, фак!

— Ты еще не знаешь, какая она мокрая.

— Да вижу, вот что значит юность.

— А какой вкус чудесный...

— Отодвинься, дай попробовать.

Почему-то здесь Элизабет наконец собралась и открыла глаза. Но она ничего не увидела, только две головы, склоненные над ней, припавшие к ней, почти вдавленные в нее. Одна ниже, где-то в ногах, она выпячивалась крупным, стриженым затылком, другая намного ближе, у шеи. И еще почему-то ее грудь была вытащена из платья наружу, во всяком случае, одна, другую Элизабет не видела, ее закрывала пышная женская прическа.

«Что они делают?» — подумала Элизабет. Она ничего не чувствовала, совсем ничего, только рассеянность в голове, будто ее содержимое выплеснулось за пределы черепной коробки и разлетелось в воздухе, рассеялось, перемешалось с ним. И от этого становилось одновременно легко, окрыленно, но и тягостно почему-то тоже. Конечно, люди, склоненные над ней, были ей совершенно незнакомы — чужие, ненужные люди, и непонятно, что они делают, — но разве это имело значение?

— Козел, вот повезло старому козлу, — вновь раздался мужской голос.

— Да уж, совсем не понятно, зачем он тебе. — Женское лицо, возникшее перед глазами, было все перемазано. «Наверное, косметика поползла», — успела догадаться Элизабет перед тем, как закрыть глаза. — Зачем тебе этот старый козел? — повторила женщина. — Знаешь, какие есть ребята, вот хоть Бен, например. А ты со стариком, да еще каким-то плюгавым.

— Мы с ним в теннис играли, — тихо, почти по слогам проговорила Элизабет. А потом добавила: — Он меня учил. Он хорошо играет.

Почему-то ее ответ вызвал волну смеха.

— Девочка, киска, мы тоже играем в теннис, — с трудом проговорила женщина. — Тоже очень неплохо. Одиночные, парные игры, да и вообще, разные. Вот у Бена, например, подача хорошая, — и она захохотала еще пуще.

— Почему только подача? А подрезка? — также сквозь смех проговорил мужчина. — Сейчас увидишь.

Но Элизабет ничего не видела. Перед глазами, на внутренних стенках закрытых век бегали какие-то разноцветные круги: яркие, они постоянно меняли цвет, просто как в калейдоскопе. Хотя нет, в калейдоскопе фигуры угловатые, с резкими, острыми гранями, а здесь они были округлыми, плавными и не рассыпались, а медленно переходили одна в другую, наплывая, подменяя.

— Дай ей еще затянуться. И запить дай, — снова прозвучал мужской голос, казалось, он все еще отряхивался от смеха. — Чтобы ей не больно было. У нее там все так узко.

— Да не будет ей больно, смотри, какая она мокрая. И не надо ей больше, чтоб чего не случилось, она уже и так не в себе.

— Все равно дай, — проговорил мужчина, и густое, едкое варево снова заполнило рот, легкие, а потом и все остальное тело, закручивая покрывало все туже и туже, забивая редкие щели ватой, не пропуская ничего внутрь, даже воздух, но и не выпуская наружу. Голоса за пределами тут же поплыли, размазались и стали плоскими, как широкий лист из тетрадки; они пытались просочиться через вату, пытались вползти, но пробивались лишь отдельные строчки.

— Сейчас... так... удобнее... бэби... постарайся, — пробивались отдельные бессмысленные отрывки, а вот женский голос пропал, хоть и бился где-то снаружи.

Потом снова раздался мужской:

— Сейчас, бэби... тебе понравится... как еще ни разу...

И тут же иным, совсем непохожим голосом — властным, скрипучим, почему-то невероятно знакомым, но откуда-то издалека, из самой глубины, может быть, из сердца? И потому, наверное, отчетливым, почти полностью различимым, так что даже захотелось открыть глаза. Но открыть глаза было уже невозможно.

— А ну, стоп... хорошо, что вовремя... до чего довели... без сознания... вам бы лишь сорвать... план... но не портить... зря я, что ли, столько... не для вашей забавы... важно, чтобы...

Голос продолжал, другие ему отвечали недовольно, все смешалось, наложилось, лишь один раз над ними все же взлетел, поднялся властный голос. Почему он так знаком, до боли, до умопомрачения?! Нет, сегодня разобраться невозможно. Еще минута-другая, и все погасло, даже разноцветные наплывы перед глазами последний раз сжали круги и рассыпались в пыль. Она недолго оседала, а потом осела окончательно на самом дне.

В комнате было сумрачно, лишь блики от качающегося на улице фонаря расползались по потолку теплыми желтоватыми пятнами. Где-то вдалеке играла музыка, кажется джаз, но неотчетливо, приглушенно. Рядом никого не было. Хотелось пить. И еще было неудобно, натерто — шея, спина — как будто все тело разобрано на части, они казались чужими, непослушными, жесткими, не подстроенными друг под друга. А еще они не слушались, не желали подчиняться голове — то ли сигналы до них не доходили, ослабевали по дороге, то ли они вообще разучились двигаться.

Даже шевельнуться было тяжело. Элизабет лишь осматривалась, покашливая, пытаясь расправить дыхание в занемевшей, набитой инородными кусками груди. Все же приподнять голову ей удалось.

Оказалось, что она лежит на диване: одна рука протянута вдоль тела, другая, почти касаясь пола, бессильно сброшена с вниз. Ноги тоже разбросаны в стороны — левая в носочке, белеющем даже в темноте, приподнята, голенью опираясь на диванный валик, правая на диван не поместилась и, широко отведенная, покоилась на полу. Почему-то она была обута в красивую мамину туфельку на высоком каблуке, и там, у щиколотки, что-то болталось — темное, неловкое, обрывчатое. Элизабет смотрела и долго не могла понять. Она попыталась приподнять ногу, та неожиданно послушалась и темнеющее пятно, изменив формы, поползло вверх, вдоль по ноге. Это же трусики, наконец поняла Элизабет и обессиленно опустила ногу на пол. Темная материя сразу же послушно сползла вниз.

— Почему с меня сняты трусики? — проговорила Элизабет вслух, но голос тоже не вышел, он казался чужым, хриплым, замороженным, как и грудь, из которой он исходил. — Что они делали со мной? — снова произнесла она и приподняла руку, ту, что протянулась вдоль тела, и провела у себя между ног: там было все как обычно, ничего непривычного она не почувствовала. Хотя что она могла почувствовать? И все же она поднесла ладонь к глазам, долго рассматривала в темноте, шевеля пальцами, если бы они были в крови, она бы увидела. Но она ничего не видела, пальцы как пальцы. — Уже хорошо, — проговорила она. — Может быть, ничего и не было. — Снова прислушалась к телу, оно начинало собираться по частям, все еще одеревеневших, жестких, но внизу ничего не болело, как часто болело после Влэда. «Может быть, и не было», — снова подумала Элизабет.

Потом она приподнималась — долго, с усилием таща голову вверх, — голова была тяжелая, шея с трудом удерживала ее, а тут еще вторую ногу надо спустить с дивана. Все-таки у нее получилось. Теперь она сидела, облокотясь на спинку, оказалось, что и платье расстегнуто, и груди выбились наружу. Странно, что она это заметила, только когда ей удалось сесть.

«Интересно, который сейчас час, — подумала Элизабет, — сколько я спала?» Она поднесла руку к глазам, пытаясь разглядеть стрелки на часах, но в сумраке что-либо разобрать было совершенно невозможно.

Она сидела, пытаясь отдышаться. Затем попыталась встать, сразу, рывком, но в голову плеснуло чем-то горячим, и Элизабет тут же осела, откинулась назад.

«Надо осторожнее, — сказала она себе. — Плавно и осторожно». Еще какое-то время она готовилась, выправляя дыхание, запасаясь им впрок. И наконец, опираясь руками на диван, поддерживая себя, она поднялась на ноги, чуть покачиваясь. О том, чтобы наклоняться и поднимать с пола трусики, не могло быть и речи, и потому она приподняла ногу, ту самую, в маминой туфельке, и нечеткий обруч тут же соскочил на пол. Она перешагнула через него. Хорошо, что другая туфля оказалась совсем недалеко, всего в шаге, и удалось, не упав, засунуть в нее ногу.

Платье ей тоже было не застегнуть, руки потеряли гибкость и не дотягивались до молнии на спине. Главное, справиться с грудью, засунуть ее внутрь платья.

Выход из комнаты она нашла легко, дверной проем темнел посередине противоположной от окна стены. А вот по коридору идти было трудно, ничего не было видно, все приходилось делать на ощупь — осторожными шагами отмерять каждый дюйм пола, руками придерживаться за скользкую, холодную, но хотя бы устойчивую стену. Звуки джазового свинга усилились, стали отчетливыми, ломкий женский голос, подернутый хрипотцой, покрывал южным, тягучим сопрано рваный, ломкий ритм.

Значит, в доме кто-то находился. Но где, в какой стороне, на каком этаже, да и сколько тут этажей? Впрочем, какая разница? Главное, выскользнуть из дома, главное — незаметно, не наткнувшись на них, на этих людей. Что они ей давали, ведь что-то они давали, что-то она пила. Они думают, что она все еще спит, они не знают, что она проснулась. А она проснулась, и теперь главное — никого не встретить, думала Элизабет и старалась ступать как можно тише, на носочки, приглушая шаг. Голова по-прежнему кружилась, все вокруг ехало, плыло даже в коридорном мраке; пару раз Элизабет оступилась, ноги подгибались, казалось, что лихорадка головы перекинулась и на них. Она бы наверняка потеряла сознание, если бы наткнулась сейчас на эту Джину или ее мужа... Как его зовут? Нет, никак не вспомнить.

Наконец Элизабет добралась до гостиной, гостиную она почему-то узнала, хотя та освещалась только тусклым, одиночным, слишком желтым светом торшера. Там тоже никого не было, и слава Богу. Музыка теперь звучала совсем громко, она проникала откуда-то сверху — значит, со второго этажа.

Дверь вздрогнула, заупрямилась на мгновение, но все же отворилась. Прохладный ночной воздух всколыхнул, обострил чувства, хоть как-то привел их в порядок. Элизабет сразу стало лучше, не то что бы хорошо, но лучше. Во всяком случае, исчезли дрожь и неуверенность в ногах, хотя тротуар, деревья на обочинах, фонари, рассеивающие тусклый, желтый свет, — все было шатко, нетвердо.

Казалось, все пространство нарезано пластами — широкими, плоскими, будто простыни, наваленные стопкой одна на другую. И теперь, расстилаемые плавными взмахами, простыни колыхались, каждая отдельно, по-своему, в своем собственном волнообразном движении. От их хаотичного волнения тут же закружилась голова, и к горлу неожиданным сильным рывком вдруг поступила тошнота.

Элизабет открыла рот широко, как рыба, попыталась заглотнуть в себя побольше прохладного, резкого воздуха. Но воздух не облегчил, и неловкий, шероховатым ком, стоящий в горле, разом не удержался и крупной горячей волной рванулся вверх. Элизабет только и успела, что перегнуться, упереться рукой в стоящее рядом дерево; спазмы сдавливали живот, поднимались наверх, вырывались из беспомощно растворенного рта пугающей густой струей.

«Я шланг, — почему-то подумала Элизабет. — Из меня хлещет, как из шланга, с таким же напором». Она даже усмехнулась про себя. Вот еще одно применение рта — быть шлангом. Спазмы не отпускали, густота продолжала скользить наружу. «Надо же, — вновь подумала Элизабет, — я не просто шланг, я шланг под давлением».

Потом, когда густота исчерпалась, изо рта полезла слизь, наверное, с самого дна, вперемешку со слюнями. Элизабет пыталась отплеваться, освободиться от липкой тянущейся струйки, но на смену одной, порванной, проступала новая, не только изо рта, но и из носа, из глаз, — казалась, вся жидкость, которая накопилась в теле, выходит наружу. «Во всяком случае, в верхней его части», — подумала Элизабет и усмехнулась снова.

Она представила себя со стороны — согнувшаяся пополам девочка в легком нарядном, наверняка перепачканном платье, в туфлях на каблуках, одной рукой опершись о дерево, другой поддерживая себя за живот, наводняет улицу не до конца переваренными внутренними соками. Тихую, ночную, чистенькую, ничем не потревоженную улицу, срисованную, казалось, с детской книжки. Просто идеальную улицу. Да и девочка не плохая. И надо же, заблевала все, что только можно.

Стало смешно. Наконец излияние приутихло, во всяком случае изо рта, хотя глаза еще слезоточили, да и нос хлюпал вовсю. Но кого волнуют глаза и нос? Главное, что можно выпрямиться, попытаться отдышаться.

— Надо же, — проговорила Элизабет хриплым, полным мокрых, крупитчатых добавок голосом — она сама ему удивилась. А потом снова: — Надо же. Что же они в меня вливали? Хорошо, что насмерть не отравили.

Как ни странно, ей стало лучше, для проверки она вобрала в себя побольше воздуха, вытерла рукой губы, — руке сразу стало липко и холодно, но больше вытирать было нечем. Голова тоже немного прояснилась, будто пьяная, хмельная жижа вылилась именно из нее, освобождая. Элизабет решилась и оставила устойчивую надежность дерева, сделала несколько шагов, стараясь не наступить в лужу с рваными, разбрызганными краями. Оказалось, что и ноги теперь держали надежнее.

«Что же они там делали со мной?» — подумала Элизабет, пытаясь вписать себя в расстилающуюся вокруг нее ночь. Теперь ночь стала единым целым, она не распадалась на плоские куски, как еще недавно, а если и колыхалась, то только тихим, теплым, поднимающимся вверх воздухом.

«Они могли сделать со мной все что угодно. Я же была совершенно не в себе, даже не помню ничего. Наверное, и сделали, иначе почему на мне не было трусиков?»

Как ни странно, догадка совсем не испугала ее. Ведь она была совершенно невменяема. И даже если что-то и произошло, то все равно без ее согласия. А значит, она не участвовала. Она не была в ответе за случившееся, каким бы оно ни было.

«Главное, не забеременеть, — снова подумала Элизабет, — ну, если этот кобель залез в меня своим отростком».

Но мысль о беременности была слабой, не конкретной, почти невероятной и никак не встревожила. Наверное, сознание было по-прежнему притуплено, как и чувство опасности, как и инстинкт самосохранения. Самое главное было добраться до дома. Вот что было главное.

Уже недалеко от ее дома спазмы снова подкатили к горлу, так что пришлось остановиться, снова упереться руками, на сей раз в фонарный столб; он светил слишком ярко и прямо под собой, но выбрать другую опору Элизабет уже не успевала. Она успела только перегнуться и приготовиться к извержению, приготовиться вновь стать шлангом. Но на сей раз шлангом ей стать не пришлось. Спазмы, хоть и пытались поднять остатки из желудка, но тот, видимо, опустел, и они только взрыхляли раздраженное дно. Так, простояв минуты три в бесполезном ожидании, Элизабет оторвалась от столба. До дома было совсем близко, и уже через несколько минут она дергала ручку тугой двери.

Она так и знала — Влэд стоял перед ней в коридоре: красные впалые щеки, истончившиеся в ниточку губы, жалкие, бегающие, полные тоски глаза. Теряя по дороге туфли — сначала одну, потом, через шаг, другую, — немного покачиваясь, пытаясь поймать ускользающее равновесие, Элизабет прошла мимо него не замечая, будто его и не было. И только когда она уже была в гостиной, когда подходила к лестнице, он, похоже, опомнился, догнал ее, попытался схватить за руку.

— Где ты была? Что с тобой? Что случилось? — кричал он, но голос тек мимо и растекался, и накал его не достигал слуха Элизабет.

Она сделала еще несколько шагов не отвечая, вообще не реагируя. И только когда он крикнул: «Ты слышишь? Отвечай, когда я с тобой разговариваю» — и дернул ее за руку, пытаясь остановить, она резко отмахнулась, освобождаясь от него.

— Да пошел ты, — только и ответила она и оставила его, ошарашенного, позади.

В спальне она включила свет, посмотрела на часы, — оказалось, было совсем не поздно, около одиннадцати, — потом вспомнила про телескоп, направленный на ее окно, и выключила свет. А затем рухнула на кровать, не раздеваясь, не умываясь, пропитанная едким запахом собственных отравленных внутренностей, которого она, впрочем, не слышала. И тут же провалилась в тяжелый, мертвый сон.

Когда она проснулась, было светло, в окно светило солнце. В принципе, она чувствовала себя вполне сносно, только почему-то ломило ноги, как если бы она пробежала десять миль. А еще ощущение собственной разящей неопрятности — оно досаждало сильнее всего. Именно оно заставило Элизабет подняться и тут же скинуть с себя всю одежду — хотя и одежды-то особенно не было, платье, и то было расстегнуто. Она прыгала на одной ножке голая, стаскивая с ноги носок, и думала, что эти, наверное, сейчас смотрят на нее в телескоп.

Ну и ладно, ей было совершенно безразлично. Все, что они хотели разглядеть, они уже наверняка разглядели.

Потом она наливала ванну, потом бессильно лежала в ней — долго, чувствуя, как очищается каждая частичка ее тела. В ванне она снова уснула и проснулась, потому что голове стало жестко и неудобно на керамическом бортике, да и вода остыла. Она старательно промыла волосы, долго оттирала тело намыленной губкой, чистила зубы и наконец привела себя в порядок.

Ей совсем не хотелось думать о том, что произошло вчера, — во-первых, она не знала, что именно произошло, а потом, какая разница, если что и произошло, то уже произошло. Понятно только одно — ни с этой роскошной Джиной, ни с ее жеребцом-муженьком иметь дело не следует. Ни к чему. Все-таки они извращенцы какие-то, кто знает, что им взбредет в голову в следующий раз.

Она причесалась, оделась — майка, шорты, ей хотелось быть неторопливой домашней, расслабленной — и спустилась на кухню. Аппетит полностью отсутствовал, видимо, был отбит вчерашней дурью, но кофе она бы выпила с удовольствием.

Она заварила кофе, налила в чашку, села за стол, и тут же на пороге появился Влэд. Бог ты мой, опять он, она-то про него совершенно забыла. Ну конечно, сейчас начнет нудить, канючить, а главное, противно было натыкаться на его молящий, страдающий взгляд. «Да хватит страдать, кретин, я никогда не собиралась проводить с тобой всю свою жизнь. Мир не кончается на тебе, он большой, в нем много всего, и похоже, больше всего — мужчин».

Ну и конечно, он стал канючить. Сначала он, правда, сел за стол перед ней и молчал минуты три, наверное, порицал ее своим молчанием. Но Элизабет пила кофе и делала вид, что ее ничего не волнует. Хотя почему делала вид? — ее на самом деле ничего не волновало. И он, конечно, не выдержал первым.

— Я не спрашиваю, где ты была вчера, — сказал он, глядя прямо перед собой, не поднимая глаз. Видимо, он готовился к разговору все утро, а может быть, и всю ночь и теперь шпарил по-заготовленному. — Ты уже взрослая, и я не твой отец. Я не имею права... — Он замолчал и тяжело вздохнул. О чем он жалел? О том, что он «не отец» или о том, что «не имеет права»? Вряд ли о том, что «не отец». Отцом ему пришлось бы тяжело, отцом он не мог бы пользоваться тем, чем пользуется сейчас. — Я тебя заклинаю, я тебя прошу только об одном... — тут он оторвал глаза от скатерти, которую внимательно разглядывал, и страдание, хлынувшее из его глаз, сразу заполнило кухню. — Будь осторожна. Будь благоразумна. Ты ведь не знаешь, кто эти люди, откуда они, что им здесь надо.

— Какие люди? — Элизабет стало интересно, кого он имеет в виду. — Ты о ком? Ты что, следишь за мной? — спросила она с угрозой.

Но он не ответил.

— Я не об этом, — Влэд снова опустил глаза на скатерть. — Я только хочу сказать, что это опасно. Понимаешь, опасно. Твоя мать была убита совсем недавно. Неизвестно за что, неизвестно кем. Мы ничего не знаем, понимаешь? А тут эти незнакомые люди... Что им надо от нас?

— Думаю, от тебя им ничего не надо, — она и не пыталась скрыть насмешки.

Он снова поднял глаза и стал терзать ее разнесчастным взором. Пришлось уставиться в окно. Да хоть куда, лишь бы не натыкаться на его жалкую физиономию. Как он все же надоел ей! Почему, если ее мать с ним спала, то и она теперь должна с ним спать? Почему она должна жить в этом старом, опостылевшем доме, с этим старым, скучным человеком? Как ей все надоело!

— Ну да, я им не нужен, — согласился Влэд. — Но зачем им ты? Не забывай, твоя мать погибла при странных обстоятельствах, и тебе следует быть осторожной. Особенно тебе...

— В полиции считают, что это ты ее убил. Они просто доказать не могут, — пожала плечами Элизабет.

Она специально так сказала, чтобы посмотреть, как он вздрогнет всем телом. Он и вздрогнул. Снова поднял на нее глаза. «О Господи, ну сколько можно! Какой же он все-таки жалкий, ничтожный. Как и всё кругом. Как же хочется отсюда выбраться, из этой беспредельной ничтожности».

— Ты же знаешь, что это чушь! — Он вскочил, щеки его загорели, губы снова почти исчезли с лица, превратившись в узкие, едва различимые ниточки. — Как ты можешь так говорить? Я любил твою мать, я...

— Ну да, — закивала головой Элизабет. Почему-то ей стало смешно. — Конечно, любил, как любишь теперь меня... Старый кобель. Ты пользовался ею, а потом решил попользоваться мной. Разве не так? Если бы в полиции узнали, что ты со мной делаешь, они бы тебя из каталажки не выпустили... — Она хотела продолжить, но не смогла, — он уже кричал, не сдерживаясь, не слыша ее возражений, не понимая ее насмешек:

— Замолчи! Ты же знаешь, что это не так! Как ты можешь так говорить?! Почему ты такая жестокая?! Ведь все совсем не так... Ведь я без ума... — он не договорил, она прервала его:

— Вот это точно. — Он раздражал ее, как, наверное, никто никогда не раздражал. А еще ей надоели эти препирательства. Она встала. — Да ладно, шучу я. Шучу, понял? Конечно, ты любил мать. А теперь любишь меня как ее продолжение. Мы для тебя единое целое, и твоя любовь перешла с нее на меня. Правильно?

Он глядел на нее и не понимал, серьезно она говорит или смеется над ним. Так и не поняв, на всякий случай закивал, соглашаясь:

— Ну конечно, конечно, правильно.

— Конечно, — устало проговорила Элизабет и поднялась. — Ладно тебе, не дуйся, это я шучу, просто так. — И она вышла из кухни. — Я пойду, полежу на лужайке, почитаю! — крикнула она из коридора и, даже не надевая тапочек, только прихватив какой-то случайный журнал, выскочила на улицу.

Там было значительно лучше, чем дома. Она села под деревом в теньке и стала листать журнал — с каждой страницы на нее смотрели красивые, ухоженные, счастливые женщины, не имеющие ничего общего ни с ее матерью, ни с ней самой.

«Если я останусь здесь, в этом вонючем захолустном городке, я тоже скоро стану, как мама, — подумала Элизабет. — Нет уж, лучше любой риск, любые опасности. Пусть придется трахаться с тем, кого не любишь, главное, чтобы появился шанс. Чтобы быть как эти шикарные девушки из журнала, они ведь не родились такими, они, наверное, тоже выросли в вонючих городках типа нашего, но они пробились, нашли дорогу. И я пробьюсь. А трахаться... Так я и так трахаюсь с тем, кого не люблю. — Она задумалась на секунду: правда ли это? И согласилась сама с собой: — Совсем не люблю».

Потом она подумала: а смогла бы она трахнуться, например, с этим Беном? Он не нравился ей — не ее тип. Слишком жеребячий, слишком тупой. Но если бы потребовалось... Она пожала плечами: «Джине вот нравится. Джина, кстати, похожа на этих женщин из журнала. И если бы я...»

Но тут ее окликнули.

— Эй, Лизи, привет. Ты как? — Голос был настолько знакомый, что Элизабет вздрогнула. На улице напротив дома стоял красный «Бьюик», верх был открыт, за рулем — Бен. Джина сидела рядом, она улыбалась и махала рукой.

Элизабет не спеша поднялась, пошла к машине. Конечно, после вчерашнего, после того как они ее опоили и вообще неизвестно что сделали, можно было и не идти. Но с другой стороны, ведь неизвестно, сделали они что-то или нет, может быть и нет. К тому же, ничего страшного с ней не произошло, она жива и похоже здорова. В любом случае лучше с ними, чем с этим занудой, который наверняка сейчас втихаря подглядывает за ней в окно.

— Что со мной произошло вчера? — спросила она, подходя. Голос ее должен был звучать лениво, безразлично; и походка — вялая, безразличная, и взгляд.

В ответ они почему-то захохотали, особенно радостно ржал бугай Бен. Они смеялись и переглядывались.

— Тебе стало плохо от шампанского, — наконец проговорила Джина, улыбаясь и заглядывая ей в глаза теплым, мягким взглядом.

— Ты упилась шампанским. Ты вырубилась, — повторил за ней Бен и снова заржал. — А еще от травы... Ты чего, первый раз траву курила?

— Какую траву? — не поняла Элизабет, она не помнила никакой травы. Ее вопрос вызвал новый взрыв смеха.

— Какую траву... — повторил за ней Бен, смахивая счастливые слезы. — Ты слышала: «какую траву»?.. Она ничего не помнит.

Наконец хохот стал стихать, они отдышались.

— Ты что, на самом деле ничего не помнишь? — спросила Джина и вышла из машины. Теперь она стояла совсем рядом и снова окутывала Элизабет родным, дурманящим запахом. — Бедненькая девочка. — Она взяла ее за запястье, пожала. Ее рука была мягкой, теплой, очень заботливой. — Лизи, почему же ты нас не предупредила, что никогда не курила раньше? — В ее голосе звучал капризный упрек. — И зачем тогда выкурила целый джойнт? Я ведь останавливала тебя.

Только теперь что-то начало проступать в памяти, но неотчетливо, лишь смутными контурами — густой, едкий, дымный вкус во рту. Она действительно, кажется, курила траву. Так вот почему ей стало плохо! Ничего они ей не подмешивали, это просто от травы, с непривычки.

— А почему у меня платье было расстегнуто? — спросила она уже неуверенно, уже с проступающим чувством вины — ведь выходит, она зря их подозревала. Выходит, она сама виновата: обкурилась и отключилась.

— Так ты сама меня попросила, — сморщила лобик Джина. — Тебе стало душно, ты и попросила. — Джина снова пожала ее запястье и снова повторила с чувством: — Бедная девочка, если бы я знала, что ты в первый раз, я бы никогда тебе не позволила. Ну может быть, затяжку-другую, не больше.

«А трусики?» — хотела спросить Элизабет, но не спросила. И оказалось, что правильно сделала.

— А вот почему после тебя на полу трусики остались, этого мы не знаем, — снова заржал с водительского сиденья Бен. Он держался за руль одной рукой, смотрел ей прямо в глаза и хохотал. — Заботливо, значит, заходим вечером проверить, как там девочка, не нужна ли помощь пострадавшей. А что видим? Видим, что девочки нет, а вместо нее на полу одни лишь трусики. Такое вот превращение... Зачем ты их сняла, как, для чего? Сплошная загадка, — выговаривал он сквозь смех. — Может быть, они тебе мешали? Может быть, ты решила порукоприкладствовать под кайфом? — Тут он сбился, он просто задохнулся хохотом.

— Не обращай на него внимания, — Джина воспользовалась паузой, — он, как всегда, дурачится. — И она улыбнулась, и слегка пожала плечами, мол, что с него возьмешь.

— Но я их теперь тебе не отдам, — совладал с голосом Бен. — Они теперь моя добыча.

— У него целая коллекция, он их собирает, — снова пожала плечами Джина и повторила: — Не обращай внимания. Он хороший, забавный, его просто надо воспринимать таким, какой он есть.

Элизабет кивнула и тоже пожала плечами, видимо, соглашаясь принимать забавного Бена таким, какой он есть.

— Ну так что, ты готова? Поехали? — спросила Джина. Каждое ее слово, каждый взгляд, каждое движение были пропитаны заботой, нежностью — на них нельзя было не откликнуться.

— Куда? — не поняла Элизабет.

— Она и этого не помнит, — снова захохотал Бен.

— На корты, — пояснила с улыбкой Джина. — Мы же вчера договорились в теннис пойти поиграть. Ты сказала, что ты в теннис играешь.

— А мы, кстати, большие любители, — добавил Бен и зашелся новым приступом хохота, словно сказал что-то неимоверно смешное.

— Конечно, — согласилась Элизабет: ей не хотелось признаваться, что она даже этого не помнит. — Я почти готова, только пойду ракетку возьму и надену что-нибудь на ноги.

— Да не надо тебе ничего, — проговорил Бен, почему-то резко оборвав смех, так что получилось немного искусственно. — У нас куча ракеток.

— Да-да, — закивала Джина. — А спортивные туфли я тебе дам, у меня несколько пар в багажнике, размер у нас, кажется, совпадает. И носки.

— Давай, садись, чего время тянуть, — повторил Бен, а Джина снова взяла Элизабет за руку и пожала мягко, ненавязчиво, и так же мягко чуть-чуть потянула в сторону «Бьюика». Элизабет легко поддалась — да и почему было не поддаться, ведь оказалось, что ничего плохого вчера не произошло, а значит, никакого зла ни Джина, ни Бен ей не причинили. И не желали. Наоборот, они были ласковы, заботливы и предлагали свою дружбу ей, почти девчонке, которой еще расти до них и расти. И она села в машину.

Бен умел водить эту быструю тачку. Они летели по дороге; напряженный ветер, огибая ветровое стекло, залетал внутрь, трепал волосы, раздувал, пузырил майку, ощупывал каждую деталь лица, но, так и не сумев зацепиться ни за что, отрывался, оставался позади, освобождая место для следующего встречного воздушного порыва.

Джина заколола волосы, надела широкие темные очки, порылась в бардачке, достала еще одни, протянула Элизабет. Та прикрыла ими глаза, представила себя со стороны: молодую, стройную, модную, в шикарном кабриолете, с шикарными, богатыми, красивыми друзьями, — и вдруг почувствовала себя счастливой. По-настоящему счастливой, как давно не чувствовала, может быть, даже никогда, — наконец она оторвалась от ничтожной, жалкой жизни, наконец оставила ее позади.

Иногда Джина впереди чуть склонялась к Бену и говорила ему что-то вполголоса. Элизабет слышала звуки, ветер легко доносил их до нее, но только бессвязными обрывками, и составить из них связный текст она не могла. Видно было, что Джина недовольна мужем, она, похоже, повторяла одно и то же, даже дернула Бена за рукав, тот обернулся — лицо его неожиданно оказалось серьезным, ничего смешливого, бесшабашного, наивно-глупого в нем не осталось, наоборот, сжатые губы, упрямо наморщенный лоб, сосредоточенный жесткий взгляд.

«Нет», — долетело до Элизабет злое, короткое слово. А потом еще одно: «Хватит».

Понятно было, что между молодыми супругами происходит обычная бытовая ссора, потому что Джина снова дернула его за рукав и, еще ближе наклоняясь к его уху, начала быстро и горячо говорить. Элизабет даже подалась вперед, ей очень хотелось услышать, о чем они там спорят так эмоционально. Но ветер сносил Джинин голос в сторону, оставляя Элизабет лишь отдельные несвязные слова. Сначала донеслось слово «запретил», Элизабет не была уверена, правильно ли она расслышала, но вскоре слово прозвучало снова, а потом еще раз.

«Он запретил», — повторяла горячо Джина, видимо, в их споре это был самый главный аргумент. Но Бен, похоже, не слушал ее, он вжал голову в плечи, в его коротко стриженном затылке засело твердокаменное упрямство.

Убедившись, что ей не понять причину их препирательств, Элизабет откинулась назад и стала наслаждаться дорогой. Они летели вдоль хайвэя: мимо мелькали деревья, целые рощи; переехали маленькую речку, в стороне блеснуло озеро — они раньше ездили к нему с мамой загорать, и купаться. Один раз даже втроем поехали, с Влэдом. Какое все же было хорошее время, когда они были вместе, когда мама была жива и все было хорошо и спокойно. Настолько спокойно, что они могли ездить на озеро.

И тут Элизабет встрепенулась — ведь озеро находилось в пятнадцати милях от их дома, значительно дальше кортов, да и вообще совершенно в другой стороне.

Беспокойство охватило ее, она заерзала на сиденье, потом не сдержалась, подалась вперед, протянула руку, похлопала Джину по плечу. Та обернулась, и пока улыбка растягивала ее все еще по инерции шевелившиеся губы, Элизабет снова различила вылетевшие и тут же унесенные ветром слова. «Смотри, тебе попадет», — кажется, произнесла Джина, и сразу улыбка растворила их, Джина потянулась к очкам, сняла их, взглянула на Элизабет своими мягкими, заботливыми, глубокими глазами.

— Почему мы едем по хайвэю? — громко проговорила Элизабет. И тут же добавила: — Корты совсем в другой стороне.

— Что? — закричала в ответ Джина и сделала движение руками, мол, не слышит, не понимает слов.

Элизабет еще ближе наклонилась к ней.

— Почему мы едем не к кортам, а в противоположную сторону? — закричала теперь уже она.

— Куда? — Джина даже округлила глаза, почему-то из них сразу исчезла мягкость, а взамен появилось нечто другое. Но что? Может быть, пустота? Или нет, не просто пустота, а пустая расчетливость?

— Куда мы едем? — снова прокричала Элизабет в ухо старшей подруге. — Корты совсем не здесь.

Джина кивнула, значит, на сей раз услышала, подняла указательный палец, мол, подожди секунду, сейчас узнаю, и снова наклонилась к Бену, снова заговорила, снова горячо, даже со злостью.

«Я из-за тебя не хочу попасть...» — донеслось до Элизабет, а потом звуки снова смешались с упругим, напирающим воздухом.

Через минуту Джина обернулась, улыбнулась, выгнулась назад, как можно ближе к Элизабет, и прокричала:

— Он, конечно, славный, но такой дурачок, мой муж. Просто как ребенок. Это он хвастается перед тобой своей машиной. Очень горд, что в ней двести лошадиных сил, как будто все эти силы в нем самом. Как будто он сам табун. — Тут Джина отстранилась и засмеялась своей шутке, предлагая Элизабет вместе посмеяться над всеми этими ребячливыми мужчинами. — Он просто хочет покатать нас немного. А я ему говорю, что пора возвращаться, что у нас не так много времени для тенниса, у нас ведь с ним планы на вечер. А он уперся, как ослик. Хей, Бен! — закричала она теперь мужу, но так, чтобы было слышно и на заднем сиденье. — Элизабет тоже не хочет больше кататься, слышишь? Мы хотим играть в теннис.

Бен повернулся, окинул Джину сухим, резким взглядом, тут же перехватив взгляд Элизабет, улыбнулся, сверкнул сразу же ставшими веселыми, беспечными глазами, улыбнулся широко, закивал головой. Крикнул назад, через плечо:

— Ну как хотите, девчонки. Я хотел покатать вас, хотел как лучше. Но раз вы такие заядлые теннисистки... — Потом пауза, а потом снова: — До следующего съезда, там развернемся и поедем обратно, к кортам. У нас еще будет пара часов, чтобы мячиком перекинуться.

Теперь Элизабет постаралась не отвлекаться, постаралась быть внимательной, она даже не слушала Джину, которая полностью развернулась к ней и что-то беспрерывно щебетала. Что-то про Бена, какой он бестолковый все же, совсем как мальчишка, как ей с ним бывает тяжело. Хотя вообще-то он хороший, добрый, а главное, она любит его. Но Элизабет не слушала, она следила за дорогой.

Наконец показался съезд, Бен свернул на него, сделал петлю над хайвэем — там был небольшой мост, и снова повернул на хайвэй, но уже в обратную сторону. Через десять миль он снова съехал с него, и теперь все было правильно, теперь дорога действительно вела к кортам.

В компактном багажнике «Бьюика» оказалось несколько ракеток — мужские, женские, даже подростковые — одна из них отлично подошла Элизабет. Потом она примеряла теннисные тапочки, у Джины их оказалось с полдюжины пар, почти новые, все дорогие, красивые. Джина и Элизабет заняли одну половину корта, Бен не спеша направился к другой, подбрасывая на ходу мячик в воздух и тут же ловя его на ракетку, да так ловко, что тот, словно приклеенный, цеплялся за струны, даже не пытаясь спрыгнуть с них.

— Он отлично играет, — проговорила Джина, кивая на Бена. — Соображает он порой не особенно, — она выдержала паузу, — но что касается спорта и вообще физических нагрузок, здесь он мастер.

— Ну что, девочки, разомнемся немного! — крикнул Бен со своей половины и несильно послал мяч на их сторону.

Но долго разминаться Бену не пришлось. Едва мяч успел оттолкнуться от земли своей упругой выпуклой попкой, как Элизабет, подстроив мелкими, быстрыми шажками свое тело под удар, резко взмахнула рукой. У нее был короткий, хлесткий свинг с форхенда, почти плоский, с небольшой подкруткой, и мяч как ошалелый взвился в воздух, перелетел низко над сеткой, едва не задев ее и со свистом прорезав разделяющие футы, вмял свое тельце в корт прямо у ног совершенно не готового к нему Бена. Тот отскочил в сторону, неловко, суетливо взмахнул ракеткой — впрочем, слишком поздно.

— Ух ты, а ты, оказываешься, играешь, — сделал он комплимент Элизабет и покачал изумленно головой. — Надо с тобой посерьезнее.

Он снова подал, теперь на Джину, та подскочила к мячу, отбила, но по ее движениям, по тому, как работали ее ноги, как готовилось к удару тело, было видно, что она играет в пляжно-дачный теннис, а никак не в спортивный. Хотя на пляжном уровне она играла вполне сносно.

Мяч снова полетел к Элизабет, на сей раз он был пущен намного сильнее, со спином, на бэкхенд. Но Элизабет легко била такие мячи, бэкхенд вообще был ее самым поставленным ударом. Когда еще они тренировались, Влэд тратил много времени именно на отработку бэкхенда. Она вернула мяч по линии именно туда, где Бен ожидал его менее всего, и хотя он успел дотянуться, удар получился слабым — мяч еще только перелетал через сетку, а Элизабет уже подскочила к нему и, резко закинув ракетку за голову, смертельным смэшем пригвоздила его к жесткому корту. Бен даже и не пытался его достать.

— Ого, — подбежала к ней счастливая Джина, — так ты, милочка, профи. Ты талант, я вообще такого никогда не видела.

А вот Бен, похоже, не был счастлив. Похоже, его мужское самолюбие было здорово задето, и теперь он играл серьезно, как мог. Он позабыл про жену, мячи летели только на Элизабет, с губ его слетела широкая, глуповатая улыбка, они сжались, взгляд тоже потерял добродушие, как недавно в машине, — его сменили сосредоточенность и целеустремленность.

Он действительно неплохо играл, этот Бен, закручивая мяч в разные стороны, был резок и агрессивен, да и двигался неплохо. Разве что слишком размашист и плохо читал игру, слишком долго подходил к мячу широкими, недостаточно выверенными шагами. К тому же через какие-нибудь полчаса он устал, майка повисла на нем тяжелой промокшей тряпкой, хотя на улице было не жарко. А все оттого, что слишком много усилий он вкладывал в каждый удар, хотел убить каждый мяч. Под конец Элизабет вообще выигрывала все подачи, не оставляя сопернику даже шанса. «Надо же, — удивилась она, — на вид такой сильный, а так быстро сдох. Впрочем, так, наверное, случается со всеми накачанными, большими мужчинами».

— Все, — остановился Бен и поднял руки вверх. — Сдаюсь, ты победила, пойдем отдохнем.

На скамейке он достал из кулера несколько бутылок с водой, открыл, протянул Элизабет, Джине, запрокинул голову, вылил в себя сразу половину. Видно было, что ему не хватает дыхания.

— Слушай, ты обалденно играешь, — наконец взглянул он на Элизабет. — Не просто хорошо, а отлично. Ты могла бы играть профессионально.

— Да-да, — согласилась с ним Джина, — мы часто ходим на теннисные соревнования, и если Бен говорит, значит, у тебя бы получилось, он разбирается.

— В любом случае тебе надо серьезно заняться теннисом. Там кучу денег платят, да и вообще...

— Да нет, — махнула рукой Элизабет, не в силах все же сдержать счастливую улыбку. — Я не хочу становиться теннисисткой. Я хочу быть актрисой. Я ведь играю в театре, — в школьном, правда, но все говорят, что я там лучшая. Говорят, у меня способности.

— Ну, это наверняка, — согласилась Джина. — Ты вообще талантливая, неординарная девочка.

— Да ладно тебе, Джина, — снова махнула рукой Элизабет и снова улыбнулась.

— Почему ладно? — не согласилась Джина. — Во-первых, ты красивая, а это уже талант. Не забывай, ты еще девочка, подросток, и можно только представить, какой красоткой ты станешь лет через пять.

— Это точно, — согласился с женой Бен. — У тебя классная фигура. И лицо тоже, особенно глаза. — Казалось, он полностью пришел в себя после игры, на его губах снова поселилась улыбка — не такая широкая, зубастая, как прежде, но все равно довольная, добродушная.

— А главное, ты чувственная, — продолжала Джина. — Ты наполнена чувственностью, ее в тебе столько, что она не помещается внутри тебя и проступает наружу. — Она замолчала, подумала. — Но одновременно ты еще и холодная. В глазах холод, в губах, в том, как ты их поджимаешь. А сочетание чувственности и холодности привлекает внимание. — Она снова подумала. — Оно не может оставить равнодушным. Теннис или кино, так или иначе, у тебя блестящее будущее.

— Это точно, — снова поддакнул Бен и полез в кулер за еще одной бутылкой. — Как же я все-таки взмок, — пробормотал он себе под нос.

— Слушай, Бен, а может, ее показать Киту? Думаю, он оценит.

— Кому-кому? — не поняла Элизабет.

— Ну конечно, надо показать, — кивнул Бен. — Наверняка Кит оценит.

— Кому? Кто такой Кит? — еще раз спросила Элизабет.

— Да это человек один, мы его так зовем: Кит. Он большой человек, от него много чего зависит в шоу-бизнесе. Он продюсер Бена, и вообще, если ему кто понравится, он того человека начинает двигать вверх до упора.

— Он в того человека начинает двигать до упора, — засмеялся Бен, но Джина перебила его с заметным раздражением:

— Ну зачем ты опять говоришь глупости? Уж кто-кто, а ты должен быть ему благодарен, Джастин сделал тебе карьеру. Это так Кита зовут, — объяснила она Элизабет. — Да и вообще он замечательный человек, добрый, мягкий, а то, что он любит мальчиков... — Джина развела руками... — так это бывает, особенно в шоу-бизнесе. — Но для нас с тобой, Лизи, это даже хорошо, нас он не домогается, для нас он скорее подружка. — Она засмеялась.

— Точно, — закивал Бен, — надо ее отвезти к Киту. Она ему понравится, он ее наверняка начнет двигать.

Они помолчали.

— А где он, этот ваш продюсер? — первой прервала паузу Элизабет.

— В Коннектикуте, — проговорила Джина. — Не так далеко отсюда, миль сто — сто пятьдесят, не больше.

— Да и вообще, тебе надо валить отсюда, из этой деревни. — Бен сделал еще один глоток из бутылки, и жидкости в ней резко поубавилось. — Чего здесь делать, в этой дыре? Подросла здесь, и хватит. Тут главное — отвалить вовремя, а то и завянуть недолго. Тебе пора в большой город, где люди, где ты сможешь показать себя, где тебя есть кому оценить. Ты вон у Джинки спроси, как с ней было, она тебе расскажет.

Элизабет вопросительно посмотрела на Джину. Та охотно откликнулась:

— Я вообще-то из Оклахомы, из маленького городка типа этого, только победнее. — Джина замялась на секунду, и вдруг ее голос смягчился, звуки растянулись, округляя гласные, выпячивая характерный южный акцент, — она действительно сразу стала похожа на простую девушку из далекого оклахомского городка. Преображение было настолько легким, естественным, что Элизабет стало смешно. — Вообще-то я никому об этом не рассказываю, чтобы не испортить имидж, понимаешь, — только тебе. Еще каких-нибудь семь лет назад я была, как ты, не знала про себя ничего — ни кто я такая, ни что мне делать. Я и представить не могла, что все так сложится, что я стану такой, как сейчас. — Джина вернула голосу северный, привычный говор. — Ты скажешь, везение? Но я не соглашусь. Везение награждает только тех, кто его достоин. Везение, как говорит Кит, это тяжелая работа. Если бы я не уехала тогда из своего оклахомского захолустья, я бы и сейчас там хозяйничала на какой-нибудь пошлой кукурузной ферме. Да какая там ферма... Тебе сейчас сколько? — неожиданно спросила Джина.

— Пятнадцать. Вернее, скоро будет, через месяц, — призналась Элизабет.

— Самое время, — закивала головой Джина и заглянула подруге в глаза. Все же у нее был очень мягкий, живой, почти ощутимый взгляд. — Мне было ненамного больше, чем тебе, может быть, месяцев на пять — на шесть, когда я бросила все и смылась. Вот так, ничего даже с собой не взяла — у меня была припасена сотня баксов — оставила родителям записку, и... на автобусную остановку. Доехала до Нью-Йорка, там помыкалась первое время, официанткой поработала...

— Ты — официанткой?! — удивилась Элизабет, которая вообще не хотела ничему этому верить, ни про Оклахому, ни про «сотню баксов». Джина должна была принадлежать к аристократическому роду, столько в ней грации, достоинства и красоты — в каждом жесте, в каждой интонации.

— А что тут такого? — не согласилась Джина. — Ничего страшного. А потом меня познакомили с Китом, он мне сильно помог. — Она помолчала, как бы вспоминая. — Понимаешь, Лизи, — Джина снова заглянула ей в глаза, — мы с тобой отмечены. Отмечены красотой. Быть красивой — это ведь врожденный талант. И не надо его стесняться, не надо прятать, а надо просто использовать, как любому, кто рождается с талантом. Скажем, у кого-то красивый голос, и он становится певцом. Чем красивый голос лучше красивого тела? И то и другое — от Бога. — Она снова замолчала, размышляя. — Тут главное, не опоздать. Потому что талант у нас с тобой хрупкий, Лизи, скоротечный. Сколько мне осталось? Ну, лет семь-восемь, и все. Понимаешь, главное — не упустить время. Чем раньше начнешь, тем лучше, потому что...

— Слушай! — вдруг вскричал Бен, словно его осенило. — А почему бы тебе не поехать с нами? Ну да, а чего ждать, прямо сейчас. Мы как раз к Киту собирались, вот и прихватим тебя с собой, через полтора часа там будем.

— Когда? — не поняла Элизабет.

— Да прямо сейчас, — развел руками Бен. — А чего ждать? У нас как раз дела там. А через день — назад. Если захочешь, мы тебя привезем. А не захочешь, останешься. Если ты Киту понравишься — считай, полдела сделано, он наверняка что-нибудь для тебя найдет.

Бен замолчал, глотнул из бутылки. Элизабет не понимала, серьезно он говорит или валяет дурака, как обычно. Она посмотрела на Джину. Та пожала плечами.

— А ведь не так глупо, — согласилась она. — Он вообще-то соображает, только прикидывается часто, — и она любовно потрепала мужа по голове, взъерошила волосы. — У тебя какие дела на ближайшие два дня?

— Да никаких, — призналась Элизабет, у нее действительно не было никаких дел.

— Ну вот, видишь, — снова пожала Джина плечами. — Поехали, если ты понравишься Киту, считай, твое будущее решено.

— Я не могу, меня Влэд не отпустит, — подумала Элизабет вслух. Она не хотела говорить про Влэда, просто само выскочило. Глупо, конечно, получилось.

— Это кто? — не понял Бен.

— Это мой... — она не знала, что сказать, — отчим, — выбрала она самое правдоподобное объяснение.

— Так ты ему не говори, — хохотнул Бен.

— Что, прямо сейчас, отсюда, с кортов? — снова переспросила Элизабет.

— Ну да. — Казалось, Бен удивляется ее несообразительности. Она взглянула на него, выражение его лица было таким простодушным, что Элизабет засмеялась:

— Так у меня же с собой ничего нет, ни денег, ни одежды даже. Что я, так все время и буду в шортах ходить?

— Ты об этом не волнуйся, — Джина положила на руку Элизабет свою ладонь. Прикосновение было такое же мягкое, ласкающее, как и взгляд. — Одежды у меня куча, подберешь себе что-нибудь. Да и денег у нас на всех хватит. Мы тебе поможем.

— Где у тебя одежда? — не поняла Элизабет. — Мы же к вашему продюсеру едем.

— Там, у него в доме, — пояснил Бен.

— О, это, знаешь, такой большой дом, там много места, он колоссальный. Кит нам выделил две комнаты с ванной, конечно, мы часто у него бываем, он ведь по-прежнему с нами работает. А потом, если ты ему подойдешь и он займется тобой, тебе не нужны будут деньги.

Бен закивал головой, поддакивая:

— Он фантастически богат. Я даже не знаю, во сколько миллионов он оценивается, думаю, в двадцать, не меньше. Говорю тебе, если ты ему подойдешь, дело в шляпе, — повторил Бен. — А ты ему подойдешь, я уверен. Я знаю его вкус. Давай, поехали.

Элизабет посмотрела на Джину, та тоже кивала головой.

— Мне кажется, — сказала она мягко, — тебе стоит попробовать. А своему отчиму ты позвонишь оттуда, от Кита. Мы будем там часа через полтора, не больше. Бен домчит нас с ветерком. Домчишь, Бен?

— А то, — кивнул тот и стал собирать разбросанные по скамейке вещи. — О'кей, я вас жду, — сказал он и пошел к машине.

— Пойдем-пойдем, Лизи, — Джина тоже поднялась, — что ты, в конце концов, теряешь?

— Не знаю, как-то все неожиданно очень, — пожала плечами Элизабет. — Я как-то не готова.

— Да какая тут нужна подготовка? — засмеялась Джина, и ее теплый, мягкий, проникающий в самое сердце смех все, наверное, и решил. Элизабет встала, Джина взяла ее под руку.

— Ты, главное, когда мы приедем, не тушуйся, — говорила она, пока они вдвоем шли к машине. И получалось, что решение уже принято как-то так, само по себе. — Кит считает, что актер должен быть бойким, должен всегда контролировать ситуацию. Но ты, я уверена, не потеряешься. Почему-то я уверена в тебе.

Мотор был уже заведен, они сели, и «Бьюик» рванул с места. Элизабет даже не пыталась разобраться в том, что произошло. Наверное, они правы, наверное, так надо, так правильно — ну, сколько можно прозябать в этой дыре?

Но с другой стороны, она безвозвратно потеряет все, что у нее есть сейчас. И этот город, и дом, и школу, и подруг, и

Влэда. Она вдруг вспомнила о нем, и почему-то ей стало грустно. В принципе, он смешной, беззащитный, он любит ее и зависит от нее. Для него ее исчезновение уж точно будет непоправимым ударом. Но может ли она ради него пожертвовать собой, своим будущим, своей карьерой, судьбой, в конце концов? «Нет, — ответила она сама себе, — я должна его оставить хотя бы для того, чтобы через два-три года вернуться к нему звездой, роскошной женщиной, как те, в журналах. И тогда он поймет, он тогда оценит, он...»

Сначала ее бросило вперед, а затем уже вдогонку раздался пронзительный визг тормозов. Элизабет ударилась лбом о спинку переднего сиденья — хорошо, что оно было мягкое, кожаное, иначе бы она наверняка получила сотрясение мозга. А потом сразу крик, раздраженный, злой, она даже не узнала его:

— Ты что, мужик, сдурел, что ли? Ты куда под колеса лезешь, старый фак, жизнь, что ли, надоела? Так найди другие способы...

Элизабет подняла голову, посмотрела на дорогу. «Бьюик» застыл посередине узкой улицы, они от кортов-то отъехали всего ярдов триста, не больше. Прямо перед машиной, напирая телом на бампер, стоял Влэд. Элизабет увидела его и почему-то не удивилась.

Влэд тяжело дышал, видимо, он бежал, лицо было красное, щеки впали. Губ не было, даже ниточки от них не осталось, — куда они делись, как могли сжаться до полного исчезновения? Он был одет в рабочий комбинезон, который пятна засохшей краски делали похожим на разноцветный клоунский костюм.

— Отпустите девочку, — проговорил Влэд тихим, едва справляющимся с волнением голосом.

— Ты чего, дебил? — проговорил Бен с переднего сиденья. — Отвали отсюда, тебе чего надо?

— Девочку отпустите, — снова проговорил Влэд, напирая животом на радиатор «Бьюика», как будто он боролся и с этой железной махиной.

— Ты что, сдурел? Ты из какой психушки сбежал? Ты кто такой? — продолжал орать Бен, и по тому, как покраснела его шея, как набычился собранными кожаными складками затылок, Элизабет поняла, что Бен взбешен. По-настоящему взбешен. А еще Элизабет заметила, как Джина положила свою ладонь на запястье мужа и погладила его.

— Это он, — проговорила она негромко, но Элизабет услышала.

— Кто он? — не сообразил сразу Бен. — Кто он? — повторил он еще яростней. — Да кто бы ни был, я сейчас ему всю морду расплющу.

— Это он, — повторила негромко Джина и снова провела пальцами по запястью Бена — то ли успокаивая, то ли предостерегая.

И кажется, до Бена дошло. Он замолчал, задумался.

— Ну да, — наконец произнес он, но уже без прежнего напора, — как я сразу не догадался?

А потом он резко повернулся к Элизабет всем телом, дернул правой рукой, видимо, переключая скорости, и «Бьюик», взревев, снова рванул с места. Но на сей раз не вперед, а в противоположную сторону, назад.

— Козел! — Элизабет видела, как шевелились губы Бена, выплевывая ярость, ругательства, все вперемешку. — Сучонок! Так он нас и остановил, хорек! Так мы ему и дались!

На Элизабет он теперь не обращал никакого внимания, будто и не видел вовсе, будто ее и не было рядом.

Расстояние между Влэдом и машиной было уже ярдов тридцать, он бежал, взмахивая руками, бежал быстро, но расстояние только увеличивалось.

— Там есть объезд, справа, — раздался женский голос. — Давай Бен, еще немного. Там, поворот направо, по нему объехать можно.

Джина тоже обернулась, тоже всем телом, и тоже не смотрела на Элизабет, казалось, не замечала ее. Она была напряжена, лицо разом обострилось, стало как бы мельче и казалось усталым, осунувшимся. И почему-то уже не таким красивым.

Снова толчок, теперь уже назад, снова неожиданно сильный, прижимающий, вдавливающий в сиденье. Элизабет заметила только, как дернулось, резко подалось тело Джины, как она выбросила руки, пытаясь удержаться, не вылететь со всего размаха на заднее сиденье. Машина накренилась, потом все же поймала колесами полотно дороги и встала как вкопанная.

— Шит, — выругался Бен. — Он же номера наверняка запомнил. Шит! — И двумя руками одновременно с силой ударил по ободу руля.

— Да, — проговорила Джина, — как же я не подумала? Это нехорошо. Ну и что делать?

— А что делать? — Бен снова выругался. — Мозги ему выбить, чтобы не помнил ничего.

— Ты чего, Бен, сдурел? Этого еще не хватает. Нам не надо светиться.

— Да я знаю. — Он снова ударил двумя ладонями по рулю, снова выругался. — А что же делать? Ты представляешь, что с нами теперь будет?!

Они оба там, на переднем сиденье, абсолютно забыли про Элизабет.

Она понимала, что что-то не так, неправильно, что происходит то, чего не должно происходить. И разумом и инстинктом она теперь знала, что эти люди — чужие, злые, опасные, что они ошибка, ее ошибка. Что у них, оказывается, была цель, умысел, был план с самого начала, с самой первой встречи.

Надо бежать. Выскочить из машины и бежать сломя голову подальше от них. Но она не может, она ничего не может! Она вдруг ощутила себя маленькой, беспомощной, бессильной игрушкой, которую можно сломать, выкинуть, покалечить. Совершенно бессильной.

Они так и сидели в машине, но недолго: полминуты, может, минуту. Влэд еще только приближался, а Джина уже кричала ему:

— Видишь, она не хочет оставаться с тобой! Видишь, не хочет. Она хочет ехать с нами. Потому что ты старый, поганый козел со старым, поганым, плохо стоящим членом. — В ее голосе разом появилась резкость, даже визгливость. «Так, наверное, кричат в Оклахоме на кукурузных фермах», — успела подумать Элизабет.

До машины оставалось совсем немного, ярдов десять, и Влэд перешел на шаг, пытаясь восстановить сбившееся дыхание.

— Отпустите девочку, — повторил он тяжело дыша, а потом снова: — Отпустите ее. Дайте ей уйти.

— Кто ее держит? — закричал Бен. — Пусть идет, если хочет. Просто ты ей не нужен, хорек, она хочет трахаться со мной, ей понравилось, и она хочет со мной. Она вообще сладкая, знаешь, когда я в нее вставлял, она так... — Но он не договорил. Тело Влэда метнулось, видно было, как вспухла, напряглась каждая жилка — на лице, шее, руках. Оказалось, что он уже совсем рядом, Элизабет лишь успела сжаться, втянуть голову в плечи...

Она так ничего и не увидела, только услышала громкий хлопок, потом успела заметить, как судорожно дернулись плечи Бена, видимо, он схватился за лицо руками. Когда он оторвал их, ладони были мокрыми и красными. Слишком красными, неестественно красными — алыми.

— Ах ты гад! — закричал Бен и, опершись двумя руками: одной — в сиденье, другой — в ребро двери, — поднял свое крепкое тело в воздух, уже там, в воздухе, взмахнул ногами, и вот так, одним движением, перескочил через дверцу кабриолета.

Он уже стоял на земле, уже замахивался, его рука уже летела в голову Влэда, который казался маленьким, ничтожным, беспомощным по сравнению с атлетическим Беном. Но рука не долетела.

Как «кикер» на футбольном матче — с разбега, основательно занося ногу для замаха, прицельно, расчетливо, с оттяжкой, выбрасывая ее далеко вперед, добавляя по ходу носком ступни, — врезается в мяч, так и нога Влэда врезалась в Бена. Элизабет не видела, куда именно врезалась, но догадалась. Потому что Бен тут же бесшумно, без криков, стонов, даже без лишних движений перегнулся вдвое, а потом, скрюченный, завалился на бок и лишь перекатывался там, в пыли — на спину, потом назад, на бок, потом снова на спину. Он так и не произнес ни слова, только катался по асфальту, сжимая обеими руками низ живота.

Влэд склонился над ним: желваки на его скулах заметно ходили, кулаки сжаты, тело подобралось, как пружина, как сдавленная стальная спираль. Так нависают боксеры над соперником, только что отправленным в нокаут. «А вдруг он начнет подниматься?» — думают они, готовясь к следующему сокрушительному удару.

В принципе, лежащий, подогнувший под себя коленки Бен был полностью беспомощен. Влэд мог двинуть ему ногой, отбить почки, разбить лицо, он мог забить его до полусмерти. Элизабет застыла. Секунды растягиваясь, удлиняясь, тащили одна другую, и ничего не происходило.

— Зачем? — вдруг произнес Влэд негромко, но получилось почему-то очень отчетливо. Слышно было, как вместе с рваным дыханием изо рта вырываются мелкие брызги. — Зачем вам она? Что вам от нее надо? — Он замолчал, поймал дыхание, оторвал глаза от по-прежнему катающегося по земле тела. Элизабет перехватила его взгляд только на мгновение: как ни странно, сейчас он не был ни жалким, ни беспомощным, совсем наоборот, в нем проступали злость, уверенность, даже жестокость — человек с таким взглядом легко мог ударить, покалечить, убить.

— Зачем? — повторил он, обращаясь теперь уже только к Джине. И вдруг глаза его сузились, будто он что-то понял, догадался, и он сделал шаг к машине. Но всего лишь один шаг. — Кто вас послал? Кому все это надо?

Джина молчала.

— Она же несчастная девочка, сирота. Зачем? Нужно ведь иметь сострадание. Вчера вы ее напоили, а сегодня попытались увезти, похитить. Зачем вам она? — Он замолчал, нахмурился. — Вы и к смерти ее матери причастны. Сначала мать, потом дочь. Но зачем, вот чего я не понимаю...

И тут Джину прорвало:

— Ты это кончай! При чем тут ее мать? Мы ее даже не знали, не видели! — Снова резкий, крикливый голос, она даже привстала, высунулась из машины, столько в ней накопилось злости. — Ты сам небось ее укокошил, чтобы спать с дочкой. Нам-то какая корысть. А теперь с больной головы на здоровую, педофил вонючий. Да мы хотели ее увезти от тебя, освободить ее, чтобы она не была твоей подстилкой, старый козел. Ты сам...

— Все, — перебил ее Влэд, — я вызываю полицию. Пускай они разбираются с вами.

— Ну да, вызывай! — крикнула Джина, еще больше подавшись телом вперед, вверх. В ее голосе не слышалось страха, наоборот, вызов: — А мы им расскажем, что ты занимаешься инцестом, да еще с несовершеннолетней. Посмотрим, что они с тобой сделают, говнюк. — Влэд шагнул к ней, потом еще раз, на его шее снова вздулись жилы. Джина сразу осеклась, тело ее опало, вжалось в сидение. Влэд сделал еще один шаг, остановился... Но так ничего и не произошло — ничего, кроме длинной, неуклюжей паузы.

— Выходи, Элизабет, — произнес он. Голос его сразу обмяк, смешался с усталостью: — Ты разве не видишь, с кем связалась?

Элизабет стала подниматься. Внезапно все сразу всплыло, выстроилось в один ряд — вчерашний вечер, опьянение, чужие голоса, прикосновения, сегодняшняя езда по хайвэю, как по команде меняющееся лицо Бена — всплыло смутно, размыто, но различимо. Влэд прав, они хотели похитить ее, увезти. Но куда, для чего, зачем? Нет, у нее слишком мало сил, чтобы понять, осмыслить.

Она вылезала из машины, потом шла к Влэду — почему-то медленно, словно замороженная, словно вокруг разбросаны осколки стекла, а она босиком и боится наступить на них, порезаться.

Обходя машину, Элизабет взглянула на Джину. Та попрежнему сидела на переднем сиденье, в ее лице не осталось и намека на мягкость, задушевность, понимание. Наоборот — обостренный, насмешливый профиль, неровная улыбка подернула губы, глаза и не пытались скрыть вызов, злость, нежелание смириться с неудачей.

Джина перехватила взгляд Элизабет, и тут же каждая клеточка на ее лице одновременно сдвинулась, разом меняя общую матрицу, переписывая ее по-новому, и возникла прежняя Джина — нежная, добрая, готовая понять. Метаморфоза была молниеносной, разительной: казалось, что сменились маски, что лицо собрано из множества гибких, порожних ячеек, как у гуттаперчевой куклы, и кто-то извне управляет им, меняя его выражение по собственной прихоти.

Потом округлились губы, вспухли, вытянулись трубочкой, зашевелились будто бы с трудом, будто пытались что-то произнести, но не могли.

— Что? — переспросила Элизабет. Она думала, что Джина пытается что-то ей передать, какой-то секрет, но только ей одной, чтобы Влэд не слышал.

Губы снова зашевелились, вытянулись, снова пытаясь выдавить из себя слова, они двигались с усилием, отчетливо артикулируя каждое слово, медленно разделяя его на слоги. Джинин лобик сморщился от напряжения, казалось, ей очень важно, чтобы Элизабет расслышала ее, поняла. Но звуки так и не выскользнули наружу, так и остались внутри пухлых, ярких губ.

И только когда Элизабет дошла до Влэда, когда тот уже взял ее за руку, в этот момент Джинино лицо вновь преобразилось, исказилось в гримасе, и она подмигнула весело, озорно — так одна подруга намекает другой на только им известную забаву.

— Что? — еще раз переспросила Элизабет.

— Пойдем, ты разве не видишь, она издевается. — Влэд потянул ее за руку. И она послушалось, поддалась, пошла вслед за ним. Она готова была слушаться кого угодно: кто бы потянул, за тем бы она и пошла.

Они отошли уже шагов двадцать, когда их догнал женский настойчивый крик:

— Мы скоро увидимся, Лизи! Непременно увидимся. Ты будешь скучать по мне, детка.

Они молчали. Деревья, подступая к самой обочине, кронами склонялись над дорогой, создавая, казалось, бесконечно глубокую арку. Влэд держал Элизабет за руку — до дома было минут двадцать ходьбы.

— Хорошо, что я успел вовремя, — произнес Влэд и сбоку постарался заглянуть ей в лицо. — Хорошо, что успел, иначе... — Он не договорил, замолчал.

Элизабет не ответила, только кивнула. Она шла и смотрела себе под ноги.

— Если бы они тебя увезли, ты бы уже никогда не вернулась, — добавил Влэд и снова замолчал.

Так они прошли еще несколько минут.

— У них был план, это очевидно, — снова сказал Влэд. Видимо, он размышлял вслух. — И они готовились к нему. Ты заметила, как эта женщина похожа на твою маму?

— Кто, Джина? — не поняла Элизабет.

— Ее зовут Джина? — переспросил Влэд. — Даже имена похожи. И прическа такая же, какую носила Дина, и одежда, и даже духи. Точная копия. Я как ее увидел, еще издалека, подумал, что это Дина воскресла из мертвых. — Он снова помолчал. — Ее специально такую подобрали, одели, постригли.

— Кто? — спросила Элизабет, не поднимая головы.

— Не знаю. Кто-то, кто хорошо знал твою мать.

— Но зачем я им нужна? — задумчиво произнесла Элизабет, а потом сама предположила: — Для секса? — И боковым зрением заметила, как тут же вскинулись, встрепенулись его глаза, как в них сразу появился испуг. А еще пропитанное влагой беспокойство. За кого? За нее, за себя? — Но я ведь лишь девчонка, таких куча повсюду. Везде, в каждом городке есть симпатичные девочки. Почему они выбрали меня? Ты говоришь, они готовились, тратили время, деньги, наверное. И все ради меня. Зачем? — Она подняла голову, искоса взглянула на Влэда.

Он развел руками, он не знал.

— Наверное, это как-то связано с твоей матерью, — наконец сказал он и снова замолчал на минуту. — Поэтому они и выбрали тебя.

— Ты думаешь, они убили маму?

— Не знаю. Знаю только, что тебе надо быть осторожнее. Все это нехорошо. — Он помедлил, а потом пояснил: — Все, что произошло, нехорошо.

— Почему же ты не вызвал полицию? — снова спросила Элизабет, но уже позже, минут через пять.

— Я не мог, — устало проговорил Влэд. — Ты же знаешь, что не мог. — Он посмотрел на нее. Его глаза опять были наполнены виной и одновременно жалостью, мольбой о прощении. И еще чем-то влажным, ощутимым, но одновременно расплывчатым, что постоянно выскальзывало. Элизабет вздохнула.

Он понял ее вздох по-своему:

— Слава богу, что все закончилось. Теперь они уберутся отсюда и, я уверен, больше не приедут. А у нас все постепенно войдет в привычное русло.

Элизабет снова вздохнула, она не хотела привычного русла. Но он опять неправильно понял, потянул за руку, чтобы ее плечо на мгновение коснулось его.

— Знаешь, я так соскучился по тебе за это время! Я не могу без тебя.

Элизабет ничего не ответила, она шла опустив голову, провожая взглядом убегающее полотно асфальта под ногами. Ей и не надо было смотреть в его глаза, она и так знала, что расплывчатость разлилась в них до предела. Просто запрудила их.

«Может быть, я зря не уехала с Джиной? — проскользнула у нее в голове нелепая мысль. — Во всяком случае, там было бы по-другому. Может быть, хуже. А может быть, и лучше, кто знает? Но главное, по-другому».

— Ты придешь сегодня? — спросил он, когда они уже подходили к дому.

— Не знаю, — пожала плечами Элизабет. — Я так устала.

— Да-да, понимаю, — тут же закивал Влэд.

Она не пришла к нему ни в тот день, ни завтра, ни через день. Она вообще почти не выходила из своей комнаты. Эти дни она проспала: то лежала на кровати с открытыми глазами, то проваливалась незаметно в забытье. Наверное, она снова впала в депрессию, как тогда, после смерти мамы — события последних дней снова лишили ее неустойчивого, едва установившегося равновесия.

Только раз в день она спускалась вниз, на кухню, чтобы взять какую-нибудь еду, да и то самую простую — молоко, кукурузные хлопья, хлебный тост, на который ей едва хватало сил намазать ореховое масло. В результате в комнате валялись пустые коробки, банки, грязные тарелки, испачканные вилки. Элизабет смотрела на них сонным, пустым взглядом: «Ну и пусть валяются», — думала она и снова поднимала глаза в потолок.

Влэд несколько раз заходил к ней, стучался предварительно. Голос его звучал мягко и заботливо, а кроме голоса, Элизабет ничего не слышала и не видела, она зарывалась в подушку и молчала в ответ. В конце концов он закрывал дверь, и она, услышав его спускающиеся по лестнице шаги, облегченно выдыхала застоявшийся, высосанный, лишенный кислорода воздух.

Так продолжалось дня три-четыре, точно она не помнила, а потом она почувствовала себя лучше. Просто прошло время, и вот однажды утром Элизабет проснулась, открыла глаза и поняла, что больше не хочет лежать, а наоборот, хочет двигаться, хочет деятельности; она почувствовала, что у нее много сил, что ей надо, просто необходимо принять душ и побыстрее выскочить из этой душной комнаты, из надоевшего дома. Она спрыгнула с кровати, отодвинула жалюзи, раскрыла окна. Ах да, надо еще, конечно, навести порядок в комнате — сколько можно жить в грязи!

Пока под теплым, бодрящим душем она смывала с себя осадок последних неподвижных суток, она все придумала.

Разработала план на дальнейшую жизнь. Ну если не на всю жизнь, то на ближайшие неделю-две.

Во-первых, никакого секса с Влэдом. Отделаться от него она, конечно, не сможет. Более того, он ей нужен хотя бы потому, что рядом должен быть взрослый человек. Но отношения с ним необходимо изменить. Пусть они будут ровными, доброжелательными, скажем, партнерскими, но в них не будет никакого секса. Она сама запросто может прожить без секса, он ей вообще не нужен. Надо больше общаться со сверстниками — в театре скоро начнутся репетиции, на дворе уже август, скоро школа. С занятиями, уроками, подружками. Нет, она не пропадет. Конечно, ей надо сначала закончить школу, а потом уже она уедет в Нью-Йорк или в Голливуд. Подумаешь, несколько лет... Когда она закончит школу, ей всего будет восемнадцать, самое время начинать.

Уборка комнаты заняла всего-то каких-нибудь полчаса, потом завтрак на скорую руку. Ей страшно хотелось горячего, и она заварила кофе, поджарила яичницу, намазала на хлеб толстый слой масла, положила сверху кусок сыра — она давно уже не ела с таким аппетитом. Потом подхватила иллюстрированный журнальчик, выскочила на крыльцо.

Поначалу пришлось зажмуриться — после заточения в темной комнате к дневному яркому свету надо было привыкнуть. Элизабет плотно сжала веки, провела пальцами по глазам, снова открыла, четкость возвращалась, но лишь постепенно. Она засмеялась: как все же хорошо на улице — свежо, светло, и дышится совсем иначе. Что-то ударилось о ногу, наверное, она сделала несколько шагов. Оказалось, что коробка — подарочная голубая картонная коробка, перевязанная нарядной, тоже голубой лентой с широким бантом. Откуда она взялась?

Элизабет нагнулась, подняла коробку, та оказалась тяжелой — не такой тяжелой, чтобы нельзя было поднять, скорее увесистой. На крышке приклеена почтовая наклейка — адрес правильный. Да и имя тоже. Элизабет удивленно покачала головой. Неужели из театра? Неужели мисс Прейгер?

Присев тут же, на ступеньках веранды, она отложила журнал, поставила коробку на колени, стала развязывать ленту, открыла крышку. Оказалось, что коробка до краев набита оберточной бумагой, белой, пружинистой, шуршащей.

Но бумага не могла весить так много. Элизабет залезла внутрь, в упругие бумажные складки, покопошилась в них. Ну конечно, в нее что-то завернуто. Что-то длинное, круглое, наверняка бьющееся — иначе для чего столько бумаги. «Может быть, ваза? — подумала Элизабет. — Хотя зачем мисс Прейгер присылать вазу?» Она даже пожала плечами.

Оказалось, что длинное и круглое ничего общего с вазой не имело. Железная короткая трубка, запаянная с двух сторон стеклом, совершенно непонятного предназначения. Элизабет повертела ее в руках, поглядела с одной стороны, потом с другой, хотела уже положить загадочную штуковину назад в коробку. А потом вдруг сразу холодный пот размазал по спине мгновенную дрожь. Еще до того, как она поняла, как догадалась.

Подзорная труба! Не такая большая, как она видела в доме напротив, но тоже настоящая.

«Что это означает? Зачем они послали мне эту трубу? — запрыгали в голове Элизабет суматошные мысли. Вернее, их тусклые, обрывчатые тени. — Неужели чтобы напомнить о себе, напомнить, что они наблюдают за мной, что я как бы под их контролем? Может быть, они никуда не уехали, а притаились поблизости, да хотя бы в том же самом доме, и сейчас смотрят за мной, изучают. Если так, то главное, чтобы они не заметили замешательства, они ведь именно этого и хотят — моего замешательства. Но я им такого удовольствия не доставлю».

Элизабет улыбнулась делано, искусственно, как улыбаются перед объективом фотоаппарата. Она вдруг почувствовала почти осязаемо, кожей, что кто-то наблюдает за ней, разглядывает ее. Ну и что, ну и пусть, главное, что она знает об этом. Хотя непонятно, чего они привязались к ней? Смотри, их так и не отпускает, просто маньяки какие-то. Ну и черт с ними!

Она подняла трубу, приставила к правому глазу, зажмурила левый. Единственное, что она увидела, — черное, совершенно непрозрачное пятно. Так она еще и не работает, эта труба. Элизабет пожала плечами, отняла железный цилиндр от лица, опять стала разглядывать. Ах, просто она смотрела с противоположной стороны, не с той, с которой надо. Она засмеялась вслух, демонстративно. Пусть знают, что такими штучками ее не пронять, что они просто-напросто забавляют ее.

Она снова приставила трубку — теперь уже другой, противоположной стороной, — снова зажмурилась левым глазом, сфокусировала правый, провела концом трубы дугу, пытаясь поймать в линзах увеличенные деревья на противоположной стороне улицы, дома за ними. А вдруг она сможет разглядеть что-нибудь в том самом окне, из которого они наблюдают за ней?

Но разглядеть ничего не удалось — ни окна в доме напротив, ни самого дома, ни даже деревьев перед ним. Ничего, кроме себя.

Элизабет сразу узнала себя на дальнем конце трубы — бессильную, бесчувственную, лишенную сознания. Она полулежала на диване вишневого цвета: платье задрано до живота, оголяя все, что только можно оголить, ноги широко расставлены, на одной из них внизу, у самой туфли висят трусики. Те самые, голубенькие, которые она там оставила в результате. Платье тоже расстегнуто, лиф его спущен, груди оголены. На лице — Элизабет пригляделась к лицу — блуждает лихорадочная, неосознанная улыбка. Ну конечно, она же была не в себе и совершенно беспомощна, они могли делать с ней все, что хотели. Наверное, и делали.

Руки опустились, они не могли больше удерживать эту тяжелую железяку, они повисли, в них исчерпались, закончились силы. И не только в них. Силы покинули все тело разом, одновременно, как будто она целый день таскала неподъемные камни. Почему-то заломило, стало больно в коленях, Элизабет захотелось осесть, завалиться на бок, прямо здесь, на ступеньки, и больше не вставать. Никогда. Она покачнулась, но все-таки удержалась.

Сразу стало безразлично, смотрят на нее или нет. Пусть смотрят, изучают, смеются — какое ей дело. Все пустое, ничего не имеет значения. Единственное, что она хочет, — это попасть в свою комнату, лечь на кровать, вытянуть, расслабить ноги, чтобы хоть как-то унять боль, тянущую, ломкую, начинающуюся в коленях, стремящуюся вверх. Главное сейчас — подняться на ноги и войти в дом, спрятаться, укрыться за его не пропускающими чужие взгляды стенами.

Но подняться не получалось — за что держаться, куда ступить, как при этом еще не упасть? Оказывается, не так просто устоять на двух ногах, ведь даже у стульев их четыре, в крайнем случае три.

Пару раз Элизабет поднималась, выпрямляла тело, пыталась перенести его тяжесть на следующую ступеньку, но все впустую, тело не слушалось, и приходилось снова опускать его вниз. Потом все же медленно, держась за перила, подтягиваясь руками, широко расставляя для устойчивости ноги, она добралась до входной двери.

Когда дверь за ней закрылась, стало немного легче. Теперь осталось добраться до лестницы, ведущей на второй этаж. Ну а там, на лестнице, снова были перила, а тащить свое тело по ступенькам вверх она уже умела.

Она тут же провалилась в забытьи, как будто из него никогда и не выходила, во всяком случае, с момента маминой смерти. Только все еще ломило ноги, даже через беспамятство, через тяжелый, навалившийся со всех сторон сон. Ей ничего не снилось — глухая, непроницаемая, темная стена отделяла ее от внешнего мира.

Потом, неизвестно через сколько времени, там же, в забытьи, она вновь увидела себя на диване в той же самой разбросанной, беззащитной позе с шальной, блуждающей улыбкой на губах. Улыбка приближалась, подтаскивая за собой расплывающееся лицо, и вдруг оказалось, что это совсем не Элизабет, а мама лежит на вишневом диване, это ее улыбка застыла на бледных, остановившихся губах. Лицо подплыло ближе, поражая отчетливостью, словно Элизабет действительно смотрела на него через линзы подзорной трубы, постоянно подстраивая резкость. Теперь можно было выделить каждую прядь в прическе, каждую ресничку на прикрытых веках. И еще маленькое темно-коричневое пятнышко у виска с разбросанными вокруг него мелкими, тоже коричневыми точками.

Даже из своего неподъемного сна Элизабет почувствовала, как сжалось ее тело, как судорога свела напряженные ноги, как неловкое отталкивающее движение совершили руки. Тяжело, будто она нехотя восставала из мертвых, Элизабет открыла глаза.

Вокруг устало покачивалась ночь. Получается, что она проспала целый день. Внизу, где-то там, на первом этаже, раздался легкий, едва различимый шорох — скрип не скрип, шаги не шаги.

«Бог ты мой, они убьют меня, как и маму», — пронзила отчетливая мысль. И сразу стало очень страшно, одиноко, беспомощно. Ночь дышала опасностью, выдыхала ее из себя, отравляла ею воздух. Опасность была повсюду — она расползалась по комнатам первого этажа, стелилась по лестнице, просачивалась через дверную щель в комнату. Она цеплялась щупальцами за подоконник, сочилась через открытое окно.

«Через открытое окно... — Мысль зацепилась, застряла, как старая заезженная пластинка, забуксовала и не могла уже двинуться вперед. — Окно открыто. Почему? Как оно может быть открыто? Кто его открыл?»

Как можно тише, незаметно, Элизабет скатилась с кровати — как бревно, как рулон, главное — вовремя подставить руки, чтобы не ушибиться. Потом она ползла к окну, подтягивая тело руками, как лягушка, перебирая ногами, она старалась ниже припадать к полу, и пару раз ей приходилось замереть, когда казалась слишком подозрительной текущая из раскрытого окна тишина.

Наконец она доползла до подоконника, подтянулась на руках, дернула за спускающуюся сверху веревку — жалюзи с резким нарастающим скрежетом рухнули вниз, отделяя комнату от внешнего ночного мира.

Теперь Элизабет сидела на полу, облокотившись спиной о стену. Мысль, которая пришла первой, оказалась совершенно бесполезной: как она оказалась в подзорной трубе? Как они засунули ее туда?

Пришлось приподняться, стащить с письменного стола настольную лампу, поставить ее на пол рядом с собой, зажечь. Комната осветилась желтым, смешанным с темнотой светом. От него всюду бежали блики — карабкались по стенам, лезли на потолок, разбегались по нему, дрожа.

Подзорная труба лежала прямо здесь же, на полу, рядом с кроватью.

— Неужели я ее притащила с собой? — проговорила вслух Элизабет. Звук собственного голоса приободрил ее. Хоть какой-то живой звук, исходящий от живого человека. — Пока живого, — снова проговорила Элизабет вслух, чтобы распугать обступающую тишину. — Странно. Зачем я притащила ее? Неужели просто так, инстинктивно?

Она подползла к трубе, на сей раз передвигаясь на коленках, больно стукаясь о твердый пол, подняла ее, потащила назад к лампе. Снова уселась, снова облокотилась спиной о стенку. Подняла трубу к глазам, заглянула внутрь. Судорога вновь пробила тело, но уже не такая резкая, безотчетная, как в первый раз.

Оказалось, что на внутренней стороне стекла — не того, в которое смотришь, а противоположного — была наклеена фотография. И если смотреть в трубу, то фотография увеличивалась.

— Надо же, — снова проговорила вслух Элизабет, — не так-то просто присобачить туда фотографию. Надо сначала разобрать трубу, потом собрать. И не лень же. Что я им сделала? Что им от меня надо?

На сей раз звук собственного голоса не успокоил — наоборот, насторожил. Грубый, тупой, животный страх снова расползся внутри, забарабанил в висках, сжал, будто хлестким бичом перетянул дыхание.

«Я одна в доме. Если они придут, я не смогу защититься. Я одна. Совершенно одна. Я ничего не смогу сделать. Ничего».

Слова, сменяя друг друга, закрутились в неразборчивую круговерть, страх продолжал распрямлять свое плоское, широкое тело, оно ранило жесткими краями, пыталось прорвать кожу, вылезти наружу.

«Мне надо бежать отсюда. Из этого дома. Прямо сейчас. Здесь опасно. Здесь ловушка. А они наверняка близко. Нельзя терять ни минуты. А что, если они уже здесь? Чтобы обидеть меня, причинить вред, изнасиловать, убить».

Элизабет схватилась за шнур лампы, дернула, он не поддался, дернула еще раз. Непонятно, что произошло раньше — обмяк бессильный шнур в руке, или тут же нахлынула все покрывшая кромешная темнота.

Снова скрип — легкий, едва различимый, как будто кто-то крадется там, внизу, на первом этаже. Еще минута, и будет поздно! Элизабет вскочила на ноги и, пригнувшись как можно ниже к полу, выбежала из комнаты. Главное, успеть спуститься по лестнице, на лестнице ей не спрятаться. Она перепрыгивала через ступеньки, просто перелетала через них, топот ее шагов гулко разнесся по темному, затаившемуся дому.

Внизу у нее было преимущество, внизу с ней уже не так легко справиться, здесь больше пространства, можно затаиться, застыть в темноте. Она юркнула по коридору налево, проскочила через всегда открытую дверь кухни, даже в темноте она все здесь знала, могла бы найти любую тарелку, вилку, нож. «Нож», — мелькнуло в голове, а руки уже выдвигали кухонный ящик, нащупывали самый длинный, самый острый нож, резак с тяжелой деревянной ручкой, он как раз предназначен для резки мяса.

Теперь, когда двумя руками она сжимала рукоятку ножа, подняв ее почти к подбородку, когда она превратилась в сжатую, упругую пружину, готовую к прыжку, к атаке, — теперь она уже была не просто глупой, мягкотелой телкой, овцой, предназначенной для заклания, для убоя. Нет, если она и стала животным, то животным хищным, готовым грызть горло, рвать зубами.

В проеме двери что-то мелькнуло — легкое, едва заметное, словно дуновение, словно тень, тень от тени. Элизабет отпрыгнула в сторону, ноги беззвучно спружинили на деревянном полу; она сделала еще два тихих, неразличимых в ночи шага, на носочках, на самых кончиках пальцев подкралась к проему двери, чувствуя спиной прохладу ровной, гладкой, скользкой стенки. Руки все так же тянули нож вверх, как можно выше — пальцы левой руки поверх пальцев правой, впившихся в рукоятку.

Если сейчас кто-нибудь появится в двери, она пропустит его вперед, а потом воткнет нож в шею, в самый загривок, коротким, резким ударом без замаха. Так ее учил Влэд, когда тренировал в теннис, — коротко, хлестко бить короткие мячи, едва развернув плечи, вложив их обратный ход в ускорение руки.

И тут Элизабет вспомнила: Влэд! Как она могла забыть о нем?! Почему?! Он ведь рядом, в коттедже, и он защитит ее: он сильный, он не позволит ее обидеть — вон как он свалил этого Бена, одним ударом.

Элизабет прислушалась, осторожно выглянула из-за дверного косяка — в кромешной темноте ее не так просто заметить. Если она успеет пробежать через холл и выскочить на улицу, им ее уже не догнать.

«А там уже и коттедж», — подумала Элизабет и рванулась в дверной проем. Или сначала рванулась, а потом подумала.

Ее поспешные шаги гулко отдались в пространстве ночного дома, а потом, уже в коридоре, она налетела на столик — маленький, из красного дерева, мама складывала на него почту. В темноте на бегу она зацепила его ногой, раздался грохот, Элизабет больно ударила пальцы на ноге, взвизгнула, рванулась в сторону, и вот тогда, когда взвизгнула, явно различила шаги. Быстрые, торопливые шаги в глубине дома, они становились все ближе и ближе. Кто-то гонится за ней, и он уже совсем близко, еще немного, и он схватит ее за край свободной майки. Конечно, она отмахнется ножом, но успеет ли?

Рука уже нащупывала ручку двери, уже поворачивала ее, плечо толкало подвешенную на петлях деревянную тяжесть, ступни ощутили сначала холод деревянного крыльца, потом сразу влагу сплетающейся травы. Сзади на крыльце зазвучал чужой топот, глухой, тяжелый — значит, тот, кто преследует ее, тоже выскочил из дома. Главное, не оборачиваться, главное, не смотреть назад, тогда она успеет добежать, ведь осталось немного, всего несколько шагов — три, два, один... Кажется, она успела... Топот и дыхание — тяжелое, хриплое — остались позади, за дверью — она повернула собачку замка и тут же закричала громко, визгливо, она даже не знала, что ее голос может так резко звучать:

— Влэд! Влэд!

А потом еще раз, уже в комнате, пытаясь разобраться в спутанных темнотой очертаниях:

— Влэд!

И тут же рухнула к нему на грудь. Почему-то он оказался прямо здесь, рядом, будто ждал ее, как всегда оказывался, когда был ей нужен, — знакомый, надежный, родной, самый родной, больше никого нет, вообще никого. Он один защитит, убережет, не даст в обиду.

— За мной гонятся, — проговорила она в толщу его плеча. — Меня хотят... — Она не договорила, она сама не знала, чего они хотят. — Со мной хотят... — Она снова не закончила, лишь всхлипнула громко, некрасиво и тут же, теряя контроль, затряслась, забилась, отдавая себя слезам, истерике, вытесняя ими страх, напряжение, ужас.

И лишь через завесу слез, заложенного носа, через вату забитых, не слышащих ушей, через слабость не способного удержать себя тела она расслышала едва доносящиеся слова:

— Лизи, девочка моя, ну что ты. Никого нет, там никого нет, тебе показалось. Успокойся, успокойся, девочка.

Она не слышала отдельных слов, лишь интонации, лишь тембр голоса, заботу в нем, нежность, желание утешить. И оттого, что самое страшное осталось позади, оттого, что она теперь под его защитой, Элизабет совсем потеряла силы, да они ей больше и не были нужны. Потому что сильные, кряжистые руки уже подхватили ее под плечи, под колени, она повисла между ними, как в гамаке, потом скрипнул упругий матрац, она вытянула измученное, зудящее тело.

Истерика не прошла полностью, лишь немного затихла, ушла внутрь, готовая в любой момент вновь прорваться наружу, — все вокруг было зыбко, и скользко, и холодно.

— За мной гнались, — повторила она. — Я с трудом убежала. Слышишь, ты слышишь?

— Ты видела кто? — спросил Влэд, лицо его почти полностью было растворено темнотой.

— Нет, — покачала головой Элизабет. — Я не смотрела назад. Но я слышала... — больше она не смогла говорить, слова стали слишком тяжелыми, они липли к гортани, их невозможно было оторвать, выдавить наружу. И только потом, позже, она смогла выговорить: — Иди сюда, ляг со мной. — И, поняв, что он уже рядом, она добавила: — Мне холодно, обними меня. Крепче. Мне холодно.

Элизабет ничего не ощущала — только спокойствие. Оно растекалось, проникая в воздух комнаты, в простыню, в подушку, а уж потом входило внутрь нее самой, поднималось вверх откуда-то снизу, заполняя грудную клетку, голову. Она все еще плакала, но редкие, жалкие всхлипы уже не имели значения — главное, что ей спокойно, что не нужно больше бояться, что этот взрослый, сильный человек возьмет на себя все ее проблемы, все заботы. Он отведет любую опасность. А она? Она наконец-то может расслабить нервы, расслабить вечно напряженное тело и отдохнуть.

До слуха доносились какие-то слова, — конечно, Влэда, кого же еще? — но они не проникали в нее, не доходили до сознания, лишь отрывки, да и то замедленно, будто по слогам.

— Девочка, моя... Лизи... Я так... — пауза, — ...соскучился. Я без тебя... — снова пауза, теперь длинная, — ...не могу... — Она выключила слух и перестала слышать голос, хотя он еще долго висел в воздухе. Лишь один раз вернулась к нему. — Не выживу без тебя, понимаешь... Мы нужны друг... — здесь он застонал... — ты мне, я тебе... Мы вдвоем... Больше никого... Вообще... Только ты и я...

Потом он вскрикнул, сжато, хрипло. Еще какой-то звук. Она прислушалась: неужели он тоже плачет, надо же, как тихо, почти без звука. Или ей кажется? Она провела ладонью по его лицу — да, он плакал, лицо было мокрым. А потом снова слова. Зачем? Для чего нужны слова?

— Тебе хорошо? Извини, что так получилось... Тебя долго не было. Нескончаемо долго. Тебе было хорошо?

Она не поняла, о чем это он. Только протянула руку, обвила его шею, потянула к себе, чтобы стало еще тяжелее.

— Конечно, — ответила она в темноту. — Все было хорошо.

Прошло с полчаса, голова Элизабет покоилась на его плече, именно покоилась — покой был ее единственным желанием.

— Они гнались за мной. Наверное, хотели убить, — проговорила она. — Если бы я не успела добежать, они меня поймали бы.

Она повернула голову, увидела профиль Влэда, сейчас в темноте он не казался обостренным.

— Может быть, тебе показалось, — проговорил он куда-то вперед, в сумрак, не глядя на нее. — Ты просто устала, нервничаешь. Вот тебе и показалось.

Элизабет задумалась, она не хотела спорить.

— Мне было страшно, — ответила она по-другому.

— А сейчас? — спросил Влэд.

— Нет, сейчас не страшно. С тобой не страшно. — Она снова задумалась. — Но вообще-то я очень боюсь, ведь они хотели увезти меня. Кто знает, куда, зачем? И они по-прежнему где-то здесь, поблизости.

Сначала он не ответил ничего, молчал. И только через несколько минут произнес:

— Может быть, нам уехать? — и снова замолчал, слова растворились в темноте, будто и не были произнесены. Но Элизабет ухватилась за них.

— Конечно, — она даже приподнялась, оперлась на локоть. — Конечно, давай уедем. Я не хочу здесь быть, мне страшно. Мне здесь плохо.

— Не знаю, — пожал он плечами, — это не так просто.

— Ну пожалуйста, — взмолилась Элизабет. — Я не могу в этом доме, мне плохо, страшно. Я должна уехать. Пожалуйста, я прошу тебя.

— Я понимаю, — наконец произнес Влэд. — Здесь тебе все напоминает о маме. Тебе тяжело, тебя не отпускает, поэтому ты и нервничаешь. К тому же эта непонятная история... — Он помолчал, а потом повторил: — Я понимаю.

— Так мы уедем? Прошу тебя, давай уедем, я здесь сойду с ума. Прошу, прошу. — Она снова стала плакать, сама не сразу поняла, что плачет.

— Куда мы уедем? Что делать с домом? — проговорил Влэд и только теперь повернул голову, посмотрел на Элизабет.

— Да куда угодно. Давай уедем, а? Ну, прошу тебя. Просто будем путешествовать, жить в отелях... Я буду жить с тобой в одном номере, — вдруг спохватилась Элизабет, вспомнила: — буду спать в одной постели. Я обещаю, я буду... каждый раз... каждую ночь... — Она постаралась прорваться через темноту, заглянуть в его глаза. Но темнота не пропускала.

Влэд молчал, не говорил «нет», только смотрел на нее, ей показалось: внимательно, задумчиво.

Элизабет оторвалась от него, вскочила на ноги. В ней зарождалась энергия: надо действовать, срочно, быстро, надо что-то делать, пока ночь, пока темно, пока никто не видит. Главное — быстрее уехать отсюда. Ехать в машине куда глаза глядят и забыть все. Этот город, этот дом, все, что здесь произошло, что оставлено. А главное — забыть прошлое. Полностью, окончательно, оставить только будущее.

— Давай собираться, — быстро заговорила она. Слезы исчезли, она только вытерла лицо кистью руки. — Сначала соберем твои вещи, я тебе помогу, потом пойдем в дом и соберем мои. Только ты пойдешь со мной, я одна туда не пойду.

— К чему такая спешка? — удивился Влэд. — Мы можем подумать об этом, об отъезде, и если решим, то через неделю-две...

Но Элизабет перебила его:

— Какая неделя-две?! Ты о чем? Мы уезжаем, слышишь? Прямо сейчас. Собираем вещи, грузим все в машину, закрываем дом и едем. Я не хочу здесь оставаться ни минуты. Я не могу здесь оставаться. Слышишь? — Энергии становилось все больше, она переполняла, будоражила, била мелкой, возбужденной дрожью. — Давай вставай, у нас нет времени, мы должны успеть, пока не станет светло. Нас никто не должен видеть.

— Почему? — спросил Влэд. Элизабет задумалась, она не знала, что ответить.

— Давай вставай! — прикрикнула она на него. Энергию уже было не сдержать, она выплескивалась, заряжала, наэлектризовывала аморфный воздух. — Иначе я уеду без тебя, я убегу, и ты меня никогда не увидишь.

Он наверняка расслышал угрозу, спустил с кровати ноги, поднялся, в темноте она видела только контуры его поджарого, не по возрасту мускулистого тела.

— Ну хорошо, если ты настаиваешь... — Он стал одеваться — неспешно, обстоятельно. — Если тебе плохо, если ты боишься, давай уедем. Действительно, чего тут собирать, побросаем вещи в «Додж» и поедем. А потом решим, что делать дальше. — Он подошел к выключателю.

— Только не включай свет! — успела вскрикнуть Элизабет. Влэд обернулся, посмотрел на нее...

— Ах, да, — кивнул он и убрал руку.

Они собрались за час. Одежда поместилась в два чемодана, да еще сумка для всякой ерунды. Когда они выезжали из города, только начинало светать. Элизабет почувствовала радость, она уже забыла, как это бывает — радоваться жизни.

Едва пробивающийся, тусклый рассвет замутил воздух светлыми бликами, и оттого небо казалось призрачным, нереальным, словно они попали внутрь мастерски написанной акварели. Это художник выписал узкую извилистую дорогу, луга по обе ее стороны, рощицу сонных деревьев, они даже не колышут кронами — замерли, застыли в дымке, словно в предвкушении, в ожидании.

А еще радостно стало от того, что наконец-то она уехала, что впереди дорога — неизвестная, непредвиденная. И от ожидания новизны, оттого, что скучная, однообразная жизнь остается позади — вместе с этим городом, с этим домом, вместе со страхами, вместе с прошлым — грудь переполнялась, и на губах непонятно откуда появилась улыбка. Совершенно без всякого повода, только потому, что было хорошо.

— Надо будет написать с дороги, что мы уехали. Соседям или в церковь. Чтобы не волновались, не стали нас искать, — проговорил Влэд, когда город остался позади.

— Только не оставляй обратного адреса, — Элизабет не повернула головы, она смотрела в окно, на проплывающую мимо природу, которая успокаивала, принимала в себя. Элизабет и не предполагала, что она может стать частью природы.

* * *

Вчера целый день сыпал дождь, мелкий, противный, нескончаемый. Низкое небо, насевшее на верхушки гор, — влажно, сыро, холодно, а главное, отчужденно. Все вокруг сжимается, скукоживается, закрывает створки, дверцы, бутончики, все замыкается и не хочет больше впускать, делиться собой. В такие часы природа становится крайне эгоистична и живет только для себя. Как я сказала? Ах да — отчужденна.

В такие дни здесь, в утонувшей в облаках, холодной Швейцарии, все заражаются от природы сыростью и одиночеством — даже люди, даже животные, даже коровы на лугах, даже лошади в стойлах.

Но я знаю, что надо делать, чтобы не подхватить эту тоску и ноющий, надсадный дискомфорт. Надо оседлать мой великолепный «Порше» и гнать со скоростью... ну, как дорога позволяет, чтобы не нырнуть куда-нибудь с горы вниз.

Знаю, бабка за рулем «Порше», срезающая углы на поворотах, — забавная картина, но видите ли, чем глубже в старость, тем меньше я беспокоюсь об исходе. Кто знает, что лучше — в свободном полете закончить блистательным столкновением с каменной пропастью или в постели, в капельницах, с судном под самым... Впрочем, не будем про судно, в конце концов, мы не океанские капитаны.

Итак, я бы с удовольствием укатила отсюда на день-два в сторону Италии, там хотя бы водят не медленнее меня, не то что в осторожной, расчетливой Швейцарии. Доехала бы до солнца, до безоблачного неба — глядишь, и встряхнулась бы.

Как все же хорошо накрыть кабину матерчатым верхом, поставить Гершвина, нажать на педаль, утонуть в сиденье... и не думать, отключиться, забыть обо всем. Ну а когда забыла, отключилась, когда мозги прочистились скоростью, тогда в них начинают запархивать мысли — легкие, ненатужные, пропитанные крылатой свободой.

А какое счастье я приношу своими необузданными отлучками моему полигамному Карлосу! Я ведь ни в коем случае не беру его с собой, в автомобиле он совершенно бесполезен, а процессу мешает — мысли лишь при одном его виде разворачиваются и устремляются в противоположную сторону.

Да, хорошо бы укатить из этой насквозь промокшей пятизвездочной обители. Но не могу. Не на чем! Потому что мой шестикрылый Пегас, мой подозрительный мсье Тосс, позаимствовав мой блестящий кабриолет, сам, видимо, рванул в сторону веселой «Repubblica Italiana», к ее солнечным просторам и ее загорелым сеньоритам.

И получается, что я непозволительно доверчива к посторонним молодым мужчинам. Он ведь уверял, что всего на день-два уезжает, а уже третий пошел. И кто знает, вернется ли он вообще, мой пунктуальный Тосс? А может, потеряется? Напишет, что я задушена моим неверным наложником Карлосом, и я, глядишь, буду задушена. Ведь, как выяснилось, Анатоль имеет свойство предсказывать жизнь прототипов своих героев. А я самый что ни на есть прототип.

Как же скучно, когда нечего делать. Бассейн, сауна, массажи, косметический салон, — все уже использовано, исчерпано. Даже Карлос уже использован. Хотя и не исчерпан.

Ну хорошо, о чем еще написать? Похоже, у меня образовалась полная нехватка материала...

Разве что о моем путешествии с Влэдом. Тогда, много-много лет назад. Даже не лет — десятилетий. Конечно, это дело моего маститого сподвижника — повествовать о прошлом. Но раз он постыдно дезертировал, кто-то же должен оставаться на передовой.

* * *

Ну что сказать, в целом путешествие оказалось затянутым-перезатянутым, скучным-прескучным. То есть сначала было неплохо, даже весело — мелькание гор, лесов, полей, маленьких белых городков; резкий, упругий, словно надутый ветер, врывающийся из приоткрытого окошка машины. Заправки с деревенскими забегаловками, толстые блины с липовым сиропом, мороженое. А еще отели — разные, иногда подороже, чаще попроще, каждую ночь новые — мы редко оставались в одном на два дня.

Смена мест и впечатлений, конечно, развлекала, но и смена приедается, если она безостановочная. Поначалу мы собирались объехать всю нескончаемую страну — как там поется в патриотической песне: «От гор до прерий, от одного океана до другого», — осматривая достопримечательности типа Большого Каньона, но достопримечательностей оказалось так много, что скоро мне и из машины уже не хотелось выходить.

А еще утомляла постоянная сексуальная повинность — у нас практически сформировался жесткий график, этакое устоявшееся расписание. По утрам непременный минет, вечером, перед сном, — затянутое совокупление. Иногда еще приходилось отрабатывать и днем, но не всегда, только когда ему совсем не терпелось, и он становился жестким, и губы сжимались и исчезали с лица.

Сейчас я могу лишь реконструировать тогдашние свои чувства по отношению к щекотливой сексуальной обязанности. И когда я разбираю их по частям, раскладываю по полочкам, получается, что они были весьма противоречивы.

Ведь у подростков нет регулярной, ритмичной потребности в сексе. Во всяком случае, если сравнивать с потребностью сформировавшегося человека. Для подростка секс — способ познания мира, возможность удовлетворить свою любознательность, получить новые впечатления, игра во взрослость. Но любая игра рано или поздно может наскучить. Тем более, в одной и той же команде, тем более, когда нет ни любви, ни даже влюбленности, даже увлечения.

Поначалу факт присутствия Влэда, то, что он близок, доступен, подвластен мне, приносил успокоение. Я ведь, глупышка, была напугана, сильно поранена душой, с подточенными, перенапряженными нервами. А тут наличие мужчины внутри моего тела как бы гарантировало надежность и защиту.

Но юношеский организм быстро восстанавливается: страхи отошли, они уже не преследовали, необходимость в постоянной защите исчезла. Конечно, еще было чувство благодарности, все же он спас меня, но можно ли каждое утро отсасывать только из непомерно разросшейся благодарности?

В общем, вскоре мне стало скучно: постоянные перемещения, смена отелей утомляли, а о ежедневном сексе я стала думать, как о принудительной обязанности. Как плохой ученик думает, тяжело вздыхая, о домашних заданиях.

В итоге где-то через месяц-полтора я запросилась назад. Ну если не в наш городок, не в наш набитый призраками дом, то куда-нибудь недалеко, в восточном направлении, поближе к Атлантике. Главное, чтобы появилось стабильное жилье, чтобы не перемещаться постоянно. К тому же я соскучилась по сверстникам, по подругам, по мальчикам, по школе, а больше всего — по театру.

Вот такие наивные доводы я и выложила однажды перед Влэдом, требуя от него полной моральной перезарядки. Ведь даже электрическим устройствам нужна перезарядка, хотя они не всасывают в себя по утрам с полной эмоциональной отдачей, человеческой теплотой и шумными придыханиями.

Но вдумайся, мой великолепный, глубокий, психоаналитический читатель, что может подросток, пусть и девушка, пусть и попробовавшая дурмана, пусть и впустившая внутрь себя двух-трех мужчин? Что она может по сравнению со взрослым, прожившим жизнь, многое испытавшим и оттого изощренным человеком? Ничего она не может! Ее детское представление о мире располагается в линейном измерении, по горизонтальной оси, как она называется... кажется «Х». Плоско и беспомощно поверхностно.

Иными словами, подростком легко манипулировать. Особенно, когда им манипулируют взрослые, матерые особи. Особенно, когда они мужские.

Нет, я решительно не в силах писать о маленькой Элизабет Бреман в первом лице. Даже неловкость чувствую, настолько не соответствую той незрелой, не оформившейся, наивной девочке. Ни физически (достаточно взглянуть на мои теперешние дряблые формы), ни психоэмоционально. Нет, я вообще себя не ассоциирую с юной невольницей из моего далекого прошлого.

Так что извините, ретивый мсье Анатоль, не знаю уж, как вы описывали приключения юной леди Элизабет, но я буду их описывать только в третьем лице. Лишь наблюдая со стороны.

Итак, глупышка Лизи однажды заикнулась о том, что ей все надоело, что ей скучно и глотать сперму по утрам она больше не желает. Что ей как минимум нужна передышка. И вообще неплохо бы осесть где-нибудь, например, школьное образование продолжить.

В общем, малышка настрекотала с три короба и, довольная собой, уселась на диван, ожидая, что ее сексуальный владыка растрогается и тут же выполнит все ее пожелания. Особенно по поводу спермы.

Но ментор, увы, не растрогался. Он ошпарил подопечную густо пропитанным скорбью взглядом и...

Не знаю, упоминал ли мсье Тосс, но у мужского персонажа данной драмы примечательными были два атрибута на в общем-то не примечательном лице — глаза и губы.

Глаза каким-то непонятным образом гипертрофировали эмоции, как будто были не зеркалом, а увеличительными линзами сильно растревоженной души. Особенно хорошо им удавались скорбь, раскаяние, ну и прочие печали... Ах да, ну и любовь еще.

Чего греха таить, в моей сексуальной повинности все же присутствовал определенный позитив. Не потому, что я испытывала какое-то безумное наслаждение от его взрослого члена — наслаждению надо учиться, данный навык приходит с опытом и с регулярным трудом. А оттого, что я ухитрялась заглядывать в его глаза, если поза, конечно, позволяла. Вот в них концентрация любви обострялась до предела, казалось, что они сейчас лопнут от накопившегося чувства. А так как уровень кипения зависел от того, насколько удачно я юлила попкой или, наоборот, перебирала языком, то я не могла не ощущать удовлетворение, сознавая, как сильно влияю на этого большого и по возрасту и размеру человека.

Ведь к чему лукавить, стыдливые мои читательницы, нам, женщинам всех возрастов и народов, порой достаточно доставить удовольствие. Получать его тоже не мешает, но и в том, что приносишь, есть несомненная женская утеха.

Впрочем, вернемся к повествованию. На чем я его прервала? Ага, на том, что мой небиологический папашка окинул меня полным скорби взглядом, тяжело, протяжно вздохнул, губы его растворились на понуром лице.

— Я не хотел тебе говорить, не хотел волновать тебя, Лизи, пугать, — начал он издалека. — Я не показывал тебе...

Он запинался, вздыхал, снова запинался, глаза его не только скорбели, но и сопереживали, наслаивали чувства пластами. Прямо как у плохого актера в неудачной пьесе. Разница состояла лишь в том, что в данном случае в качестве пьесы разыгрывалась жизнь совсем еще юной, хоть и половозрелой школьницы с хорошо разработанными, тоже как в театре, внутренними слизистыми поверхностями.

— А в чем дело? — поинтересовалась глупышка, которой надоели вздохи и препинания, и поскорее хотелось куда-нибудь на свежий воздух к своим подростковым забавам. — Что еще случилось?

Снова пауза, снова вздохи — протяжные, наполненные неприкрытой заботой.

— Ты только не волнуйся... Мне кажется, они следуют за нами... Они знают, где мы...

— Кто они? — не сообразила барышня, которая в силу не оформившегося возраста и специфического образования не очень удачно умела пользоваться верхней частью своей головы. Во всяком случае, той, что находится выше ротового отверстия.

— Они... — многозначительно пояснил наставник, и глаза его брызнули томным, печальным беспокойством. — Я не хотел тебе говорить, — повторил он и вздохнул.

Тут, наконец, до девочки дошло и даже нахлынуло, и повернуло в ее головке, наверное, против часовой стрелки, потому что головка сразу затуманилась и помутнела. Все то, что так удачно забылось, сразу вспорхнуло, вынырнуло на поверхность и сложилось вместе. Мама, лежащая на столе, накрытом простыней; шальная парочка, заманивающая в свои сладкие, дурманные сети; призраки, выползшие из старого дома и теперь гоняющиеся за ней повсюду. Вот, похоже, и сюда добрались.

Малышка сглотнула, моргнула пару раз, пытаясь отогнать туман в сторонку, как-то прочистить расплывающиеся зрение и слух, и у нее это кое-как получилось.

— Откуда ты знаешь? — спросила она более или менее трезво, хотя хрипотцу побороть не удалось.

Тот, кто сострадал ей всем своим телом, ринулся в сторону, к дорожной сумке, он взмахивал по-лебединому руками, бормоча разные слова сочувствия и оправдания. Но потом вытащил из сумки пакет и, потряхивая им, тут же замолк.

— Что это? — спросила я (в детском своем варианте), протягивая мгновенно онемевшие руки.

— Вот... мы получали в разных отелях, — пояснил благородный рыцарь и передал несовершеннолетней даме своего сердца завернутый в плотную оберточную бумагу пакет. Бумаги было накручено много, она была грубая и шершавая на ощупь. — Они приходили по почте.

Несовершеннолетняя дама попыталась было пакет развернуть, но неудачно — бумага не слушалась, не раскрывалась, а расползалась неровными, многоугольными кусками. Они скользили вниз, вдоль жесткого, онемевшего тела дамы и беззвучно опускались к ее ногам.

— Что приходило? Как? — наконец сумела выдавить из себя звуки девочка. Та самая, которой когда-то была я.

А потом руки перестали справляться вовсе. Они дрожали и отказывались держать, зажимать пальцами бумажную стопку. Та выскользнула, тяжело и неуклюже прорезала воздух и рассыпалась в беспорядке по полу, уже там делясь на множество широких, плоских листков с острыми углами. Даже сверху, с высоты своего тинейджерского роста побледневшая Элизабет ухитрилась распознать в бумажных прямоугольниках обыкновенные почтовые открытки. Сначала ухитрилась распознать, а затем и нагнуться, подобрать непослушными пальцами одну из них.

На фотографии легко можно было различить изображение Авы Гарднер. Актриса сидела в кресле в брючном костюме, в кокетливой шляпке, поза расслаблена, но лицо и детали фигуры были нечетки, размыты, этакий модный фотографический приемчик, когда контуры сглажены, словно подернуты дымкой. И вот через нее, через дымку, медленно проявляясь, проступило очертание... Сначала я не могла разобрать. Потом не могла сопоставить. Потом не могла поверить.

Там был... как бы это сказать поприличнее... Ну ладно, не буду прикидываться ханжой. Там проступал член, отчетливо, несмотря на дымку, вздернутый, громоздкий, он в принципе был симпатичный, даже красивый (ну это на мой сегодняшний вкус), и устремлялся к лицу Авы, и тыкался куда-то приблизительно ей в рот. Который, если присмотреться, был приоткрыт будто в ожидании.

Вслед за членом всплыл торс мужчины в смутных полутонах, округлые полушария задницы — слишком округлые, немного женственные. На уровне плеч торс достигал верхнего края фотографии, так что ни шеи, ни лица, увы, видно не было.

Иными словами, в руках потрясенной Элизабет оказалась обыкновенная порнушная поделка, смонтированный коллаж, надо признать, по тем временам неплохо сработанный.

Казалось бы, подумаешь, порнушка, я и в юные годы была не столь ранима, чтобы смутиться при виде члена, пусть и приподнятого. Не менее приподнятый член я лицезрела каждый день по утрам и вечерам. Но неприличная фотография кинозвезды почему-то неожиданно смутила.

Наверное, потому, что бедная девчушка снова почувствовала злодейский план, снова ощутила себя загнанной, беспомощной жертвой, за которой ведется охота, но какая-то странная, сложно объяснимая, с издевкой, с извращенным садистским вывертом. Словно цель охотника (или охотников) не поймать ее, а... Но вот тут в маленькой головке сразу начинался сумбур. Что им от нее надо? Зачем ее преследуют? Ответов не было, даже догадки.

Потом барышня ухитрилась еще раз подогнуть дрожащие коленки, поднять несколько открыток с пола. Облегчения они не вызвали. На них на всех очередная голливудская звезда женского пола пребывала в расслабленной позе, не подозревая, что к ней подкрадываются всякие разные фаллические объекты.

Там еще были надписи на обратных сторонах открыток, вполне доброжелательные, что-то вроде «До скорой встречи», «Скучаю без тебя» или «Увидимся в Голливуде», все они набраны симпатичным типографским шрифтом — не какая-нибудь там пошлая самоделка.

От гостеприимных обещаний головка юной девы совсем помутилась, и она смогла обрести равновесие лишь на груди своего верного защитника. Который, как и полагается защитнику, не долго думая, прикрыл ее собственным телом — сначала стоя, а потом и лежа, еще и потому, что долго удерживать девочку с подкосившимися ногами ему было тяжело. Ну а в позиции «лежа» он, конечно, мог прикрыть ее значительно успешнее, что в результате и сделал.

Она, эта самая юная дева, на сей раз нисколько не капризничала и не противилась, так как присутствие в себе мужской плоти укрепляло ее веру в хоть какое-то будущее. Когда уверенность дошла до предела и даже выплеснулась через край, ребенку чуть полегчало и хоть как-то удалось выстроить мысли в более или менее логическую цепочку.

И получалось, что надо срочно сматываться, что надо заметать следы и ни о каком постоянном пристанище речи быть не может. Сначала надо оторваться от преследования. Но как? И хотя на поиск решения был потрачен весь остаток дня (с перерывом, конечно, на еще одно семяизвержение благородного рыцаря), ничего более оригинального, чем продолжать петлять по дорогам, придумано не было.

Петлянием загнанная парочка и занималась весь последующий месяц со всей изощренной хитростью подростка и ее наставника. Которому самому ничего не угрожало, но который готов был принести себя в жертву ради отсасывающей разными отверстиями девицы.

Месяц пролетел вполне безопасно. Они получили еще две открытки, но после того, как однажды, заплатив за предстоящую ночь и никого не предупредив, еще вечером незаметно скрылись из гостиницы, открытки приходить перестали.

Лишь недели через две, подъезжая к заправке, бдительная беглянка Элизабет заметила подозрительно знакомый красный «Бьюик». Молодая женщина стояла у открытой двери, к сожалению, спиной, так что заглянуть ей в лицо не представлялось возможным. Но и спины оказалось достаточно, чтобы у беглянки сердце сначала остановилось, перевернулось, а потом стало стучать в обратную сторону. Она судорожно вцепилась в локоть своего спутника, тот дернул рулем, машина резко вильнула, чуть не слетев в кювет. Впрочем, неожиданный разворот оказался весьма кстати — можно было без промедления двигаться в противоположном направлении, подальше от подозрительной женщины с ее придурочным молодоженом.

Незапланированная и, к счастью, несостоявшаяся встреча вызвала новую волну паники у юной жертвы, ведь получалось, что темные силы продолжают неумолимо наседать на нее. А значит, в ночные часы жертва еще крепче прижималась своим худеньким обнаженным тельцем к телу недремлющего защитника и из чувства благодарности — или от излишнего испуга, или просто по привычке — отрабатывала вдвойне.

Последующие недели прошли спокойно, похоже было, что от преследования они оторвались. Приблизительно через месяц-полтора вопрос о...

* * *

Кажется, подъехала машина. Похоже, моя. Точно, насколько можно разглядеть из окна, у чугунных ворот нарисовался красавец «Порше», а из него вылезает мой огненный Пегас, долгожданный Анатоль. Все же вернулся, дорогуша...

А значит, пора-пора, спешу-спешу, надо же расспросить, разузнать, тем накопилась масса. Ну а литературные экзерсисы оставим искушенным профессионалам.

Когда я к нему подошла, он, похоже, обрадовался. Но это лишь потому, что не знал, как дотошно я начну его сейчас мучить и теребить вопросами, которых у меня набралось хоть отбавляй, и каждый с закавыкой. Но не наскакивать же на мужчину с разбегу, тем более, если он твой проверенный соавтор.

Мы сели за столик на открытой веранде, широко распахнутый зонтик укрывал нас от мелкого, бесконечно моросящего дождя. В его туманной, белесой завесе присутствовало нечто драматическое — все вокруг заражено дождем, подвластно ему, и лишь маленький сухой пятачок вокруг столика, как безопасный островок в беспредельной целине влаги, стекающей с набухших, почти обвалившихся облаков. Ощущение, надо сказать, вполне сюрреалистическое, особенно если представить картину издалека, из космоса, например, — маленькая одинокая сухая точка в беспросветном дожде.

Подбежал вымуштрованный официант, заслоняясь от настойчивых мелких капель зонтиком, в отличие от нашего — маленьким и черным. Я взяла, как всегда, бокал бургундского, а мой напарник по перу конечно же скотча — «Single Malt». Ну а что еще пить, если повсюду серость и кромешная промозглость?

— Ну что, дорогуша, как же вы до такой жизни докатились? — задала я риторический вопрос.

— Вы о чем? — он глотнул из низкого, широкого стакана, по лицу растеклось удовольствие.

— Ну как же, вы, можно сказать, в розыске. Вас разыскивают. Что же вы так набедокурили?

— Вы про моих персонажей? — наконец находчиво догадался Анатоль. — Значит, они все-таки приезжали. Так-так... Небось расспрашивали, выведывали?

Он сделал еще один мелкий глоток, с лица сошло напряжение, осевшее на стуле тело тоже выглядело расслабленным и удовлетворенным. Я не поверила его удивлению — он наверняка знал о том, что удачно избежал встречи с непрошеными гостями.

— Да они не только расспрашивали, — зашла я на новый виток. — Они еще и рассказывали. Много, надо сказать, интересного. — Тут я, как полагается, выдержала паузу, сверля злополучного Анатоля дальнозоркими глазами. — Вы, оказывается, милый мой соавтор, весьма опасны.

Я снова углубилась в паузу, она гармонировала с мерным шумом дождя, все плотнее и плотнее окутывающего и без того влажную швейцарскую природу.

— В смысле?

— В смысле... — усмехнулась я, растягивая удовольствие. — Да много всяких смыслов. Мало того что вы укокошили кого-то...

Снова пауза. Тут он не выдержал, засмеялся. Если и делано, то искусно делано.

— Я укокошил?! — Он просто содрогался от смеха. — Да бог с вами... Надо же такое придумать.

— Ну да, какую-то бедняжку по имени Жаклин. Они сказали, что она тоже ваш персонаж и вы ее успешно укокошили. Мол, даже следов не осталось.

Тут смешливый Анатоль округлил свои светлые очи: в них светилось столько радости, что она в них не помещалась и выплескивалась наружу. Казалось, что он просто не верит своему счастью.

— Они стали искать Жаклин?! — произнес он в искреннем восхищении. — Надо же, какие упорные ребята. Ну и как, успешно?

— Про упорство мы еще поговорим, — пообещала я мсье людоеду. — Но ваши литературные подопечные действительно весьма упорные ребята, и нашли они не только Жаклин, но и множество других аналогичных ей персонажей. Они тут называли разные имена, но я не запомнила, один был Руцки или Рецкий.

— Рицхе, — поправил меня Анатоль.

— Ну да, вам лучше знать, — подтвердила я. — Так вот, они их всех нашли, все здравствуют и процветают. Более того, они собрали небольшую конференцию. Тема конференции — вы и ваши каверзные проделки.

— Неужели? — покачал головой мой изумленный собеседник. Теперь он не смеялся, он внимал каждому моему слову с очевидным, неприкрытым интересом. Просто как завороженный.

— Вот именно, конференцию ваших литературных героев, — подтвердила я. — Вам, небось, лестно — каждому было бы. И они там установили, что вы не только одновременная Сцилла и Харибда, бесследно заглатывающая беспомощных женщин средних лет... Но еще Мерлин и фея Калипсо в одном лице.

— Что? — только и сумел вымолвить он.

— Видите, как много вы про себя узнаёте. И все от меня. А где признательность?

— Конечно-конечно, — поспешил заверить Анатоль. — Но неужели они и вправду всех нашли, да еще устроили встречу?.. Не могу поверить. А почему я Мерлин?

Тут я несколько растерялась. Потому что если я сейчас без подготовки, в лоб заявлю, что он в книгах предсказал и даже предопределил их судьбу, то, несмотря на мерзкую сырость вокруг, он наверняка тут же смоется в дождь, лишь бы не соседствовать со старухой, подверженной явным склеротичным галлюцинациям. И поэтому я начала осторожно:

— Видите ли, мой золотой Анатоль, они утверждают... — Я развела руками, мол, я лишь передаю чужие слова: — Это именно ваши друзья-прототипы утверждают, я сама удивилась... Так вот, они сказали, что события, которые описаны в вашей книге, кажется, в каких-то «Женских фантазиях», я не запомнила названия... Точно такие же события впоследствии произошли с ними и в реальной жизни. Иными словами, вы предсказали их судьбы. Даже предопределили.

Ответом мне была пауза глубокого изумления и, если пытаться читать по его широко раскрытым глазам — пауза недоумения. Она нависала, смешиваясь с бесперебойным дождем, и давила. Да так немилосердно, что мне пришлось ее прервать:

— Так что от вас, сэр Мерлин, я жду подробнейших объяснений.

Тут Анатоль наконец вышел из ступора и начал разводить руками, морщить лоб: мол, не знаю даже, что и сказать. Но потом все же нашелся:

— Неужели предопределил? Надо же, все-таки получилось! — И он радостно опрокинул в себя остатки желтоватого скотча. Потом откинулся на спинку стула и повторил: — Надо же, все-таки удалось.

Тут настала моя очередь удивляться:

— Что за чертовщину вы тут несете? Что за метафизика такая? Срочно поясните, а то я расторгну с вами партнерское соглашение, и наш роман останется незавершенным. Я имею в виду литературный роман. Другого у нас, похоже, не получилось. Что вам удалось? Что получилось? Ну-ка, выкладывайте все как на духу.

Но Анатоль не спешил с ответом. Наоборот, подозвал официанта, того самого, который шустро семенил, прикрыв стриженую голову черным маленьким зонтиком. Он выглядел забавно — забытым, одиноким, как брошеная собачонка под проливным дождем. Впрочем, он и был под проливным дождем, пусть и мелким.

Вскоре новый стакан скотча появился на столе, замутив воздух тяжелым, дурманным, дымным запахом горелого костра. Анатоль глотнул пару раз, видимо, для бодрости, и начал давать показания. А я начала их снимать.

— Видите ли, — начал он неуверенно, — мне даже неловко об этом говорить, я даже не думал, что такое может произойти. Понимаете...

— Слушайте, давайте уже, выдавливайте из себя, не томите, — прервала я, не в силах даже с моим ангельским терпением переносить его невнятное бормотание. — А то я тут помру, пока вы из себя слова достаете.

— Я просто не знаю, как объяснить, — он пожал плечами. — Ну ладно... — Пауза. — Есть книги — они известны, их немного, но они есть, — в которых герои предвосхищают судьбы своих прототипов. В писательских кругах это хорошо известная история. Она не афишируется, так как никто не хочет выглядеть идиотом, глубокомысленно рассуждая перед широкой публикой о мистических совпадениях. Но таких случаев если не много, то и не мало.

Он говорил, а дождь методично барабанил по плотному брезентовому холсту над нашими головами, отдаваясь в ушах множеством тупых, глухих тычков.

— Самый известный случай произошел с французским писателем Жюлем Привером...

— Как вы сказали, Привером? — напрягла я остатки памяти. — Не припомню. Никогда не слышала.

— Он жил в девятнадцатом веке и был достаточно хорошо известен во Франции. Сейчас его книг уже никто не читает, а в истории он остался только в связи с той странной историей, которую я пытаюсь вам рассказать.

— Да-да, — закивала я, — не в имени дело. Я вообще многого не знаю и многого не помню.

— Так вот, Привер написал роман от первого лица, будто он сам является главным героем — ну знаете, такой вполне распространенный литературный прием. Тогда читатель воспринимает написанное более личностно, не как вымысел, а как документальную историю, и начинает сочувствовать главному герою, сопереживать ему. А это половина успеха, если читатель сопереживает.

Он глотнул из стакана, похоже, скотч воодушевлял его.

— В романе Привера у главного героя есть дочь, образ которой автор списал с собственной дочери, даже имя позаимствовал. Я забыл имя, но это несущественно.

Я благодушно махнула рукой, мол, не в имени дело.

— Когда девочке исполняется восемь лет, герой книги с семьей едет к морю, девочка идет купаться без присмотра взрослых, ее захлестывает волной прямо у берега, и она тонет. Как пишет Привер, ее можно было спасти, она захлебнулась у самого берега, но никто не заметил, не услышал. И вот была девочка, а потом не стало. — Он замолчал, казалось, это дождь дробным, рассыпчатым стуком вытеснил его голос. — Сцена описана превосходно, эмоционально, с мельчайшими подробностями. Немного, конечно, сентиментально для нашего времени, но в девятнадцатом веке чувствительные французские дамы пролили над книгой море слез.

Тут Анатоль снова притормозил повествование и глотнул из стакана, запах далекого дыма снова пронзил плотную сырую завесу.

— Ну и... — подбодрила я медлительного рассказчика.

— Ну и, как вы уже догадались, когда реальной дочери этого самого Привера исполняется восемь лет, он едет с семьей к морю, где его реальная дочь тонет при тех же обстоятельствах, которые папаша так искусно изложил на бумаге.

— Так не бывает! — только и выдохнула я.

Анатоль снова пожал плечами.

— Может, и не бывает, но произошло. Повторяю, эта история хорошо известна. Привер потом уже, конечно, ничего не писал, он помешался, считал, что предопределил смерть дочери. Да и кто знает, возможно, что и предопределил, его случай не единичен. — Анатоль двинулся вперед, наклонился над столом, расстояние между нами заметно сократилось. — Вы не замечали, что когда книга написана от первого лица, главный герой, как правило, не погибает и все заканчивается весьма благополучно? А вот когда повествование ведется от третьего лица, трагических концовок сколько угодно. Замечали?

— Я никогда об этом не задумывалась, — на сей раз пожала плечами я.

— Так никто не задумывался, кроме самих писателей. Дело в том, что это некое писательское суеверие. Они все боятся. Боятся, что плохая концовка из книги может перекочевать в реальную жизнь. Как знаете, артисты не любят играть героев, которые умирают по ходу пьесы. Считают, что это плохая примета. Но артисты люди подневольные, какую роль получили, ту и играют, а вот писатель сам себе хозяин и вытворяет в своем тексте все, что пожелает. И если у персонажа в книге должен быть трагический конец, то лучше, чтобы персонаж не ассоциировался ни с самим автором, ни с близкими ему людьми. Поэтому и пишут в третьем лице.

На этом Анатоль закончил свой поучительный монолог и отодвинулся от меня. Вязкий шорох миллионов капель лишь подчеркнул возникшую паузу.

— Невероятно! Самая что ни на есть метафизика, — изумилась я. — Просто как у классика: «Есть много в этом мире, друг Гораций, что не понятно нашим мудрецам».

— Вот именно, — согласился мой соавтор, потому что соавторы обязаны соглашаться во всем.

— И вы хотите сказать, что такая вот необъяснимая, фантастическая... — тут я крутанула в сыром воздухе рукой, пытаясь найти подходящее слово. — Такое феерическое отступление от реальности... — пошла я было на второй круг, но тут слово все же нашлось: — Такая паранормальность произошла с героями вашей книги? И с их реальными, живыми прототипами повторились события, описанные в романе?

Мой молодой друг не спеша добил стаканчик двумя крупными глотками, так что запах далекого костра сразу растворился в облепившем нас сыром воздухе. Потом Анатоль взглянул налево, направо, будто ища прореху в плотной стене дождя, и, не найдя ее, растянул губы в улыбке. Впрочем, она не выглядела чрезмерно сердечной.

— Похоже на то. Во всяком случае, прототипы, насколько я понимаю, считают именно так. И если честно, то я рад, хотя самому верится с трудом. Знаете, далеко не с каждой книгой происходят подобные чудеса. И попасть в их весьма короткий список соблазнительно и почетно. Ведь мы, писатели, люди тщеславные, все хотим оставить след.

— Не знаю. Все же как-то нереально, — повторила я единственный оставшийся аргумент.

— Конечно, нереально, — согласился со мной начинающий хмелеть метафизик. Глаза его налились синевой и так бойко, озорно заблестели, смазанные восемнадцатилетним выдержанным скотчем, что даже сырость, казалось, отступила.

— Да и что такое реальность? Вот мы с вами сидим, смотрим друг на друга, разговариваем, вокруг мелкий, моросящий, докучливый дождь, куда ни глянь, за слоем тумана горы, мы видим только их основания, вершины спрятаны в низких облаках. Мы называем это реальностью, но разве это реальность? Разве мы можем с уверенностью утверждать, что это реальность?

Я хотела возразить, но промолчала. По моему опыту возражать хмельному мужчине совершенно безполезное занятие — пусть порезвится на просторе. И Анатоль начал резвиться.

— Мне вообще кажется, что это все шутка. Я много езжу — разные континенты, часовые пояса, времена года. И чувство нереальности у меня возникает часто и сильно, особенно от перемещения, от бессонницы, когда сознание само находится на грани реальности. Я почти уверен, что все это чья-то простая шутка. — Он сделал широкий жест рукой. — Дождь, горы, небо, набухшие низкие облака, мы с вами, наши желания, стремления, — все шутка, бессмыслица и нереальность. Мне кажется, что и разгадать эту шутку не так уж сложно, отгадка здесь, рядом, кажется, только протяни руку. Но протягиваешь руку, пытаешься схватить, а хватаешь пустоту. Ответ ускользает из-под самых пальцев.

Анатоль откинулся на спинку стула, посмотрел на стакан. Тот был беспощадно пуст.

— Знаете, это как в тропическом море, когда ныряешь, там ведь много всяких разноцветных экзотических рыбок под водой. И они плавают рядом медленно, лениво, и кажется, их так легко схватить за хвост. Но когда пытаешься схватить, рыбка делает едва заметное, тоже ленивое движение, и ускользает. И опять плавает совсем близко, в каких-то сантиметрах. Она так и будет ускользать каждый раз, сколько бы ты ни пытался ее поймать. Так и с реальностью. Вернее, с поиском ее. — Он задумался. — Когда-нибудь я напишу об этом.

Я не ответила, да и что я могла сказать. Анатоль тоже молчал, блеск в его глазах вдруг разом потух, лицо подернулось усталостью. Будто легла тень.

— Знаете, пойду-ка я в номер. Все же устал, долго просидел за рулем, да и скотч добавил. А завтра утром мы продолжим работу: вы будете рассказывать, я буду писать. Что нам остается? Если мы не в силах разобраться в окружающем мире, будем создавать свой собственный.

Он улыбнулся, поднялся, чуть поклонился.

— До завтра, да? — повторил он и вышел в дождь. И там, в дожде, сразу стал его частью — сырым, уменьшенным, одиноким, неприкаянным. Он шел по мокрой траве, мокрые капли осыпали его с настойчивым упорством, он сразу покрылся ими, казалось, не только снаружи, но и изнутри.

Мне не хотелось, чтобы он вот так беззвучно растворился в туманной пелене.

— Как было в Италии? — крикнула я в пелену.

Он остановился, повернулся — казалось, дождь совсем не досаждает ему, может, он действительно находился сейчас в другой, потусторонней реальности. Но так ничего и не ответил, только выставил вверх большой палец и заулыбался хмельной улыбкой. Сейчас, на расстоянии, она мне показалась и искренней и простодушной. Но это на расстоянии, да и дождь размывал нюансы.

* * *

Они наконец осели в небольшом городке Милтоне в Нью-Джерси, там же на восточном побережье, в принципе, совсем недалеко от Бредтауна, от него их отделяли всего-то каких-нибудь три — три с половиной часа езды. Да и сам Милтон был похож на Бредтаун, в конце концов, все такие городки похожи один на другой — тихие, аккуратные, с удобной, правильно устроенной жизнью. Не исключено, что именно из-за схожести с Бредтауном Элизабет и выбрала Милтон, ведь как бы мы ни пытались отделаться от привязанностей детства, нас все равно так или иначе тянет к ним.

Влэд снял дом, тот тоже напоминал их дом в Бредтауне, только поменьше, попроще, и оттого, наверное, поуютней. Но главное, в нем не было блуждающих, тревожащих душу призраков.

Потихоньку жизнь обрела размеренность, которая была необходима подростковой психике Элизабет. Она поступила в местную школу и с неожиданным удовольствием погрузилась в школьную жизнь. Уроки, домашние задания, новые подруги, мальчики, которые тут же приметили симпатичную новенькую. Впрочем, хотя Элизабет и было приятно внимание одноклассников, она не придавала ему большого значения — слишком все они были маленькими, слишком глупыми, наивными. О чем с ними говорить, что с ними делать, что они знали, что умели?

Элизабет предпочитала помалкивать, когда девчонки начинали обсуждать ребят, в результате всегда переходя к вопросам не только чувств, но и секса. Они говорили, и их щечки становились пунцовыми, в глазах загорались огоньки, дыхание непроизвольно учащалось.

Элизабет только слушала, никогда не вмешивалась, хотя и не могла сдержать внутреннюю улыбку. Какими наивными, целомудренными были их рассуждения, догадки! Если бы они знали, думала она, как бывает на самом деле, если бы они знали, что делает она, уже давно делает, без каких-либо ограничений... Что бы они почувствовали, эти смелые в своих фантазиях девочки? Шок? Восторг? Или наоборот, зависть и, как результат, — злость, презрение? Ей никогда не узнать, потому что она никому не признается: у нее есть секрет и она не намерена им делиться.

Ее вполне устраивало сидеть где-нибудь в уголке и, едва улыбаясь самыми кончиками губ, слушать откровения подруг и думать: какие же они, в сущности, простенькие, незамысловатые девочки! Им, бедным провинциалочкам, никогда — ни через десять лет, ни через двадцать, вообще никогда — не узнать того, что уже давно стало частью ее повседневной жизни.

Ее отношения с Влэдом тоже пропитались повседневностью — стали размеренной, привычной рутиной, она привыкла к ним и не пыталась ничего менять.

Она привыкла к его любви, полной, избыточной, без остатка. Она знала, что каким бы пустым ни был ее каприз, он всегда будет исполнен, Влэд, конечно, посопротивляется поначалу, но в конце концов уступит. В результате получалась, что все решения принимала она, во всяком случае те, которые хотела принимать, которые имели для нее значение. Она стала хозяйкой в доме, хозяйкой в их жизни, и в то же время ответственность за решения лежала на нем. Ее вполне устраивал такой порядок вещей.

Со стороны они выглядели как дочь с любящим отцом. Да Элизабет и сама чувствовала, что Влэд заменяет ей отца — заботой, участием, спокойным, взвешенным советом. Она знала, что всегда может положиться на него, спрятаться за его спиной, если жизнь снова навалится и начнет давить своей тяжестью.

По вечерам они сходились в гостиной и разговаривали. Как ни странно, Элизабет не было скучно; однажды она даже подумала, что не случайно Влэд вызвал интерес у мамы, он много знал — литература, живопись, музыка, философия, — казалось, он читал все. Элизабет и не подозревала, что человек может быть настолько широко и глубоко образован.

Оказалось, что Влэд знает несколько языков, и хотя Элизабет сопротивлялась порой, но все же позволяла ему заниматься с ней. Так она незаметно для себя выучила французский, потом немного и немецкий. От Стендаля до Кафки, от Аристотеля до Канта — он подбирал ей книги, она читала, потом они говорили о них, обсуждали.

После таких вечерних разговоров она ощущала необъяснимую неловкость и не могла оставаться с ним на ночь — видимо, учитель, которого хотелось уважать и слушаться, не успевал перевоплотиться в ее сознании в любовника. И только перед тем, как уйти спать, она подходила к нему, наклонялась, дразня каждым своим движением, и слегка, мимолетно коснувшись губами его щеки, говорила «спокойной ночи», а потом поворачивалась и медленно шла к себе в спальню, впитывая спиной его влажный, молящий взгляд и каждый раз радуясь, что так ловко обхитрила его. Просто обвела вокруг пальца.

Так могло продолжаться несколько вечеров подряд, но потом, уже лежа в кровати, ворочаясь с боку на бок, взбивая подушку, она начинала чувствовать раздражающее внутреннее возбуждение — нервное, докучливое, словно внутри нее поселился назойливый зверек, который крутится и перебирает лапками и нагнетает беспокойство, да так, что нет возможности его утихомирить. Пролежав час, а то и два, она наконец, скорее от безысходности, вставала с кровати и как была — в короткой маечке и трусиках — пересекала гостиную и, едва слышно скользя по теплому деревянному паркету, без стука проникала в его спальню и так же тихо, не произнося ни слова, залезала под одеяло.

Она каждый раз удивлялась: казалось, Влэд никогда не спал. «Ждет меня», — думала Элизабет, уютно устраиваясь на подушке, и, когда глаза привыкали к темноте, различала его лицо, глаза, открытые, пристальные, и хотя она не могла разгадать их выражение, легко представляла их влажную, теплую, податливую расплывчатость. Сразу внутреннее возбуждение спадало, беспокойный зверек, еще секунду назад назойливо елозивший внутри, затихал, и тело наполнялось размеренностью и спокойствием. А потом совсем скоро к ним еще подмешивалась истома — щемящее чувство, которое, растекаясь, привносило даже не возбуждение, а скорее, сладостное предчувствие.

Оно зарождалось где-то в груди, затрудняя дыхание, тихо сползало, закручивалось в животе медленными, плавными кольцами, проникая гладкими отростками в ноги, вызывая болезненную слабость, почти обморок. И когда, казалось, она уже не в силах была шевельнуться, ее рука сама собой ухитрялась всплыть в воздух и сначала скользнуть по его волосам — только лишь для того, чтобы ощупать широкий, морщинистый, защищенный толстой кожей лоб, наткнуться легким, продольным прикосновением на глаза, воздушно, едва касаясь, захватить веки, потянуть их вслед за пальцами вниз, чтобы они прикрыли своей тонкой, пластичной завесой тихий, просящий взгляд.

Он понимал ее прикосновение как призыв, и тело его тут же касалось ее тела, окружало, сдавливало, она ощущала его повсюду — на лице, груди, животе, на бедрах, ногах.

Несколько раз она чувствовала, что Влэд плачет, особенно когда она долго не приходила к нему, неделю или больше. Влага, слишком обильная, слишком мокрая для нескольких скудных капель, расползалась по коже, смазывала, липла везде, где разрывались в мелких поцелуях его губы.

Один раз, когда все уже закончилось и истома растворилась, растаяла в недрах расслабленного, усталого тела, Элизабет, уже погружаясь в накатившую дремоту, все же спросила его про слезы.

— Ведь любви надо радоваться, а ты плачешь, — сказала она и прикрыла утомленные глаза.

— Не знаю... я так сильно чувствую твое тело, — ответил Влэд. — Не могу объяснить, но когда я касаюсь его, я перестаю быть собой.

Он еще говорил — долго, эмоционально, пытаясь объяснить, — но Элизабет уже не слушала. Ее сознание расплывалось и тонуло в словах, в темноте комнаты, в усталости требующего сна тела. И она засыпала.

Постепенно будни Элизабет заполнилась, страхи прошлого отошли, и ее жизнь стала казаться ей если не счастливой, то, во всяком случае, вполне удовлетворительной. Она снова репетировала в школьном театре, пьеса была современная, учительница литературы мисс Севени, которая взяла на себя функции режиссера, утверждала, что спектакль с успехом идет в Нью-Йорке, «Off Broadway». Главные роли уже были распределены, и Элизабет досталась одна из второстепенных.

Основная линия в пьесе была комедийная, про некоего профессора Пигмаштейна, который после кропотливых исследований и экспериментов создал наконец предмет своих научных дерзаний — идеальную женщину. Этакое эклектичное соединение Франкенштейна и Пигмалиона — довольно неожиданное и оттого смешное.

Та же мисс Севени утверждала, что лично знакома с автором, неким мистером Винникером, которого она уведомила письмом, что его пьеса популярна не только в «Big Apple», иными словами, в Нью-Йорке, но и среди подрастающего поколения небольшого, но в культурном отношении продвинутого городка Милтон.

Элизабет полностью погрузилась в свою роль, в ежедневные репетиции — она была хороша на сцене, заражала легкостью, задором, искрящейся энергией, без которой невозможно было бы передать дух пьесы. Вскоре все поняли — и сама мисс Севени, и остальные члены труппы, — что именно Элизабет держит на себе весь спектакль. Дело дошло до того, что мисс Севени, попросив Элизабет задержаться после очередной репетиции, завела с ней задушевный, почти что товарищеский разговор, намекая, что хотела бы предложить ей заглавную роль той самой идеальной женщины, созданной профессором Пигмаштейном, но боится, что это будет выглядеть непедагогично.

— Ты же понимаешь, — говорила мисс Севени приглушенным голосом, — что Мэги Колтон очень расстроится, если я заберу у нее роль. Она ведь, в принципе, совсем неплохо ее играет, как ты думаешь? — Элизабет только кивнула. — Хотя ты могла бы поднять спектакль на совершенно новый уровень. Да, — тут мисс Севени задумалась, — хорошо бы, чтобы ты играла главную роль... Но как это сделать? Для Мэги это будет ударом.

Она снова задумалась и вопросительно посмотрела на Элизабет, как будто ожидая ее совета. Но Элизабет молчала.

— А знаешь что, почему бы тебе не продублировать Мэги, — придумала режиссер. — Так ведь всегда делают, на главные роли назначают по два актера. Если с первым что-либо случится, если он заболеет или захочет в отпуск, например, — тут мисс Севени сделала неопределенный жест рукой, — или еще что-нибудь, то играет «второй состав».

— А кого тогда на роль профессора Пигмаштейна назначить? — наконец произнесла Элизабет, которая внутренне ликовала, не веря в свое счастье. — Чтобы Мэги не обиделась. Что, если Роя Сэлина?

Рой был симпатичный белокурый мальчик, и ей он нравился больше остальных.

— Правильно, — согласилась мисс Севени, — надо назначить второй состав на все главные роли. Тогда у нас всегда будет замена, если потребуется. Роль Пигмаштейна действительно можно дать Рою Сэлину, мне кажется, он потянет.

Элизабет пожала плечами: она была счастлива, а кто будет ее партнером — Рой или какой другой аккуратненький белокурый мальчик, ей было безразлично, она в любом случае их не особенно различала.

Влэд, когда Элизабет рассказала ему о новой роли, обрадовался не меньше нее. Теперь каждый вечер они перечитывали пьесу, обсуждали, придумывали, как внести свежесть и новизну в характер Илоны — так звали идеальную женщину. Подбирали ей голос, интонации, походку, жестикуляцию — по пьесе она всему должна была учиться с нуля, она ведь была создана Пигмаштейном не обремененная ни навыками, ни знаниями.

Поиск образа, разработка его, придание ему комичности, все же пьеса была комедийной, доставляли и Элизабет и Влэду огромное удовольствие. Те находки, которые они изобретали по вечерам и которые Элизабет демонстрировала на репетициях, приводили всех в восторг, особенно мисс Севени; зал сотрясался взрывами смеха, даже находящиеся на сцене участники спектакля не могли сдержать улыбки.

Рой Сэлин тоже неплохо справлялся с ролью. Он был серьезный, долговязый парень с рассеянным взглядом и неловкими жестами, и поэтому роль молодого, ушедшего с головой в науку профессора ему вполне подходила.

Там, в пьесе, была сценка, когда Илона первый раз с момента своего создания начинает препираться с профессором. Ошарашенный непослушанием подопечной ученый должен смерить идеальную женщину взглядом, в котором проскальзывает и удивление, и растерянность, и зарождающийся интерес.

Так вот, для этой сцены Элизабет с Влэдом придумали смешной и неожиданный прием — во время одной из своих реплик, не переставая препираться с Пигмаштейном, Илона продолжает наводить порядок в комнате, ведь она, как-никак, идеальная женщина. Правда, она неловкая и неуклюжая, она лишь недавно была создана, и поэтому, вытирая пыль со стола, нечаянно роняет вазу. Илона тут же начинает подбирать с пола осколки, но тело ее не слушается и она принимает крайне неловкую позу — не приседает, а перегибается на совершенно прямых ногах, наклоняя тело вертикально вниз. И так, на прямых ногах, мелко переступая ими, она кружится по сцене, безостановочно тараторя что-то себе под нос. При этом ошеломленный профессор, остолбенев, выпучив глаза, разглядывает Илону со всех ее привлекательных сторон.

Во время репетиции атмосфера на сцене, как обычно, была легкая и жизнерадостная, все шутили, реплики часто прерывались всплесками заразительного смеха. Элизабет в маечке с глубоким вырезом, в обтягивающей юбке выглядела весьма провокационно, как и полагалось идеальной женщине Илоне. И вот, кружась буквой «Г» по полу, не замечая ничего, кроме осколков, Илона (она же Элизабет) поднимает глаза и видит ошеломленное лицо Пигмаштейна (он же Рой), который, похоже, попал в ступор и больше не в силах вспомнить ни слова из своей роли.

Легко перехватив взгляд лишившегося дара речи профессора, Элизабет обнаружила, что тот устремлен в разрез ее оттопырившейся майки, на ее чуть выбившиеся из неплотных чашечек бюстгальтера груди. Определив основной интерес партнера, его невинное вожделение, его совершенную растерянность, Элизабет едва не расхохоталась, просто побоялась сорвать репетицию. Взамен она позволила его загипнотизированному взгляду поползать еще несколько секунд по своему декольте, а потом резко разогнулась, лишив выбитого из колеи профессора бесплатного представления, возвращая его к разучиваемой роли.

И все же его вид, отрешенный, зависимый, предопределяющий зависимость, ее позабавил. Вот почему после репетиции, когда Рой снимал с себя профессорскую мантию, Элизабет подошла к нему и без слов, вдвинув его в стену, беспорядочно увешанную всякими театральными атрибутами, затолкав профессора между ними, схватила его голову обеими руками и прижалась губами к его губам в ожидании протяжного, долгого, полного мужского нетерпения поцелуя. Но поцелуя не последовало. Бедный Рой настолько ошалел, что даже не догадался приоткрыть свои рассеянные губы, даже не обнял ее, руки его так и болтались беспомощно вдоль тела.

Наверное, поэтому Элизабет не почувствовала ни возбуждения, ни обрывающегося на полувздохе дыхания, ни безысходности, — всего того, что она чувствовала, когда дотрагивалась до губ Влэда, — ни даже разочарования от неловкости этого неумелого мальчика. Ее охватил веселый, хулиганский задор: оказалось, что это так смешно — целовать невинного юнца, и когда наконец его руки опомнились, поднялись и с опаской, осторожно дотронулись до ее грудей, она резко, возмущенно отпрянула, совсем как идеальная женщина Илона и, прошептав с укоризной: «Зачем ты так?», исчезла в темной глубине комнаты, оставив ошеломленного профессора в недоумении.

Домой она шла вприпрыжку, как когда-то в детстве: хотелось танцевать, мир вокруг расцвел всеми красками, наполнился щебетанием птиц, голубым небом. Отчего ей так празднично? Неужели лишь оттого, что она поцеловала неумелого, девственного мальчика? Элизабет спрашивала себя и не могла найти ответ. А ночью пришла к Влэду и чувствовала все то, чего не чувствовала, целуя Роя.

Последующие дни и недели стали, наверное, самыми счастливыми для Элизабет. Во всяком случае, с того самого дня, как она потеряла маму.

Появилось ощущение, что она обрела в жизни гармонию, что все правильно и хорошо, и так будет и впредь. Школа, репетиции в театре, взгляды, которые бросал на нее украдкой Рой, его неумелые поцелуи в темной комнате, неловкие руки, которым он боялся давать волю. Если он все же трогал ее, она демонстративно опускала глаза и говорила тихим голосом: «Не надо», а когда он, ошалев от ее близости, не слушался, хватала его запястья, сильно сдавливала их, отталкивала от себя и, подпустив к голосу возбужденное придыхание, повторяла, но теперь уже настойчиво, жестко: «Я же говорю, не надо!» И он отстранялся в испуге.

В такие минуты Элизабет становилось беззаботно и радостно, ей нравилось играть роль скромницы и недотроги, в принципе естественную для ее возраста. Входя в нее, погружаясь, как еще недавно она погружалась в роль Илоны, Элизабет тем самым возвращала себе юность и отрочество, которых была так жестоко лишена.

К вечеру она возвращалась домой, где ее всегда ждал Влэд с его тихим, любящим, покорным взглядом, с его умом, опытом и знаниями, с его теплом и надежностью, и любовью по ночам, тоже заботливой, но требовательной, настойчивой, взрослой, искушенной.

Да, она достигла гармонии. Хотя и понимала, что состояние баланса нестойкое — баланс, как и любое равновесие, рано или поздно должен нарушиться. Всегда нарушается. Она уже знала, уже поняла — так было с отцом, с мамой, так устроена жизнь.

Но она не станет нарушать баланс сама. Зачем? Пускай он продлится так долго, как только возможно.

Пьеса была готова, генеральная репетиция назначена на следующую неделю. Мисс Севени решила прокатать сразу два состава — первый и второй. В зале собралось три-четыре десятка человек: родители, учителя, другие люди, так или иначе причастные к постановке. Влэда Элизабет не позвала, вообще ничего не сказала ему. Она не хотела, чтобы он приходил, пусть подождет до премьеры, а после генеральной она собиралась провести время с забавным мальчиком Роем. Сегодня она, возможно, позволит ему чуть больше, ну, если он, конечно, будет ей хорошим партнером во время спектакля.

Сначала выступал первый состав: конечно же, после месяцев репетиций он играл хорошо — прилежно, слаженно, но слишком как-то заученно, без искры, без задора. А ведь в театре самое главное — энергетика. Хотя почему только в театре? Везде, особенно в искусстве — музыке, поэзии, живописи — всем правит энергетика.

Так вот особой, завораживающей энергетики в игре первого состава не чувствовалось. В какой-то момент Элизабет даже стало скучно, она стала крутиться, оглядываться по сторонам, рассматривать сидящих в зале людей, пытаясь разобраться, кто есть кто, кто к кому имеет отношение.

Тогда она и заметила мужчину, не сидящего, как все, в зале, а стоящего в самой его глубине, почти что в проеме входной двери. В полумраке детали были неразборчивы, но похоже, он был немолод, определенно высок, казалось, немного лысоват, в руке держал трубку, которую периодически раскуривал.

Именно оттого, что он курил трубку, Элизабет и обратила на него внимание. Если бы не плотный, причудливо расползающийся в полумраке дым, словно накидка развевалась за спиной от налетающего ветра, если бы не постоянно меняющая очертания воздушная иллюзия, заметить в темноте его силуэт было бы невозможно. Именно своей отчужденностью, умышленной отстраненностью от зрительного зала высокий мужчина и привлек внимание Элизабет.

А возможно, возникло что-то еще, зыбкое, щемящее, что всколыхнуло из далекой глубины смутное, едва различимое воспоминание. Но только на мгновение. Потому что Элизабет тут же отвлеклась на действие на сцене, там сюжет подходил к кульминации — идеальная женщина пыталась отравить неудачливого профессора.

Вскоре второй состав отправился за кулисы готовиться к представлению. Когда все переоделись: девочки в одной комнате, мальчики — в другой, и вышли в коридор, Рой отвел Элизабет в сторону и начал было приставать к ней со своими поцелуями, но она резко отстранила его, и он как побитый щенок покорно отошел в сторону. Его полная зависимость тут же подняла Элизабет настроение, в ней появились лихость, кураж, а еще чувство абсолютной уверенности — сегодня она докажет всем, что она лучшая, что она просто создана для сцены.

И действительно, играла она замечательно, подчиняя себе всех — и зрителей, и партнеров по сцене, и даже сам спектакль, саму пьесу. Она стала магнитом, центром притяжения, на ней сходились все линии спектакля, врываясь в нее, прошивая насквозь, наполняя зал ее чудесной энергетикой, которую ощущали и притихшие люди в зале, а главное, партнеры — они невольно расступились, признавая ее превосходство, и казалось, их единственное назначение состоит в том, чтобы подчеркнуть блистательность ее игры, ее таланта.

Элизабет чувствовала, что ей подвластно все. Она могла вызвать смех, когда хотела того, могла заставить загрустить; она была дирижером, люди вокруг — исполнителями, их эмоции — инструментами. И она, взмахнув своей невидимой дирижерской палочкой, заставляла их играть именно ту мелодию, которую желала услышать.

Она и не заметила, как спектакль подошел к концу. Она просто умерла в нем. Во-первых, так полагалось по пьесе: доктор Пигмаштейн убивал идеальную женщину, не вынеся ее идеальности. А во-вторых, потому что у Элизабет закончились не только слова ее роли, но вместе с ними и чувства, эмоции, силы. Зал взорвался аплодисментами, и Элизабет показалось, что в нем находится не тридцать, а тридцать сотен человек, что он переполнен, набит до отказа — настолько оглушительным был восторг.

На сцену вышла мисс Севени, она начала что-то говорить, взяла Элизабет за руку, подняла ее в победном жесте — так на боксерском матче рефери поднимает руку победителя. Элизабет все слышала, но не могла отделить слова от слов, расставить их в нужном порядке. Ее охватила эйфория, восторженное возбуждение, она улыбалась, кивала, поддакивала, сама не зная, кому и чему.

Потом на сцену вышел какой-то мужчина, тоже что-то говорил, Элизабет несколько раз услышала свое имя, потом мужчина подошел к ней, так и не переставая говорить, приобнял за плечи. Он был высокий, намного выше ее самой, и ощутив на плече его тяжелую, большую ладонь, она наконец-то пришла в себя.

Прежде всего, было совершенно непонятно, почему он обнимает ее, что ему вообще нужно. А еще нахлынуло странное ощущение, будто это все уже было, происходило прежде: и сцена, и возвышающийся рядом человек, и его сильный, глубокий голос, и тяжелая рука на ее плече — смутное, скользящее по поверхности ощущение, как оно называется... Ах да, «дежавю». Кажется, его легко ухватить, разгадать, но как только пытаешься, оно ускользает.

Элизабет подняла глаза на мисс Севени, та стояла рядом и тоже улыбалась, тоже была, похоже, счастлива.

— А не пойти ли нам выпить по бокальчику вина? — наконец услышала Элизабет мужской голос и подняла глаза. Высокий незнакомец склонился к мисс Севени. — Так как, пойдем праздновать? — снова предложил он.

— А как же дети? — ответила учительница, так и не отпуская ладони Элизабет из своей, как будто боялась потерять ее.

— А мы возьмем их с собой, — нашел выход друг мисс Севени. — Так даже будет демократичнее. И вместе с ними полакомимся мороженым. — Он так и сказал «полакомимся». — Лично я обожаю мороженое.

— Отличная идея, — согласилась мисс Севени. — Друзья, — она окинула взглядом столпившихся вокруг артистов, — давайте праздновать, пойдемте лакомиться мороженым, — повторила она вслед за ним слово в слово, будто не могла найти своих.

Кафе находилось совсем недалеко, ярдах в двухста: надо было пересечь три улицы и повернуть направо на Мэйн-стрит. Элизабет шла позади всех, Рой конечно же засеменил рядом, попытался обнять ее за талию.

— Не надо, — сказала она, а потом повторила, на сей раз раздраженно: — Я же сказала, не надо.

Теплый, мягкий вечер плыл над городком. Они свернули на центральную улицу — магазинчики, расположенные в невысоких двух-трехэтажных домиках с обоих сторон проезжей части, были уже закрыты. Лишь в немногих из них еще горел свет, он выплескивался рассеянным, желтоватым отблеском на тротуар, смешивался со светом фонарей, с их зыбкими, замирающими янтарными кругами вокруг чугунных, похожих на гигантские свечки постаментов. Было свежо, но не холодно, нежный бриз с океана ласкал кожу, он нес в себе загадочный океанский запах, немного сырой, влажный, запах тины и набегающей волны и плавающей в глубине рыбы.

Это был такой момент, когда можно отстраниться, позабыть о заботах, о спешке, когда окружающие предметы воспринимаются не по одиночке, разрозненно, а целостно, — и красный кирпич домов, и мягкое сияние витрин, и темный, влажный асфальт тротуара, отражающий расслабленный, приглушенный свет от вертикально вздернутых фонарей, и небо над ними... Все вдруг соединяется в единую, неразрывную систему, которую вбираешь не глазами, не слухом, а всем своим существом, которая заставляет застыть и вдруг признаться самой себе — как же все прекрасно устроено! И повторить еще раз: как же прекрасно! Почему я раньше не замечала, не обращала внимания?!

Спокойствие и умиротворение вечерней улицы постепенно подействовали на Элизабет, они сменили недавнее возбуждение, восторг, предельный эмоциональный подъем. Впереди, в окружении ребят, рядом с высоким мужчиной шла мисс Севени. Вот она оглянулась, ища глазами Элизабет, нашла, кивнула ей, потом пропустила ребят вперед, подождала, пока Элизабет поравняется с ней.

— Ты так здорово играла, — сказала она и снова взяла Элизабет за руку, как будто они подруги, ровесницы. — Мистер Винникер считает, что ты непременно должна играть премьерный спектакль. Он вообще сказал, что ты способная, что в тебе сочетается талант комедийной актрисы с трагедийной. Мистер Винникер считает, что такое бывает очень редко.

— Кто считает? — переспросила Элизабет.

— Что? — не поняла мисс Севени.

— Кто такой мистер Винникер?

— Как кто? Рассел Винникер, ты что не запомнила, как его зовут, я же представляла его всем, тебе в том числе.

— Я ничего не запомнила, — блаженно улыбнулась Элизабет. — Все, что было после спектакля, прошло мимо. Как будто я была под наркозом и только сейчас пришла в себя.

— Это потому, что ты еще не вышла из роли, — нашла ответ мисс Севени, но Элизабет и сама знала его.

— Так кто он? — Элизабет кивнула на высокую, сутуловатую фигуру впереди. — Я видела его, когда играл первый состав, он стоял в глубине зала у двери, трубку курил.

— Элизабет, Элизабет, — с деланной укоризной покачала головой мисс Севени, — сам автор пьесы приехал из Нью-Йорка, чтобы посмотреть спектакль, потом нахваливал тебя, как только мог, а ты и не заметила. Ах, Элизабет, — снова улыбнулась мисс Севени.

— Автор нашей пьесы? — переспросила Элизабет изумленно. — И он приехал ради нашей постановки?

— Ну да, я же рассказывала, — пожала плечами учительница. — Мы с ним познакомились в Нью-Йорке в конце августа, я была там в отпуске. Он подошел ко мне в театре, представился, а когда я рассказала, что руковожу школьным театром, он сказал, что у него есть новая пьеса, которая как раз нам подойдет. Так мы и подружились, он даже пригласил меня в ресторан, несколько раз доставал билеты в театр. Ну, поначалу я, конечно, думала, что ему от меня надо... — Тут мисс Севени замялась. — Ну, сама понимаешь... ты же взрослая уже... интрижки, а может быть, и любви. Может быть, я понравилась ему. Но за все шесть дней, что я провела в Нью-Йорке, он не сделал ни одной попытки сблизиться. Я, честно говоря, ломала голову, что общего может быть у знаменитости вроде Рассела и простой учительницы из Нью-Джерси. А потом поняла — он очень человечный, да ты сама приглядись, Элизабет: он простой и, как сказать, приземленный, что ли, свойский, с ним легко. Мне кажется, будто я знаю его всю жизнь. И вот мы стали хорошими друзьями, хотя встречаемся всего третий раз. Зато постоянно переписывались, я почти каждую неделю получала от него письмо, ну и отвечала, конечно, тоже. Знаешь, ему все было интересно: как идет постановка, кто назначен на главные роли, я ему и про тебя рассказывала, какая ты способная.

— Правда? — переспросила Элизабет, потом задумалась. — Но зачем ему все это, подумаешь, школьный спектакль, вы говорили, его пьесы играют по всей стране.

— Я сама сначала удивлялась, — призналась мисс Севени. — Точно так же, как и ты. Я даже задала ему в письме аналогичный вопрос, конечно, в более деликатной форме. Так вот, он написал, что всегда старается принимать участие в постановке своих пьес, независимо от того, где их ставят. И ты знаешь, Элизабет, что я поняла, прочитав ответ? — Мисс Севени выдержала паузу, но Элизабет не ответила, только подняла глаза и вопросительно взглянула на учительницу. — Я поняла, что это и есть профессионализм. Он профессионал, перфекционист, все, что он делает, должно бы выполнено безупречно. Согласись, нам невероятно повезло, что мы получили его пьесу.

Она замолчала, и они шли по улице минуты две молча, а потом мисс Севени притянула Элизабет немного к себе, так что ее губы оказались совсем близко от завитков, прикрывающих ухо Элизабет — со стороны они выглядели как подружки, одна постарше, другая помоложе. Они и роста были почти одного, Элизабет даже чуть повыше.

— Так вот, он сказал, что ты блистательна. Он так и сказал: «блистательна». У него нет сомнения, что ты должна играть премьеру, только ты. Так что мы теперь можем сослаться на мнение автора и выставить твой состав на премьеру. — Мисс Севени хихикнула, казалось, она искренне рада и за Элизабет, и за спектакль.

Уже когда они все зашли в кафе — уютное, освещенное множеством ярких ламп, с длинным стеклянным прилавком, с которого притягивали взгляд своей густой, вязкой, соблазнительной массой разнообразные замороженные лакомства, — когда вся их компания, веселая, галдящая, счастливая, расселась за столики, Элизабет наконец смогла разглядеть знаменитого мистера Винникера.

Ему было лет сорок пять, а то и все пятьдесят, он был высок, широкоплеч, но сутуловат, темные волосы, видимо, когда-то густые, а теперь поредевшие, так что бледными пятнами просвечивала кожа, были загрязнены неровно вплетенной сединой. Он старался выглядеть подтянутым и спортивным, как стараются немолодые мужчины, которые были подтянуты и спортивны в молодости, но Элизабет легко разглядела небольшой животик, нависающий над брючным ремнем. На гладко выбритом, ухоженном лице почти не было морщин, только мелкие лучики разбегались от глаз к вискам, когда он улыбался. И в то же время, несмотря на то что он был весел, улыбчив, полон энергии, можно было заметить, что энергия его усталая, напускная, ему требовалось усилие, чтобы выдавливать ее из себя.

Он без сомнения был центром внимания здесь, в этом набитом школьниками кафе: ребята крутились вокруг него, девочки невольно кокетничали, он шутил, отвечал на вопросы, сам расспрашивал. Элизабет сидела в стороне сначала одна — мисс Севени поспешила на помощь своему популярному другу, но потом рядом оказался Рой, воспользовался случаем, сел, начал говорить, попытался взять за руку. Она вырвала руку, даже отвернулась, демонстративно не слушала — вот еще, баловать всяких недоростков.

Пару раз Элизабет ловила на себе взгляд мистера Винникера, но как бы случайный, беглый, словно он старался не привлекать ее внимание и в то же время напомнить о себе. Элизабет не удивилась — если взрослый мужчина кем-то и мог заинтересоваться в этом подростковом парнике, то только ею. Почему-то она вдруг вспомнила о Влэде: наверняка он сейчас дома, сидит на кухне и ждет ее — тихий, верный, ничего не требующий, никогда не жалующийся, такой знакомый, домашний.

И в то же время он был сейчас бесконечно далек от ее успеха, от ее блеска. Для него ведь важно только одно — чтобы ничего не менялось, чтобы все текло спокойно, медленно, тихо, и главное, чтобы она оставалась у него по ночам. Поэтому она и не сказала ему о генеральной репетиции, не хотела, чтобы он приходил. Да и о премьере не знала, скажет ли... Элизабет пожала плечами. Смешно и обидно, что самый близкий человек никогда не сможет ее понять. Как все же ей не повезло!

До премьеры оставалось четыре дня, и они проходили в хлопотах, но в приятных хлопотах, наполненных возбужденным ожиданием. Вся труппа теперь каждый день после занятий собиралась в театре — все взбудораженные, заведенные — кричали, смеялись, пытались доработать всякие мелочи. Рой все так же норовил примоститься где-нибудь рядом с Элизабет, то брал ее за руку, то пытался положить ладонь ей на колено, но теперь она ему ничего не позволяла — ей было не до него, она и думать о нем не могла, предстоящая премьера полностью поглотила ее.

За два дня до премьеры Элизабет столкнулась в коридоре с мистером Винникером. Она спешила в театр, почти бежала, повернула за угол, здесь коридор делал резкий поворот, и с разбегу влетела в большое, упругое, неуступчивое тело. Она даже не сразу поняла, на кого натолкнулась, понятно было, что следует извиниться, что в неловком столкновении только ее вина, и она подняла голову и увидела перед собой, вернее, над собой, веселые, озорные (или старающиеся быть таковыми) глаза мистера Винникера.

— Ой, простите, — поспешила извиниться Элизабет. — Я не сделала вам больно?

— Ну что ты, Лизи, — ответил он, и от того, как он смотрел, вдумчиво, внимательно, словно пытался разглядеть что-то в ее лице, от того, что назвал ее Лизи, как только мама называла, да еще Влэд, — от всего этого Элизабет почему-то вздрогнула и замерла. Сразу вспомнилась мама, давно не вспоминалась, а тут будто легким сквозняком промелькнуло ее лицо, голос, даже запах. Почему именно сейчас?

— А мне кажется, что мы с тобой знакомы, — произнес мистер Винникер.

— Мы с вами? — удивилась Элизабет. Она уже не спешила в театр, в принципе, ей сейчас там и делать было особенно нечего.

Откуда она могла знать этого мистера Винникера? Но ведь и вправду его лицо с самого первого раза показалось ей знакомым...

— Ну да, ты не помнишь меня, Лизи, — не дождавшись ответа, он продолжил: — Но мы давно знакомы с тобой очень давно, лет восемь.

Элизабет молчала, тоже вглядываясь в него, пыталась вспомнить, но у нее не получалось.

— Восемь лет назад мне было семь лет, — подумала она вслух.

— Ну да, я отлично тебя помню, ты была чудесной девочкой. Но даже тогда сложно было предположить, что ты станешь такой... — Он замолчал, подбирая слова, но так и не подобрал, только развел руками. — Ты стала очень похожа на свою маму, просто копия. Только юная копия, я бы даже сказал, превосходящая оригинал. Ты же знаешь, я любил твою маму, до сих пор не могу ее забыть, жаль, что у нас тогда не сложилось. Ну как, ты вспомнила меня? Я Рассел, дядя Рассел, друг твоей мамы.

И тут память прорвало, как плотину, — потоком, водопадом сметая беспомощную, податливую преграду.

Она все вспомнила, все сразу: его лицо, фигуру, его голос, интонации. Она разом вспомнила свое детство — далекое, счастливое, которое так долго и так настойчиво пыталась забыть. Чтобы не будоражило, чтобы не мешало ее сегодняшней, не имеющей никакого отношения к счастью жизни.

— Ой! — вскричала Элизабет, сама не успевая удивиться простосердечности и искренности своего восклицания. — Дядя Рассел, это вы, в самом деле вы! — Она даже запрыгала от восторга, как ребенок, будто ей снова семь лет и у нее день рождения.

— Помнишь, как мы отмечали твой день рождения? — рассмеялся Рассел, как будто угадал ее мысли, и смех его, добродушный, глубокий, еще больше растопил время, отмел в сторону всю эту ненужную, лишнюю, глупую реальность.

— Ну да, — Элизабет тоже засмеялась. — Мы тогда тоже ставили спектакль. Я помню его, я кажется даже помню слова своей роли.

Почему-то ей хотелось не только смеяться, но и плакать: ей захотелось стать маленькой и слабой, беззащитной, и знать, что есть близкие, большие и сильные люди, которые ее любят и защитят, и не дадут в обиду. Не потому, что им от нее что-то надо взамен, а просто потому что любят бескорыстно, не могут не любить. Мама, например. К горлу подступила сладкая, густая волна, она не была тяжелой, не была печальной, но легкости и радости она тоже не приносила. Просто теплая и влажная, переворачивающая все внутри волна.

— Слушай, а что мы здесь стоим, в коридоре? — наконец опомнился Рассел. — Пойдем, я угощу тебя ланчем, здесь совсем близко, за городом есть вполне приличное местечко. Мне его Бетти показала, ну в смысле мисс Севени, твоя учительница. Да ты слышала, наверное, «Приют гурманов» называется. Тут ехать всего-то минут десять, не больше. У тебя есть дела на сегодня?

— Да нет, — пожала плечами Элизабет. — Я хотела в театр пойти, но в принципе мне там сегодня делать нечего.

— Вот и отлично, — улыбнулся Рассел. — Пойдем, посидим часок, ты мне все не спеша и расскажешь. Я специально не спрашиваю тебя ни о чем, не хочу комкать разговор.

Было около трех часов дня, когда они выехали за город. Стояла середина октября и осень еще только наступала. Даже не наступала, а пыталась наступить. Она и не была видна, лишь пропитала все вокруг пряным запахом перенасыщенной, переспелой зелени, который, казалось, сгущал воздух, утяжелял его, так что непонятно было, как он ухитряется парить над землей, не падая вниз.

В машине они почему-то молчали. Элизабет открыла окно, выставила наружу руку. Выпуклый, напористый ветер наполнял ладонь упругим потоком, врывался в кабину, и Элизабет даже приоткрыла рот, чтобы вобрать в себя побольше здоровой свежести. «Надо же, как хорошо, как красиво, — думала Элизабет щурясь от теплого, мягкого, тоже пахнущего свежестью солнца. — Почему я не замечаю красоты? Я живу в ней, а не замечаю».

Потом она подумала, что они едут больше, чем десять минут. Значительно больше. Разом исчезла радость, ее место мгновенно, как по команде, заняла настороженность, которая словно пряталась внутри свернувшим калачиком, поджидая. И вот ее время настало.

Элизабет откинулась на кожаное сиденье дорогого «Линкольна», пытаясь понять, где они находятся, но мелькающий за окном пейзаж ей ничего не напоминал. Она посмотрела на Рассела, лицо его вдруг из добродушного, расслабленного стало напряженным, он сосредоточенно смотрел вперед, словно сейчас из-за поворота ему откроется нечто совершенно удивительное, что никак нельзя пропустить.

«Почему он все время молчит?» — подумала Элизабет, и тут же, словно прочитав ее мысли, Рассел повернулся, взглянул на нее.

— Похоже, я не туда поехал, — сказал он, как бы оправдываясь. — Я там был всего один раз, да и то Бетти сидела за рулем. — Помолчал немного. — Кажется, мы вообще выехали не на ту дорогу. — Снова уставился вперед. В его согнутой спине, в наклоне головы опять чувствовались скованность и напряжение.

— Может быть, нам остановиться, спросить у кого-нибудь? — осторожно предложила Элизабет. — Вон, заправка впереди.

Если бы он проехал мимо, все так же сосредоточенно разглядывая бегущую впереди полосу дороги, она бы открыла дверь и выпрыгнула на ходу. Как раз у самой заправки дорога начинала вилять и круто поворачивала влево, вот там, когда машина сбросила бы скорость, она бы и выпрыгнула. Конечно, она разбилась бы, поранилась об асфальт, но на заправке наверняка были люди, они бы помогли.

Но мимо они не проехали, наоборот: Рассел снова взглянул на нее, улыбнулся, лицо его сразу же расслабилось, машина притормозила, вильнула в сторону съезда, ведущего к бензоколонке, и остановилась. Из будки вышел молодой симпатичный паренек, может быть, даже слишком симпатичный для заправщика, он был в рабочем синем комбинезоне из плотной ткани, большие руки выглядели необъяснимо чистыми для человека, имеющего дело с бензином и машинным маслом. Даже ногти казались чистыми, аккуратно подстриженными. Элизабет заерзала от беспокойства: он так странно смотрел на нее, этот парень, просто поедал взглядом. Может быть, ему просто было скучно и он был рад любому, с кем можно перекинуться парой слов, тем более молоденькой, симпатичной девушке. А может быть...

Но Элизабет не успела придумать, кем он мог бы быть, потому что Рассел разговорился с парнишкой, и выяснилось, что они едут совсем не в ту сторону. Впрочем, оказалось, что до ресторана не так уж далеко, надо прямо за заправкой съехать с основной дороги, потом повернуть направо, проехать около трех миль и на перекрестке взять налево. В общем, минут десять, ну, возможно, двенадцать, не больше.

Они просидели в ресторане не час и не два, а все четыре. Был уже вечер, когда они вышли и направились к машине, запаркованной недалеко, ярдах в двадцати от выхода.

— Тебе нельзя оставаться с ним, — сказал Рассел. — Боюсь, что это просто-напросто опасно. Ведь совершенно непонятно, что он замышляет. — Он помолчал, они прошли несколько шагов, дошли до машины. — Очень опасно, — повторил Рассел задумчиво. — Надо что-то делать, оттягивать нельзя. Конечно, можно подождать до завтра, но завтра надо будет решать.

Элизабет кивнула, она была согласна, наконец она все поняла. Эти последние месяцы она предчувствовала что-то, сомневалась, подозревала, но сложить все вместе, составить целостную картину у нее не получалось. И только теперь она поняла.

Оказывается, Рассел ничего не знал ни про Дину, ни про Влэда. Хотя откуда ему было знать, связь с ним прервалась годы назад. Он и с мамой не переписывался после того, как уехал из Бредтауна тогда, семь лет назад. Так что Элизабет много пришлось рассказывать, долго, пока она не рассказала все.

— Ты невероятно похожа на маму, — повторил Рассел, когда они уселись и ему принесли бокал красного вина, а ей — высокий стакан колы с позвякивающими кусками льда, из которых, как мачта кораблика, затерявшегося среди льдин, вертикально торчала прозрачная пластиковая трубочка. — Когда я тебя увидел, я сразу подумал о Дине, такое между вами поразительное сходство. Я вообще часто вспоминал ее, какая она женственная и, как бы это сказать, изысканная, что ли. Неужели я снова встречу ее? — Рассел покачал головой, улыбнулся, развел руками. — Наверняка она все такая же красивая. Не знаю, конечно, что она подумает, когда увидит меня. Я-то изменился за семь лет, вот видишь, волосы...

— Вы не встретитесь с мамой. — Элизабет опустила голову, потянула коричневую жидкость из трубочки, ей сразу захотелось плакать, к глазам подступила влага, она набухала, пробивалась наружу, и вот уже одинокая капля не удержалась и хлопнулась в стакан, так что недовольно зашипел кусок холодного льда.

— Ее нет в городе? — удивился Рассел. — Неужели она и на премьеру не приедет? Как жаль, мне после премьеры сразу надо будет уехать.

— Да, ее нет в городе, — едва качнула головой Элизабет, отчего еще одна капля оторвалась и шлепнулась на колышущуюся ледяную корку. Потом была длинная пауза, Элизабет так и сидела с опущенной головой, глядя на разъезжающиеся и снова съезжающиеся льдинки. Еще одна капля, уже третья, соскочила с ресниц, но промахнулась и упала на скатерть.

— Мама погибла. Ее убили полтора года назад.

Секунды разрастались, пухли, растягивая, раздувая время, а потом на Элизабет стало наезжать лицо Рассела, крупное, выпуклое, словно увеличенное линзой. В нем не было ни удивления, ни изумления. Нет, оно разом стало раздавленным, поверженным, убитым, оно потеряло сходство с привычным человеческим лицом. Отчаянием — вот чем оно стало. Олицетворением отчаяния, его сгустком, его материальным выражением.

Лицо Рассела попыталось издать какие-то звуки, вернее, губы попытались, но у них вышло то ли мычание, то ли долгое, протяжное «а-а». Пальцы разжались в отвергающем, недоуменном движении, вино из бокала пролилось на скатерть, но он не заметил растекающегося кровавого пятна.

«А на мамином лице кровь не растекалась, только маленькое, аккуратное пятнышко», — почему-то вспомнила Элизабет.

— Маму убили, — повторила она уже без слез, они сами каким-то неведомым образом отступили внутрь, будто глаза — это губка и могут так же легко впитывать влагу, как и выделять ее. — Она исчезла, просто ушла из дома и не вернулась. Потом ее нашли в лесу, в машине, у нее была рана на виске, пулевая рана, нас привезли смотреть на нее. Это у них называется опознание. Убийцу так и не нашли, полиция до сих пор не знает, где маму убили, кто, зачем.

Она говорила спокойно, бесчувственно, как сторонний наблюдатель, будто пересказывая давно прочитанную книгу, которую подзабыла немного и теперь сама пытается вспомнить.

— Нас? — это было первое внятное слово, одно-единственное, глухое, замороженное хрипом, и Элизабет не поняла.

— Что? — переспросила она.

— Вас привезли? — снова с трудом произнес голос. — Кого вас?

— Меня и Влэда, — пояснила Элизабет. — Ах, вы же не знаете, — спохватилась она. — Влэд — это мамин муж. Он сначала работал у нас, ремонтировал дом, но потом они с мамой... как бы это сказать... ну, вы понимаете. А потом мама вышла за него замуж. — Рассел вздохнул громко, болезненно, словно у него в груди оторвался кусочек ткани. — Но она не любила его. Она была одинока, очень одинока, теперь я понимаю... А тут он, вот у них и началось. А еще она жалела его, из жалости и вышла замуж. А потом погибла...

Элизабет снова начала рассказывать — вдумчиво, стараясь ничего не упустить. Хотя оказалось, что и рассказывать нечего — была мама, до нее можно было дотронуться, поцеловать, можно было ворваться утром в ее спальню, прыгнуть к ней в постель и барахтаться там, а потом замереть, вдыхая тепло ее тела, его запах. Можно было разговаривать с ней, смотреть, как она улыбается, сесть к ней на колени, но главное — знать, что она твоя, что она принадлежит тебе, как и ты ей.

Ну и что... Была, и больше нет! Одним мутным видением промелькнуло бледное, как скатерть, лицо с запачканной бурым дырочкой в виске. И все... И что тут можно сказать?

— А кто он, этот Влэд? — Похоже, первый шок прошел, с лица Рассела сошла заморозка. — Откуда он? Ты сказала, из Европы, сказала, что беженец, но откуда, из какой страны? Чем он занимался прежде, не числилось ли за ним криминала? Европа достаточно криминальное место, особенно довоенная. Хотя и послевоенная не лучше.

Элизабет задумалась и вдруг, к полному своему удивлению, поняла, что не знает. Она ничего не знает про человека, с которым жила ее мама, с которым спала, за которого вышла замуж, и с которым теперь живет и спит она сама. Она ничего не знает о его прошлом. А вдруг он и вправду какой-нибудь убийца и насильник? Ведь если честно, если не обманывать себя, она всегда подозревала его. К тому же он боится полиции. Почему? Нормальный человек полиции не боится.

— Не знаю, — сказала она вслух. — Он боится полиции.

— Ага, — кивнул Рассел.

Вот и Рассел стал подозревать Влэда. А ведь Рассел не знает, что они спят вместе, что они начали спать почти сразу после смерти мамы. Если бы он знал...

— Скажи мне, Лизи, — Рассел протянул было руку, но та, словно испугавшись, замерла на поверхности стола. — Ты с ним, с этим самым, как ты его называешь...— он наморщил лоб, прося подсказки, — ...с этим Влэдом, ты, как я понимаю, живешь с ним?

— Ну конечно. — Элизабет пожала плечами. — Он ведь теперь мой... — тут она замялась, ей стало неловко. Нет, она не могла назвать Влэда «папой» или «отцом». — ...Он ведь теперь мой папаша, — нашла она ироничный вариант, но и он показался неестественным, и она добавила: — Как бы папаша.

— И как он тебе? — снова спросил Рассел, и Элизабет ощутила на себе его взгляд, внимательный, напряженный, как недавно в машине. Она потупилась, ей показалось, что лицо покрылось густой жаркой краской. И оттого, что ей так показалось, она покраснела еще сильнее.

— Что как? — сделала она вид, что не поняла.

— Как он к тебе относится? Не обижает? — Рассел замялся. — Не возникает ли каких-нибудь двусмысленностей? Ты ведь уже девушка, молодая красивая девушка, а он в общем-то чужой, посторонний человек.

— Да нет, — она снова пожала плечами. — Я же давно его знаю, когда он еще с мамой был, так что привыкла, — сказала она, стараясь говорить безразличным голосом.

Хотя в голове глухо бились одни и те же слова: «Если бы он знал... если бы знал...» Она так и не смогла их отогнать.

— А почему вы уехали из Бредтауна? — взгляд Рассела держал ее словно на привязи, на невидимом, прозрачном поводке.

— Да там произошла одна странная история. Появились два человека, мужчина с женщиной, и они хотели увезти меня... — Элизабет замялась: если она сейчас начнет рассказывать подробно, в деталях, история покажется неправдоподобной, плодом больной фантазии. Она сама бы никогда не поверила в нее.

Но глаза Рассела собрались в пронзительную точку, они привязывали неразрывной, требовательной нитью, которая не отпускала ни на дюйм, ни на полдюйма.

— Как увезти, куда?

И Элизабет пришлось рассказать все. Сбивчиво, путано она пробивалась сквозь слова — как она встретила их двоих, Джину и Бена, как они понравились ей, потом про вечеринку у них дома, — правда, про вечеринку она ничего не помнила, то ли выпила что-то не то, то ли выкурила. Она развела руками, засмеялась неловко: совсем ничего, так, только общие ощущения, словно во сне... Как будто она спала и ела что-то сладкое, и сладость растеклась по всему телу. Будто тело погружено в сладость, вымазано ею. Правда, потом стало плохо, но это уже по дороге домой.

Затем история на теннисном корте, как она почти согласилась уехать с ними, но в последний момент вдруг появился Влэд. Она даже не знала, как он там оказался, не может быть, чтобы случайно, наверное, следил за ней. И он не позволил ей уехать. И правильно сделал. Потому что потом она поняла, что Джина с Беном что-то замышляли, что именно, она, конечно, не знает, но замышляли без сомнения.

А после начались ужасы — ей казалось, что ее преследуют, что кто-то находится в доме. Хотя нет, не казалось, она уверена, что с ней наверняка бы случилось что-то ужасное, может быть, то же самое, что с мамой. Она должна была уехать, у нее не было иного выхода. И она уехала.

Элизабет рассказывала долго, постепенно всплывали подробности, они восставали из памяти как осевшая, но сейчас потревоженная липкая пыль, она погружалась в них, словно проживала свой рассказ заново.

И чем больше она вспоминала, тем напряженнее становился Рассел: не только его взгляд, напряжением были заряжены и его неподвижно лежащие на столе стиснутые руки, и оцепеневшее тело, и резкие складки у носа. Напряжение, казалось, уже не вмещалось в нем одном, оно выплеснулось, повисло, насытило воздух, захватило Элизабет.

Но тут Рассел подался вперед — стремительно, будто пытался расколоть застывший вокруг него воздух, и сказал твердым, не терпящим возражений голосом:

— Это очень важно, Лизи, ты обязана ответить честно. От того, как ты ответишь, возможно, зависит твоя жизнь... — И тут же, не оставляя надежды на паузу, он закончил еще резче, чем начал: — Ты спишь с ним, с этим Влэдом? Правда ведь?

Элизабет обожгло, по телу пробежала судорога, то ли от неожиданности вопроса, то ли от его пронизывающей резкости. В другом месте, другому человеку она солгала бы, наверняка солгала. Но сейчас она чувствовала себя завороженной, бессильной, загипнотизированной этим собранным в точку, буравившим ее взглядом, она сразу поняла, что у нее нет выхода. Она лишь кивнула, признаваясь, и, будто кивка недостаточно, добавила едва слышно:

— Да. — А потом снова: — Да.

Лицо Рассела исказилось. Элизабет видела, как сразу отчетливо проступили морщины, отделяя каждую часть лица, словно все они — нос, щеки, лоб, подбородок были разрознены и лишь недавно собраны из разных, случайно попавшихся частей. Губы сдвинулись, округлились страданием, ненавистью и сначала выдохнули, а уж только потом Элизабет разобрала:

— Подонок!

В голосе тоже проступили страдание и злость, они перемешались и уже казались неотделимы.

— Он ни при чем. Я сама, он даже не хотел, — начала шептать Элизабет. Она хотела объяснить, что ни в чем не виновата, что никто ни в чем не виноват, просто так получилось и ничего трагического в этом нет. И не надо ни злиться, ни мучиться.

— Как ты не понимаешь? — перебил ее Рассел. — Он наверняка все подстроил, он манипулировал тобой. Он наверняка и Дину убил. Именно потому, что хотел совратить тебя. Он использовал Дину, чтобы добраться до тебя. А когда женился на ней и стал твоим отчимом, он официально получил право жить с тобой вместе, в одном доме. Твоя мама стала ему больше не нужна, и он избавился от нее. Когда ты перестанешь быть ему нужна, он избавится и от тебя. Кто знает, что у него на уме. Он опасен, он очень... — продолжал Рассел в запале, но Элизабет перебила его:

— Но полиция ведь отпустила его. Они подозревали его сначала, но потом отпустили. Они сказали, что маму нашли далеко от дома, а он никуда не уезжал.

Сначала искривились губы Рассела, затем они потащили за собой щеки, подбородок. Теперь к злости примешался сарказм:

— Полиция... Нет ничего проще, чем обмануть полицию. Даже если они подозревают, даже если уверены, они еще и доказать должны. А доказать они часто не могут, особенно если у них нет улик. Да ему не надо было никуда уезжать. Он мог договориться с кем-нибудь, кого знал. Он ведь возник не из пустоты, наверняка у него сохранились прежние связи, знакомые. Возможно криминальные, вот он и договорился. Боже мой, как Дина могла оказаться такой легковерной, как она могла поселить у себя человека, про которого ничего не знала? А потом еще и выйти за него замуж. Бедная Дина, она подписала себе смертный приговор.

Элизабет испугалась. Все оказалось так просто и очевидно: конечно он прав, Рассел, по-другому и быть не могло. Кто еще мог убить Дину, кроме Влэда, кому она могла мешать? Никому, только ему. Чтобы добраться до дочери, чтобы спать с ней, ему надо было отделаться от матери. Вот он и отделался.

У нее ведь у самой всегда были сомнения, подозрения, она и не скрывала их, даже ему не раз говорила, обвиняла, грозилась пойти в полицию, но несерьезно, скорее, чтобы подурачиться, позлить его. А напрасно, надо было серьезно.

— Но зачем ему убивать меня? — проговорила Элизабет вслух. — Он ведь любит меня, он не раз говорил. — Она заметила, как Рассел усмехнулся, и поняла, что опять сморозила глупость. — Он спас меня, — ухватилась она за последнюю соломинку. — Если бы не он, эти Дина с Беном увезли бы меня, и неизвестно, что могло произойти.

Усмешка так и не сошла с лица Рассела, она только стала мягче, снисходительней.

— Милая Лизи. Милая, наивная девочка. Как ты не понимаешь, все же так просто — он нанял их, этих двоих, он сам инсценировал твое неудавшееся похищение.

Вот это было уже слишком сложно. Даже не сложно, а немыслимо, непостижимо, невозможно. Кто инсценировал? Что? Зачем?

— Кто? Что? — произнесла она вслух.

— Ну как же. Ведь теперь ты ему всем обязана. Он твой спаситель, герой, ты ни в чем не можешь ему отказать. Ну ты сама понимаешь, в чем именно. К тому же ты наверняка была перепугана. А тут он, готовый тебя защитить. А защитнику необходимо довериться не только душой, но и... — Рассел помялся, но так и не закончил фразы. Голос его потерял злость, наоборот, наполнился заботой, участием, желанием удержать, предупредить: — Лизи, все так просто, так легко. Он нанял этих двоих, как их там звали... Джину и Дэна...

— Бена, — поправила Элизабет помертвевшими губами.

— Ну да, Бена. Он их нанял, чтобы они запугали тебя. Но не примитивными угрозами, о которых можно сообщить полиции, а чем-то необычным. Ведь неопределенная, расплывчатая угроза действует значительно сильнее, чем угроза конкретная. В литературе даже есть такой термин «саспенс», на этом принципе построены многие триллеры. Поверь мне, я ведь тоже пишу. Вот так же и с тобой, только не в книге, а в реальности. И так же, как в книгах, в последний момент появляется спаситель, твой Влэд, и отводит угрозу. И ты остаешься со спасителем навсегда, потому что угроза не исчезла, она по-прежнему преследует тебя. — Рассел выдержал паузу. Покачал головой. — Как же все здорово придумано! Тонко, психологично, и не подкопаешься... Ведь запуганным, живущим в постоянном страхе подростком проще всего управлять, его легко привязать к себе, сделать зависимым. Ты сказала, что Бен был молодой, здоровый парень, а твой Влэд избил его. Но ведь он, похоже, не богатырь, как же он справился с атлетическим Беном? — Элизабет промолчала. Она не знала, что сказать. — Как все ловко подстроено! Пойми, он манипулировал тобой. А потом увез тебя. Ссылаясь на опасность. Мол, в Бредтауне оставаться больше нельзя, там опасно. И увез тебя.

— А это зачем?

— Ну как же, Лизи. В Бредтауне тебя многие знали — соседи, в школе у тебя были подружки, ты могла им что-нибудь рассказать. Люди могли начать что-то подозревать. Ведь все знали, что он тебе чужой, что твоя мать погибла, что полиция подозревает его. Наверняка в городке шли разговоры, пересуды. Конечно, ему проще всего было уехать с тобой, замести следы. Вот еще одна причина, почему ему потребовалось создать опасность. Как он все ловко рассчитал, всего один ход, но какой удачный!

— Да, — прошептала Элизабет. И тут она вспомнила: — А когда мне надоело с ним ездить и я захотела назад, домой, он показал мне письма, которые продолжали к нам приходить. Такие непонятные, пугающие письма. И Влэд сказал, что за нами продолжают следить.

— Якобы приходили, — Рассел сделал ударение на слове «якобы». — Ведь это он сказал, что приходили. Ты же сама почту не забирала, правильно? — Взгляд Рассела совсем расслабился, он не держал больше на привязи, не буравил заостренной точкой.

— Ну да, — кивнула Элизабет, — он так сказал. И именно тогда, когда я захотела домой. И мы не вернулись. А в другой раз мы увидели Бена с Диной. Правда, они нас не заметили. Но как они могли оказаться в том же самом месте? За сотни миль от Бредтауна? Понятно, что они следовали за нами. И встретили мы их опять именно тогда, когда я захотела домой. И мы снова никуда не поехали...

Она замолчала. Все раскрылось и оказалось очень просто. И очень глупо. Она жила с человеком, который не только убил ее маму, но и держал ее на привязи. Играл с ней, как с игрушкой. Делал что хотел. Только чтобы она спала с ним. Ей стало противно, обидно, захотелось плакать от обиды, от полной растерянности, но она сдержалась. Какая она все же дура! Дура, идиотка, безмозглая девчонка. Только пустое самомнение и больше ничего. Как же можно быть такой дурой! Как сказал Рассел? «Манипулировать». Какое длинное неуклюжее слово. И как оно правильно звучит, в нем самом слышится искусственность и неправда и лицемерие.

— Ну и что же теперь делать? — прошептала Элизабет, не ожидая услышать ответ. Она его и не услышала.

— Не знаю, — пожал плечами Рассел. Он помолчал. — Понятно, что тебе нельзя с ним оставаться. Опасно. Кто знает, что у него на уме. — Он снова помолчал. — Мне надо подумать. Я наверняка что-нибудь придумаю, но мне нужно время. — Снова пауза. Он посмотрел на часы. — Тебе пора домой. Главное, чтобы он ничего не заметил, чтобы ты не показала виду, что догадалась. Слышишь, ни в коем случае! Ни слова, ни звука. Веди себя так же, как всегда. Если он захочет спать с тобой, ты не должна ему отказывать. Ты спишь с ним каждый день?

Элизабет даже не заметила вопроса.

— Почти, — ответила она машинально.

Глаза Рассела сузились, в них блеснула искра. Гневная? Или наоборот, лукавая? Элизабет не пыталась разобраться.

— Сегодня все должно быть, как всегда. Он ничего не должен заподозрить.

Принесли счет, Рассел заплатил, потом они встали, вышли на улицу, первой шла Элизабет. Было уже темно, они шли вдоль нестройного ряда машин, припаркованных у ресторана, Рассел остановился, оглянулся.

— Лизи, — позвал он.

Она обернулась, вспыхнул яркой, мгновенной вспышкой свет, глухой взрыв смешался со скрежетом, резанул уши. Элизабет отшатнулась. Машина, еще секунду назад казавшаяся неживой, застывшей в ряду таких же умерших машин, разом ожила, плеснула в темноту светом, дымным выхлопом; колеса с визгом прокрутились по скользкому асфальту; кузов громыхнул, сорвался с места, рванулся к Элизабет; фары полоснули по телу, разрезая его на две неровных части. Она отпрянула в сторону, увернулась от мчащегося кабриолета с бесстыже откинутой крышей, лишь успела разглядеть два смутных силуэта на переднем сиденье, успела подхватить обрывки голосов — громких, возбужденно пьяных.

— Студенты балуются, — покачал головой Рассел, когда машина с ревом, дымом, мелькнув красноватыми огоньками, утонула в темноте.

— Они едва не задели меня. — Элизабет поднесла руку к груди. — Мне даже на секунду показалось... — Она замялась.

— Что показалось? — Рассел подошел ближе.

— Да нет, ничего. Я просто немного испугалась.

Он остановил машину не на той улице, где стоял ее дом, а на соседней. Включил свет в салоне, достал из нагрудного кармана авторучку.

— Послушай, Лизи, я дам тебе адрес гостиницы, — авторучка мягко скрипнула на бумажном листочке. — Я в ней остановился. И телефон. — Он сложил листок вчетверо, протянул. — Ты его вынь и спрячь, когда придешь домой, кто знает, возможно, он обыскивает твою одежду. Завтра днем приходи, а если вдруг что-нибудь случится, сразу звони. Когда угодно, днем, ночью, не имеет значения. Я буду тебя ждать в двенадцать, утром у меня дела, но к двенадцати я освобожусь, и мы наверняка что-нибудь придумаем. Ты не волнуйся и не бойся, главное, не показывай ему, что ты знаешь про него больше, чем он думает. Это самое главное, чтобы он ни о чем не догадался, — повторил Рассел.

Пальцы его коснулись запястья Элизабет, сомкнулись на нем, пожали. Они были твердыми и уверенными, и казалось, хотели передать твердость и уверенность ей.

Элизабет открыла дверь машины и вышла на улицу. Было душно и влажно, влажность скользила по темному, рассеянному воздуху, пропитывала его, заполняла легкие, оседала в них, осаждалась на стенках. А может быть, дело было не во влажности, просто сердце от каждого шага проваливалось в пустоту и не могло сладить с нелепо сбившимся дыханием.

До дома оставалось шагов пятьдесят, когда ноги совсем ослабели, отказываясь удерживать разом отяжелевшее, непосильное тело, и Элизабет осела — хорошо, что рядом оказался большой, неправильной формы камень.

Минут пять она приходила в себя, дышала глубоко, ровно, пытаясь обуздать зачастившее в рваной аритмии сердце, бьющее кровяными всплесками в сдавленные виски.

А когда все же удалось восстановить и дыхание, и сердцебиение, она поняла, что домой не пойдет. Что просто не сможет. Не сможет сдержаться, не разреветься, не устроить истерику. И уж тем более не сможет лечь с ним в постель, не сможет делать то, что делала еще утром. Она вспомнила, и ее передернуло.

А ведь надо, чтобы он не догадался. Чтобы ничего не заметил. Но как она сможет обнимать, целовать его, человека, который убил маму, а потом гнусно, подло использовал ее? Как она сможет говорить с ним спокойным, ровным тоном, чувствовать, как он проникает в нее, и при этом оставаться безучастной, равнодушной? Да ее наверняка вырвет. Она захочет убить его, задушить, перегрызть ему горло. Но он ведь сильнее, он значительно сильнее.

И тут она поняла — дело не в опасности, она просто не может видеть его, слышать. Он ей противен, всегда был противен, липкий, скользкий, а сейчас противен до невыносимости. До спазма. До рвотного рефлекса. Нет, она домой не пойдет. Никогда.

Элизабет поднялась с камня и побрела по отекшей от сочащейся влажности улице. В обратную сторону от дома.

Она остановилась, лишь когда почувствовала усталость. Оказалось, что она находится в центре Милтона — кафе, пара баров и даже несколько магазинов были по-прежнему открыты, по улице праздно шатались поздние прохожие, пара подвыпивших студентов вывалились из бара, из открытой двери раздался неестественно возбужденный женский смех.

Теперь Элизабет знала, что делать, все решилось само, практически без ее участия. Она зашла в телефонную будку, сняла с рычага трубку, порылась в кармане — денег не было, повесила трубку на рычаг, вышла из будки и так же механически, будто внутри ее работала заранее запущенная программа, направилась в соседний бар.

Внутри было сильно накурено, играла музыка, хотя народу было немного — трое-четверо мужчин сидели за стойкой, еще две женщины явно за тридцать, уже в изрядном подпитии, что было заметно по их расслабленным улыбкам, смотрели по сторонам — то ли поджидая кого-то, то ли просто в поисках нового знакомства. Элизабет подошла к стойке: головы мужчин, как по команде, повернулись в ее сторону, бармен, здоровый, усатый дядька тоже уставился, но недовольно, неодобрительно.

— Можно от вас позвонить? — спросила Элизабет, но бармен не расслышал.

— Что? — переспросил он и, не дожидаясь ответа, добавил: — Тебе лучше уйти, девочка. Я все равно тебе ничего не налью, даже колы.

— Можно позвонить от вас? — повторила Элизабет. — Мне срочно надо позвонить.

— Другого места, что ли, не нашла? — проворчал бармен, но все же указал куда-то рукой. Оказывается, там был закуток слева, где на стене висел большой, неуклюжий телефонный аппарат. — Только недолго! — прокричал ей в спину усатый дядька. — Ты вообще не должна здесь находиться. У меня будут неприятности из-за тебя.

Элизабет достала из кармана листок, который вручил ей Рассел, набрала номер гостиницы; раздались слабые, протяжные гудки, пришлось заткнуть свободной рукой второе ухо, чтобы отгородиться от заполнившего зал шума. Наконец мужской скрипучий голос проговорил:

— Милтон Гранд Отель. Говорите.

— Соедините меня, пожалуйста, с номером тридцать один, с мистером Винникером, — громко, как только могла, проговорила Элизабет. Она еще раз взглянула на листок — несмотря на едва разбавленный тусклыми лампами прокуренный мрак помещения, она смогла разобрать две крупные цифры: сначала тройка, потом единица.

Пришлось долго ждать — в трубке воцарилась тишина, будто ее опустили в бездонную глухую яму, лишь пару раз раздались щелчки, и каждый раз Элизабет вскрикивала: «Хей, Рассел», — ей казалось, что из-за шума в баре он может не услышать ее. Но из трубки снова выползала одна лишь тянущаяся тишина, и снова приходилось ждать, нетерпеливо переступая ногами по тяжелому дощатому полу.

А потом наконец раздался голос Рассела, медлительный, казалось, заспанный, и она снова закричала:

— Рассел, хей, Рассел. Это я, Лизи. Слышите, это...

Голос в трубке тут же изменился, в нем разом появились тревога, беспокойство:

— Лизи, ты где? Что-нибудь случилось? С тобой все в порядке?

— Да, в порядке, — проговорила Элизабет, и вдруг комок, теплый, плотный подкатился к горлу, и на самом последнем дыхании она успела только прошептать: — Я не пошла домой, я не смогла.

И тут же комок взорвался горячей волной, разлетелся на множество мелких, юрких капель — они разом забили горло, нос и глаза, затопили голос, так что он тут же охрип и не мог пробиться через толщу слез.

— Что? Ты не пошла домой? Ты где? Почему ты не пошла? Где ты? — Голос Рассела прорывался сквозь шум музыки, сквозь рассеянные по залу голоса, сквозь рыдания Элизабет, она уже и не пыталась их сдерживать — всхлипы смешивались с всхлипами, потонув с нескончаемой соленой морской влаге.

— Где ты? Что с тобой? — неслось из трубки.

— Я не могла. Не могла пойти туда. Я не могла видеть его. — Губы Элизабет шевелились, двигались, силились выдавить из себя что-нибудь, кроме обрывков дыхания, кроме мелких, липких брызг.

— Где ты? Где ты? — разрывалась трубка.

«Его, наверное, выселят из гостиницы за такой крик», — почему-то подумала Элизабет, и видимо, эта отвлеченная мысль на мгновение остановила истерику.

— Я в «Зеленой бочке», на Мэйн-стрит... — но дыхание тут же закончилось, голос перехватило, его снова залило влагой.

— Да-да, я знаю, я сейчас там буду. Жди меня на улице! — еще громче прокричала трубка. А потом, пока рука пыталась зацепить трубку за железный крюк, из нее все еще ползли извивающиеся, прерывистые гудки.

На улице истерика спала. Слезы по-прежнему лились, но как бы сами по себе, Элизабет, полуприсев на каменную ограду, стирала их с лица рукавом — усталым движением, бессильным остановить катящиеся одна за другой капли. По улице неспешно, будто на прогулке, катили машины. Одна из них почему-то затормозила напротив, остановилась. За двойным преломлением — застоявшихся, остекленевших в глазах слез, потом уже бокового стекла машины — Элизабет не смогла разглядеть лица, но ей показалось... вернее, она почувствовала, что кто-то пристально смотрит на нее.

— Чего уставились, кретины? — прошептала Элизабет.

Потом она подумала, что, наверное, странно выглядит — плачущая девочка поздним вечером на центральной улице небольшого благополучного городка. Как бы полицию не вызвали. Элизабет снова смахнула рукавом слезы, будто дворник на ветровом стекле автомобиля во время дождя, и, соскочив с ограды, прошла ярдов десять вдоль улицы, против движения, подальше от назойливой машины.

Наконец она увидела Рассела, он шел торопливой походкой по тротуару. Последние шаги он почти пробежал.

— Что случилось, почему ты здесь, Лизи? — повторил он слово в слово свои телефонные вопросы. И добавил: — Почему ты плачешь?

Видимо, от участия, от заботы этого большого, взрослого человека где-то на подступах к горлу открылся еще один, возможно последний резервуар, и слезы покатились из ее глаз с новой силой. Рассел взял ее за руку, погладил, пытаясь успокоить. Элизабет снова смахнула рукой тяжелые, крупные слезы, сглотнула, пытаясь протолкнуть застоявшийся комок поглубже вниз.

— Я не могу... домой, — она тоже стала повторяться. — Я не могу видеть его. Меня от одной мысли тошнит. Я умру, если лягу с ним в постель. Я умру прямо там, на месте.

Она сделала глубокий вздох, отгоняя подступившую тошноту.

— Но что же делать? Куда тебе идти? А если он заявит в полицию и они начнут тебя искать? — продольные борозды сжали лоб Рассела в кожаную гармошку. Он развел руками.

— Он не пойдет в полицию, — покачала головой Элизабет. — Он боится полиции.

— Ах да, ты мне говорила, — Рассел замолчал, подумал. — Ну и куда тебе деться? Родственников у тебя, насколько я понимаю, нет? — Снова пауза. — Ну да, — согласился сам с собой Рассел и замолчал.

Они стояли вдвоем, прислонившись к ограде, молчали. Теплый вечер переходил в теплую ночь, цикады неистовствовали где-то позади, поток машин поредел, шелест каучуковых шин все еще пытался заглушить стрекотание цикад, но уже не мог.

Постепенно Элизабет успокоилась, слезы закончились, оставив лишь засохшие борозды на щеках, будто она с утра не умывалась. Но ей было безразлично, на смену слезам пришли слабость и сонливость, видимо, на истерику ушло слишком много сил.

— Ты не волнуйся, — говорил Рассел, — мы что-нибудь придумаем. Не может быть, чтобы мы не смогли придумать. Ты не волнуйся. — И снова замолкал.

— А я не могла бы пожить у вас? — Элизабет давно решила, что поедет с ним. Он должен взять ее с собой, она поживет у него, а дальше будет видно — просто она не хотела напрашиваться, ждала, когда он предложит первым. Но он все не предлагал, вот и пришлось сказать самой, сколько же можно так стоять?

Рассел молчал. Потом вздохнул:

— Не знаю, Лизи. Я думал об этом... но это же большая ответственность, ты пойми. Я часто в разъездах, да и жизнь я веду... — он замялся, — как тебе сказать, независимую, что ли. Непонятно, как ты в нее впишешься. — Рассел покачал головой. — Я знаю, что тебе нужна помощь, я хочу тебе помочь... — вздох, — но не знаю...

Элизабет подняла на него глаза, она молила взглядом, он в жизни не видел такого умоляющего взгляда.

— А что же делать? Не могу же я остаться здесь, на улице, а домой к нему я точно не пойду. Вы же сами говорили, что это опасно. Возьмите меня к себе, ну на время, я не буду вам мешать. Совсем не буду. — Если не подействовал умоляющий взгляд, то мольба в голосе не могла его не тронуть.

Он посмотрел на нее, улыбнулся пусть дежурной, но ободряющей улыбкой, кивнул.

— Хорошо, поживи у меня, дом у меня большой, место найдется, а после что-нибудь придумаем. — Снова посмотрел. — У тебя деньги-то есть хоть какие-то? — И тут же, не дожидаясь ответа, махнул рукой. — Хотя что за глупость я говорю, при чем здесь деньги? Пойдем к машине, я тут недалеко припарковался.

Потом, уже сидя в машине, уже проехав с полмили, Рассел сказал:

— Вообще-то у меня на завтра назначена встреча, но придется ее отменить. В гостинице я снимаю всего одну комнату, так что у меня тебе ночевать нельзя, а взять отдельный номер... — он пожал плечами, — если этот Влэд начнет тебя искать... А искать он уже, наверное, начал, значит, номер в гостинице тоже не подходит.

Они проехали еще с полмили.

— Так что поедем сразу ко мне домой. Тут недалеко, миль сто семьдесят, часа за три доедем.

Элизабет кивнула. Все получалось правильно и хорошо. Она знала, что хорошо, а дальше будет еще лучше. Рассел поможет ей, она станет актрисой, начнет зарабатывать, все будет отлично... Машина покачивала мягкими рессорами, Элизабет прикрыла глаза: сейчас она заснет, а когда проснется, все будет отлично. Все будет замечательно.

— Возьми на заднем сиденье плед, укройся, — пробился сквозь дремоту мужской заботливый голос. Но протянуть руку и взять плед уже не было сил.

* * *

Всем нужны перемены, и погоде в том числе. Ощущение такое, что сегодня я проснулась не в насупленной, белесой Швейцарии, а перенеслась в небесно-голубую итальянскую Тоскану — там ведь тоже горы, хоть поменьше наших, но все равно возвышаются. И знаете, все сразу переменилось — как все же много зависит от яркости солнечного света, — природа заиграла красками, у всех поднялось настроение, а вместе с ним и средний уровень либидо среди отдыхающего населения, и вообще хочется жить, петь... Иными словами, преображение и всеобщее благодушие.

По такому поводу я даже пропустила ежедневный оздоровительный заплыв в бассейне со стеклянной крышей — кому нужна крыша в такой чудесный день?

Вместо бассейна я поспешила наружу, куда высыпали почти все постояльцы, подставили свои груди, попки или просто носы и плечи — что у кого имеется — нежнейшим лучикам небесным. Потому что у нас, когда начинает светить, то светит не хуже, чем в Тоскане или на Ривьере — мягче, нежнее и ценится больше. Ведь ежедневный праздник праздником быть перестает. Праздником можно насладиться только после скучных будней.

Кафе на лужайке было заполнено, народ галдел у бассейна, мой красавчик Карлос, естественно, тут же испарился, — я же говорю, солнечное настроение приводит к повышению среднестатистического либидо. Или к его увеличению, не знаю, как правильно. Но я сегодня добренькая, вот и простила мальчику его заведомую неверность. Хотя она и подлая. Я ведь ему, в конце концов, не изменяю.

Где-то на отшибе, у самого дальнего столика незаметно примостился мой скромный соавтор, потягивая из стакана светло-коричневую жидкость. Зная его не первый день, я с ходу учуяла — скотч, «Single Malt».

Надо заметить, Анатоль выглядел весьма помятым. Помятость отпечаталась и на лице, и во взгляде, и в движениях, — этакая флегматичная вялость, когда энергия вытекла по каплям, а новая еще не набралась. Будучи знакома с особями творческих профессий, а порой и накоротке, я сразу определила — мсье Тосс последние сутки творил, лепил из слов мой детский образ, переплавлял в печатные фразы злоключения моей грешной юности.

Конечно же я подошла, оглядела его, покачала осуждающе головой.

— Выползли наконец из своей конуры, — предъявила я ему первую претензию.

— Да ладно, у меня вполне приличный номер. Не такой, конечно, как у вас, но я ведь в нем живу один, — попытался съехидничать Анатоль, но особенно ехидно у него не получилось — все той же энергии не хватило.

— Вот и напрасно, — пожурила его я. А потом еще раз пожурила: — Что-то вы неважно выглядите: бледный, обросший, глаза потухшие. Неправильный вы образ жизни ведете, господин сочинитель. Нет чтобы гулять, здоровым воздухом дышать, спортом заниматься, с интересными людьми общаться, — тут я округлила глаза, чтобы он понял, на кого я намекаю. — А то заперлись у себя в коморке, всё строчите без передышки. Небось и алкогольными напитками злоупотребляете.

Он наконец-то улыбнулся, покачал головой:

— Не злоупотребляю. Пользуюсь, но не злоупотребляю.

— А кто заказывал в номер бутылку обожаемого «Glenfiddich»?[1] — полюбопытствовала я.

— Подумаешь, одну бутылку на три дня, — отмахнулся он. — А вы, как я понимаю, следите за мной?

---

[1] Марка виски.

— Так не только я. Я же теперь ваш персонаж. А как мы знаем, многие персонажи за вами следят.

— И то верно, — вяло согласился он.

— Ну так что, раз вы вылезли наружу, значит, похоже, закончили очередной кусок?

На сей раз у него даже на слова энергии не хватило, лишь на короткий утвердительный кивок. Надо же, как измотал его, беднягу, писательский труд. Небось женщины так не изматывали. Надо бы ему помочь, вернуть к радостям жизни. Но вот как? Я уже не в той кондиции, чтобы возвращать к радостям. И все же я попробовала:

— Вставайте, хватит торчать за столом, пойдемте гулять. Смотрите, погода какая роскошная: разомнем ноги, легкие восстановим, всякие другие мышцы.

— Куда? — он выглядел не столько изумленным, сколько недовольным. Брюзгой, одним словом.

— Здесь есть тропинки. Очень, надо сказать, живописные — через леса, луга, рощицы. Вот вас природа и красота полечат немного.

Анатоль посмотрел на меня, на остатки жидкости в стакане, в нем, кстати, оставалось совсем немного, затем махнул одним взмахом это «немного» в себя и приподнялся.

— Ну как я могу вам отказать? Пойдемте, прогуляемся, зарядимся, — согласился он. — К тому же я просто умираю от любопытства, что же там с вами дальше случилось. В вашей ранней юности. Вы меня просто заинтриговали. Кто же за вами охотился — Влэд или Рассел? Понятно, что кто-то из них двоих, но вот кто? Иногда мне кажется, что Рассел, иногда — что Влэд.

Мы уже шли в сторону леса, туда слева от главного здания вела едва заметная тропинка, по ней можно было кружить часа два. Приблизительно на два часа я и запланировала нашу прогулку.

— Надо сказать, что у нас с вами получается интересный литературный прием, — продолжал бредущий рядом Анатоль. — Я, автор, сам не знаю продолжения, не знаю развязки и пишу, не зная. И получается, что читатель тоже не будет знать. Может догадываться, предполагать, как и я, но знать не будет. Ну так что, когда продолжим? Мы, насколько я понимаю, подошли к кульминации.

— Расскажу-расскажу, — пообещала я снисходительно. — Кстати, хотела у вас спросить: вам писать не изнурительно? Потому что, если честно, вы выглядите выжатым как лимон, извините за простое сравнение. А ведь иногда вы полны огня, глаза светятся и наверняка женщины льнут. Женщины падки на мужскую энергетику.

— Писать тяжело, действительно тратишь много сил, — согласился Анатоль. — Есть такой известный пример про Генри Миллера.

— Про писателя? — переспросила я, потому что мне известны аж сразу три Генри Миллера.

— Ну да, про него. Вы же знаете, он по молодости был большим любителем сексуальных утех. Про утехи и писал. То есть писал как жил. Его связи хорошо известны, запротоколированы, в том числе и очевидцами. Так как среди женщин попадались и такие, которые сами неплохо писали.

— Кто неплохо писал? — подпустила я иронию. — Анаис Нин, что ли?

— Ну ладно, пусть плохо писали, какая разница, — увильнул от литературного спора Анатоль. — Так вот, его подружки утверждали, что Миллер становился полным импотентом, когда трудился над очередным романом.

— Прямо по Фрейду, — согласилась я. — Кажется, называется «сублимация сексуальной энергии».

— Ну да, и ее переход в творческую, — поддакнул Анатоль. Потом вздохнул: — Конечно, процесс тяжелый. Изнуряет.

— Главное, чтобы после того, как процесс завершен, творческая энергия смогла снова перейти в сексуальную, — назидательно заметила я. — А то как-то нехорошо может получиться.

Он взглянул на меня, убедился, что на моих губах присутствует, как и полагается, ироничная улыбка.

— Да перейдет, куда денется, — пообещал он.

Впрочем, что мне до его обещаний?

Мы поднимались по склону горы: я много раз гуляла здесь, склон был пологий, идти было легко. Слева дремучие деревья тянулись к вершине, заслоняя ее. А вот справа сквозь редкие сосны легко проникали солнечные блики, и играли, и отскакивали от придорожных лопухов, путались в иголках хвои, создавая причудливые переливы света и тени. Одним словом, было весьма красиво, просто тянуло встать к мольберту. Наверное, поэтому я и сказала:

— Жаль все-таки, что из меня художника не вышло. Я, знаете ли, училась когда-то много лет назад, но таланта не хватило. А в живописи без таланта совсем плохо. В других делах бывает, что и без таланта нормально, а вот в живописи — никак. Пришлось бросить. Стала критиковать живопись, писала, знаете, всевозможные статейки, анализы, разборы. Оказалось, это намного проще, да и талант особый незачем иметь.

Анатоль оживился. Он вообще немного посвежел — кому сосновый швейцарский воздух не пойдет на пользу?

— И какой стиль вы цените превыше других? Реализм, импрессионизм, сюрреализм, абстракционизм?.. Там ведь много разных стилей, не так ли?

— Так-так, — подтвердила я. — Видите ли, я давно придумала аналогию, объясняющую взаимодействие различных направлений в живописи.

Я помедлила: думала, он попросит рассказать, но он не попросил. Пришлось начать без приглашения.

— Предположим, поезд. Он только что отошел от станции, вы стоите у окна, смотрите на проплывающий пейзаж. Поезд катится так медленно, что вы можете разглядеть каждую деталь за окном — веточку на дереве, капельку дождя, подсыхающую на листочке, прожилки на самом листочке, морщины на лбу проходящего по улице мужика... — Я посмотрела на Анатоля — он молчал, казалось, не слышит меня, думает о чем-то своем. — Вот это и есть реализм, — укоротила я образное описание.

— Так, — согласился мой сосредоточенный напарник. Значит, все же слушал.

— Поезд набирает скорость. Едет быстро. За окном все начинает мелькать — деревья, телеграфные столбы, домики деревень, поле, рощица. Вы видите их, но разобрать детали уже не успеваете, все немного сливается: краски, формы — одни переходят в другие наплывами, всплесками. Остается ощущение, чувство, но детали уже не различимы.

— Это импрессионизм, насколько я понимаю, — закончил за меня проницательный мсье Тосс. Я кивнула, благодаря за внимание.

— Потом поезд несется с максимальной скоростью, очень быстро. Все замелькало перед глазами. Вы уже не различаете предметы, структуру, композицию. Вы отделяете лес от пшеничного поля только по очертаниям и по цвету. Зеленый сменился бледно-желтым, потом темно-желтым, сочным, переспелым — это, наверное, поле подсолнухов, потом на него наехало голубым — видимо, река или озеро. Потом красное, багровое — это заходит солнце... Перед нами — абстракция.

Я снова взглянула на Анатоля, вернее, на его плывущий слева профиль. Профиль по-прежнему был сосредоточен. Возможно, его заставила сосредоточиться моя незатейливая аналогия.

— Вот и выходит, что любой стиль живописи является, так или иначе, отражением нашего мира, только при различных условиях. В конце концов, живопись — это прежде всего форма и цвет, как и сам мир вокруг. Найти свои форму и цвет и есть задача художника, будь он реалист, авангардист, конструктивист, да кто угодно. Форма и цвет правят живописью, как звук музыкой, как слово литературой.

— Ну да, ну да, — кивнул мне в ответ профиль.

Через гору мы перевалили благополучно. Вернее, обогнули ее. После чего тропинка благополучно вывела нас в долину. Небольшая такая долина, скорее лужок, с одной стороны зажатый все той же горой, с другой — лесом.

Обычно тут я отдыхаю. Мне здесь нравится, особенно когда выходишь из-под сосен под открытое небо, особенно когда оно голубое и солнечное, как сегодня.

Предусмотрительные и трудолюбивые швейцарцы поставили рядом с тропинкой скамейку из тесаных стволов и поленьев. На этот оазис цивилизации, заботливо внедренный в самую сердцевину дикой швейцарской природы, нельзя было смотреть без умиления, как и невозможно было им не воспользоваться. И мы воспользовались, сели.

И тут, не говоря ни слова, мой литературный подельник нагло запускает руку в задний карман своих брюк и являет миру плоскую металлическую фляжечку, наверняка наполненную любимейшим скотчем. Я аж вздрогнула от удивления — оказалось, что мсье Тосс не менее швейцарцев предусмотрителен и тоже умеет заготовлять впрок. Ну надо же, кто мог ожидать такое от ветреного литератора.

Сначала он предложил мне, но я, конечно, наотрез отказалась. Тогда он с чистой совестью глотнул пару раз, завинтил пробочку и спрятал фляжку назад, где она и пребывала прежде, — в задний карман брюк. И видимо, эти глотки что-то сдвинули в его мозгах. В смысле, мозги от глотков пострадали. Так как минуты через две Анатоль предложил:

— А не пойти ли нам по грибы? Вон и лес рядом.

— По кому? — переспросила я на всякий случай.

— По грибы, — повторил любитель живой природы. — Я, знаете, лет тридцать грибов не собирал, с самого детства — издержки городской жизни. А раньше любил, к тому же они красивые, когда из земли растут. Я, если честно, вообще не помню, когда в лес последний раз заходил, а сейчас чувствую, хочется.

— Вы бы еще пару глотков из фляжечки влили в себя, глядишь, и другие желания возникли бы. Более здоровые, — наблюдательно заметила я.

— Да мне и так хорошо, — отмахнулся Анатоль. — Ну что, составите мне компанию?

— Ни в коем случае, — засмеялась я. — Если уж о дикой природе вспоминать, мне Карлоса вполне хватает.

— А я не могу себе отказать. Подождете меня, я ненадолго, десяти минут мне вполне хватит?

— Ну конечно, подожду, — сжалилась я. — Идите, утоляйте детскую ностальгию, ваша соавторша будет терпеливо поджидать вас. Потому что она надежна. Хотите, я косынкой буду махать?

— Да ладно вам, у вас и косынки нет. — Он поднялся, сделал несколько шагов в сторону соседнего леска. — Десять минут, не больше, — повторил он и скрылся среди деревьев.

«Надо же, всего-то несколько глотков хорошего алкоголя, а как легко лишили человека рассудка, — подумала я. — Он вообще, похоже, шальной, этот господин Тосс».

А потом перестала думать. Просто раскинула руки по спинке скамейки, подставила лицо под ненавязчивые лучики швейцарского солнца. Сначала смотрела на далекое небо: казалось, можно определить, где оно там, в высоте, начинается, и найти линию, ниже которой небо еще не было небом, а вот прямо за ней — начиналось.

Я смотрела несколько минут, а потом расслабленность охватила меня, глаза закрылись, и я впала в тихое, блаженное забытье. Лишь представила, как проходящий мимо швейцарский турист, увидев меня, распростертую на скамейке, отшатнется, решив, что бабуся померла от высокогорных перегрузок и уже слегка подсохла и закостенела. С этой веселой мыслью я и погрузилась в дремоту.

Вывел меня из нее отчаянный нечленораздельный крик — длинный, протяжный, без сомнения, мужской, хоть и несколько визгливый. Так кричат, когда больно, страшно и снова больно. А потом нечленораздельный крик перешел в членораздельный.

— Фак! — разобрала я знакомое слово. И еще раз, протяжнее: — Ф-а-а-а-к!

«Похоже, мсье писатель набрел на гриб», — успела было подумать я, но еще один смачный крик сбил меня с мысли.

— Кэтрин! — звал меня голос писателя. — Змея! Я наступил на змею. Фак! Фак! Кэтрин!

«Змея — это нехорошо, — подумала я. — Здесь водятся злые гадюки, по осени они особенно немилосердны».

Пока я думала, из чащи выскочил сам укушенный, подпрыгивая на одной ножке, будто девочка, играющая в классики; он выглядел весьма комично. Только, в отличие от девочки, лицо его было перекошено ужасом, да и по общей комплекции на девочку он похож не был.

Я, конечно, встала, поспешила, насколько могла, ему навстречу. Так мы и встретились на полдороге, где я и подставила ему свое надежное угловатое плечо. На которое он предусмотрительно не оперся — видимо, хоть и был крайне покусан, все же понимал, что от его тяжести плечо тут же подломится. Так — со мной, семенящей сбоку, — он успешно доскакал до скамейки.

— Что случилось? Что случилось? — беспокоилась я по дороге. Искренне беспокоилась, потому что кому охота держать на руках умирающего от гадючьего яда соавтора? К тому же я совершенно не знала, что в таких случаях делать: мобильник я с собой не захватила, а тащить на себе раненого... Лет пятьдесят назад, может, я бы и дотащила, но не сейчас.

— Я на змею наступил, — повторил он и добавил: — кажется.

— Кажется «на змею»? Или кажется «наступил»? — переспросила я.

— Змея точно была, — закряхтел грибник, оседая на скамейку. — И кажется, я на нее наступил. И кажется, она меня укусила.

— Когда змея кусает, это очень больно. Я читала. Вы чувствуете боль?

— Кроме ужаса, я ничего не чувствую.

— Тогда снимайте штаны. Будем вас изучать на предмет укуса, — распорядилась я.

Он приподнялся, стал расстегивать штаны.

— Ну и что будем делать, если она укусила? — спросил он озабоченно, оголяя правую ляжку.

— Буду отсасывать яд. — Я провела языком по губам, проверяя, нет ли трещин. Я где-то слышала, что так надо. Похоже, трещин не было. Да и откуда им взяться? Когда платишь пару сотен косметичке, трещины могут быть только у нее.

Анатоль бросил на меня быстрый взгляд. Несмотря на охватившее его отчаяние, в нем нашлось место удивлению.

— Неужели будете?

— Не волнуйтесь, — подтвердила я. — Буду отсасывать, как миленькая. И отсосу любой яд до последней капли, ничего в вас не оставлю. Уж в чем в чем, а в отсасывании мне умения не занимать, стаж весьма солидный. — Он даже улыбнулся, как я и рассчитывала. — Давайте, помогу вам стащить брюки, — предложила я, приседая на корточки.

Так сезам и открылся. Ну что сказать: у него была крупная, хорошо тренированная нога. Во всяком случае, правая. Видимо, когда он не писал, он ее тренировал. Как, наверное, и левую.

Потом мы долго ее изучали, его правую ногу, на предмет следов змеиных зубов. Зубов обнаружено не было. Похоже, что отсасывать мне не грозило.

— Так что все-таки у вас с ней произошло? — поинтересовалась я.

— С кем? — переспросил литератор, не отрывая глаз от своей правой голени.

— Со змеей, — уточнила я.

Анатоль не спеша снова осмотрел ногу, убедился в ее полной целостности и только потом начал свой волнующий рассказ:

— Я уже выходил из леса — надоело, одна сплошная паутина, да и грибов не видно, так, пара подгнивших сыроeжек. Я даже на землю уже не смотрел, вас разыскивал в просвете между деревьями. И вдруг меня отбросило назад — далеко, метра на два, наверное, может быть, на три. Не знаю, что отбросило, но я явно почувствовал толчок и отлетел. Как я отлетел, совершенно непонятно, — повторил Анатоль. — Смотрю, а там, на земле, куда я только что наступил, на мху — совершенно зеленая, незаметная змея свернулась в кольца, приподняла свою плоскую головку сантиметров на сорок, вылупила на меня злобные глазки и все еще покачивает мордой, будто по инерции после броска. Она наверняка укусила, потому что я наверняка наступил. Там еще...

— Какого цвета, говорите, была змея? — переспросила я, так и не поднимаясь с корточек.

— Зеленая, — подтвердил Анатоль.

— Давайте снова осмотрим вашу ногу, — сказала я, стараясь скрыть беспокойство.

— А в чем дело? — все же забеспокоился он.

— Наверное, гадюка. Здесь они водятся, именно зеленые, разновидность такая местная.

Мы снова обшарили его ногу, сантиметр за сантиметром.

— Похоже, вам суждено долго жить, — поставила я заключительный диагноз. — Видимо, она до вас не дотянулась. Или дотянулась, но не успела прокусить штанину. Кто, вы говорите, вас оттолкнул?

Он не ответил. Молча натянул брючину, сел, задумался. Я не надоедала. Так мы просидели минут десять.

— Пойдемте домой, — предложил грибник, он же змеелов, он же писатель Анатоль. Я кивнула.

Мы снова шли по тропинке, на сей раз молча. Анатоль выглядел задумчивым, но сколько можно задумываться, и минут через пять он произнес:

— А ведь странная история случилась. Я в лесу лет тридцать не был. Да и змей здесь, наверное, раз два и обчелся. И надо же, первый раз за тридцать лет зашел в лес, да и то на пять минут, и тут же наступил на змею. Будто она поджидала меня. Странно, да?

Он замолчал, ожидая моей реакции, но я не поняла, к чему он клонит, и реакцию не проявила.

— Но самое странное то, что я ее не видел. Вообще не видел: она, зеленая на зеленом мху, полностью слилась с ним. Да и вообще я на землю не смотрел. И что-то меня оттолкнуло. Или кто-то. Потому что сам я отпрыгнуть не мог, не успел бы. Да и не видел я ее.

Вот тут я наконец догадалась, что он имеет в виду:

— То есть вы намекаете на метафизичность произошедшего?

Он не заметил иронии.

— Понимаете, что произошло? — Анатоль снова задумался. В принципе мне всегда нравились задумчивые мужчины. — Кто-то вывел меня на эту змею, прямо на нее, чтобы я на нее наступил. Но кто-то другой меня оттолкнул, не дал ей меня укусить. Вы скажете, череда случайных совпадений, теория вероятности... — он покачал головой. — Что-то слишком уж много совпадений. Ни одна теория вероятности не выдержит.

Я хотела спросить: «Вы серьезно?», но не спросила. Зачем оскорблять чувства едва выжившего рептилиеведа?

— И самое забавное, что сегодняшнее мое лесное приключение полностью отражает общую закономерность моей жизни.

— В том смысле, что кто-то подвергает вас опасностям, а кто-то другой их от вас отводит? — подтолкнула я его забуксовавшую мысль.

— Ну да, похоже на то, — поддакнул Анатоль.

Мы прошли несколько шагов молча. Потом еще несколько.

— Странно, — снова не выдержал первым мсье Тосс. — С учетом того, что сегодня у меня день рождения.

— Что же вы молчали! — набросилась я на напарника. — Я же понятия не имела. Получается, что вы сегодня и в самом деле заново родились. Надо же! — Теперь настала моя очередь удивляться и задумываться. — Ну что ж, придется отмечать, — облекла я задумчивость в слова. — Придется злоупотребить алкоголем. И конечно, с меня причитается подарок. — Здесь он, как и положено, начал отнекиваться. Но я уже решила, что ему подарить.

Конечно же злоупотребить алкоголем у меня не вышло — в моем возрасте злоупотребления излишни. А вот Анатоля я подпоила прилично, мы вообще устроили небольшую вечеринку. Но еще до вечеринки я позвонила в одно знакомое агентство и попросила прислать двух девочек, желательно вьетнамочек, в крайнем случае китаяночек, но чтоб поэкзотичнее. Они там удивились, в агентстве, сказали, что не предполагали во мне подобных пристрастий, но я их успокоила, заверила, что пристрастий не поменяла.

Девочки и в самом деле оказались экзотичные, вполне инопланетные девочки, я их всеми правдами, но в основном неправдами запустила в номер мсье именинника и наказала приготовиться и ждать. А позже отправила туда и самого подвыпившего Анатоля, даже проводила до дверей, чтобы он номер не перепутал.

Проснулась я в плохом настроении, болела спина, голова, даже с кровати было тяжело подняться. Напрасно я выпила вчера лишнее, знала ведь, что не стоит.

И все же утром, вернее, поздним утром, уже ближе к ланчу, мы встретились — я и вчерашний именинник. Как всегда, в кафе.

— Ну как, — поинтересовалась я, — они на самом деле умеют нечто такое, чего не умеем мы?

Он засмеялся:

— Я сразу понял, что это ваших рук дело.

— Ну а чьих же еще? — пожала я плечами. — Кто еще здесь о вас позаботится? Так как было? Что-нибудь новое о жизни узнали? — Он замялся. — Бог с вами, оставьте подробности при себе, — сжалилась я. — Да и что там может быть принципиально нового? Чуть в одну сторону, чуть в другую...

— Не скажите, не скажите, — закачал головой Анатоль.

— Значит, секс был хорош, — подвела я черту, ожидая, что он сейчас рассыплется в благодарностях. В конце концов, кто ему этот секс устроил, если не я, пусть и косвенно, конечно. Но он не рассыпался.

— А разве секс бывает нехорош? — попытался простенько пошутить Анатоль, но даже простенько у него не вышло.

— О, еще как бывает, — получил он неожиданный ответ.

— Правда?!

— А вы не знали?

Он пожал плечами.

— Странно, вы же книги пишете. Секс может быть пыткой, моральным уничтожением. Да и физическим уничтожением тоже. Знаете, как заставляют девочек становиться проститутками? Ведь далеко не все сами изъявляют желание. Многих заставляют. Привозят из других стран, обещают работу — няньками, например, в приличные семьи, а потом сдают в бордели. А девочки совершенно не собирались работать в борделях, вот и начинают возмущаться, протестовать. Вы знаете, что с ними делают?

Анатоль молчал, ирония слетела с его лица, и правильно сделала. После праздника всегда наступает похмелье. Вот я его и устраивала.

— Что? — полюбопытствовал литератор.

— Их опускают. Знаете такое слово?

— Слышал, — кивнул он.

— Ну как же, вы должны были слышать, вы же человек слов, — теперь ирония пробралась и в мой голос. На сей раз злая. Почему-то сегодня мне хотелось быть злой, повод был — голову ломило через и без того тонкую стенку.

— И как же это происходит? — разогревал во мне злобу Анатоль.

— По-разному. Способов много. Например, ежедневные групповые изнасилования. Многочасовые. Группа специально натасканных жеребцов насилует часа три утром, потом часа три пополудни. Потом ночью. Разными способами, вполне изощренными. Какими только возможно. А иногда какими невозможно. Такие ежедневные упражнения могут продолжаться недели две или три, пока девочка не сломается. Держат ее запертой в комнате без окон, без света, без туалета, правда, дают горшок, вечером какую-то еду, а потом приходят группой и вытрахивают из нее все мозги. Долго, безостановочно, со смехом, прибаутками, издевками, — их же много, весельчаков. А вы знаете, что женщины, даже когда не хотят, даже когда их насилуют, если их насилуют долго, все равно кончают?

Анатоль молчал. И хорошо, что молчал. Злость копилась во мне, разрасталась.

— И вот они, эти молодцы, совместными усилиями вышибают из девочки все человеческое — волю, желания, способность мыслить, принимать решения. Они оставляют только секс, жесткий, грязный, а еще страх. И больше ничего. Конечно, девочка может сопротивляться день-два, и тогда ее бьют, не сильно, чтобы не покалечить, но постоянно, чтобы секунда без боли была праздником. Могут заставить пить мочу, есть экскременты, ползать в них, — и снова насилуют, насилуют постоянно, будто секс — образ жизни.

— Пытка, — зачем-то вставил слово Анатоль, хотя никто его не просил.

— И через неделю-две девочка ломается. Все ломаются. Механизм отработан и проверен. Психика меняется. Даже не так, чтобы появлялась физическая зависимость, а скорее, подменивается реальность — та, которая была раньше, перестает существовать. Появляется новая. Новые потребности. Был человек, хотел любить, работать, учиться, растить детей... И перестал быть. Его подменяет другой.

Анатоль молчал, спасибо ему хотя бы на этом. Злость начала понемногу утихать.

— Вот как бывает, — наконец сказала я назидательно. — Секс не всегда приносит удовольствие. У него имеется и обратная сторона. Секс может раздавить человека, искалечить его психику. Да и физически уничтожить тоже. Страшный, если разобраться, инструмент. Прямо как змеиный яд, которого вы так счастливо вчера избежали. Тоже зависит от дозировки.

— Вы прошли через все это? — наконец задал вопрос проницательный мсье Тосс. — Через все, о чем рассказывали? — Его голос наполнился таким густым сопереживанием, что я не сдержалась, улыбнулась.

— Да что вы, это все бытовая ерунда по сравнению с теми феерическими забавами, через которые пропустили меня, — уже совсем добродушно заверила я его. — Примитивным бордельным насильникам с их примитивными бордельными мозгами подобные кренделя даже и не присниться не могут.

* * *

Дом показался Элизабет не просто большим, а огромным. Он напоминал «дом с привидениями» из голливудских фильмов — мрачный, с полукруглыми башенками флигелей, с темными глазницами множества окон, он был бы похож на средневековый замок, если бы не был деревянным. На трех его этажах наверняка находилось комнат двадцать, не меньше. Внутри было даже не то что бы грязно, а скорее, царил беспорядок, что и понятно — для ухода за таким громадным домом потребовался бы целый штат убирающей, моющей, чистящей обслуги.

Обстановка была подстать самому дому — плотные, темные гардины на окнах, тяжелая, громоздкая мебель красного дерева. Все выглядело массивно, дорого, но старомодно.

Элизабет получила комнату на втором этаже с отдельной небольшой, но чистой ванной. Основная задача, во всяком случае, поначалу была не заблудиться и запомнить путь к лестнице, ведущей на первый этаж.

На первом этаже потеряться было почти невозможно: кроме кухни, там находились три огромные комнаты — гостиная, столовая, и еще одна, что-то вроде клубного зала — с барной стойкой, кожаными диванами, креслами, у каждого из которых стоял маленький круглый столик. От кухни отходил коридор, но куда он вел, Элизабет не знала.

К обеду собрались рано, к четырем часам, и сидели за столом долго, часа три, а то и четыре, с многочисленной сменой блюд — часть из них уже стояла на столе, остальные в больших глубоких салатницах приносила немолодая, улыбчивая, довольно привлекательная мулатка. В промежутках между сменой блюд она сидела за столом вместе со всеми, похожая скорее на хозяйку, чем на служанку.

Помимо нее и Рассела в доме, похоже, жили еще несколько человек: они подходили, представлялись Элизабет, но она не запомнила все имена с первого раза. Запомнила только молодого человека по имени Пол и еще девушку Линн. Они были ненамного старше Элизабет — чуть за двадцать, не больше. Линн говорила тихим, стелющимся голосом, обворожительная улыбка приоткрывала мягкие, сочные, заведомо податливые губы.

— У нас тут что-то вроде театральной студии, — пояснила Линн. — Что-то вроде инкубатора для будущих звезд. Рассел нас всех пригрел, балует, учит, пишет для нас, приглашает режиссеров. — Она назвала насколько имен, Элизабет знала только одно, оно гремело на Бродвее. — Все они птенчики Рассела, — пояснила Линн и добавила: — Тебе жутко повезло: если он возьмет тебя в команду, считай, твоя карьера обеспечена. Правда, ты слишком молодая, обычно Рассел с такими не работает. Но значит, он разглядел в тебе что-то особенное.

Атмосфера за столом была непринужденная. Смех, шутки, темы выходили за грань традиционной застольной беседы, заражали остротой, провокационностью. Разговор сопровождался откровенными взглядами, многозначительными улыбками — в общем, все было именно так, как и должно быть, когда собирается группа независимых, не обремененных бытом молодых людей обоего пола, да еще с богемными привычками.

Рассел казался неотъемлемой частью этого молодежного сообщества — он не меньше других шутил, хохотал над шутками других, поддерживал самые шокирующие высказывания. Вот только его зрелый возраст, редеющие волосы, выпирающее брюшко, усталое, в морщинах лицо, здесь, сейчас, в присутствии молодых, здоровых и беспечных людей особенно бросались в глаза и вызывали ощущение чего-то противоестественного, ненатурального.

И тем не менее вокруг него существовал очевидный ореол, некое поле обожания. Нет, никто не льстил ему, не поддакивал, просто девушки краснели, когда ловили на себе его взгляд, глаза их невольно раскрывались шире, казалось, еще немного, и дыхание собьется. Впрочем, молодые люди тоже смотрели на него с обожанием, — так, наверное, подумала Элизабет, и должны относиться ученики к учителю. Когда он начинал говорить, в комнате становилось тихо, да и говорил он умнее других, шутки его были чуть тоньше, аргументам трудно было возразить, он как бы подводил черту, завершал тему.

Разлили вино, пошутили конечно же по поводу юного возраста Элизабет, решено было закон не нарушать и вина ей не наливать. Вместо вина налили сок, долго смеялись. Подняли бокалы, кто-то сказал «чирс», кто-то «салют», кто-то предложил засчитывать Элизабет каждый день за три, чтобы она скорее догоняла остальных.

— У нас тут главное не быть трезвым среди пьяных и пьяным среди трезвых! — крикнул ей с противоположной стороны стола Пол.

Посчитали, сколько должно пройти времени, оказалось, что все равно долго ждать. Тогда увеличили пропорцию: день — за неделю. «Ведь здесь за день научишься тому, на что обычно требуется неделя», — засмеялась девушка, сидящая через два места слева, и задорно подмигнула Элизабет. Снова подсчитали, оказалось, что все равно долго.

— А то на одном соке здесь долго не продержишься, — захохотал другой парень, кажется, его звали Дэвид.

— Почему? — засмеялась в ответ Элизабет. — Он мне нравится, я такой никогда не пила. Из чего он сделан? — Она чувствовала себя необыкновенно легко, непринужденно. Все ей пришлось по душе — и загадочный дом, и ребята, веселые, доброжелательные, красивые, и Рассел, которого, смотри-ка, как сильно любят, который, оказывается, такой известный, богатый и нисколько этим не кичится. — Так из чего сок сделан? — повторила она, пытаясь перекричать общий гул голосов.

— Из любви, — услышала она мягкий девичий голос справа, он будто полз, стелился, тихо, вкрадчиво, незаметно.

— Надо возраст отсчитывать не по годам, а по событиям, — раздался голос Рассела, Элизабет обернулась. — Чем больше произошло в жизни событий, тем человек старше. Ведь многие проживают дни, месяцы, года, но в их жизни ровным счетом ничего не происходит. И получается, что их жизнь остановилась в стадии младенчества. А вот Александр Македонский, например, прожил тридцать три года, но наверняка они были длиннее, чем восемьдесят лет иной безсобытийной жизни.

— Это идея, — раздался один голос.

— Гениально, — поддержал другой, рядом.

— Тогда мне сорок три, — засмеялась красивая девушка напротив, Элизабет забыла ее имя. — А тебе, Рассел, двести сорок семь.

Хохот сорвался, вылетел из столовой, покрыл весь дом.

— Как чувствует себя наш праотец? — зашелся Пол.

— А меня ты посчитал? — кричала другая девушка, кажется, ее звали Сэра. — Рассел, во сколько лет обошлась тебе я?

— Ну да, можно сказать, ты удлинила мою жизнь лет на двадцать, — отшутился Рассел.

— Тогда тебе через пару дней уже можно будет пить, — перегнулся к Элизабет через стол этот, как его... Дэвид, кажется.

Все снова захохотали, Элизабет громче всех, такой счастливой она давно не была, наверное никогда. Она просто стала воздушным облаком, просто парила там, наверху, под высоким потолком.

— Правда, из чего этот сок? — повернулась она к Линн; мягкое, бледное лицо колебалось совсем рядом, сочные губы чуть приоткрыты, язык на секунду выпорхнул и прошелся по самому краешку верхней губы.

— Тебе нравится? — ответила Линн вопросом на вопрос. Элизабет кивнула. — Там травка такая, не знаю, как она называется. Но я его тоже обожаю. Давай, я тебе еще налью.

— А-а... — протянула Элизабет, кивнула и тут же снова повернулась к столу. — Мне уже двадцать два! — закричала она. — У меня тоже много всего было. — Повернулась к Расселу, увидела его глаза. Такие внимательные, спокойные, ей хотелось смотреть в них, не отрываясь.

— Тебе значительно больше, — сказал он почему-то серьезно. — Ты почти старуха.

Элизабет захохотала.

— Я старуха! — закричала она, чтобы все услышали. — Так Рассел сказал.

— Как же ты успела состариться? — Сэра, та, что напротив, сощурила красивые голубые глазки. — Что же в твоей жизни произошло?

— Ну как же, — тут же отозвалась Элизабет. — Мою маму убили, а потом я стала... — И тут же вскрикнула от острой, мгновенной боли — левая рука дернулась в короткой конвульсии. Оказалось, что Рассел сдавил ее запястье и, по-видимому случайно, нажал на какой-то нерв.

— Все это неинтересно, — перебил ее Рассел. — Вот вам тема. Был такой композитор Бизе, прошу не путать с пирожным. — Все снова захохотали. — Он сочинил небезызвестную оперу «Кармен». Так вот, Кармен там поет, если я правильно цитирую: «Любовь — дитя природы, всех нас она сильней». Так? — обратился он за поддержкой веселого общества.

— Так, так, — посыпалось со всех сторон.

— А вот у другого композитора, по имени Гуно, не путать с гумном, — снова смех, — в опере «Фауст» Мефистофель поет: «Люди гибнут за металл, сатана там правит бал». Или, иными словами, деньги правят миром. Так вот вам вопрос: что все же правит миром, любовь или деньги?

Вопрос вызвал общее возбуждение. За столом разом зашумели, каждый пытался прокричать что-то свое, так что Элизабет ничего разобрать и не смогла.

— Конечно, деньги, деньги, деньги, — выделился один, особенно настойчивый голос. Конечно же женский, конечно же Сэры, девушки напротив с голубыми, всегда смеющимися глазами. — Миром правят деньги, нами правят деньги, любовью правят деньги, деньгами правят деньги. Всем правят деньги. Абсолютно всем. Люди рождаются и умирают из-за денег.

— Это цинично, Сэра, — заметил другой голос, более спокойный, мужской.

— Люди рождаются и умирают из-за любви. Любовь правит миром. Только она одна, — раздался хрипловатый голос справа от Элизабет.

Он звучал негромко, не требуя внимания, но именно поэтому внимание и привлекал. Из него просто изливалось чувство, страсть, он шелестел, вторгаясь внутрь, сдвигая, переворачивая. Элизабет повернулась туда, вправо, откуда тек голос. Мягкое, чуть размытое лицо, на нем отпечатаны полные, сочные, ломкие губы. Они не успели остановиться, не успели остыть.

— Но любовь бессильна без денег. Ради денег начинаются войны, мужчины убивают друг друга, — переборол общий гул резкий голос девушки с голубыми глазами. — Деньги дают власть, а власть покупает любовь. Любую любовь можно купить за деньги. Любовь продажна и пошла. Деньги абсолютны.

— Если деньги нужны, чтобы купить любовь, значит, любовь сильнее. Значит, деньги — только средство для достижения цели. А цель — любовь. Цель всегда важнее средства, — проговорил один из парней, имя его Элизабет не запомнила.

— А тем, кто может завоевать любовь без денег, деньги и не нужны, — шевельнулись красные, отчетливо вырезанные губы на бледном, размытом пятне лица.

— А мне кажется, Сэра права, конечно, деньги сильнее. Посмотрите на историю человечества, — заступился за Сэру другой парень, сидящий рядом с ней. — Интриги, захваты территорий, убийства, войны, причина всегда одна — деньги и власть.

— А Троянская война? А Прекрасная Елена? — раздалось откуда-то сбоку со смехом.

— Хорошо, хорошо, — Сэра повысила голос. — Ты, как всегда, лицемеришь, Линн. Давай честно. Предположим, каждому из нас предоставлен выбор: либо очень много денег, либо очень большая любовь. Кто что выберет? — Сэра выдержала небольшую паузу и тут же заполнила ее сама: — Я лично беру деньги. — И засмеялась: — Рассел, слышишь, я беру деньги.

— Он же тебе их не предлагает! — выкрикнул Пол, и комната снова взорвалась смехом. А потом его перебил тихий, ползущий, обволакивающий голос с хрипотцой:

— Но в любви можно забыться. И так, в забытьи, прожить жизнь. А что может быть лучше сладкого туманного забытья? Уж точно не пошлая реальность денег. — И вдруг неожиданно: — А как ты думаешь, Элизабет?

Наверное, от внезапности или от прикосновения, так же как и голос, скользящего, плавного, медлительного, длинными тонкими пальцами проплывшего по запястью... Наверное, все же из-за прикосновения Элизабет замялась, сбилась, потеряла дыхание.

— Я не знаю, — ответила она тихо. — Я никогда не думала.

— Она никогда не любила! — закричал парень с противоположной стороны стола и громко засмеялся. — Ей и деньги еще не...

— Рассел, а ты что думаешь? — перебила его Сэра. — Хотя бы ты останови это лицемерие. Я его слышать не могу.

Все притихли, множество внимательных глаз в ожидании уставились на Рассела.

— Смотрите, как мы все разделились. От отчаянного цинизма до отчаянного идеализма, — проговорил он. — Я, наверное, тоже за идеализм. Как вы знаете, я достаточно обеспечен и могу вас заверить, что деньги не делают тебя счастливым. Они помогают решать технические проблемы, но счастливым не делают. — Он обвел глазами внимательно слушающих его ребят. — Может ли сделать счастливым любовь? Это уже другой, сложный вопрос. Могу только сказать, что вы все иногда делаете меня счастливым. Я бываю истинно счастлив, оттого что вы рядом.

Возбужденный гул сразу заполнил комнату, одна из девушек вскочила, подлетела к Расселу, поцеловала его. Прямо в губы, заметила Элизабет и удивилась — надо же, как у них здесь все запросто.

— В итоге я думаю так... — Рассел вытер губы, усадил девушку к себе на колени. Она была хорошенькая, эта девушка. Здесь все были хорошенькими, каждый по-своему. — Я думаю, что в глобальном, геополитическом смысле, когда речь идет о странах и народах, деньги все же важнее. Но если говорить об отдельных людях, об индивидуумах, из которых народы и состоят... то на личном уровне главенствует любовь.

— А я все равно выбираю деньги! — выкрикнула Сэра, но голос ее потонул в общем хоре.

— А раз так, то не предаться ли нам удовольствиям и безрассудству, — заключил Рассел и, обращаясь к тихой, внимательной мулатке, добавил: — Лора, как насчет травки, не побаловаться ли нам?

— Отчего же нет, — ответила Лора, улыбнулась и вышла из комнаты.

С этой минуты все смешалось в сознании Элизабет. Словно сознание порвано на части, на обрывки, как рвут на клочки старую бумагу, — оно то подхватывало кусочек здесь, потом еще один, но уже совсем в другом месте, в другом времени. Куски наплывали один на другой, сталкивались, наслаивались, разрушая очередность, все затмил бесконечный, безрассудный подъем, эйфория, готовность принять, разделить, стать частью.

Лица, голоса, смех, запахи, чьи-то руки, глаза; потом все изменилось, появились другие руки, похоже, мужские, снова глаза, — будто из фильма вырезали отдельные кадры и они чередовались, попеременно останавливаясь то на одном, то на другом. Вот появилось причудливое устройство — из горлышка идет дым, потом девичье лицо, возбужденное, раскрасневшееся, зрачки наполовину закатаны вверх. Вот губы Линн, совсем близко — изгибаются, шевелятся, слова запомнить невозможно, да и зачем? А потом все перебивает густой, едкий запах, сначала он заползает в нос, потом попадает внутрь, в горло, в легкие, он из запаха становится вкусом. Вот кашель вперемешку со смехом, с выступившими от резкой теплой волны слезами, снова губы Линн, — хочется услышать, что они шепчут, но это невозможно, — глаза Рассела, внимательные, сосредоточенные; хохот, наверное кто-то рассказал анекдот, ее собственный голос, перебивающий остальные голоса.

Потом очень хочется есть, просто жуткое чувство голода, а жевать тяжело. Оттого что очень смешно. Снова Рассел, он тоже улыбается. Почему-то заложило нос, приходится втягивать в себя, — как странно, откуда взялся этот мел, кто его растолок в пудру? Что они, в школе, что ли? Ой, как смешно... в школе... ой, она сейчас разорвется от смеха. «А если я сейчас чихну прямо на тебя, Пол? Ой, не могу. Сейчас зажму одну ноздрю. Чем заняться? Рассел смеется, все смеются. Свальным грехом? Это как? Прямо здесь, сейчас? А почему бы и нет? Сейчас только ноздрю зажму». Вот это она сказала смешно, просто безумно смешно, все валятся от смеха. Глаза, губы, смех, другие глаза, губы, череда все быстрее и быстрее, вернее, чехарда, карусель, ее уже невозможно остановить, так быстро она закрутилась, будто соскочила с барабана, и теперь нажимает на перепонки, на глазные яблоки, на все живые стенки, давя все сильнее и сильнее, до невозможности, до нетерпения, до...

А потом взрыв, мощный, пронизывающий: в глазах, в ушах, в голове, в сердце — ярчайший, абсолютно белый, лишь на самых кончиках лучей язычки желтоватого. Такой яркости она не чувствовала никогда, так, наверное, бывает, если забраться в середину солнца. Только совсем не жарко, наоборот, холодно, можно окоченеть. И в нем, во взрыве, в каждой его частичке — бессчетное количество маленьких взрывов, и они заполняют ее всю, абсолютно ничего не оставляя. Так что когда взрыв стихает, остается лишь одна черная, ничем не заполненная пустота. И ничего, кроме нее. Пустота тянется долго, очень долго. Так долго, что даже время перестает существовать. До тех пор, пока не раздается еще один взрыв, равный по силе прежнему, а потом и он переходит в мрак и пустоту.

Взрывы продолжали происходить, они стали подсвечиваться цветами — голубоватым, розовым, желтым, фиолетовым, словно груда бриллиантов сверкала в ярком световом потоке. И от того, что до взрывов и после них все заполняла пустота, яркость следующей вспышки была восхитительной и подавляла мощью и красотой.

Оказалось, что можно жить без мыслей, без памяти, без чувств, даже без времени, даже без пространства, — полностью уйти в себя, погрузиться, стать замкнутой черной дырой, блаженствовать в бесконечном спокойствии пустоты, накапливая силы. С тем, чтобы выплеснуть их все без остатка навстречу новому ярчайшему взрыву, страдать внутри его, восхищаться его бесподобной красотой, немыслимой в живой природе, отдавать себя ему, растворяться в нем, исчерпаться, истощиться до полной прозрачности. И вновь впасть в пустоту, провалиться в ее бестелую, бездонную, успокаивающую нирвану и покоиться в ней, невесомой, накапливать силы, наливаться соками, энергией, желанием. Только для того, чтобы снова выплеснуть их в новой неистовой вспышке и снова раствориться в ней без остатка.

Такого счастья, такого блаженства не бывает в природе, не может, не должно быть. Но они были — и счастье и блаженство — именно потому, что вышли за рамки природы, стали ее отрицанием, противоречием. Стали параллельным существованием, тем, что находится за пределами реального мира.

И ничего, кроме них, больше не нужно — ни желаний, ни потребностей, ни примитивной пищи, ни воды, ни даже воздуха. Она, Элизабет, стала замкнутой системой, входящей в себя и заканчивающейся собою.

Первым вернулось пространство: не то запутанное, трехмерное, которое всегда приводило к сложностям, а простое, понятное. Оно было совершенно плоским, лишенным вертикальной составляющей, и оттого удобным, легко подстраивающимся под желания. Во всяком случае, под то, что от них осталось.

Пространство колебалось, принимая гибкие, замысловатые формы, как если бы прозрачное стекло повесить горизонтально в воздухе и капнуть на него густым оливковым маслом. Стекло бы колебалось в воздухе, балансируя в нем, а капли, растекаясь, постоянно меняли бы форму, плавно изгибая очертания, то выпячиваясь округлыми частями, то наоборот, втягиваясь внутрь полусферами.

Так же выглядело и пространство. Сначала оно казалось черно-белым, вернее темно-белым, вернее серым, но потом в нем начали появляться цвета: тоже слабые, сглаженные, они совершенно не раздражали, просто их приятно было чувствовать внутри себя.

Следующим после пространства стало возвращаться время — тихими теплыми толчками. Оно оказалось не постоянным, как прежде, не непрерывным, а имело вполне ощутимые начало и конец. Когда время заканчивалось, снова наступало безвременье, плоскость пространства колыхалась сама по себе, а затем время наступало снова — новым, тоже округлым куском.

А еще оно двигалось неравномерно — могло замедлиться, почти остановиться, стать тягучим, ленивым, извилистым. А могло ускориться, набирать стремительность, стать плотным, жестким и совершенно прямым. Собственно, оно вело себя как пространство, оно само стало дополнительным пространством, но неравномерным, неоднородным. Если пространство выглядело плоским, то время было, как свернутая трубочка, и уходило само в себя слоями, в которых невозможно было разобраться.

Потом на плоскости пространства стали появляться пятна, очертания, они приобретали форму, обрастали тенями, но прежде чем удалось их определить, возник звук. Он, как и пространство, возник не снаружи, а изнутри, и надо было прислушиваться к нему, сосредотачиваться, что было сложно после бесконечной, бесчувственной нирваны.

Но звук требовал, он вибрировал, выделяясь отдельными тонами, оказалось, что звуки составляют слова, они наверняка имели значение, в них без сомнения был заложен смысл. Раньше Элизабет умела разбираться в смысле слов, но теперь ненужное умение атрофировалось, раскололось на куски, и его надо было обретать заново.

— Дина, — наконец пробилось ее имя и тут же повторилось: — Дина, Дина. Ты слышишь меня? Чудесная Дина. Тебе хорошо. Тебе чудесно хорошо. Ведь так?

А потом появился другой голос, тоже изнутри, его понимать было значительно легче, женский голос — тихий, спокойный, умиротворенный, в нем отчетливо проступало счастье.

— Да, — ответил он.

— Вот видишь, как чудесно, — снова проговорил мужской голос. Он казался ласковым, но в то же время твердым и совершенно уверенным. Во всем уверенным. — А будет еще лучше, будет божественно хорошо. Так хорошо, как еще никогда не было. Ты веришь мне?

— Да, — снова отозвался женский счастливый голос. Он был бесконечно знакомый, она слышала его всю жизнь. Дольше, чем жизнь.

Плоское пространство снова заколебалось, и тени на нем очертились контурами форм, но составить их вместе было невозможно, только по частям. Одна форма напоминала нос, другая, наверное, губы — они были плотно сжаты, непонятно, как из них могли возникать звуки. Скоро контуры разошлись, расширились, теперь можно было различить мельчайшие, незаметные прежде детали. Будто смотришь на увеличенную фотографию и отделяешь каждый волосок, каждую пору на коже.

Но время встряло новым округлым обрезком, и формы отодвинулись, отъехали назад, словно сбилась оптическая фокусировка. И стало совершенно очевидно, что нос мужской и губы мужские, такие плотные, жесткие губы могут принадлежать только мужчине. Вскоре к носу прибавились щеки, к губам — подбородок. Все отлично подходило друг к другу, будто специально составлено заранее.

Оказалось, что на плоскости пытается разместиться лицо, но плоскость колебалась, перекатывалась плавными, обрезанными краями, и лицу пришлось отъехать еще дальше, уменьшить каждую часть в размере, чтобы вписаться в плоскость. Вот на нее въехали глаза, лоб — лицо стало очень знакомым, родным, теплым. Ему нельзя не довериться.

— Дина, — говорил голос, отрываясь от сомкнутых губ. — Дина, — повторил он снова. — Помнишь, Дина, мы были с тобой молоды и любили друг друга? Я любовался тобой, я хотел тебя постоянно, нескончаемо. Как жаль, что мне пришлось уехать. Что нам пришлось расстаться.

— Да, жаль, — прошептал женский голос, хотя в нем не слышалось обиды, лишь спокойствие, подернутое грустью.

— Но видишь, нам дали еще один шанс. Понимаешь, Дина?

— Да, — тихо откликнулся женский голос. Ему и не требовалось быть громче, он и так поражал отчетливостью.

— Еще один шанс, — повторил мужской голос. — Смотри, ты снова молода и красива. Даже моложе, чем восемь лет назад, когда мы встретились. Ты знаешь почему, Дина?

— Нет, — произнес женский голос.

Но тут пронесся резкий воздушный поток, вздувая плоское пространство, пробивая его беззвучным, тягучим намеком.

«Почему он зовет меня Дина? — скользнуло внутри, в глубине и разлетелось в стороны. — Меня же зовут по-другому. Но как? Не знаю. Может быть, именно Дина. Если он говорит, значит, Дина. Да разве имя имеет значение? Главное, он сказал, что я молода и красива. Главное, я нравлюсь ему».

— Потому что время не властно над тобой, Дина, — проговорили губы на плоскости. — И не будет властно. Ты всегда будешь молодой и красивой. Всегда. Да, Дина?

— Да — ответила Дина. Потому что теперь все стало понятно: она и есть Дина. А женский голос внутри — ее голос.

— Ты богиня, Дина, богиня любви. А над богинями время не властно, они сами управляют им. Ты понимаешь, любимая?

— Понимаю, — проговорила Дина. — Как хорошо, что ты объяснил мне. Я тоже так думала, просто не была уверена. Как тебя зовут, я забыла твое имя?

— Конечно, ты забыла меня, Дина. Меня зовут Рассел, и ты любишь меня, и тебе хорошо со мной. Было хорошо и всегда будет.

— Ах да, — вспомнила она. — Конечно, тебя зовут Рассел, как я могла забыть.

— Ты забыла, потому что я состарился. Меня время не пощадило. Видишь, Дина?

— Да, вижу, — ответила Дина. — Ты действительно стар.

— Но ты по-прежнему любишь меня, Дина. Ты всегда любила и будешь любить еще сильнее. Правда, Дина?

— Да, наверное, — согласилась она.

— А сейчас тебе станет хорошо. Невыносимо хорошо. Ты будешь счастлива, Дина, и это счастье тебе принесу я.

— Да, — согласилась она.

Снова появился обрезок времени, он начался с середины, по нему сложно было отсчитывать секунды и минуты, только стало ясно, что время пошло.

— А... — растянул дыхание вздох. Как она соскучилась по вспышке! Даже не соскучилась, она страдает без нее. Вспышка необходима ее существованию, без нее существование невозможно.

И сейчас, когда вспышка вошла в нее, образовалась где-то внизу, стала нарастать, подниматься выше, вверх, заблестела бессчетными отблесками, согрела, укутала, — тогда Дина и вытянула из себя тихое, протяжное: «А...»

Вспышка накатывала разрастающимся комом, уже грозила неизбежным взрывом, уже заблестела искрящейся белизной, а лицо Рассела колебалось вместе с плоскостью медленными тягучими волнами. Они то откатывали, то накатывали снова, и с каждой новой волной вспышка набухала, занимала всю полость, которой раньше не было, которая сама возникла и расширялась вместе со вспышкой.

— Дина, ты чувствуешь чудо? Его рождаем мы с тобой, ты и я. Ты одна не смогла бы родить такое чудо, тебе нужен я. Ты без меня беспомощна, — произносил голос, и снова произносил, и снова: — ...беспомощна, только со мной, только я. Ты одна совершенно беспомощна...

Но голос не имел значения, он стал лишь долей, лишь частицей нарастающего взрыва. Она ждала взрыва, требовала его, молила о нем. И наконец вспышка разрослась, стала невыносимой, пугающей, казалось, она уносит с собой, внутрь себя. Взрыв поглощал стремительно, без пощады, и только лицо на плоскости так же плавно колебалось и пристально смотрело, и голос продолжал уговаривать:

— Видишь, как тебе чудесно. Никогда еще так не было. Правда ведь? — Но она не могла ответить. — Такое счастье могу принести тебе только я, никто кроме меня. Ты поняла, Дина, поняла? Только я. Только мой взгляд. Тебе достаточно моего взгляда. Поняла?

— Да-а-а-а!!! — неслось вслед за взрывом: крик сам стал его частью, он догонял и перегонял и раскатывался над горами, над водой, на ней мелкими гребешками белели волны. Когда вода закончилась, вновь раскинулись горы, густо покрытые лесом, а потом и лес исчез и все остановилось. Медленно, едва-едва начала накатываться пустота, теперь она была необходима, желанна, единственно желанна. Вспышка отступила, от нее оставалось лишь напоминание, лишь замирающие зарницы, они подрагивали и уступали место пустоте.

— Тебе никогда не было так хорошо, Дина, — от голоса Рассела плоскость причудливо качнулась. И та, которая считала себя Диной, ответила голосом Дины:

— Да, никогда.

— Ну хорошо, отдыхай теперь. Тебе нужен отдых, Дина. Позови меня, когда тебе нужна будет новая вспышка, хорошо?

— Хорошо, — смогла прошептать она, хотя пустота уже полностью накрыла ее.

Когда в следующий раз появились пространство и время, она, Дина, сразу подумала о новом взрыве. Он был необходим, и она начала ждать, когда он появится сам. Но взрыв не приходил. Время закончилось, оборвалось, потом появилось снова, новой закрученной спиралью. Дина ждала, но взрыва не было. Подступило беспокойство. Потом волнение. Потом страх: а вдруг он не наступит больше никогда? Что тогда будет? Она тогда умрет, она не сможет без него. Страх перешел в ужас. Началась тряска, мелкая, болезненная, — казалось, ее легко остановить, но остановить не удавалось. Перед Диной маячило совершенно пустое пространство — плоское, безликое, почти прозрачное, ничего не означающее. Плавные его колыхания тоже перешли в тряску, мелкую, дробленую, болезненную.

«Когда в пространстве находился Рассел, — вспомнила Дина, — оно было другим — плавным, гибким, успокаивающим. — И тут она сразу поняла: для взрыва нужен Рассел. Он же сказал: «Позови меня, если хочешь взрыв». — А я хочу, мне необходимо, я не могу без него, я перестану существовать, если он не произойдет. Только Рассел может подарить красоту и чистоту новой вспышки. Где он, почему его нет?! Надо его позвать. Но как? Голосом, — догадалась она, — у меня же есть голос». И она застонала:

— Рассел. Рассел. Ты где? Прошу тебя, будь здесь, мне нужно, очень... Будь здесь.

Пространство стало ярче, значительно ярче, и оказалось, что Рассел находится внутри него — все тот же внимательный, чуткий взгляд. Конечно, он поможет ей, он не бросит, он будет всегда помогать, он вызовет новую вспышку.

— Ты звала меня, Дина? — спросил голос Рассела.

— Да-да, — заспешила Дина. — Мне нужна вспышка, а ты сказал, что сможешь ее дать.

— Конечно, смогу, — заверил Рассел. — Только ты должна понять, что вспышка — это и есть я. — Он помедлил. Дина вздохнула, она едва могла терпеть. — И не вспышка тебе нужна, а я. Имея меня, ты получишь вспышку. И наоборот, получая вспышку, ты получаешь меня. Ты понимаешь, Дина?

— Да-да, я понимаю, мне нужен ты, — сбиваясь, путаясь в словах, беспокоилась Дина. — Только дай мне ее, пожалуйста, прямо сейчас, ее так давно не было...

— Конечно, тебе сейчас снова станет хорошо, — пообещал голос, он смягчился, почти ласкал. — Сейчас, уже скоро, вот сейчас, чувствуешь, я вдыхаю в тебя вспышку, чувствуешь?

И действительно, пока он говорил, мучительная, болезненная дрожь утихла, пространство снова заколебалось, к нему вернулась плавность, и стало притекать спокойствие и вытеснять болезненное волнение и страх. Потом снова, как в предыдущий раз, появилась вспышка, совсем маленькая, — она основалась где-то внизу, едва ощутимо. Но Дина уже знала: не успеет закончиться временной отрезок, как вспышка заполнит всю ее и прожжет насквозь неминуемым взрывом.

Она замерла в ожидании, все замерло, и лишь голос Рассела повторял:

— Ты зависишь от меня, Дина. Ты часть меня. Ты не можешь существовать без меня, не можешь без вспышки. Правда? Ведь правда, Дина?

— Да, — попыталась прошептать она, но у нее не получилось, все остановилось, застыло, и шептать было нечем.

А потом наступило блаженство — глубокое, невероятное. Она просто раскололась вместе со взрывом, распалась на куски, и только быстро заволакивающая пустота спасла ее.

Так продолжалось очень долго, хотя что такое «долго», Дина не знала. Просто появилось чувство постоянства, будто так было всегда и никогда — по-другому. Всегда существовали разрушительные, прекраснейшие, ослепительные взрывы, они сменялись успокаивающей, спасительной пустотой, потом беспокойством. Потом надо было звать Рассела, — оказывается, он был источником взрывов, и каждый раз, когда он появлялся на плоскости пространства, Дина начинала чувствовать приближение вспышки.

Один взгляд Рассела, один его голос рождал первые признаки: проходило томительное беспокойство, появлялась наполненность, первые теплые волны начинали пульсировать внутри. И обязательно перерождались во вспышку.

Вот только звать Рассела становилось все сложнее, он появлялся не сразу, его приходилось ждать все дольше и дольше. Правда, потом взрывы сжигали ее сильнее, чем прежде, казалось, что сильнее и быть не может. И она умиротворенно затихала, и голос Рассела произносил всегда одно и то же: «Я вызываю вспышки, ты не можешь без меня». И Дина соглашалась: да, он — ее счастье, другого у нее никогда не было и не будет.

А потом Рассел не появился. Она звала, кричала что есть мочи, а его не было — плоскость потускнела, ее беспощадно колотило. Тогда Дина начала плакать во весь голос, рыдать: тряска мучила, выворачивала, давила. Словно множество острых крюков захватывают и цепляют и пытаются вывернуть наизнанку.

Дина продолжала звать, но громко уже не получалось — то, чем она кричала, сломалось, потеряло силу, перешло в скрипучий, ржавый хрип. Вскоре и он затих. Теперь тряска заволокла абсолютно всё, потом подхватила, перевернула и бросила в пустоту. Оказывается, пустота бывает неспокойной: она одним рывком завилась в воронку, в бесконечный, бездонный водоворот, и Дина влетела в него, устремилась вниз. Падению не было конца, все быстрее и быстрее закручивалась спираль, черная бездна вверху, внизу, с боков поглощала, растворяла в себе, лишала смысла.

— Рассел, я сейчас умру, — попыталась прошептать Дина последним ускользающим вздохом.

Он все же услышал ее: плоскость разом осветилась, на ней появилось изображение, потом голос:

— Видишь, что происходит без меня, Дина? Как тебе без меня плохо?

— Да, мне плохо без тебя, я сейчас умру, — шептала она, сама не слыша шепота.

— Ты не умрешь. Я не позволю тебе умереть, я всегда буду спасать тебя. Я твой спаситель, я приношу тебе счастье, но если ты откажешься от счастья, тебя ждет смерть. Ты ведь не хочешь смерти, ты хочешь счастья?

— Да, счастья, — снова шептала Дина. От голоса Рассела, от его лица, взгляда исходило облегчение. Падение в бездну замедлилось, потом остановилось вовсе. Оказалось, что и бездны нет, и тряски нет, от одного их отсутствия стало спокойно, легко. А ведь ее ждала вспышка! Дина замерла в предвкушении, она бы отдала все ради вспышки, она бы отдала себя. Она не нужна себе без вспышки.

— Я хочу счастья, только ты можешь его дать, — проговорила она, на сей раз услышав свой голос.

Потом он снова приходил, и счастья становилось так бесконечно много, что с ним сложно было совладать. Оказалось, что есть всего-то два состояния — счастье и отсутствие его. И отсутствие счастья становилось антисчастьем, иными словами, мукой, пыткой, невыносимостью и искупалось только одним — счастьем. Все оказалось так просто. И еще стало ясно, что счастье приносит ей Рассел, а пытку — его отсутствие.

Однажды он снова не пришел, она звала его, кричала, плакала; вскоре пропал голос, она опять летела в бездну, в которой не была дна, ужас переворачивал душу, она должна была перестать существовать, умереть. Рассел так и не пришел, и она в результате умерла.

Когда она открыла глаза, оказалось, что вне жизни, вне существования тоже есть боль и страдание. Это было первое, что она почувствовала, — страдание.

Теперь у нее появилось тело — руки, ноги, какие-то внутренние органы. Она определяла их по тянущей, выжимающей боли: тело скрючивало и выворачивало наизнанку, тошнота подступала к самому горлу, а вместе с ней что-то мокрое, липкое, горькое, с твердыми неровными комками, их противно было проталкивать назад, внутрь.

Безудержный, ужасающий полет в бездну продолжался, и Дине пришлось приоткрыть глаза, пропуская через узкие щелочки самую малую толику света. Как ни странно, полет сразу остановился, бездна исчезла, исчезли также огрызочное, порванное на куски время, плоское пространство, на смену им пришло пространство трехмерное и резкая, корежащая головная боль. Сквозь нее, сквозь завесу тяжелого слепящего света стала проступать реальность, вырисовывались смутные предметы — все казалось, необычным, чудны́м.

Запустилось привычное, размеренное время, и постепенно головная боль стала мягче; дрожь, хотя и не унялась, но не мешала разбирать по контурам, объемам, теням окружающий мир. Он фокусировался и начинал обретать смысл — нереальный, невероятный, но смысл.

Оказалось, что она лежит на столе, чем-то напоминающем стоматологическое кресло, только намного больше и длиннее, с продольными, разделенными между собой подставками для ног. От кресла отходили железные рычаги, либо прямые, либо зигзагообразные. Элизабет попыталась поднять руку и перенести ее на один из рычагов, но рука, оказавшись бессильной, подниматься не умела. Рядом с креслом стояла капельница, — Дина точно знала, что это капельница, она видела такую же в больнице, — и какие-то другие приспособления, они были совершенно непонятные и тоже напоминали медицинские.

Взгляд стал проникать дальше: комната оказалась большой, с высоким, едва различимым потолком, и, похоже, в ней никого, кроме Дины, не было. Свет падал ярким пятном только на ее стол, он исходил из двух прожекторов, подвешенных на железных балках к потолку и бьющих резкими, ослепляющими лучами. Другие прожектора были выключены, и остальная часть комнаты погружена в полумрак.

И все же, там, в глубине, можно было разобрать плоские массивы ширм, занавешенные материей остовы прямоугольных структур разной высоты. Совсем рядом, у головы, на отдельном железном столике на колесиках возвышался большой ящик черного цвета с круглым окошком, тоже уводящим в мрачную пустоту. Вообще, комната напоминала фотостудию, если бы не медицинское кресло, капельница и прочие больничные приборы.

В конце концов глаза Дины не выдержали света и их пришлось закрыть; тело по-прежнему било короткими судорогами, едкая жидкость толчками поднималась из желудка, и ее надо было так же толчками загонять обратно в низ живота. А еще стало холодно, пронзительно холодно. Пришлось снова открыть глаза. Оказалось, что она одета в короткую рубашку наподобие ночнушки тусклого салатового цвета, такие выдают в больницах. Край ее едва прикрывал колени, и блуждающие, перекатывающиеся потоки холодного воздуха, пробивая бесполезную ткань, врезались в беззащитное, не умеющее сопротивляться тело.

Дина попыталась повернуться на бок, съежиться, обхватить себя руками, свернуться калачиком. Но ничего не получилось. Сдвинуть тело оказалось невозможно, словно на каждую его часть навалили лавину камней, придавили неподъемными железными плитами. Опять началась тряска — теперь от холода, — подступила тошнота; Дину бы вырвало, но для этого надо было перегнуться через кровать, а перегнуться она не могла. Она могла только закрыть глаза, чтобы спрятаться от пронзительного света, и попытаться заснуть.

Ей удалось задремать, и сквозь сон, поверхностный, ломкий, она услышала голоса. Сначала показалось, что они, как обычно, раздаются изнутри, пришлось снова приоткрыть глаза. Рядом стояли два человека — высокие, широкоплечие — возились с ящиком на железном столике. Дине показалось, что она их видела, но где и кто они, вспомнить она не могла.

— Когда Кит приедет? — спросил первый голос, мужской, звучный.

— Да кто его знает, сказал, к вечеру, — ответил другой, басовитый.

— А мы, значит, должны стараться.

Раздался смех, потом он оборвался.

— Вечно ты недоволен, Пол. Сам ведь вызвался, говорил, девочка тебе понравилась.

— А как она могла не понравиться? Тебе тоже понравилась, — ответил Пол красивым, породистым голосом. — И Бену понравилась.

— Так мы и не жалуемся, — снова раздался басовитый смешок.

— Но согласись, старик, сколько можно пороть ее? Уже не в удовольствие, а как на работе, по расписанию. Что я, автомат, что ли?

— Ладно, Пол, кончай причитать. Кто из нас кричал, что это сплошной кайф? Что такого кайфа давно не получал.

— Ну а что, пороть отрубившуюся девчонку, которая кончает каждые пять минут... Да еще по-разному пороть, в три смычка — оно, конечно, дорогого стоит. А она орет и переламывается посередине. Помнишь, казалось, что она совсем переломится, так выгибалась?

Они оба засмеялись.

— От смычка Бена кто угодно переломится, — басовитый голос снова зашелся смехом. — Да ей все наши девочки завидуют, представляешь: не только под постоянным кайфом, так еще три мужика над ней стараются постоянно. Да и черный ящик заряжает по полной. Ты, кстати, не знаешь, что там Кит ей на мозги накручивает?

— Засунь башку, узнаешь, — сначала раздался смех Пола, а потом его обогнал басовитый хохот.

— Нет, мне эти наркутки ни к чему, поеду еще крышей. Перерожусь девушкой, Кит уважать перестанет, — смех прерывал голос, голос прерывал смех, заряжая его каждым словом по-новой. — Вообще-то молоток мужик, надо же как закрутил, целая система у него.

— А то! Теоретик, как там сказано... инженер человеческих душ, — произнес Пол, настроение у него улучшилось. — А он инженер в кубе. И физик, и химик, и психолог. Ну что, готово?

— Ящик готов, давай, открывай капельницу.

— На сколько сейчас, не помнишь?

— Кажется, на второе деление. Вообще-то исхудала, бедняжка. Ну да, на этой капельной жрачке не разжиреешь. — Пауза, молчание. — Ну что, шприц нацедил? Куда колоть будем? Как всегда? Там еще место есть?

— Да место найдем, главное дозировочку правильно отмерить. Кит сказал, сегодня на три пункта больше. — Снова пауза, шуршание чуть сбоку, у головы. — Двинь ей ноги поудобнее. — Динины ноги стали разъезжаться в стороны. — И повыше. Еще выше. Ты как сейчас хочешь, снизу? Тогда опускай зад. Когда Бен сказал, придет?

Негромкое шуршание механизма, тело сдвигается, часть его опускается, часть поднимается, словно оно разделено на куски и каждый умеет двигаться автономно, независимо от других. Но Дине все безразлично. Она не поняла ни слова. О чем говорили эти два человека? Над чем они весело смеялись? Какая разница. Главное, что тряска сейчас закончится, как и тошнота, как и резь в глазах. Наконец-то настало время вспышки, надо только чуть потерпеть.

В правой руке на самом сгибе взбился сгусток тепла и стал растекаться справа налево, настойчиво, требовательно. И куда бы он ни попадал, всюду дрожь останавливалась и на смену ей приходило успокоение.

— Ну как, тебе удобно или еще пониже опустить? У тебя, вообще, как, встанет? — Дина уже не могла узнать, кому принадлежит голос.

— Да я бы эту киску порол бесконечно, — другой голос, где-то дальше у ног и почему-то снизу.

— Ну, ты просто вечный двигатель. Просто перпетум мобиле. Когда Бен придет?

— Да ты давай, на Бена надейся, а сам не... — И в этот момент все затихло, отступило, рассыпалось в прах: не только голоса, а весь только что существовавший мир растворился в теплоте, в первом признаке подступающей вспышки.

Больше его не было, скучного, примитивного мира, — Дина снова жила предстоящей яркостью, ослеплением. И лишь на плоскости колышущегося пространства пронзительный взгляд Рассела, его тихий, проникающий голос поднимал новые упругие, сладкие, пронизывающие волны, предвещая неминуемый взрыв.

Потом она еще долго жила короткими, закругленными отрезками времени. Они не следовали один за другим, а шли порознь. Взрывы сменялись пустотой и успокоенностью, над их чередой витал взгляд Рассела, его улыбка, голос, потом надо было его звать, молить, чтобы он пришел, пощадил, принял в свое царство. Иногда он был жесток и немилосерден, иногда мучил ее, требовал жертв. Она клялась, она была готова на все ради него, ради того счастья, которое он ей доставлял, и наконец он смягчался и дарил новую вспышку и новое успокоение — сочетание блаженств, выше которых в жизни не было ничего. Не могло быть. Если только смерть.

Смерть приходила не раз, однажды пришла особенно отчетливо. Тогда снова пришлось открыть глаза. Прожектор был выключен, к темноте глаза привыкли быстрее, чем в прошлый раз к свету. Дина лежала не шевелясь: как ни странно, она не чувствовала ни тошноты, ни горечи во рту, ни ломки. Почему она выпала из той укутывающей, пеленающей жизни и перенеслась сюда, было необъяснимо, — видимо, что-то сломалось в ее изможденном, покалеченном теле.

Лежать можно было долго, всматриваясь в темноту, собирая обрывки мыслей — даже не мыслей, а физических ощущений, физических переживаний, их переплетений. Собственно, памяти не было, будто Дина первый раз попала сюда, в этот ненужный, неловкий, раздражающий желаниями мир. Стало неудобно руке, она затекла под тяжестью неуклюжего тела, захотелось его повернуть, — Дина сделала усилие, даже не надеясь на успех. Как ни странно, рука выползла наружу, она зудела и колола тысячами мелких иголочек, но двигалась, сгибалась в локте, разжимала пальцы.

Оказалось, что другая рука тоже двигается, что можно, опершись на них, приподнять тяжелое, каменное тело. Высоко приподнять не удалось, руки подломились, тело рухнуло вниз. Теперь надо было отдохнуть, отлежаться, глубоко дышать, восстанавливая дыхание, готовиться к новому подъему.

В следующий раз тело откликнулось послушнее, руки, локти выдержали его тяжесть, оставалось только сдвинуть ноги, но ноги не двигались, они были приподняты вверх и как бы надломлены в коленях. Пришлось тянуться к ним рукой, долго, мучительно, — не могли же они быть прикручены винтами. Выяснилось, что винтами они не прикручены, но пальцы нащупали на щиколотках веревку — нет, не веревку, кожаный ремешок с маленькой пряжкой сбоку.

Первая застежка кое-как расстегнулась, а вот пока руки бились над другой, закружилась голова, сбилось, потерялось дыхание. На секунду стало страшно, что дыхание не вернется никогда, что она сейчас задохнется. Тело упало на спасительную опору, с размаху больно ударилось о жесткую поверхность, вздрогнуло, затихло и стало отлеживаться, пытаясь умерить частоту перевозбужденного сердца.

Потом снова появилась уверенность, рука снова поползла к ноге, снова нащупала застежку, — та сопротивлялась, выскальзывала, упиралась, но все же поддалась. Опять отдых, неизвестно сколько времени: тело само знало, что делать, как управлять слабой, постоянно смещающейся головой.

Вот тогда и начали появляться, всплывать слова, которые она слышала, когда пробудилась в прошлый раз. Слова всплывали бессмысленно, несвязно, и прошло время, прежде чем они начали собираться в стопки, складываться, стыковаться один с другим, нащупали разумную цепочку. Сначала смутно забрезжило где-то вдалеке, будто было отделено толстой, густой, едва прозрачной клеенкой, а потом клеенку сразу прорвало, пробило одним острым рассекающим ударом. Первым появилось понятие мысли, а затем, сразу за ним, сама мысль: «Что же они делали со мной?!»

Вслед за мыслью возник страх. Но не тот, животный, бессильный ужас, который сжирал ее при падении в бездну, а сознательный, измеряемый чувствами и умом человеческий страх.

«Кто я? Что со мной произошло? Где я? Почему в этой странной комнате? Что за непонятные устройства вокруг меня?» И снова, опять и опять: «Что они со мной делали?»

Наконец удалось спустить с кровати ноги. Так она и сидела с висящими, не достающими до пола ногами, набиралась сил и только потом, опершись руками, соскользнула вниз.

Она чуть не упала — ватные ноги не держали, они подламывались, пришлось снова ухватиться за край кровати. Неуклюжая, полусогнутая, окостеневшая, она простояла несколько минут: ноги не слушались, она попыталась сдвинуть их, но они не сдвигались, — просто не понимали, чего от них хотят.

«Сколько я пролежала здесь, если ноги атрофировались?» — подумала Дина.

Она попыталась еще раз, потом еще, наконец правая нога сделала какое-то подобие шага, теперь надо было подтащить к ней левую. Не выпрямляясь, не отпуская опоры кровати, Дина сделала еще шаг, покачнулась, все же удержала равновесие. Еще один маленький шажок.

Так она протащила себя вдоль кровати, потом в обратную сторону, уже более уверенно. Потом оставила кровать, сделала шаг — ноги задрожали, подогнулись, но выдержали, не подломились.

«Что же они делали со мной? — снова подумала она. — И где я? Кто я?»

Она только знала, что ее зовут Дина. А еще помнила лицо и голос. И имя человека, которому они принадлежали, — Рассел. Он единственный, кто мог ее защитить.

Когда Дина подошла к двери, она уже почти умела ходить — шатко, нестойко, но она могла преодолевать расстояния. Во всяком случае, до двери. Дверь оказалась незапертой, почему-то Дина была уверена, что дверь будет не заперта: она легко поддалась нажиму, за ней сквозняком и прохладой пахнул в лицо коридор. Длинный и узкий, он уходил за угол, тянулся вдоль бессчетных дверей — Дина толкнула одну, та не сдвинулась — и обрывался у широкой деревянной лестницы. Лестница вела только вниз, значит, Дина находилась на самом верхнем этаже.

Сразу стало очень зябко: легкая, едва держащаяся на плечах ткань не защищала, сквозняк бил по ногам, залетал под рубашку, пронизывал тело. А еще захотелось есть. Это было даже не желание, а настоящий голод — резкий, требовательный, который невозможно унять, успокоить.

«Как они меня кормили? Не могла же я все время жить без еды», — снова подумала Дина.

Она начала спускаться по лестнице вниз, она слышала долетающие оттуда, снизу, острые вкусовые запахи. Значит, внизу была еда.

Спускаться было легко, главное — надежно держаться за перила, чтобы не упасть, не наделать шуму, если оступятся ноги. Это было единственное, что Дина отчетливо поняла, — никто не должен знать, что она спускается. А то они поймают ее, опять привяжут к кровати, опять будут делать то, что уже делали. Зачем там стояла капельница, рядом с кроватью? Дина остановилась, — прямо над ней светила одинокая лампа, освещала лестничный пролет, — инстинктивно разогнула правую руку, пригляделась: весь сгиб руки покрывали маленькие синеватые точки.

От ужаса она чуть не упала, снова ухватилась за перила. Вот почему она ничего не помнит. Вообще ничего.

Она постояла, собралась с силами, стало понятно, что делать дальше. Надо незаметно проскользнуть вниз, разыскать еду, — без еды она потеряет сознание, — а потом найти Рассела. Он сможет помочь ей, только он. План был хороший, правильный, оставалось только его выполнить.

Два пролета Дина преодолела без труда, ноги окрепли, последние несколько ступенек она вообще не опиралась на перила. Дальше, наверное, будет труднее. Снизу раздавались голоса, там находились люди, — может быть, те, которые издевались над ней. А значит, она должна стать бесшумной тенью, бестелесным духом — она не издаст ни шороха, ни скрипа.

На самых носочках, благо она была босиком, едва касаясь пальчиками темноватых, давно не лакированных паркетных досок, Дина скользила по ступенькам. Голоса усиливались, перекрывались взрывами смеха, по общему гулу казалось, что там, на нижнем этаже, бессчетное множество людей; запахи пищи смешивались со многими другими запахами — сигарет, сигар, духов, — они щекотали ноздри, кружили голову.

Людей действительно оказалось много: они стояли, сидели, разговаривали, потягивали что-то из длинных или, наоборот, коротких бокалов, курили; ими было заполнено не только большое фойе рядом с лестницей, но и комнаты — гостиная, столовая. Женщины в длинных вечерних платьях, многие с оголенными руками, плечами. Мужчины в темных строгих костюмах.

Дина пригляделась — она никого не знала, остаться незамеченной было невозможно, надо хотя бы остаться неузнанной. Она сошла вниз, опустила голову, стала огибать группки людей; главное — не привлекать внимания. Но разве она могла не привлечь внимания? Она выглядела чужеродной среди нарядных, праздничных, красивых людей — босиком, в короткой, больничного покроя ночнушке, едва держащейся на ее узких, худеньких плечиках, с осунувшимся лицом, с нестойкой, шальной походкой, она казалась либо блаженной, либо накурившейся, нанюхавшейся, наколотой.

Взгляды останавливались на ней, провожали, расстреливали со спины, в основном мужские взгляды, но и женские тоже — удивленные, заинтересованные. Дина скользила между ними, стараясь избежать их, стряхнуть со спины; главное — дойти до небольшого столика у стены, на нем стояли тарелки с маленькими красивыми бутербродами. Она уже была близко — паштеты на тонко нарезанных ломтиках багета, закрученные трубочками кусочки мяса, почти нетронутый круг креветок с розовыми раздвоенными хвостиками; отдельно лежала деревянная доска, а на ней — пять-шесть сортов сыра.

Дина начала с паштетов: она не успевала различать вкус, она даже не успевала разжевывать мягкие, тающие во рту кусочки. Потом заметно поредел циферблат креветок, — оказалось, что в мясные трубочки было завернуто что-то кисловатое, что именно, она так и не разобрала. Вскоре ее начало подташнивать, пришлось остановиться, сдержать рвотный позыв. А потом она почувствовала прикосновение: кто-то трогал ее за руку, проводил пальцем по внутреннему сгибу руки — именно там, где были мелкие, фиолетовые пятна.

— Откуда взялось такое воздушное создание?

— А? — переспросила Дина, оборачиваясь на голос и на прикосновение.

Перед ней стоял высокий, широкоплечий человек в смокинге: если бы не седеющие волосы, спадающие на ухоженный лоб, можно было бы сказать, что ему лет тридцать пять, не больше.

— Вы здесь живете или случайно забрели? — переспросил он и улыбнулся. Оказалось, что у него открытая, добрая улыбка.

— Сама не знаю, — попыталась проговорить Дина, видимо, у нее получилось.

— Похоже, что забрели, судя по тому, как вы проголодались. Или здесь плохо кормят?

Дина не нашлась, что ответить, пожала плечами.

— Или вас одолело чувство голода после нескольких крепких затяжек? Я всегда говорил, что этот дом хранит множество загадок. Надо же, вот так, неизвестно откуда, появляются молоденькие, заспанные, насквозь прокуренные девочки, — продолжал шутить мужчина. Ему наверняка казалось, что удачно.

И вдруг Дине пришла в голову блестящая мысль.

— Увезите меня отсюда, — она заглянула приятному мужчине в глаза.

— Куда-нибудь, где много травы и еды? — снова засмеялся он. — Нет, детка, каждому свое, оставайся лучше здесь. У меня травы не водится, я, знаешь ли, человек степенный, приличный, — он насмешливо поднял брови.

— Нет, правда, — прервала его Дина. — Мне здесь надоело, и трава надоела. Увезите меня прямо сейчас, не пожалеете.

Он оглядел ее медленно, демонстративно, с ног до головы, словно на рынке оценивал предложенный товар.

— Прямо сейчас, говоришь?

— Ага, чтобы никто не заметил.

— Ну что ж, может, действительно накормить тебя, как следует, отмыть, одеть хотя бы немного. Тебе вообще как, не холодно? — усмехнулся мужчина, продолжая разглядывать ее.

— Холодно, — согласилась Дина и, ежась, повела плечами. И этого хрупкого, беззащитного движения оказалось достаточно, чтобы он согласился:

— Ну хорошо, пошли, я позабочусь о тебе, детка.

Они стали пробиваться к выходу: мужчина первым, Дина за ним. Он обернулся, спросил:

— Тебя как зовут?

— Дина, — ответила она.

— Как? Дина? Что за имя такое?

— Не знаю, — ответила Дина и снова пожала плечами.

— А меня зовут Дик, — сказал мужчина, почти не поворачивая головы.

А потом ей пришлось остановиться. Кто-то взял ее за руку, потянул, — Дина вздрогнула, дернула рукой, пытаясь вырваться, оглянулась. Перед ней стояла очень красивая девушка — на чуть вытянутом, бледном лице ярко очерченные, сочные губы, слишком сочные, слишком выпуклые для такого узкого лица. Одета она была в длинное черное платье с вырезом, лишь подчеркивающее бледность лица и багровые раны губ.

— Элизабет, это ты? — проговорила девушка, не выпуская Динину руку.

— Кто? — не поняла Дина и снова попыталась выдернуть руку. Но снова не получилось.

— Что с тобой? Почему ты так выглядишь? Ты что, не узнаешь меня? Это я, Линн.

Дина пожала плечами: ей показалось, она где-то видела это лицо, эти губы, но где, когда? Нет, вспомнить было совершенно невозможно.

— Дина, ты что, потерялась? Мы едем или не едем? — Мужчина в смокинге со смешно поднятыми бровями дергал ее за другую руку. Его как-то звали на «Д», но как, она забыла.

— Нет, она никуда не едет, — ответила за нее красивая девушка. — Что с тобой случилось, Элизабет? Ты ужасно выглядишь, что это за одежда на тебе? Где ты была все время?

— Почему ты называешь меня Элизабет? — ответила Дина вопросом на вопрос.

— Ты же Элизабет. Тебя так зовут, — удивилась девушка.

— Нет, мое имя Дина, — не согласилась Дина и покачала головой. — Я это знаю точно, и сейчас мне надо уехать.

— Куда уехать? — не поняла девушка, которая назвала себя Линн. — Ты никуда не можешь ехать в таком виде. Тебе хотя бы надо переодеться, так нельзя.

Дина подумала, что, наверное, Линн права, так действительно нельзя.

— А где взять одежду?

— Я тебе дам свою. — Линн смерила Дину взглядом, как совсем недавно седеющий мужчина в смокинге, но в ее взгляде не было ни заинтересованности, ни цели. — Пойдем, я подберу тебе свою, и ты мне все расскажешь.

— Хорошо, — согласилась Дина. — Но потом мне все равно надо будет уехать. — Она повернулась к мужчине в смокинге, он все еще стоял рядом: — Подожди меня, я только переоденусь, и мы поедем, мне действительно холодно.

— Да у меня машина прямо у входа... — попытался вмешаться мужчина, но Линн уже тащила Дину назад в глубину фойе, потом дальше по коридору. Кухня оставалась справа — Дина видела, как смуглая женщина в белом фартуке возилась у плиты, — а коридор уходил влево. Они вошли в третью дверь с левой стороны: Линн так и не отпустила ее руки, заботливо посадила в кресло.

— Сейчас я тебе подберу что-нибудь, — повторила она, снова окинула Дину взглядом, как бы измеряя ее. — На тебе даже белья нет. — Она задумалась. — Мое тебе будет велико, но ничего, придумаю что-нибудь. Ты подожди здесь, я сейчас схожу к себе и вернусь.

— А ты что, живешь здесь? — удивилась Дина.

Линн обернулась, губы ее растянулись в едва различимую улыбку, она не была веселой, эта улыбка.

— Ну, что-то вроде того, — ответила она и пошла к выходу.

— Только не говори никому, что я здесь! — вспомнила Дина. — Вообще никому, прошу тебя.

— Почему? — не поняла Линн, по потом пожала плечами. — Хорошо, не скажу.

Комната была большая, обставлена тяжелой дорогой мебелью: кожаное кресло, плотные шторы на окнах, темный массивный платяной шкаф, широкий длинный письменный стол у окна, высокое зеркало в золоченной оправе стояло на полу, прислоненное к стене. Дина закрыла глаза — сразу закончились силы, наверное, она очень устала — и тут же погрузилась в поверхностное, едва сомкнувшееся над ней забытье.

Она и спала, и в то же время все слышала — вот скрипнула дверь, вот прошелестели легкие шаги по паркету, вот кто-то остановился перед ней, смотрит на нее, она даже с закрытыми глазами чувствует на себе чужой пристальный взгляд. Надо бы открыть глаза, посмотреть, кто стоит перед ней, но до чего же тяжело покинуть забытье, до чего же не хочется всплывать на поверхность, возвращаться в этот ужасный, тяжелый, требующий постоянного напряжения, постоянной борьбы мир.

Все же она заставила себя, открыла глаза, попыталась собрать в фокус расползающийся, нечеткий взгляд. Как и прежде, сочные, полные губы на вытянутом, бледном лице приковали взгляд.

— Линн, это ты? — зачем-то спросила Дина.

— Я принесла тебе одежду.

На ее плече висела кожаная сумка. Сначала Линн достала оттуда трусики, лифчик, потом темную коричневую юбку-плиссе, вслед за ней блузку. Блузка была светлая.

— Сначала примерь белье, — посоветовала Линн. Почему-то она говорила тихо, почти шептала, но так было даже лучше.

Дина встала, стала снимать через голову больничную рубашку. Каждое движение требовало усилий — поднимать руки, тащить за ними противную, цепляющую материю, потом вытаскивать застревающую голову из бесконечно длинного ворота. Наконец она справилась: рубашка скомканным кольцом упала к ногам, в большом зеркале у стены отразилось болезненное, худосочное тело с острыми плечами, вялой грудью с колкими усохшими сосками, впалый, мягкий живот — бледная, неровная кожа в отвислых складках неровно обтягивала его. Но больше всего пугали ноги — они потеряли округлость, будто их обстругали по всей длине, стали болезненно ровными, тонкими, бессильными: они напоминали палочки, с помощью которых едят японскую еду, словно их воткнули в изможденное тело, и теперь они неестественно торчат из него. Это было не ее, не Динино тело, оно было чужеродным, противным, от него — хлипкого, дряблого, лишенного плотности, мышц, соков — хотелось избавиться.

— Ой, что это у тебя?

Дина и позабыла, что рядом Линн, что та тоже разглядывает ее в зеркало.

— Что, где? — также тихо спросила Дина.

— Да вот здесь, на ногах. И на животе. Ну-ка, повернись. Да и сзади.

Дина посмотрела на ноги. Там, у самого их основания, ближе к внутренней стороне, расползались желтые, синие, фиолетовые пятна. Они были почти идентичны на левой и правой ноге, будто кто-то умышленно добивался симметрии. И все же если приглядеться, пятна на правой ноге составляли длинное, изогнутое поле, тогда как на левой пятна все больше распространялись по ширине. А поверх пятен плотной, засохшей, бурой коростой пугающе выступали неровные узкие борозды. Дина протянула руку, потрогала, отковырнула твердый, ломкий кусочек, поднесла к глазам. Конечно, это была кровь, запекшаяся кровь. Голова чуть закружилась, сразу сбилось дыхание, пришлось закрыть глаза, опереться о зеркало.

Потом, когда дыхание вернулось, вместе с ним вернулось и отражение. Оказалось, что и на животе в самом низу, и по бокам тоже темнели пятна, они не сливались в единое, застывшее поле, просто много разрозненных синяков. Дина провела пальцем вдоль рельефной борозды. Почему она такая темная, бурая? Кровь ведь красная? Рука снова судорожно взметнулась, пытаясь нащупать опору.

— Откуда у тебя кровоподтеки? — полушепотом проговорила Линн. — И вообще, что с тобой случилось, Элизабет? Ты на себя не похожа, ты была совсем другой. Тебе не больно?

Зачем она спросила про боль? Если бы не спрашивала, Дина бы и не заметила боли, считала бы ее частью нормального, естественного существования. Неприятного, утомительного, но терпимого, которое необходимо принять, с которым необходимо смириться. Но сейчас, когда она услышала про боль, та сразу выступила наружу — резью, зудящей натертостью, ломающей, тупой тяжестью.

— Так что с тобой произошло? Кто это сделал с тобой, бедняжка? — снова спросила Линн.

— Я не знаю... Я ничего не помню, — ответила Дина.

Почему она так ответила? Она ведь могла рассказать, что очнулась в кресле с задранными ногами, что рядом стояла капельница, что на сгибе руки — следы от иголок, наверное, ей кололи наркотики, что ее насиловали постоянно несколько человек. Она могла сказать, что едва выжила, что еще немного, и умерла бы. Она уже многое поняла, вспомнила. Но почему-то она не сказала ничего.

— Я ничего не помню, — повторила она. — Я только знаю, что мне нужен Рассел, ты не знаешь, где его можно найти?

— Ах, Рассел, — едва качнула головой Линн. — Тебе нужен Рассел. Но здесь нет никакого Рассела. Ты уверена, что правильно называешь имя? Рассел? Рассел? Нет, не знаю. — Она замолчала: видно было, что она сомневается, что не уверена. — А ты не помнишь, там, где ты была, там не было такого черного ящика с отверстием? Они его... — Почему-то она не договорила, оборвала фразу.

— Нет, не помню, — зачем-то солгала Дина. — Я ничего не помню.

— Ну да, — кивнула Линн, снова задумалась. Дине показалось, что она хотела сказать что-то еще, но не сказала.

— Знаешь что, я забыла принести туфли, — снова сказала Линн после паузы. — Совсем не подумала, ты же босиком. Ты одевайся пока, я пойду поищу, у меня должно быть что-нибудь подходящее.

Дина снова осталась одна в комнате, снова осмотрела чужое, неприятное тело в зеркале, потом вздохнула, взяла лифчик. Конечно, он оказался велик, но, в любом случае, лучше чем ничего. Потом надела трусики, они тоже болтались, напоминая сдувшийся на лодке парус. Она усмехнулась сравнению: нет, на лодку она не похожа, если только на дырявую и утлую. Снова короткий взгляд: если бы не знать, что в зеркале она, отражение выглядело бы комично. Дина отвернулась, подобрала с кресла чужую юбку, стала натягивать.

Она застегивала пуговицы на блузке, когда дверь открылась. Дина вскинула глаза, сердце скакнуло, выплеснуло горячую, туманящую струю в голову — в дверном проеме стоял молодой высокий парень.

— А вот и я, Дина, — хохотнул он простецким, басовитым смехом.

Он мог и не говорить ничего — только увидев его, она сразу поняла, что он из них, из тех, которые были в той ужасной комнате на верхнем этаже. Из тех, кто измывался над ней.

Она попыталась двинуть руками, сказать что-нибудь, закричать, но у нее не получилось. Ноги приросли к полу, словно приклеились к нему; руки, налитые свинцовой тяжестью, отказывались слушаться; из горла вырвался тихий хрип, что-то наподобие птичьего клекота.

Когда-то, очень давно, с ней уже происходило такое. Тогда она точно так же хотела закричать, но только пена и вода вырывались из обмякших легких, а ноги тащили вниз, в пучину, ко дну. Ну да, она чуть не утонула тогда. Странно, что она вспомнила это сейчас, почему именно сейчас? А Рассел ее спас. Он прыгнул в воду, подплыл к ней, поднял, вытащил. Да, это был Рассел. Он и сейчас спасет ее, — так же, как и тогда.

От неожиданно прорезавшейся памяти оцепенение вдруг отпустило. Откуда-то появилось напряжение в ослабленных мышцах. Дине показалось, что она превратилась в сгусток злой, мстительной, дикой силы, сжалась в упругий, острый, разящий комок. Рвать зубами, впиваться в ненавистное тело, только чтобы выжить, вырваться, спастись.

Комок оттолкнулся, взвился в воздух, к нему присоединился визг, разрывающий вопль, он тоже врезался в живую преграду, она оказалась не такой уж стойкой. Басовитый смех перешел в басовитый крик, в нем было больше удивления, чем боли.

Она не знала, куда врезалась безумной своей головой, не знала, что месят внизу ее острые коленки, не чувствовала чужой, разрываемой когтями, тут же опухающей, покрывающейся теплой, густой влагой кожи. Кто-то попытался схватить ее за руки, заломить их, оттолкнуть, бросить на пол. Но как можно оттолкнуть клубок обезумевшей энергии? Она вывернулась, снова кинулась вперед, снова повисла на оглушенном, остолбеневшем теле. Ногти ломались, их забивали мягкие, скользкие лоскутки, зубы были надежнее, она впилась ими — ах, как непрочна живая плоть, как легко разрывается податливая мякоть, как просто быть бешеным животным, хищником — кусать, рвать, давиться, захлебываться яростью, кровью, слезами.

Мужской басок оборвался, теперь его заливало отчаяние, а еще страх, ужас. Но в отличие от Дининого ужаса, он был вялый, бессильный, с единственным желанием укрыться, защититься, спрятаться.

В конце концов она отпихнула в сторону истерзанное, искусанное, избитое тело, кинулась к спасительной двери. Все замелькало, взгляд влево — сжавшийся на корточках мужчина, покачиваясь, подвывает, руки сложены где-то внизу. Взгляд вперед, в темный провал двери — ей туда, там люди, она будет кричать, звать на помощь. Дина рванулась, темный проем качнулся, сначала влево, потом сразу вправо, наверное, она неловко переставляла ноги, наверное, ее саму качало из стороны в сторону.

Все же она не промахнулась, вписалась в проем, задела плечом косяк, — боль отголосками прокатилась по телу, но она привыкла к боли, боль стала частью ее существования, она сроднилась с ней. Коридор уходил и влево и вправо, надо вспомнить, откуда привела ее эта красивая девушка с полными красными губами, где находятся люди, там ведь было много людей.

Ну да, надо бежать вправо, но вправо нельзя — всю ширину коридора закрыло новое мужское тело, больше и шире предыдущего. Почему-то Дина сразу поняла, что ей с ним не справиться, от него исходила угроза, явная опасность. И оно неумолимо двигалось на нее.

Она все равно попыталась прорваться, сдвинуть, пробить насквозь, но не получилось. Тело отшвырнуло ее, она снова бросилась, — но не хватило сил, отлетела назад, снова ударилась о косяк двери, теперь уже головой, снова боль, ноги стали оседать, но она удержалась. И тут же темный, стремительный, жесткий комок влетел в нее, врезался, накрыл глаз, щеку. Они сразу исчезли, будто скальпелем срезали правую часть лица, а то, что осталось, взбухало, становилось чужеродным, выворачивалось наружу рваными краями. Дину отбросило назад, в комнату, а проем двери опять оказался закрыт тяжелым, бьющим наотмашь телом.

Еще один удар, теперь она отлетела в глубину комнаты, и нижняя губа тут же перестала принадлежать лицу, вывернулась, набухла, будто Дине приставили чужую, слишком большую, неподходящую челюсть. Дышать стало тяжело, воздух едва проходил через рот, едва попадал в горло, лишь отдельными, скудно просачивающимися струйками. Дина качнулась, удержалась, — она не может падать, не может позволить им схватить ее, связать, оттащить наверх, в страшную комнату на третьем этаже, привязать к кровати, впрыснуть наркотик, ввести в забытье только лишь для того, чтобы снова терзать ее израненное, едва живое тело.

Правый глаз затек, набух, перестал видеть. Зато левый попрежнему все замечал — вот тот, кто сидел на корточках, стал выпрямляться, с красного лица отрываются тяжелые капли, руки поддерживают низ живота, будто без них он лопнет и разлетится на куски. Вот тот, кто загораживал дверь, сделал шаг вперед, в комнату, ближе к ней, к Дине — ей тоже пришлось отшатнуться. Вот в освободившейся прорези двери промелькнула еще одна фигура, хрупкая, изящная, протиснулась в комнату, замерла у стены. Как же все-таки сложно видеть одним мутным глазом. Конечно, это удлиненное лицо она знает, да и красные губы на размытой бледности. Сейчас контраст еще отчетливей — то ли лицо стало более бледным, то ли губы налились багровым. Они раскрываются, что-то произносят, но тихо, едва-едва, надо напрягаться, чтобы расслышать.

— Извини, но мы не зависим от себя, — вот что шептали губы на мраморно белом лице. — Совсем не зависим, мы здесь все, как ты, мы все...

— Ах ты, маленькая сучка, — заглушил багровые губы громкий мужской голос, сильный, злой, в нем звучала угроза. — Ах ты, сучка, ты зачем убежала? Да еще Пола вон как раскрасила. Он же тебя любил без отдыха, втюхивал в тебя, не жалея себя, а ты сучка неблагодарная. Ничего, скоро попищишь, я тебе такое устрою, попка разорвется. А ее сращу с твоей...

— Бен, перестань, — снова проговорили женские губы, снова тихо, но Бен почему-то послушался, замолчал.

Бен? Где она могла слышать это имя? Где могла видеть это простоватое лицо с накачанной бычьей шеей? Нет, сейчас не вспомнить, у нее нет времени на воспоминания. Потому что Бен шагнул к ней, его огромные, налитые мышцами руки потянулись к ней, почти достали, почти зацепили толстыми пальцами.

Она все же успела отпрянуть, — шаг вправо, с левой стороны она еще может видеть, шаг назад, там окно, — если она успеет вскочить на письменный стол, если окно открыто, она сможет выпрыгнуть в него. Кажется, они на первом этаже, а даже если на втором, она все равно выпрыгнет. Пусть сломает ноги, но ее заметят люди, подберут, а она им все расскажет. Теперь, когда она многое поняла, она сможет рассказать.

На стол было не так легко влезть, Дина подтянула вверх ногу, уперлась коленкой в столешницу, попробовала подтянуться на руках, но коленка отказывалась принять на себя тяжесть тела, подламывалась, скользила. Пришлось лечь животом, наползти на стол, уколоться пером раскрытой ручки, перевернуться на спину, прокатиться по плоской поверхности, втянуть вслед за телом неумелые ноги.

— Ну и что, ну и куда ты теперь? — повторял Бен: он улыбался, качая головой. — Куда ты? Тебе что, не нравилось? Не волнуйся, в следующий раз понравится.

Он никуда не спешил, этот тупой Бен, а напрасно, потому что она вскочила на ноги, отдернула тяжелую, плотную штору, — оказалось, что за окном кромешная темнота, — надавила на раму. Рама не поддалась, Дина пригляделась, осела по скользкому стеклу — с обратной стороны окна давили непроницаемые тяжелые ставни.

Бен в восторге захохотал:

— Надо же, птичка хотела выпорхнуть в окошко. Да тут порхай не порхай, кричи не кричи, никто не увидит и не услышит. Так что в окошко не улетишь. Ничего, не волнуйся, птичка, скоро полетаешь от кайфа.

Что-то кольнуло в ладонь: ах да, перо ручки. Зачем она ее подняла со стола? Выход! Вот он, выход! Единственный! Только один! Последний!

Она вскочила на ноги, забилась в самый угол, сжалась еще умеющим сжиматься телом, — перьевая ручка в руке, рука у самого горла, просто надо высоко задрать голову. И вот оно, горло, открытое, беззащитное, его так легко поранить, пробить насквозь, тем более острым, длинным, железным пером.

— Я убью себя, если ты подойдешь! — закричала Дина, но из горла вылетело только хриплое бульканье.

Тупая ухмылка на тупой физиономии Бена замерла, скукожилась, слетела, как шелуха.

— Ты, сучка, меня еще пугать будешь? Да я из-за твоей дырки...

Но тут он замолчал, потому что девушка с яркими губами, ах да, ее зовут Линн, вдруг произнесла непривычно твердым, непривычно отчетливым голосом:

— Не подходи к ней, Бен. Она не в себе, ты что, не видишь? Она точно проткнет себе горло.

— Да мне-то чего? Пусть все что угодно себе протыкает. Одной дыркой больше, одной... — начал было Бен, но сбился, замолчал.

— Ты потом сам будешь отвечать, — пригрозила Линн. — Кит будет в ярости. Тебе и так достанется, что она соскочила с иглы и едва не сбежала.

Дина слышала их разговор, даже понимала смысл, но он ничего для нее не значил. Ей было все равно, что они решат, о чем договорятся, она знала лишь одно — один шаг в ее сторону, и она заставит руку вогнать перо в горло, она уже чувствовала, как поддалась, прогнулась кожа от вдавленного острия, как резь, разбегаясь от шеи, достигла позвоночника. Оставалось чуть добавить усилия, увеличить силу нажима, и кожа прорвется, железное острие войдет внутрь.

Она представила: жесткий отточенный кусок метала, застрявший в горле, острая боль, станет трудно дышать, брызнет кровь, наверное, темная, если смешается с чернилами. Рукой она инстинктивно зажмет рану, но кровь будет пробиваться струйками сквозь сжатые пальцы, она проходила в школе — там колоссальное давление, в шейной артерии. Все будут кричать, звать на помощь, звонить в больницу, а она, залитая кровью, с горящими глазами, так и не сдавшаяся, не отдавшая им себя, там, на постаменте письменного стола, у всех на виду начнет терять силы либо от нехватки воздуха, либо от потери крови, и наконец осядет вниз на дрожащих ногах, победно улыбаясь перед смертью. А им ничего не достанется, кроме ее трупа, они не получат ни ее чувств, ни эмоций, а значит, не получат души.

Промелькнувшая в воображении сцена показалась Дине настолько привлекательной, найденный выход таким простым и естественным, что ее рука еще сильнее сжала перо, похоже, оно уже прокололо кожу, уже капнула первая капля. Дина взглянула вниз: капля ударилась о поверхность стола, распалась на множество мелких капелек, — они были совершенно алыми, значит, чернила не успели раствориться в крови.

Нет, она не чувствовала страха, только восторг, пьянящий, кружащий голову, восторг от ожидания неминуемой смерти, которая не назначена кем-то извне, а была ее собственным, сознательным выбором. Как ей нравилась сейчас эта красивая комната с тяжелой мебелью, последняя комната, которую она видит, как нравились расширенные, полные ужаса и мольбы глаза красивой девушки Линн. Как смешно отвисла челюсть у идиота Бена, как нелепо затряслись руки у привалившегося к стене исцарапанного парня. Они что-то говорили хором, кричали, но она не слышала, — рука все сильнее давила пером в шею, боль растекалась и захватывала голову, но она была чудесной, эта боль, спасительной, освобождающей.

Откуда же тогда раздался женский крик? Дина прислушалась: крик показался знакомым, какие-то быстрые слова, она сама не могла разобрать их надсадный, истеричный смысл. Она только увидела, как сначала эти трое внизу переглянулись, потом Линн что-то проговорила, Дина не расслышала, что именно, видела только, как раскрылись и округлились полные красивые губы.

Потом они втроем стали пятиться назад и вбок, к правой стене, именно к той, которая находилась дальше всего от двери. Зачем они отходят к ней мелкими, осторожными шажками? Зачем медленно, не спуская с Дины глаз, опускаются на колени? Она ведь хотела, чтобы ничего не менялось, когда она будет умирать у них на глазах. И почему знакомый женский голос продолжает истошно, неразборчиво кричать? Невыносимо пронзительный, визгливый, он врезался, втискивался в уши, давил на голову, корежил мозг.

— К стенке! — наконец выделилось одно, невероятно бессмысленное слово. — На колени! — еще одно слово выскочило из сбивчивого, непрерывного набора. — А то... — проскочили три буквы. А потом совсем истерично, будто голос сорвался с цепи: — Я убью себя! Убью! Я не боюсь! Я убью себя! — И все снова смешалось в нескончаемом визгливом крике.

Перо совсем близко подобралось к артерии, Дине казалось, она чувствует острую железную инородность в горле, может быть, оттого крик и получается таким пронзительным, визгливым. Зачем она выкрикивает эти ненужные, бессмысленные слова, она же хочет убить себя прямо сейчас, у них на глазах? Почему руки дрожат, откуда дикая боль в ногах, ведь она совсем не боится умереть?

Но оказывается, что не только Дина живет в перенапрягшемся, заведенном до предельной пружины теле. Оказывается, в нем обитает и другая женщина, с другим, позабытым именем, и она совсем не хочет умирать, она хочет жить, это она орет запекшимся, брызжущим во все стороны, обезумевшим голосом:

— На колени! Все трое! Быстро! Опустить головы вниз. Клянусь, я убью себя! Я клянусь, я проткну себе горло. Я уже почти там! Не смотреть на меня! Головы вниз! К полу!

У нее, у той, другой женщины, совсем иной план. Она хитрая, и план у нее хитрый, и она хочет жить и не даст убить себя.

— Тихо, Элизабет, спокойно, — шепчут крупные губы. — Не нервничай, все нормально, мы все сделаем, как ты говоришь. Только успокойся, мы ведь можем договориться, Элизабет.

Может быть, ту, другую, которая все задумала, зовут Элизабет? Какое-то знакомое имя, она слышала его много раз.

— Молчать! Я сейчас слезу со стола, а вы стойте на коленях и головы вниз. Если кто поднимет голову, я клянусь, я проткну себе горло. Я клянусь!

Ноги. Как с ними тяжело управляться, они дрожат, шатаются, подгибаются. Главное, не упасть со стола. Как же с него трудно слезть. Главное, не упасть. Они только и ждут, что она упадет.

Но она не упала. Медленно двинулась через комнату: главное — не сводить с них глаз, если кто-нибудь из них вскочит, надо успеть воткнуть себе в горло перо. Это самое главное — не дать им победить.

— Да она блефует, — заорал дебильным голосом кретин Бен. — Ты что, не видишь, она блефует. Ничего она не сделает. Я сейчас встану и оторву этой сучке ноги. Без ног ее легче будет еб...

«Он, кретин, ничего никогда не поймет», — успела подумать Дина.

— Молчи, ты что, не видишь, она в шоке. Посмотри на нее, она не в себе. Сиди, молчи. Если она убьет себя, мы все потеряем. Сиди, идиот, все из-за тебя.

Она пыталась еще что-то сказать, красивая девушка Линн, теперь уже Дине, что-то тихое, успокаивающее, попыталась еще раз обмануть, провести, захватить врасплох. Может быть, обмануть Дину ей бы и удалось, но ту, другую, живущую в Дининим теле женщину перехитрить было невозможно.

Еще несколько напряженных шагов — мелких, осторожных, — рука с пером у шеи, внутри шеи, между жизнью и смертью всего несколько миллиметров тонкой живой перегородки. Взгляд расширенных, безумно выпученных глаз, следящих за каждым шорохом, за мельчайшим движением; тело, как и глаза, напряжено, сконцентрировано до мышечной судороги. Еще несколько шагов, всего несколько, и можно будет открыть дверь и броситься по коридору туда, где еще недавно находились люди. И кричать, звать на помощь, а значит, спастись. Всего-то несколько последних шагов...

Как же случилось, что силы разом оставили ее? Сначала сбился, оборвался крик, рассеялся в сразу подступившей тишине. Потом обмякли ватные ноги, рука медленно стала отделяться от шеи, вытягивая из нее железное перо, струйка крови свободно заструилась вниз из раскупоренного отверстия. А потом рука и вовсе рухнула вниз, не в силах удержаться в безопорном воздухе, и там, внизу, разжалась, а перо, вывалившись из бессильных пальцев, стукнувшись деревянной ручкой, шумно покатилось по полу.

Почему она осталась стоять посередине комнаты, обессиленная, сжавшаяся, потерянная? Неужели из-за этого уверенного, твердого, все перевернувшего разом внутри голоса? Он здесь, а значит, больше ни к чему быть сильной и решительной. Он все решит, спасет, оградит и снова принесет счастье. Счастье, без которого она не может существовать.

— Дина, я здесь, я пришел, — проговорил голос, и она повернула слабую голову и встретила взгляд Рассела, спокойный, сведенный в точку.

Он пришел, значит, услышал ее мольбы, значит, все сейчас закончится, весь этот ужас, этот кошмар. Получается, она все же выжила, она дождалась его.

— Все уйдите, — кивнул он троим, стоящим на коленях у стенки.

Они поднялись. Дина вздрогнула, отпрянула, едва не упала, все сразу расползлось, потеряло четкость.

— Рассел, — попытался сказать самый тупой из них, — я тут совершенно ни при чем. Это все...

— Уйдите, — повторил Рассел. — Закройте за собой дверь. — Они все еще колебались в дверях. — Немедленно. Все. Чтобы я вас больше не видел. И остальным скажите, чтобы не заходили.

Дверь захлопнулась. Больше никого не было, только она и Рассел. Впрочем, была ли она? Этого Дина не знала.

— Девочка моя, что они сделали с тобой? Сядь, закрой глаза, теперь все будет хорошо, я здесь, и тебе будет хорошо. Как всегда было, когда я приходил. Помнишь?

— Да, помню, — ответила Дина и сделала все, как он велел: опустилась в мягкое глубокое кресло, закрыла глаза. —

Только не надо больше капельницы, — попросила она тихим голом. — Хорошо?

— Не будет капельницы, — пообещал Рассел. — Она больше не нужна. Мы переходим на другой этап, я теперь один смогу приносить тебе облегчение и счастье. Единственное, что ты должна делать, это слушаться меня во всем. Абсолютно во всем. Ты будешь?

— Буду, — согласилась Дина, ей страшно захотелось спать, будто ей дали наркоз. Напряжение последнего часа спало, осталась лишь болезненная, бессильная слабость, которую невозможно было преодолеть. Да и зачем? Вдалеке, в самой потаенной сердцевине возник едва различимый спазм, — неужели внутри нее зарождалась новая вспышка? Странно, ведь она, Дина, не в забытьи, не в бреду, наоборот, в полном сознании, а зачатки вспышки уже медленно, томительно закручивали внутри свою упругую теплую спираль, чтобы позже развернуться новой небывалой взрывной силой. «Надо же, — подумала Дина, — значит, вспышки могут происходить и наяву». Главное, чтобы Рассел находился рядом, чтобы он касался ее.

Он действительно коснулся ее, одна ладонь легла на лоб, другая — на живот. От них обеих исходило мерцающее тепло, а еще волнение, будто невидимые лучи проникали внутрь и сходились где-то на уровне ее груди. Дыхание усилилось, грудь начала высоко вздыматься, спираль внутри затянула напряжение на еще один оборот. И все же что-то ее сдерживало, и она пробуксовывала, не могла закрутиться до предела.

— Ниже, чуть ниже, ближе к вспышке, — попросила Дина.

Ей стало тревожно: вспышка, в которой еще секунду назад нельзя было усомниться, которая была где-то близко, на самых подступах, вдруг остановилась, закрученная спираль, так и не добрав нескольких оборотов, застопорилась, оборвала движение. Она не меняла своего напряжения, не усиливала его, но и не ослабляла, и от незавершенности, от обманутого ожидания Дина чувствовала коробящее, садящее раздражение внутри.

— Пожалуйста, сделай что-нибудь, — попросила она. — Мне нужна вспышка, я так давно живу без нее, пожалуйста...

Ладони Рассела по-прежнему лежали одна на лбу, другая — на животе, от них все так же исходило тепло, но его оказалось недостаточно. Вот если бы он проник внутрь, оттуда разогрел вспышку, закрутил спираль...

— Все будет, все произойдет, ты только расслабься и чувствуй меня, — раздавался ровный, твердый голос, которому так хотелось верить. Но она уже не могла.

— Ну как, вспышка подошла? — через какое-то время спросил голос.

— Нет, — качнула головой Дина. — Она близко, но она остановилась.

Прошло еще время, руки все так же лежали, от них все так же исходило тепло, но они уже ничего не могли изменить.

— Ну как? — снова спросил голос и тут же, не дожидаясь ответа, добавил скороговоркой, как бы самому себе: — Да, похоже, без ящика пока не обойтись.

Он разом изменился, этот знакомый голос, в нем появились разочарование, даже усталость. Дина удивилась: она привыкла к ровному, уверенному голосу, без оттенков, без интонаций.

Вскоре тепло от рук исчезло, руки еще лежали, но тепло исчезло, а потом пропали и руки. Натяжение спирали стало ослабевать, будто время размывало его, и Дина поняла, что ни взрыв, ни вспышка больше не произойдут. От разочарования она открыла глаза. Рассел стоял рядом, смотрел на нее сверху вниз.

— Нам надо еще поработать, Дина. Ты должна научиться рождать взрыв от одного моего прикосновения. — Его голос снова обрел уверенную монотонность. — Но на это потребуется время, мне надо еще немного поработать с тобой. Ты поняла?

— Да, — кивнула Дина, заглядывая в спокойные, не моргающие глаза. — Только не надо капельницы, — попросила она.

— Я же сказал, что капельница тебе больше не нужна. Я же обещал. Ты что, не веришь мне? — взгляд суживался, нанизывал на острие.

— Конечно верю, — почему-то шепотом ответила Дина.

— Капельницы больше не будет, она не нужна, ты прошла первый этап. Но от черного ящика отказываться еще рано. Я думал, что получится без него, но оказалось, что рано, ты еще не готова. Ты поняла? — повторил он свой простой вопрос. На сей раз Дина только кивнула.

— Я пойду, все приготовлю, — взгляд Рассела впился в ее глаза, вторгся в голову, буравя до самого мозга. — Ты будь здесь, никуда не уходи. Ты спи, Дина, спи, я приду и разбужу тебя. А сейчас спи, я все подготовлю, и все опять станет чудесно, ты снова будешь счастлива. Спи.

И Дина с наслаждением закрыла глаза и уже не слышала ни голоса, ни шагов, ни хлопка закрываемой двери.

Ей ничего не снилось, только белые пятна перекатывались, иногда переходили в желтый, иногда в розовый. Порой сочетание пятен создавало форму, какую-то мучительно знакомую и забытую: конечно же лицо, женское, родное, любимое, — но почему же тогда никак не вспомнить, кому оно принадлежит? И оттого, что вспомнить невозможно, сразу становилось больно, и форма рассыпалась на отдельные пятна только лишь для того, чтобы возникнуть вновь.

От боли она и проснулась. Оказалось, что наяву боль значительно сильнее, чем во сне. Страшно крутило в животе, тошнота поднималась к горлу, стало холодно, так холодно, что затряслись руки. Дина сползла с кресла, там у письменного стола стояла корзина для мусора, главное, до нее добраться, подняться на ноги было невозможно, пришлось ползти на четвереньках.

Тошнота подкатила совсем близко, оставалось только не промахнуться мимо корзины. Но тяжелый, едкий комок застрял где-то в горле и никак не хотел выходить. Пришлось сплюнуть: длинная, липкая ниточка слюны не желала отделяться от губ, она растягивалась, как резиновая, и казалось, не оборвется никогда. Дина смахнула ее сразу ставшей липкой и мокрой ладонью.

Вырвать так и не удалось. Она стояла на четвереньках, засунув голову в мусорную корзину, но освободиться от противного, мутящего комка никак не получалось. Стало неудобно дышать, и Дине пришлось сесть, опереться руками в пол, несколько раз глубоко вздохнуть. Стало лучше, комок хоть и не рассосался полностью, но откатился внутрь, тряска тоже сбилась на мелкую, терпимую дрожь. Лишь неприятный вкус во рту, да еще досаждали мокрые, липкие, будто измазанные дешевым леденцом губы.

Дина поднялась, поискала взглядом на столе: ей нужна салфетка или хотя бы чистая мягкая тряпка, но ни тряпки, ни салфеток на столе не оказалось. Пришлось дернуть за ручку ящика, там стояла невысокая тумба с тремя ящиками с правой стороны стола. Верхний был совершенно пуст, Дина задвинула его назад, он сначала застревал на своих грубых полозьях, но все же в конце концов скользнул внутрь. Второй поддался совершенно свободно, в нем лежала толстая широкая тетрадка, две железные закрытые коробки, еще какой-то непонятный предмет, что-то вроде дырокола. Салфеток не было. Дина достала одну из коробок, та оказалась тяжелой, повертела, пытаясь сообразить, как ее открыть, открыла: она была набита винтами, шурупами, еще какой-то железной, колкой гадостью. Вторая коробка оказалась еще тяжелее другой, Дина даже не стала ее открывать, просто потрясла в руке — раздался металлический скрежет, — поставила назад в ящик, попыталась закрыть его. Он дернулся, застрял, снова дернулся, коробки сдвинулись, наползли друг на друга, на них со стуком из глубины ящика наехала еще одна увесистая, согнутая под прямым углом железка. Ящик тут же поддался, вошел внутрь, хлопнул деревянным краем.

И тут Дину кольнуло, почти на поверхности, у самого лба, ощутимо, будто заточенное острие проткнуло запеленавшую голову мутную пленку, прорезало ее, разорвало. Отверстие разом расширилось, ошметки полупрозрачного окутывающего пузыря разлетались в стороны, и внутрь Дины хлынул свет. Свет нес в себе действительность, настоящую и прошлую, или, если сказать иначе, к Дине внезапно вернулось ощущение себя. А значит, и память.

Она снова дернула за ручку ящика, выдвинула его до упора, железный предмет между двумя банками оказался не полностью железным — одна его часть блеснула светло-серым перламутром, она составляла почти прямой угол со второй, металлической частью.

Дина коснулась перламутровой ручки пальцем, она сразу догадалась, что это ручка, а та, металлическая часть — дуло маленького дамского пистолета. Дина видела его раньше много раз, он принадлежал... Она задумалась... Ну да, это пистолет ее мамы. Маму звали Диной. Почему же тогда ее зовут Диной? Ее не могут звать так же, как и ее маму... Нет, ее зовут совсем иначе. Она взяла пистолет в руки. Почему-то он был теплый, должен быть холодным, но оказался теплым и очень удобным, уютно лег в ладонь приятной тяжестью.

«Элизабет», — вдруг прошептали губы, звук голоса показался непривычно отчетливым. Ну конечно, ее имя Элизабет. А мама умерла, ее убили, она, Элизабет, видела убитую маму, ранку у самого виска, коричневое, маленькое отверстие, оно могло быть сделано выстрелом из этого пистолета.

Элизабет покачала головой — слишком быстро она вспоминала, она не успевала за своими мыслями, за своей памятью. Ей нужно время, а еще умение сосредотачиваться. Сосредотачиваться она теперь умела, а вот времени у нее, похоже, не оставалось.

Она так и стояла у стола, открытый ящик темнел снизу разинутой глубиной, пистолет лежал на ладони, он был небольшой, будто предназначенный для ее руки. Итак, сначала убили маму, застрелили, возможно, из этого пистолета, а потом кто-то хотел похитить и ее, Элизабет. Ну да, два человека, женщина и мужчина, мужчину звали... Как же звали мужчину? Элизабет задумалась, не отрывая взгляда от перламутровой матовости на ладони. Конечно, его звали Бен, ну да, как и того кретина, который мучил и насиловал ее. Да это же и есть тот самый Бен! Почему она сразу не узнала его? Да потому, что ее долго кололи наркотиками и отшибли память. И только сейчас, только благодаря маминому пистолету все начало всплывать и возвращаться. Пистолет всплыл первым, он дал импульс, и выключенная память включилась, а теперь постепенно всплывает ее остальная жизнь.

Итак... Ее хотели похитить, увезти, и они с Влэдом уехали из Бредтауна.

— Влэд! — стоном вырвалось из груди. Как же она могла забыть о нем? Он же был с ней все время, он спас ее тогда, не дал увезти. Как же она могла так легко забыть о нем? — Но я забыла не только Влэда, я забыла саму себя, — произнесла вслух Элизабет и вздрогнула от звука своего голоса, он показался ей чужим, непривычно жестким, в нем больше не было дрожи и растерянности.

Но их все же обхитрили. Рассел! Приехал Рассел и сказал, что Влэд во всем виноват. Что он убил маму, чтобы спать с ней, с Элизабет. Да, именно так и сказал Рассел. И она поверила и уехала с ним, а он привез ее сюда, в дом, где сначала было весело, а потом они привязали ее к кровати, накачивали наркотиками и насиловали. Она не знает, как долго это продолжалось, но похоже, долго, если она успела потерять память, потерять саму себя.

Элизабет продолжала смотреть вниз, на открытую ладонь, на лежащий на ней пистолет. А Влэд оказался ни в чем не виноват, он не убивал маму, он не мог убить, потому что вот он, мамин пистолет. Ах да, ну конечно, в полиции искали именно этот пистолет, но не нашли. Да и не могли найти, потому что он лежал здесь, в столе, в глубине ящика, она бы сама никогда не нашла его, если бы не открыла ящик.

Но как пистолет мог оказаться здесь? Все стало путаться в голове, — видимо, она еще не была готова к такой сложной работе. Пришлось сесть прямо на пол, разбросав ноги, подогнув их под себя. Элизабет закрыла глаза, так было лучше, все само вставало на места, обретало простой смысл.

Пистолет лежал здесь, в доме, в столе, потому что его оставила в нем мама. Значит, мама была тут. А потом она пропала. Ее нашли в лесу мертвой, застреленной из пистолета. А она, Элизабет, нашла пистолет в ящике стола. Значит, маму убили здесь, в этом доме.

Пришлось открыть глаза, так стало страшно. Кто убил? Да кто угодно. Тот же Бен, ему ничего не стоит убить человека. А потом они решили похитить ее, Элизабет. Зачем? Зачем она им? Только для того, чтобы накачать наркотиками и измываться над ее телом? Вряд ли, наверняка у них есть другая цель. Но сейчас их цель не имеет никакого значения.

— Абсолютно никакого. — Элизабет снова услышала голос. Твердый, чужой. Но в комнате никого не было, значит, голос принадлежал ей. — Главное, я знаю, кто убил маму. Почему? За что? Я не знаю. Но знаю кто!

Теперь надо сосредоточиться, понять, что делать дальше. Они ведь скоро придут за ней, и надо подготовиться. Отчего же она не чувствует ни страха, ни усталости, лишь волнуется немного — ей надо успеть разработать план как можно скорее, пока они не пришли.

Элизабет снова уставилась на пистолет, провела пальцем по гладкой, отполированной поверхности. Для чего на нем столько маленьких рычажков? Понятно, что закругленный, торчащий — это курок, на него надо нажать, чтобы пистолет выстрелил. А для чего другие? Элизабет отвела пистолет в сторону, если он пальнет, то хотя бы не в нее, нажала на упрямую железную кнопку у самого верха рукоятки. Раздался легкий щелчок, словно повернули ключ в замке — хромированный цилиндрический барабан выскочил из тела пистолета, отделился от него, открывая свой плоский срез. В нем были четыре отверстия — три из них забиты маленькими кругляшками, они плотно примыкали к стенкам, не оставляя зазора, будто являлись неотъемлемой частью. Четвертое отверстие темнело пустотой, выглядело незавершенным, неестественным.

«Значит, из него стреляли. Один раз, — подумала Элизабет. — Но одного раза оказалось достаточно, чтобы убить мою маму».

Она вернула барабан на место, в тело пистолета, туда, где ему и надлежало быть, снова сосредоточилась. Что же делать?! Что же делать?! Встала, подошла к двери, дернула за ручку. Как она и предполагала, дверь не поддалась, либо заперта на ключ, либо у них там щеколда с внешней стороны. Вернулась назад к столу, снова села на пол, снова подогнув под себя ноги.

«Что же делать?! Что же...»

Она не успела ответить на вопрос, она вообще ничего не успела, только судорожно сунуть руку с пистолетом в карман юбки, там по бокам в складках были спрятаны большие, глубокие карманы. В тот же момент дверь распахнулась. Элизабет не шелохнулась, взгляд ее не отрывался от распластанного перед ней паркета, — оказалось, что он весь в длинных глубоких царапинах, его наверняка давно не циклевали.

Шаги приблизились, кто-то остановился рядом, завис над ней, Элизабет не подняла глаз.

— Пойдем, Дина, — сказал ровный голос. От него несло железным, холодным равнодушием. Почему она раньше не замечала? Даже дуло пистолета было теплее. — Все готово, пора, пойдем.

Она не ответила.

— Дина, я жду тебя. Пора идти, — повторил голос, холод покрылся коркой отчужденности.

Она не шелохнулась.

— Я понимаю, ты устала. Но надо идти, Дина, — повторил голос, он уже не просил, он приказывал.

— Я не Дина, — Элизабет наконец подняла глаза, скрестила с пронзительным, точечным взглядом.

— Что? — голос заколебался. — Что ты говоришь, Дина? Вставай, — он протянул руку, пригнулся, попытался подхватить ее за локоть. Но не успел. Откуда взялись силы в, казалось, бессильных ногах? Они спружинили, как когда-то на теннисных тренировках, взвили тело вверх — мгновение, и она стояла перед ним, совсем рядом от него. От мог протянуть руку, схватить ее, но она не боялась. Она больше ничего не боялась.

— Зачем тебе все это? — задала она первый, возможно не самый важный вопрос.

Рассел не понял.

— Что это? — переспросил он.

— Ну как же... — Элизабет усмехнулась, она почувствовала необычайный прилив сил. Откуда, из какого резервного источника они взялись, почему пылают ее щеки, почему пальцы напряженно сжимают перламутровую рукоятку в кармане юбки? — Ну как же, — повторила она, — зачем тебе надо было меня красть, столько сил тратить, с первого раза ведь не получилось? Зачем я тебе? Только для того, чтобы влить в меня наркотики и насиловать? Но зачем? Я же была без сознания, я ничего не чувствовала, да и не ты, кажется, насиловал. Зачем? Тут столько красивых девушек, они с радостью тебя примут. Зачем тебе я?

Элизабет говорила яростно, брызги вырывались вместе со словами из разбитого, покореженного рта. Она совсем забыла про вывороченную наизнанку губу, про кровоподтеки, про разбитое лицо. Ей все равно, ей безразлично, единственное, что важно — это понять, разобраться. Она не уйдет отсюда, из комнаты, не выпустит его, пока не поймет все.

Рассел смотрел на нее, молчал. Как ни странно, выражение его лица разом изменилось, словно он снял суровую, мрачную маску, предназначенную для драматического, напряженного действия. Теперь на нем была другая маска, расслабленная, подобревшая, на губах играла легкая, веселая, немного ироничная улыбка. Взгляд тоже утратил остроту, рассеялся, не пытался ни пронзить, ни проникнуть внутрь. Такие маски предназначены для оперетты, для водевиля.

— Итак, похоже, эксперимент не удался, — наконец произнес он и покачал головой, как бы соглашаясь с собой. — Хороший был эксперимент, но ты оказалась плохим материалом, неподходящим. Я уже давно понял по ломкам, они у тебя были слабые и короткие. Другие на твоем месте дошли бы до ручки, перестали быть людьми, оказались готовы на все, а с тобой ничего подобного не происходило. У тебя, увы, повышенная сопротивляемость.

Его голос тоже потерял прежнюю ровную, сосредоточенную холодность, теперь в нем смешались насмешка, ирония, даже озорство, даже сожаление. Как будто он сожалеет, что все так неловко вышло.

Элизабет покачала в изумлении головой: метаморфоза выглядела слишком продуманной, искусственной. Но не изумление правило сейчас ее чувствами. Злость, ярость, ненависть... Она ненавидела их всех — и дом, и людей, в нем находившихся, и двуличного, легко меняющего маски человека, расслабленно стоявшего перед ней. Она даже себя ненавидела.

— Какой эксперимент? Зачем? Почему надо мной? — закричала она ему в лицо.

Рассел улыбнулся, сморщил в насмешливом удивлении лоб, — похоже, чем больше она бесилась, тем веселее и невозмутимее становился он.

— Ну хорошо, ты на самом деле заслужила разъяснения, — неожиданно легко согласился он. — В любом случае ничего не получилось, а значит, уже и не получится. Сейчас я тебе все расскажу. К тому же, сама идея довольно забавная, тебе наверняка понравится.

Он продолжал улыбаться, но насмешка вышла за пределы губ, все лицо излучало иронию и насмешку. Даже воздух вокруг него, казалось, зарядился ими. Парадоксально, но сейчас он стал похож на того самого озорного Рассела, которого она знала в детстве, которого любила мама.

— Впрочем, что это мы стоим посередине комнаты? — Рассел расслабленно пожал плечами. — Пойдем в столовую, там и поговорим.

Он было двинулся к двери, но Элизабет отпрыгнула назад, встала на его пути, загородила телом.

— Никуда мы не пойдем. Мы останемся здесь, в этой комнате, и ты мне все расскажешь.

— Ого, какой порыв, — засмеялся Рассел. — Хорошо-хорошо, мы и здесь сможем неплохо устроиться.

Он подошел к шкафу, открыл дверцу, достал графинчик, бокал, обернулся:

— Коньяк я тебе не предлагаю, ты же несовершеннолетняя, — снова ирония в голосе, во взгляде, в коротком смешке. Поставил графин на письменный стол, сел в кресло, там было кресло на колесиках недалеко от стола. Налил коньяка, сделал глоток, потом еще один.

— Ты знаешь, что потребовал у Фауста Мефистофель в обмен на вечную молодость? — Снова улыбка. — Хотя ты, наверное, даже не знаешь, кто такой Фауст. — Элизабет промолчала. — Очень коротко: Мефистофель — это черт, который пообещал обеспечить доктора Фауста вечной молодостью. В качестве платы за услугу он потребовал... как ты думаешь что?

Элизабет снова промолчала, она не хотела обсуждений. Она будет задавать вопросы, а он — на них отвечать. И все, никаких дискуссий.

Рассел допил коньяк, лицо его расслабилось еще больше, снова налил из графина. Графин был почти полным.

— За вечную молодость Мефистофель потребовал душу Фауста. — Пауза, еще один глоток, подтверждающий кивок головы. — Да-да, именно душу. Видишь ли, моя маленькая, добрая Лизи, душа другого человека, когда она принадлежит тебе, и есть самое ценное. Ничего более ценного на свете не существует. Забудь деньги, политику, войны, борьбу за территории. Все это ничтожно по сравнению с одной-единственной принадлежащей тебе человеческой душой.

Он замолчал, снова отпил из бокала, потом посмотрел на нее улыбаясь — ждал, наверное, когда она попросит объяснить. Но Элизабет не просила. Пришлось продолжить.

— И видишь ли, прекрасная моя Лизибет, хотя я далеко не Мефистофель, но мне ужасно хотелось заполучить твою душу.

Тут он развел руками, мол, теперь понимаешь, как все просто.

— Обычно существует лишь один способ обладания чужой душой. Посредством любви. Когда тебя любит женщина, она отдает не только тело, но и душу. Не каждая женщина и не всегда, но такое бывает. Например, твоя мама когда-то давно была готова отдать всю себя. Но я был молод и не мог понять ценности дара. Я, по глупости, баловался тогда.

Рассел задумался, тихая, полная сожаления улыбка растянула губы. Она означала, что он погрузился в воспоминания.

— Твоя мама была уникальной женщиной, у нее сохранилась чистая, совсем нерастраченная душа, а только чистая душа может безвозмездно быть передана другому человеку. У искушенной, подержанной души всегда имеется задняя мысль, она ничего не умеет давать безвозмездно. А твоя мама была чиста, открыта, бери не хочу, но я ошибся, сглупил, не взял.

Рассел снова выдержал паузу, снова глотнул из бокала.

— Твоя душа тоже чиста. Пока еще чиста. Несмотря на... — взмах рукой, расслабленный, прощающий. — И меня она очень привлекла. Понимаешь, именно твоя. Беда в том, что полюбить меня сама ты бы не сумела. Какого-нибудь мальчишку сумела бы, но не меня. Увы. — Он усмехнулся, развел руками.

— Я ничего не понимаю, — проговорила Элизабет. Ей стало неудобно стоять перед ним, сидящим, вальяжным, иронично-поучительным, и она опустилась в большое кожаное кресло. До него надо было пройти несколько шагов, и она их прошла.

— Ну конечно, — кивнул Рассел и засмеялся. — Ты же еще несмышленыш, что ты знаешь про любовь? Что ты можешь, кроме как яростно потрахаться? Откуда тебе знать, что любовь — совсем не секс? Что она даже не чувство, и уж тем более не взаимопонимание, не товарищество. Любовь... — Рассел подался вперед, — ...любовь — это жертвенность, это постоянное доказательство. Понимаешь, только в жертвенности присутствует доказательство, что чужая душа принадлежит тебе. — Он снова откинулся на спинку кресла. — Наверняка вам в школе не говорили, что в Древнем Египте наложниц живьем хоронили вместе с их умершим хозяином. И они не противились, они шли на смерть добровольно, потому что их душа принадлежала ему. Вот только такой и может быть настоящая любовь. — Он снова замолчал, как бы давая Элизабет время подумать.

— При чем здесь я? — разнесся по комнате глухой, хриплый голос.

Казалось, Рассел только и ждал вопроса. Он весело усмехнулся, глаза налились лукавством. Развел руками, покачал головой, как бы удивляясь, сожалея.

— Ну что ж здесь не понять? Ладно, попробую снова, по-другому. — Еще один глоток коньяка заполнил короткую паузу. — Видишь ли, детка, я принадлежу театру давно, с юных лет, по сути, всю жизнь. Я не имею в виду обычный театр с крышей, со сценой, со зрительным залом. Он мне нужен только для практических целей — денег, славы, прочей мишуры. Нет, истинный театр, которому я служу, — это жизнь. Самая лучшая драматургия — это судьбы людей, а люди — самые лучшие актеры. Где в драмматическом театре найдешь столько искренности, непосредственности, правды? А сколько в человеческой жизни интриг, тайн, драм, комедий, трагедий? Эх, девочка, если бы ты только знала...

Он замолчал, сделал еще один глоток, ему нравилось говорить, он купался в словах.

— А я драматург. Я родился драматургом. И не умею по-другому, не могу. Я пишу пьесы для театра, для жизни. Поэтому мои спектакли и собирают аншлаги, что я не отделяю драматургию от реальной жизни. Я из всего создаю театр, понимаешь, я создаю жизнь, которой правит моя фантазия. Люди движутся по заданным мною маршрутам, говорят заготовленные мною слова, попадают в задуманные мною ситуации. Ты, Лизи, скажешь: «мистика». А я отвечу, что любая жизнь в конечном итоге призрачна и не до конца реальна.

Ему снова пришлось налить из графина. Казалось, ему пора хмелеть, но он не хмелел.

— Твоя мама была частью моего театра, потом стала ты. Все эти люди, которых ты видела здесь, у меня в доме, они тоже часть моего театра, они играют роли, которые я для них сочиняю. Видишь ли, малышка, я уже не молод, денег у меня куча, я даже не знаю, куда их девать, а они все текут и текут. Обычно нувориши начинают покупать дома, яхты, коллекционировать живопись, — но они же кретины, у них нет воображения. Я предпочел коллекционировать души. Поверь мне, нет ничего более упоительного, чем получить в свое распоряжение чистую, доверчивую душу. Ах, какое это счастье! — Он вздохнул, на секунду закатил глаза, потом направил их на Элизабет. — А с тобой вообще вышло намного забавнее, чем с остальными.

— Почему? — задала Элизабет еще один короткий, глухой вопрос.

— Начнем с твоего детства, я ведь знал тебя совсем маленькой девочкой. — Снова усмешка на губах, в глазах. — Ты росла без отца, а на девочек детство без отца откладывает отпечаток. На мальчиков тоже откладывает, но совсем иной. С девочками же просто. То ощущение безопасности, спокойной мужской заботы, ощущение надежности, которые обычно в детстве дает отец, такие девочки ищут потом всю жизнь. Даже когда вырастают, они тяготеют к старшим мужчинам в подсознательной надежде, что те смогут восполнить им детскую нехватку мужской заботы. Так произошло и с тобой: сначала, когда ты была совсем ребенком, ты тянулась ко мне — неосознанно, конечно же в твоей детской тяге не было никакой сексуальности. Она проявилась потом, но меня, увы, тогда рядом не было, появился этот, как его, Влэд. Видишь ли, твоя сексуальность могла быть направлена на ровесника, но ровесники тебя не интересовали, они не гарантировали защищенности, надежности. Мы же знаем, подростки ненадежны. Нет, твоя сексуальность искала взрослого мужчину, который мог бы заменить тебе отца.

— Все было не так! Просто так случилось! Потому что мама погибла!.. — закричала Элизабет. Она не заметила, как губы Рассела растянулись в довольной, пропитанной удовольствием улыбке.

— Ну конечно, — миролюбиво согласился он. — С тобой произошло то, что всегда происходит, когда человек лишается родителей, отца или матери, например. Психологи называют это «grievance period», период печали. Как правило, дело доходит до депрессии, до постоянно преследующего чувства вины. И как результат, человек становится неадекватен. Но ты же была ребенком, ты и сейчас еще ребенок, поэтому на тебя смерть Дины повлияла особенно сильно. Ты, как говорят, помешалась, у тебя крыша поехала. Ну и ты стала особенно уязвимой, тобой стало легко манипулировать. Взрослым вообще легко манипулировать детьми, особенно когда взрослый — мужчина, а ребенок — девочка подросткового возраста. Поверь мне, за тобой было весьма забавно наблюдать.

Рассел засмеялся, он и не пытался скрыть наполнявшую его радость — от собственной тонкой проницательности, от хорошего коньяка, от вида этой запутавшейся, перепуганной девочки с истощенными ножками и покореженным лицом.

«Конечно, для него же жизнь — театр, — вспомнила Элизабет. — Вот и я — часть его театра, он и сейчас играет мной, развлекается». Но сказала она совсем другое:

— Как наблюдать? Ты наблюдал за мной?!

— Ну конечно же, я же говорю, я получил массу удовольствия. Как этот болван Влэд тут же вцепился в тебя! Он, конечно, никудышный манипулятор, а туда же полез. Ты тогда начала путать себя со своей матерью, — повторяю, такие случаи типичны, хорошо описаны. У дочери чувство вины, она считает себя виновной в смерти матери, пытается вину загладить, пытается продолжить то, что делала мать, подменить ее собой. Подстановка происходит совершенно на подсознательном уровне и кажется естественной, а все потому... — его рука снова потянулась к бокалу, — ...что это помешательство.

Потом новая пауза, теперь уже долгая — один глоток, другой, потом он замер, прислушиваясь к вкусу коньяка, смакуя его.

— Вот твой Влэд и решил попользоваться данным психологическим вывертом — спал с матерью, потом плавно перешел на подменившую мать дочь. Мне, конечно, было обидно, что это он пользуется тобой, а не я. Повторю, не твоим телом, — тело ерунда, ничто, — а душой. Но все равно мы потешались, мы же видели все подробности, мельчайшие детали, ты стала вроде как наглядным пособием, тебя можно было студентам показывать, науку по тебе изучать.

Ему понравилось сравнение, развеселило. Он отметил его новым глотком из бокала.

— Я ведь снял дом напротив, установил в нем телескоп, — говорю же, мы видели абсолютно все, телескоп мощный, было очень забавно. А потом я решил добавить в твою жизнь немного ужаса. Смастерить из нее такой хичкоковский триллер с саспенсом. Мне всегда нравился Хичкок, ты, наверное, знаешь, есть такой режиссер, а тут появился шанс вмонтировать его приемчики в реальную жизнь.

Рассел откинулся на кресле, покачиваясь на упругой спинке, закинул руки за голову, — теперь он выглядел мечтательным.

— Вот тогда тебе стало казаться, что за тобой следят, что тебя подслушивают, за тобой подглядывают, тебе мерещились всякие шорохи, скрипы, проезжающие мимо автомашины, взгляды из-за угла... Но тебе это не казалось — подглядывание, подслушивание, скрипы происходили на самом деле. Специально, чтобы ты их услышала, заметила, но не поняла, откуда они исходят. Я же говорю, мы мастера театральных постановок, вот и перенесли Бродвей с Голливудом в твою жизнь, чтобы она стала триллером с постоянным саспенсом. К тому же не надо забывать: ты была совершенно дезориентирована, растеряна, на тебя легко было влиять. Я же говорю, ты помешалась, не сознавая при этом своего помешательства. В общем, создавать у тебя слуховые и зрительные галлюцинации особых трудов не составляло. Пришлось, конечно, поработать, но нам любимая работа не в тягость.

Он так и продолжал раскачиваться на кресле, мечтательно разглядывая потолок.

— А тут еще твой Влэд невольно помогал нам, ведь для девочки спать с мужем матери — тоже немалая нагрузка. Так что твоя психика просто напросто разломилась перед моим зачарованным взором, и я легко мог изучать ее срез. Бесконечно интересно.

— Зачем? — прервала его Элизабет. — Зачем я тебе нужна? Я не понимаю!

— Ну как же, я же говорю, скучно. Занять себя особенно нечем, все интересное я уже перепробовал. К тому же полезно, ведь моя основная работа — изучать жизнь, а тут такой замечательный материал под руками. Кроме того, ты не случайный для меня человечек. Я знал тебя девочкой, твоя мать любила меня, у меня с ней связаны воспоминания, а тут ты стала ее продолжением... Как я мог такое упустить? В итоге мы добавили в твою жизнь постоянный элемент страха и наблюдали, как хрупкая психика не выдерживает, трещит по швам.

Он вытянул руки из-под головы, потянулся к бокалу, он уже давно из него не отпивал.

— А потом я решил, что хватит, пора тебя украсть, и подослал Бена с Джиной. Еще одна театральная постановка с комическими элементами. Они оба отлично сыграли свои роли: поверь мне, Бен совсем не такой дебил, каким представлялся. А Джина вообще талантливая девочка, она далеко пойдет, ну а как же иначе, я ведь ее воспитал. Мы придумали, вернее, я придумал, что она воссоздаст образ твоей матери — голос, походку, одежду, прическу, даже духи. Возник сильный ассоциативный эффект, эффект доверия, и образ поглотил тебя, ты растворилась в нем. И представляешь, все это происходит на совершенно подсознательном уровне: я просто дергал за ниточки и влиял на твои чувства, поступки, даже сны. Полный восторг!

Рука добралась до бокала, потом бокал добрался до рта, медленно опрокинулся.

— Но сколько можно дергать за ниточки? Пора было тебя увозить. И увезли бы, если бы не твой Влэд, — он оказался с интуицией, этого у него не отнимешь. Он вообще не без таланта, мог бы смастерить что-нибудь стоящее, но слишком уж зациклен на прозе жизни. Понимаешь, художник должен отречься от реальности — он не должен чувствовать, не должен любить, не должен никому принадлежать, тогда весь резерв эмоций тратится на его воображаемый мир, на его работу. А вот если размениваться на мелочи, вроде обыденной жизни, вроде любви к женщине, на удовлетворение ее желаний, капризов, — тогда ничего хорошего не создашь. Никаких внутренних ресурсов не хватит. Ну это я так, к слову.

Рассел допил коньяк, снова стал наливать из графинчика.

— Так вот, он, похоже, что-то проинтуичил, твой Влэд, и расстроил весь мой чудесно составленный план. Он вообще стал догадываться, что все не случайно, не просто так, и однажды, когда мы столкнулись на улице, даже попытался заговорить со мной. Но, конечно, все до конца ему понять не удалось. Да и куда ему.

Графин уже стоял на столе, в бокале плавно колыхалась новая порция янтарной жидкости.

— И тем не менее он тебя увез. Мы, конечно, следили за вами, организовали целую такую полицейскую операцию. Не мог же я тебя упустить, когда столько времени потрачено, столько сил вложено, когда ты уже полностью была подготовлена. Посылали вам по почте открытки, ну так, для смеха и поддержания общей напряженности действия. К тому моменту я уже решил, что мне нужна твоя душа, мне казалось, что я смогу ее заполучить. Оставалось только тебя увезти.

— Значит, ты хотел заполучить мою душу, — повторила Элизабет.

Почему-то она перестала чувствовать свое тело — ни боли, ни усталости, ни страха, ни возбуждения, ни волнения. Она вся обратилась в слух, в зрение, превратилась в вычислительную машину. Сейчас она узнавала, как была просчитана и промерена ее жизнь, которая, оказывается, ей и не принадлежала. Оказывается, она была придумана кем-то другим и запущена, как в глупом голливудском кинематографе. Она стала марионеткой, пушинкой, на которую дули, чтобы она летела в нужную сторону. Как он сказал, «ею легко манипулировать».

— Мою душу, — повторила она задумчиво. — Для моей души нужны были наркотики и черный ящик. Так?

Рассел закивал головой, посмеиваясь. Он теперь постоянно посмеивался, видимо, коньяк все же начинал действовать.

— Видишь ли, мы тут развлекаемся, — сказал он. — Уже давно, много лет пробуем, экспериментируем, мы же люди творческие. Разве это не главная задача художника — воздействовать на подкорку, на подсознание, минуя примитивные органы чувств? Вот мы и экспериментируем. И знаешь, к чему мы пришли? Сочетание наркотиков и секса! Ничего нет сильнее. Особенно для женщины, особенно в правильных пропорциях.

Он снова мечтательно откинулся на спинку кресла, снова заложил руки за голову.

— Тут главное — миновать органы чувств. Наркотики отключают, женщина начинает воспринимать секс на внутреннем, физиологическом уровне. Она кончает, снова кончает, через какое-то время эйфория от оргазма становится естественным состоянием, становится потребностью, как пища, как сон, как вода. Иными словами, женщина становится зависима от секса, он сам занимает место наркотика.

Рассел достал одну руку из-за головы, выставил указательный палец, назидательно помахал им.

— Я тут открыл весьма необычное явление — женщина должна ассоциировать сексуальное наслаждение с кем-то конкретным, с живым, реальным человеком. На первый взгляд кажется, что мысль не нова, более того, очевидна. Но она приводит к парадоксу. Оказывается, женщине совершенно не важно, кто именно доставляет ей удовольствие. — Указательный палец замер, призывая к вниманию. — Главное, с кем она это удовольствие ассоциирует. Понимаешь идею? Не важно, кто трудится над женщиной, важно, кто в этот момент присутствует у нее в голове, в сознании. Или в подсознании, что еще лучше.

Указательный палец опал, присоединился к остальным, рука снова исчезла за головой.

— Вот я и придумал черный ящик. Ведь у каждого приличного иллюзиониста имеется свой черный ящик, из которого он достает за уши зайцев или, скажем, в котором он распиливает напополам полуодетых женщин. — Здесь Рассел не выдержал и засмеялся в голос. — Вот и я придумал. Там внутри целая оптическая система освещения, кинопроекторов, — создается ощущение, что ты не кино смотришь, а оно проигрывается внутри тебя, в голове. Особенно если с правильной химией сочетать.

Рука снова появилась из-за головы, на этот раз потянулась к бокалу.

— В принципе, крутиться может все что угодно. Мои молодые друзья, когда входят в правильное состояние, проигрывают всякие порнушные сцены, всевозможную извращенность, им нравится полностью погружаться в секс. С головой, так сказать. — Он хохотнул. — Они утверждают, что сочетание химии, секса физиологического и секса подсознательного рождает совершенно непередаваемые ощущения.

Рассел развел руками, мол, каждому свое. Потом глотнул из бокала, поставил его обратно на стол.

— Я же говорю, меня подкорка больше интересует, чем тело. Вот с помощью черного ящика я и заложил в твою подкорку мой собственный благородный образ. И получалось, что трахали тебя молодые, полные сил жеребчики, а ты становилась зависимой от меня. Так как именно я крутился в твоей голове и именно меня ты ассоциировала со взрывами. Ну ты помнишь, ты так возвышенно называла усиленные наркотиками оргазмы. Вот так я стал полноценным воплощением твоего удовольствия.

Он вздохнул, снова потянулся к бокалу, снова отпил из него.

— В результате по плану тебе полагалась стать совершенно зависимой от меня. План заключался в том, чтобы я мог управлять тобой одним голосом, одним прикосновением. Представляешь, как чудесно: я касался бы тебя, и в тебе рождался бы взрыв. Или, если вернуться к привычной терминологии, — блистательный, восхитительный оргазм. И тогда бы... — снова появился указательный палец. — Тогда бы посредством твоего тела я заполучил бы твою душу. Конечно, не навсегда, только на время, но что в нашей жизни бывает навсегда? Ты бы потом подросла, зависимость бы ослабла, впрочем, кто знает, может, она не исчезла бы полностью. Бывают подобные случаи, живые, так сказать, примеры. Ты встречала их здесь, в доме. Но ты, увы, оказалась девушкой с проблемами.

Тут Рассел вздохнул, развел руками, хотя в его вздохе не было слышно сожаления, лишь полупьяная, озорная насмешка.

— Я уже говорил, ты оказалась неожиданно сильной девочкой, у тебя повышенная сопротивляемость не только к наркотикам, но и вообще к стрессам, через которые я тебя пропустил. Другая бы давно сломалась, перестала бы сопротивляться, а ты... видишь, ты постоянно борешься. К тому же тебя надо было дольше держать на игле, пока рефлекс полностью не выработался. И только потом потихоньку снимать с наркотика, несколько месяцев держать в промежуточном состоянии — частично здесь, частично еще там. Возможно, тогда что-нибудь и вышло бы, но этот идиот Пол как всегда все перепутал и неправильно отмерил дозу, вот ты и пришла не вовремя в себя. А так как ломка у тебя слабая, ты ее легко перенесла. Так что мы все прокололись.

Рассел засмеялся, поднес ко рту бокал, опрокинул в себя.

— А жаль, ты отлично мне подходила. Представляешь, сначала мать, потом дочь. Редко, когда в один присест удается заполучить две души — и матери, и дочери.

Все-таки он был пьян, иначе бы он не стал говорить про Дину, про ее душу.

— Так значит, с мамой ты пытался сделать то же самое?

Рассел снова засмеялся, неопределенно качнул головой, то ли соглашался, то ли возражал — не поймешь.

— Видишь, какая ты несообразительная, Лизибет. Нет, с твоей мамой происходило иначе. Она ведь когда-то принадлежала мне. Добровольно. Полностью. Как только может принадлежать женщина. И ей полагалось принадлежать мне всегда. Она бы и принадлежала, если бы не ваш упрощенный Влэд. Но как я мог позволить ей оторваться? Ты же понимаешь, Лизи, я должен был ее вернуть.

Он снова наливал коньяк из графина, в четвертый уже раз. Или в пятый, Элизабет сбилась со счета.

— Но с ней тоже не получилось. Она такая же упрямая, как и ты. Упрямство у вас, наверное, в генах, семейная черта. И я... я...

— И ты убил ее, — спокойно закончила фразу за него Элизабет.

— Откуда ты знаешь? — Рассел даже не удивился.

Маленький дамский револьвер по-прежнему покоился в кармане юбки, пальцы сжимали его перламутровую рукоятку. Похоже, ему было пора появляться на свет.

— Где ты нашла его? — Вот теперь появилось удивление, даже, скорее, изумление, он даже и не пытался его скрыть.

— В ящике, — Элизабет кивнула на письменный стол, за которым сидел Рассел.

— Надо же, а я не знал, — пожал он плечами. — Здесь вообще такой бардак, в этом доме, никогда ничего не найти. Ладно, может быть, оно и к лучшему, чтобы ты знала все. — Он помолчал. — Конечно, я ее не убивал, зачем? Я не убийца, у меня вообще нет оружия. Ты же теперь знаешь, у меня совсем другие интересы. Дина сама застрелилась. Ты права, именно из этого пистолетика. Я даже не знал, что она взяла его с собой. — Он задумался, как бы вспоминая. — Я, конечно, кое-что с ней проделал, ну так, определенные процедуры. Совершенно другие, не те, что с тобой. У меня разные программы, индивидуальные, так сказать, я ведь человек разнообразный. Вот и для Дины подобрал. Я-то думал, что ее душа снова будет принадлежать мне, а она, когда пришла в себя и все поняла, взяла и застрелилась. Не смогла смириться с тем, что с ней произошло. Глупо, но что поделаешь, она всегда была гордая или, как говорят, цельная натура. Ты не представляешь, как мне было обидно, я так расстроился. — Рассел покачал головой и начал пить коньяк. — И получалось, что у меня не было иного выхода, как начать работать над тобой. Сделать из тебя продолжение Дины. Понимаешь?

И тут Элизабет поняла. Полностью, до конца. Она даже удивилась, настолько все оказалось просто.

— Мама согласилась встретиться с тобой, ты написал ей письмо, и она согласилась. Ты начал ее уговаривать, но она захотела домой, ко мне, к Влэду, а ты не смог ее отпустить, не смог согласиться с тем, что потерял ее, что проиграл, что она полюбила другого. И тогда ты не отпустил ее: тоже, наверное, накачал наркотиками, привязал к креслу. Наверное, ее тоже насиловали. Что еще ты можешь придумать, кроме насилия? Разве ты можешь понять, что для того, чтобы обладать чьей-то душой, надо прежде всего отдать взамен собственную душу. А свою душу ты отдать не можешь. Потому что у тебя ее нет.

Тут Рассел снова выставил указательный палец, пытаясь остановить Элизабет, перебить ее. Но остановить ее было уже невозможно. Она слишком долго слушала, ей хватило его цинизма и самодовольства, его расчетливой жестокости. Нет, теперь настала ее очередь.

— А когда мама пришла в себя, она все равно не захотела оставаться с тобой. Ты наверняка не отпускал ее, запер, грозился снова посадить на иглу, насиловать, ты ведь наверняка уже сам ничего не можешь... — несмотря на возбуждение, она заметила, как Рассел усмехнулся. — И мама, чтобы избежать страданий и позора, чтобы освободиться от тебя, выбрала смерть. Да, наверное, она сама убила себя, у тебя не хватит потенции даже на убийство. Понимаешь, ты все время проигрываешь, Рассел. Ты прожил бо́льшую часть жизни, а что обрел в результате? Ни семьи, ни детей, ни любви, ни даже привязанности. Кучка рабов, которые работают на тебя за деньги и обещанные роли. Ни тепла, ни верных, преданных людей — ничего! Ты банкрот, Рассел! Ты полностью обанкротился в своей жизни. Вот ты и захотел вернуть маму. Но ты опять проиграл: мама к тебе не вернулась, она предпочла умереть.

Элизабет замолчала, ей не хватало воздуха, дыхания, слов. Она боялась, что он перебьет ее, не даст договорить. А она обязана сказать все. Должна. За себя, за маму, а потом... Не важно, что будет потом.

— Но ты мстительный, как любой мелкий, ничтожный человек, ты не прощаешь проигрыша. Поэтому, когда у тебя не получилось уничтожить мою маму, сломать ее, развратить душу, ты решил уничтожить ее дочь. Уничтожить меня. Только лишь, чтобы отомстить маме. Посмотри, сколько сил ты затратил, сколько времени, наверное, и денег тоже, чтобы заманить меня сюда, чтобы смять, раздавить... Но у тебя опять не получилось. Видишь, я сижу здесь, перед тобой, и не принадлежу тебе. Более того, я ненавижу тебя. И знаешь почему? Совсем не потому, что ты пытаешься играть роль Мефистофеля. Ты не Мефистофель, Рассел. Ты ничтожество, импотент и ничтожество. Со мной ты тоже проиграл. Ты можешь не выпускать меня отсюда, можешь убить, но ты все равно проиграл. У тебя просто-напросто нет шансов.

Элизабет замолчала. Она хотела говорить еще, но знала, что пора остановиться: монолог возбуждал ее, а она не хотела терять над собой контроль.

— Вот чего я не понимаю... — произнес Рассел, хмельная улыбка так и не сошла с его лица. — Я не понимаю, почему у меня не получилось, а у вашего кретина, этого Влэда, получилось. А?

Элизабет даже не задумалась, она знала ответ:

— Потому что Влэд отдал свою душу первый, добровольно, сначала маме, потом мне, и лишь потом получил взамен наши. Пусть не полностью получил, пусть частично. Но все равно получил. А ты не можешь отдать свою душу, потому что ее у тебя нет. Ведь так?

— Моя душа не принадлежит людям. Она принадлежит искусству, я не имею права разменивать ее на людей. — Рассел пожал плечами. Усмешка все еще кривила его губы, но это уже была усталая, невеселая усмешка. — Хотя, наверное, ты в чем-то права. — Он снова пожал плечами. — Впрочем, не полностью. Ты не поймешь, какое огромное удовольствие сначала обладать матерью, а потом ее дочерью. Я все-таки вел тебя долгое время, ты боялась, плакала, смеялась, даже мечтала в соответствии с моими желаниями. Нет, ты не поймешь, как возбуждает, какой рождает восторг, когда попадаешь в чужую душу, в чужой разум и живешь там, контролируя их. Ты не поймешь. Какие там наркотики, какой секс... Разве можно сравнить.

Он махнул рукой, замолчал, думая о чем-то своем. Пауза повисла в наэлектризованной комнате, ее даже не прорвало легкое постукиванье графина о бокал, мягкий шелест льющегося коньяка.

— Ну и что, — Элизабет опустила глаза, в раскрытой ладони поблескивала перламутром ручка маленького револьвера, — ты выпустишь меня отсюда?

— Выпустить я тебя, наверное, не смогу. — Рассел вздохнул, казалось, он искренне расстроен. — Ну как я могу позволить тебе уйти? А что, если ты пойдешь в полицию, все расскажешь? Представляешь, какие у меня могут быть неприятности? — Он снова вздохнул. — Ничего они мне, конечно, не сделают, но зачем мне дополнительная головная боль? А?!

— Я не пойду в полицию, — сама не зная почему, сказала Элизабет. Зря сказала, не нужно было.

Рассел поднял брови, сморщил лоб.

— Конечно, сама ты не пойдешь, ты не тот типаж... Но зачем рисковать? А вдруг тебя твой Влэд надоумит. Или еще кто. Не сейчас, так позже. — Он помолчал. — А потом... есть еще один важный момент... — Он взглянул на нее, прямо в глаза, пристально, холодно, отчужденно, собирая взгляд в знакомую пронзительную точку. — Думаю, я все же не напрасно потратил столько времени. Столько сил. Столько дорогущей химии влил в тебя. Думаю, ты по-прежнему зависима от меня. Ведь так, ты зависима от меня?! Ведь так?!

Его взгляд проникал внутрь, Элизабет не хотела его пропускать, но он пробился, снова пробуравил голову, меняя что-то в ней, настраивая по-своему. А вслед за взглядом голос — требовательный, уверенный, он сдавливал, тормозил движения, мысли, волю.

— Ты ведь стала своей мамой, Дина. — Элизабет не сразу поняла смысл, только заметила, что он снова назвал ее Диной. — Ты стала ее продолжением, частью. Слышишь, Дина? — Голос властный, холодный, как тогда, когда он исходил от колеблющегося плоского пространства. И еще пронзительный взгляд, — их двойному натиску невозможно противостоять. — Ты повторила ее судьбу, повторила ее мужчин, ее испытания, ее чувства, мысли... Теперь ты должна повторить ее конец.

Отчужденный голос продолжал плести паутину, мягкую, липкую. Взгляд холодных, безжалостных глаз подхватил его, втиснул в сознание. Теперь голос звучал уже там, внутри. Все смешалось, спуталось. Кто она на самом деле? Где она? Как она может ослушаться этого властного голоса, этого требовательного взгляда? Ведь они приносили ей счастье. Она знает, помнит. Вот и теперь они все решат за нее. У нее нет другого выхода.

— У тебя в руках пистолет, Дина. Один раз ты уже выстрелила из него, теперь тот выстрел надо повторить. Ты сейчас так и сделаешь, да, Дина? Ты не сможешь нарушить закон. Ты сольешься сама с собой, станешь единой с той, прежней Диной, которой ты и являешься. Ведь так?

Бессилие раскатилось по телу, бессилие и еще неизбежность. Закончить эти невозможные муки, прошлые и будущие, рассчитаться с ними одним разом, обмануть их, прекратить. Сколько можно страдать? Главное, чтобы самой, чтобы ни от кого не зависеть. И снова встретить маму, и снова быть ребенком, и быть с ней вдвоем. Она, наверное, совсем не изменилась, мама. Те же мягкие руки, та же ласковая улыбка, то же убаюкивающее тепло. Ведь только с мамой она была счастлива. Только с мамой она будет счастлива.

— Да, — кивнула она. Пальцы сжали перламутровую рукоятку, рука поползла вверх.

— Дина, ты сольешься с собой, ты станешь единым целым. Вторая, главная твоя часть ждет тебя, ты должна повторить ее путь.

Безжалостный голос внутри корежил мозг, мутил голову, лишал рассудка. Висок почувствовал прикосновение, жесткое, металлическое, оно усиливалось, давило, царапало, коробило кожу. Оно было совсем не холодное, скорее теплое, только очень жесткое.

— Дина, ты должна прожить все свои жизни одинаково и замкнуть круг, завершить цикл. Это твое предназначение, Дина, — повелевал голос внутри нее, и палец медленно потянул за крючок, — тот не поддавался, палец потянул настойчивее.

— Дина, ты должна... — были последние услышанные ею слова.

А потом раздался щелчок, негромкий, она не успела разобрать, что дернулось сначала — голова или рука с пистолетом, боль разлетелась от виска, но не острая, пронзительная, как она ожидала, а тупая, давящая. Элизабет готова была упасть, потерять слух, зрение, осязание, потерять ощущение самой себя. Но она не упала, почему-то она продолжала слышать, видеть — вот ее ладонь прямо перед глазами, в ней зажат пистолет. Вот через темные тени комнаты проступает тяжелый письменный стол, кресло перед ним, застывшая фигура, изумленные глаза, — они совсем не холодные сейчас, они полны веселого любопытства.

— Надо же, ничего в этом доме не работает, — разводит руками Рассел, а потом голос усиливается снова. — Давай, Дина, еще раз, еще одна попытка, ты должна повторить. У тебя получится, у тебя одна судьба, ты должна ее пройти заново.

Голова пылает, в ней неразбериха, сумбур, вспышки, затмения. Еще один щелчок, намного громче первого, снова дергается рука, все тело, глаза Рассела снова полны любопытства, потом любопытство переходит на его лицо, здоровое, озорное любопытство, потом на тело, оно откидывается назад, на спинку кресла, дергается в веселой, потешной судороге. Ладони складываются на груди, они совершенно, пронзительно красные, алые, наверное, от смеха. Потому что Рассел смеется — громко, раскатисто, безудержно весело.

— Вот это спектакль, вот это театр. Театр абсурда, — хохочет он. — Дина, ты перепутала роли, ты должна была выстрелить не в меня, а в себя. Надо же, как смешно, я всегда боялся актеров, путающих роли. Так ты никогда не соединишься со своей судьбой, Дина, ты должна выстрелить в себя, не путай, в себя, только так ты станешь Диной. Только так соединишься со своей судьбой.

Ей пришлось приподняться с кресла, встать на ноги, — они не дрожали, крепко держали ее. Руки вытянуты вперед, они сошлись на перламутровой ручке. В них тоже нет ни колебания, ни сомнения — уверенные, осознающие свою надежность руки.

— Я не Дина, я Элизабет, — спокойный голос с незнакомой хрипотцой заставляет слушать. — У меня своя судьба.

На этот раз руки почти не дергаются назад, но это потому, что их две и они делят толчок пистолета на два. А вот тело в кресле дергается: кажется, оно вбито в спинку, теперь ему не хватает ладоней, чтобы прикрыть и грудь и живот — оттуда тоже вытекает струйка, но не алая. Почему-то она значительно темнее.

— Что ты делаешь, дура, ты убиваешь меня, — смех смешивается со стоном. — Ты все перепутала, ты ведь стреляла в себя, просто дурацкий пистолет дал осечку. Ох уж эти дамы с их дамскими устройствами. И те и другие так ненадежны. А теперь из-за осечки я должен умирать. Как все же глупо получается.... — Рассел попытался сказать что-то еще, но из горла вырвался лишь шипящий свист. Он мог бы показаться смешным, если бы не был таким страшным.

Еще шаг вперед, теперь Элизабет совсем близко от кресла, от вдавленного в него человека. Он мог бы протянуть руки и вырвать у нее пистолет, но рук он протянуть не может, они затыкают дырки, просверленные в его теле. Свист опять переходит в смех.

— Как же так, как же так? — прорываются сквозь него короткие слова. — Я ведь все рассчитал... как же так, из-за дурацкой осечки.

— Осечки не было, — отвечает смеху спокойный голос с хрипотцой. — И рассчитал ты плохо. Пистолет уже один раз стрелял, там, в барабане, пустое место, он не мог выстрелить второй раз.

Смех становится слабее, к нему снова примешивается свист и еще какие-то хрипящие звуки.

— Так ты повернула барабан и установила боек на пустую позицию? Вот это смешно, девочка, ты умница, смотри-ка, я не зря воспитывал тебя, ты хорошая ученица. Значит, ты заранее знала, в какую сторону повернет сюжет в нашей пьесе. Предвидела, просчитала. Умница, Лизи. Ты придумала отличную концовку — неожиданную, с саспенсом, даже я не придумал бы лучше.

Он остановился, отдышался, ему было тяжело говорить.

— Но видишь ли, эти маленькие пули из маленького пистолета хороши только для женщин, они не очень подходят для больших мужчин. Позови кого-нибудь, мне надо помочь. И может быть, я еще смогу переписать концовку, я еще тебя...

— Не сможешь! — Шаг в сторону, вытянутые руки касаются крупной, мужской головы, там должен оставаться еще один патрон, в пистолете, последний. Почему-то на сей раз она не слышала выстрела, даже щелчка, будто уши плотно заткнули ватой, — только маленькая коричневая дырочка на широком виске, стянутом сморщенной немолодой кожей. Которая так не похожа на бледную, глянцевую кожу ее мамы.

Голова дернулась, отлетела в сторону, тело попыталось было приподняться и тут же осело. Сначала затих смех, потом из глаз стало исчезать веселое любопытство. Оно утекало медленно, по каплям, пока глаза не застыли и не остекленели. Теперь они уже не выражали ничего.

Тело сразу отяжелело, Элизабет сумела сделать только два шага назад, подальше от письменного стола, от застывшего в кресле чужого человека. А потом ноги обмякли, подломились, и она осела на пол — бессильная, безвольная, — пистолет упал рядом, она не удержала его в руке.

Ею овладела болезненная прострация — так бывает, когда рассудок и тело долго напряжены, сжаты до предела, не чувствуют усталости. Кажется, что в них кроется неиссякаемый запас сил, но это лишь фикция, обман. Как только напряжение спадает, оказывается, что за самым последним усилием ничего не остается — лишь пустота, бессильная, лишенная воли пустота.

Элизабет сама не знала, сколько она просидела на полу: часов у нее не было, а ощущение времени потерялось, оно давно было вытравлено из нее методично прыскающей из шприца жидкостью.

Когда она открыла глаза, пришла в себя, ей показалось, что все, что случилось, — выдумка, плод ее больного воображения, и только разряженный пистолет на полу рядом да холодеющее тело мужчины в кресле у стола возвращали в реальность.

А раз ей ничего не привиделось, раз она убила человека, то стало быть, ей надо выбраться из этого ужасного, полного насилия и смертей дома, исчезнуть из него, да так, чтобы никто ее не увидел и не хватился. Но для этого она должна встать на ноги, проверить на прочность свое истощенное, ненадежное тело, дойти до двери, повернуть торчащий в замке ключ, потянуть дверь на себя, настойчиво, но не резко, чтобы не дать той скрипнуть, взглянуть в узкую щель, убедиться, что коридор пуст.

Коридор оказался пуст. Элизабет забыла, в какую сторону надо идти, но справа раздавались голоса — похоже было, что дом всегда полон множеством беспечных голосов.

Главное, чтобы ее не заметили, а значит, двигаться надо медленно, на самых носочках, прижимаясь к стенке, прилипая к ней, скользя по ней. Голоса приближались. Ну да, конечно, она вспомнила, сейчас слева будет дверь, — Элизабет не знала, куда она ведет, — за ней коридор поворачивает, а за углом большое фойе, слева кухня, справа столовая. Теперь надо тихонько выглянуть из-за угла: если в фойе никого нет, если все находятся в гостиной, то можно будет перебежать холл, распахнуть входную дверь и выскочить на улицу.

Стена оказалась совсем не такой гладкой, как показалось сначала. Она царапала щеку, но это все ерунда, подумаешь, еще одна горящая, расцарапанная щека, главное — стать частью стены, слиться с ней, стать неотделимой. Еще несколько дюймов, щека скользит по стене, наконец добирается до самого края, еще чуть-чуть, и можно заглянуть за угол. Всего одним глазом заглянуть. И отшатнуться. Мгновенно, стремительно, как тень, как призрак, как фантом, и перестать дышать, перестать стучать сердцем, окаменеть, превратиться в статую, перестать существовать.

Там за углом, совсем близко, в ярде-двух стоял Бен, она успела разглядеть его, ей достаточно было мгновения. Уж кого-кого, а Бена она запомнит навсегда. Рядом с ним стоял другой парень, тоже высокий и накачанный, она его никогда не видела.

Элизабет застыла, она боялась сделать шаг, шелохнуться.

— Значит, мужик, у тебя с ней проблемы, — сказал парень, которого Элизабет не знала. Хотя он, скорее всего, ее знал. Они наверняка все хорошо узнали ее, пока она была в наркотической коме. И снаружи, и изнутри.

— Так телка совершенно необузданная, особенно когда выпьет. Ей все мало, представляешь, старик, как в нее не вставлю, как над ней не орудую, ей все мало. Ты же знаешь меня, я трудиться не боюсь, я работяга. — Они оба засмеялись. — Но с этой прорвой мне одному не справиться. Помог бы.

— Ты думаешь, она будет не против?

— Да ты чего, — снова хохотнул Бен. — Она тебя разжует, не заметишь.

— Я бы с радостью, Бен, но ты же знаешь, мужик, я отваливаю через час. У меня репетиция утром.

Они оба помолчали, а потом парень продолжил:

— А ты вибратором себе подсоби. Знаешь, как Кит говорит: не важно, чем их пороть, главное, кто порет. Они все равно оператору благодарны, и не важно, каким устройством он оперирует.

— Кит специалист, — захохотал Бен, не скрывая иронии. — Кстати, где он?

— Да кто его знает. Небось снова чудит со своими психоитическими опытами.

— Как ты сказал, психоитическими? — теперь хохот был полностью пропитан насмешкой, вымочен в ней.

— Ну да, небось этой малолетней мандавошке мозги протирает. Зачем она ему, когда вокруг него столько сочных телок трется?

— Возраст, — пояснил Бен, прорываясь через смех. — В его возрасте первична душа, а тело вторично. С возрастом не бытие определяет сознание, а сознание определяет бытие. Вот он за сознание и борется. — Теперь к одному смеху подключился другой. — К тому же с сочной телкой еще справиться надо. А тут...

— Ну да, Киту уже сложно, — согласился парень.

— Так говоришь, вибратор? А что, неплохая идея, — вернулся Бен к актуальной теме.

— Ну да, который что-нибудь выделяет. Флюиды какие-нибудь, чтобы полная имитация была. Мы же выделяем. — Снова смех.

— Тогда его к водопроводу надо подсоединить.

— Нет, старик, он не жидкость должен выделять. Лучше волны какие-нибудь.

— О, я знаю, — подхватил, едва прорываясь сквозь хохот, Бен. — Звуковые волны.

— Точно, музыкальный вибратор, — согласился парень. — Ну да, вибратор, из которого вытекает музыка. Женщина имеет право выбрать стиль и ритм.

— Главное, чтобы децибел было побольше, — зашелся новым приступом Бен. — Звуковая волна может захерачить не только по барабанным перепонкам, но и по другой живой плоти. От звука ведь, знаешь, стекло может лопнуть.

Теперь они хохотали не переставая.

— Лопаться не обязательно, пусть лучше танцует в ритме самбы, — выдавил из себя парень.

Хорошо, что они смеялись громко, заливисто, не слыша ничего, кроме своего смеха. Элизабет чуть отделилась от стенки, сделала глубокий вдох, он был необходим застоявшимся легким, шагнула назад, в глубину спасительного коридора, потом сделала еще шаг — сердце, перепуганное, что его обнаружат, затихло и едва колебалось внутри мягких стенок. Еще шажок, снова легкий, носочком нащупывая шершавую поверхность пола. Теперь перенести тяжесть тела на вторую ногу и попытаться сделать еще один шаг. Спиной, вслепую, не оглядываясь, потому что поворачиваться страшно, страшно потерять контроль.

Но контроль она потеряла. То ли скрипнула паркетная доска, то ли она сама неловко оступилась, но смех за углом внезапно затих.

— Что это было? — спросил один голос.

— Где? — не понял другой.

— Шум какой-то. Подожди секунду, подержи бутылку, я...

Но Элизабет не успела дослушать, рука повисла на ручке двери, той самой, неизвестно куда ведущей, ручка вздрогнула, поддалась, дверь тихо приоткрылась, Элизабет проскользнула в узкую щель, тут же навалилась на дверь, нащупала защелку, повернула. Сердце, потеряв контроль, рванулось сразу во все стороны, казалось, оно уже прорвало тонкие стенки, выскочило из груди и теперь неистовствовало во всем теле, покрывая его тряской хаотичных ударов.

Как ни странно, ничего не произошло, никто не пытался открыть дверь, не рвался в нее, не пытался вышибить. Прошла минута-другая, Элизабет прислушивалась, все было тихо.

В комнате было совершенно темно, даже лунный свет не проникал внутрь, видимо, здесь тоже на окнах висели тяжелые, плотные гардины. Пришлось потыкаться с вытянутыми руками, пока глаза не привыкли к темноте, пока не удалось отделить настольную лампу с матерчатым абажуром, пока на ощупь не нашла нестойкий рычажок выключателя.

Желтоватый, мягкий свет поначалу показался неестественным. Потом стало понятно — комната квадратная, небольшая, намного меньше той, где за письменным столом сидел, откинувшись на кресле, мертвый человек. Она была завалена газетами, журналами, какими-то пакетами, ящиками с наклейками адресов.

«Видимо, это комната для почты, — подумала Элизабет. И тут же ответила сама себе: — Какая разница». Она огляделась. На обитой красным деревом стене висел телефон.

Элизабет смотрела на телефон и не могла сообразить — чем он может помочь? Наверное, может, но чем? Потребовалось закрыть глаза, сконцентрироваться. По телефону можно позвонить, наконец всплыла тяжелая, неуклюжая догадка.

«Позвонить, — повторила она за собой. — Но зачем, кому?»

Помогли плотно закрытые глаза, они не пропускали внутрь болезненно желтый, слишком электрический свет.

«Влэд», — прорвалось спасительное имя. И сразу вслед за ним чехарда — мгновенные вспышки воспоминаний: глубокие, полные чувств глаза, в них любовь, обещание уберечь, защитить.

Она подошла к телефонному аппарату на стене, осталось только вспомнить номер. И она его вспомнила.

Он ответил сразу, хотя была глубокая ночь. Будто сидел рядом с телефоном, дежурил перед ним. И голос его был встревоженный, но именно таким ему и полагалось быть, полным ожидания и тревоги. Она не ошиблась.

— Влэд, — прошептала она, не потому что боялась, что ее услышат снаружи, а потому что не могла говорить громче, что-то произошло с голосом, теперь он мог только шептать.

— Да, — ответил он и замолчал, не узнавая.

— Влэд, — прошептала Элизабет снова.

— Лизи, это ты?! — произнес он, как бы не веря, а потом сразу, без перехода закричал: — Лизи, девочка моя, это ты! Ты где? Где ты, что с тобой?! Ответь, ты где? Я ждал тебя? Я по-прежнему жду. Ты где? Ты жива?

От кричал, не оставляя перерыва между словами, наезжая словами на слова, она не могла втиснуть свой голос между ними. Потом он, похоже, всхлипнул, но она не была уверена, просто он вдруг замолчал, в трубке раздались хрипы, а может быть, это были помехи.

— Сколько меня не было? — голос так и не оправился, губы выдавливали тихие, чужие звуки.

— Долго, Лизи, очень долго, — слова снова хаотично покатились по проводам, пытаясь обогнать друг друга. — Больше двух месяцев, вернее, два месяца и восемь дней, я уже с ног сбился, не знаю, где и искать. Где ты? Ты здорова? Я уже не знал, что и думать.

Она начала шептать в ответ, Влэд не понял, они говорили одновременно, не слыша друг друга, пока она наконец не затихла.

— Что-что? Ты что-то сказала? — переспросил он.

— Меня украли, Влэд. Помнишь, они еще в Бредтауне пытались, но ты им помешал. Так вот, они украли меня, а потом держали под наркотиками все это время, я только что пришла в себя. Я была без сознания, они поставили капельницу и подкармливали меня всякими растворами, чтобы я не умерла от голода. Но я была без сознания, иначе я бы позвонила тебе раньше, Влэд. — Она устала, шептать было тяжелее, чем кричать.

— Девочка моя, — похоже, он снова сорвался на плач.

— Забери меня отсюда, — получилось совсем тихо, Элизабет подумала, что он не услышит, но, наверное, он услышал.

— Ты где? — закричал он. — Скажи, где ты? — Чем тише говорила она, тем громче приходилось кричать ему. Как будто их общий звуковой уровень должен был оставаться неизменным.

— Я в доме, я не знаю, где он находится. Большой трехэтажный дом, кажется, деревянный, там еще железные ворота... — Она сбилась, то ли голосу не хватало дыхания, то ли дыханию — голоса. — Я только что убила человека, Влэд. — Он молчал, и она добавила: — Застрелила, Влэд. Он мертв.

И только сейчас, когда она произнесла последнюю фразу, Элизабет вдруг в первый раз осознала: она убила человека. Лишила жизни. Он был, существовал, дышал, говорил, смотрел, смеялся. А теперь его больше нет. Потому что она убила его. Значит, она убийца. Почему-то ей стало страшно, задрожали руки, и она снова проговорила:

— Я застрелила его, слышишь Влэд.

Но он, похоже, не слышал.

— Где он? — крикнул он.

— Он в кресле, в соседней комнате, — невпопад ответила Элизабет.

— Да нет, дом где? Где он находится? — Он так громко кричал, стало трудно разбирать слова.

— Я не знаю. Я не знаю адреса. Мы ехали часа два с половиной или три. Но я не знаю адреса.

— Куда же мне ехать, Лизи? — закричал он. — Узнай адрес... где-нибудь...

Она испугалась. Из-за такой идиотской причины, из-за простого адреса он не сможет найти ее, не сможет увезти, спасти. Она здесь, внутри дома, совсем недалеко, но не знает, где именно. Как глупо — быть внутри и не знать, как «внутри» соотносится со «снаружи». Ах, как глупо. Глаза заметались по комнате, ища, за что бы им зацепиться. Но зацепиться было не за что, везде валялись посылки, ящики, пакеты с белеющими наклейками. Взгляд беспомощно скользил по ним, вслед за взглядом так же беспомощно скользил рассудок.

И вдруг она догадалась.

— Подожди, — как можно громче прошептала она в трубку, так что получился составленный из шепота крик. — Здесь посылки лежат, я сейчас адрес посмотрю.

Элизабет отпустила трубку: та рванулась на шнуровом проводе вниз, достигла упора, дернулась, подскочила, затем снова рухнула, снова забилась судорогами, теперь уже вперед-назад, как качели, каждый раз стучась, отталкиваясь от твердой, холодной стенки.

Достаточно было взглянуть всего на два пакета, чтобы понять, на какой адрес они присланы. На всякий скучай Элизабет наклонилась, подняла еще одну коробку, — все точно, на всех посылках один и тот же адрес. Она подхватила трубку, та уже почти не колебалась, смирилась со своей подвешенной судьбой.

— Влэд, слушай, я в Коннектикуте. Город называется Виллингтон, Форест-стрит, 28. Ты слышишь меня? — Элизабет снова испугалась, что он не расслышит ее.

— Да, Лизи, да! — закричал он. — Я запомнил: Виллингтон, Форест-стрит, 28. Я еду, жди меня. Скоро...

— Подожди, — перебила она его. — Там вход, дверь, наверное, открыта, тебе главное пройти, чтобы никто тебя не увидел. Там сначала фойе, ты его пройдешь, справа будет кухня, за ней коридор. Я буду в первой комнате. — Она подумала. — Нет, во второй, я буду во второй комнате. Я запру дверь, но ты постучи, и я открою. Хорошо? Ты слышишь?

— Да-да, я слышу. Не волнуйся, через два часа я буду, вторая дверь после кухни на первом этаже. Ты только дождись меня, Лизи. Слышишь, дождись. — Он попытался еще что-то сказать, но она уже не слушала, она очень устала, посмотрела на телефон и повесила трубку. С трудом, но повесила.

Сложно сказать, много это или мало, два часа — смотря как их провести. Если бы Элизабет заснула, они бы прошли незаметно. Но спать ей было нельзя. Она подошла к двери:

кажется, в коридоре было тихо, хотя что можно услышать через непроницаемую дверь? Пришлось все повторить — приоткрыть дверь, выглянуть в коридор, убедиться, что он пуст, потом проскользнуть в него, тихонько затворить за собой дверь. Едва ступая по паркету, добежать до следующей двери, — туда, где в кресле должен сидеть мертвый Рассел, — открыть ее, заскочить внутрь, повернуть за собой ключ, отдышаться.

Рассел все так же сидел в кресле, красные пятна на груди, казалось, не увеличились. Глаза смотрели вперед, в них опять появилась пристальность, но одновременно и пустота, тупое остекленение. Элизабет подошла к креслу, хотела что-то сказать, но не знала, что именно, постояла, вглядываясь в застывшие черты.

Да, она убила человека. Но сейчас она не чувствовала ни сожаления, ни страха. Даже если они поймают ее, будут мучить, убьют, сдадут полиции, и ее приговорят, посадят на электрический стул. Или в тюрьму на всю жизнь... Нет, она не боится и не сожалеет. Он, Рассел, топтал жизни, сначала мамину, потом ее. Если бы в пистолете оставались пули, она бы всаживала и всаживала их в это расплывшееся в кресле ненавистное тело.

Она снова опустилась на пол, села, подогнув ноги: она не спала, просто погрузилась в прострацию, там, внутри, попрежнему было проще и спокойнее, чем снаружи. А потом в дверь постучали.

Элизабет вздрогнула, попыталась встать, но получилось не сразу, — ноги затекли и не хотели принимать на себя тяжесть тела. Пришлось опереться руками о пол, отжать себя вверх. Потом она дошла до двери, припала к ней.

Конечно, скорее всего, это был Влэд, но что если не он? Если друзья Рассела, обеспокоенные отсутствием, ищут его? Стук повторился: три быстрых удара, потом два через паузу. Теперь он казался намного громче, может быть, потому, что она стояла вплотную к двери.

Надо было решаться, глупо же стоять и не открывать. Она сама сказала Влэду постучать. И она решилась.

Снова медленно повернула ключ в двери, дернула ее на себя, отскочила в сторону, — ноги запутались, зацепились одна за другую, она едва не упала. Вытащила из кармана пистолет, схватила двумя руками, вытянула их на всю длину. Никто ведь не знает, что в нем нет пуль, пистолет в руке заставит их остановиться, позволит выиграть время. А если это Влэд...

Ах, как он изменился, будто прошли годы — постарел, морщины растащили лицо, оно как-то сузилось, даже волосы поседели.

— Девочка моя, — он так и не дошел до нее, остановился посередине, только затворил дверь. — Лизи, что они сделали с тобой... — Она не видела его глаз, слишком темно в этой темной комнате, в этом темном доме, но знала, что они наполнились слезами. — Что они сделали... Ты выглядишь... — Он сбился, не решаясь продолжить, сделал два шага вперед, к ней, снова замер, видимо, хотел обнять, но не решался. Она сама прошла последний разделяющий их шаг, протянула руки, обхватила его за шею, обняла, положила голову на плечо, замерла, пистолет так и продолжал висеть в правой руке.

Влэд поглаживал ее по спине, что-то бормотал.

— Как хорошо, что ты приехал, — прошептала она. — Я бы погибла, если бы ты не приехал. Они бы поймали и убили меня. Знаешь, я ведь застрелила одного из них, самого главного, но они еще не знают. Он там, в кресле.

— Да-да, я знаю. — Он водил ладонью по спине, Элизабет чувствовала медленное кругообразное движение. — Не волнуйся, теперь все будет хорошо. Ты только не волнуйся.

— А что, я действительно плохо выгляжу? — зачем-то спросила она.

— Ты просто изменилась, — ответил он неопределенно. Потом добавил: — Ты похудела.

— Ну конечно. Хорошо, что вообще выжила. Два месяца с капельницы питаться, — слабо улыбнулась Элизабет, так и не отпуская его. Ее голова лежала на его плече, и он не заметил улыбки.

— И губа у тебя распухла, и глаз. Щека оцарапана, — зачем-то добавил Влэд.

— Бог с ней, со щекой. У меня все тело распухло и оцарапано, — снова улыбнулась Элизабет, но он снова не заметил. — И не только тело. — Наконец она отпустила его, отстранилась. — Вот видишь, он там в кресле, — Элизабет протянула правую руку, пистолет снова был направлен на застывшее, лишенное выражения лицо. Но теперь он не мог выстрелить.

Влэд подошел к креслу, вгляделся.

— Что ты сделал с ней? — произнес он так, будто Рассел живой, будто они были знакомы прежде. Элизабет вздрогнула.

— Он и маму украл, а потом следил за нами все время. — Она тоже подошла, встала рядом.

— И Дину тоже? Зачем? — Влэд продолжал рассматривать Рассела. Но тому было все равно.

— Он ставил эксперименты. Он хотел завладеть душой, сначала маминой, потом моей. Он сказал, как Мефистофель душой Фауста.

— Тоже мне Мефистофель, — произнес Влэд с презрением, и Элизабет опять вздрогнула. В голосе, в интонациях, да и в самой фразе проскользнуло что-то личностное, будто она была обращена к давно знакомому человеку.

«Девочками легко манипулировать, особенно взрослому мужчине», — вспомнила Элизабет слова Рассела.

Наконец Влэд отвел взгляд от равнодушного, бесчувственного тела и повернулся к ней:

— Ты мне все должна рассказать, Лизи. Хорошо? Но не сейчас. Сейчас мы должны уехать отсюда. Скоро начнет светать, и они могут хватиться его. Нам надо ехать, а по дороге ты все расскажешь.

Она кивнула, соглашаясь, ее здесь ничто не держало.

— Пистолет заряжен? — спросил Влэд, указывая глазами на правую руку Элизабет.

— Да, заряжен, — кивнула она после секундного колебания.

— Ну и хорошо, — произнес он и двинулся к двери.

— Влэд, — позвала она из глубины комнаты. Он обернулся. — У меня обуви нет, я босиком.

Он посмотрел на ее ноги.

— Я привез тебе одежду, она в машине. — Он помедлил. — Я выйду первым, ты иди за мной. Если там никого нет, я позову тебя, ты стой в коридоре. Хорошо? Совершенно не нужно, чтобы тебя видели.

Он открыл дверь, вышел в коридор, огляделся, сделал короткий жест рукой, мол, никого, шагнул вправо и исчез за дверным косяком. Элизабет засунула пистолет в карман юбки, тоже подошла к двери, выглянула наружу, успела заметить, как фигура Влэда скрылась за углом. Она выскочила в коридор, подбежала к углу.

— Эй, дружище, ты куда собрался? Ночь на дворе, — раздался с трудом выговаривающий слова голос, Элизабет не узнала его. — Завтра ведь все только начнется, сегодня так, разминка.

— Да-да, — голос Влэда показался спешащим, утомленным.

— Кит сказал, что мы все неделю гуляем, а ты уходишь. Ты, кстати, Кита не видел?

— Нет, не видел, — сухо ответил Влэд.

— Ну ладно, тогда я пойду, еще рюмашку заглотну и спать, — проговорил пьяный. — Ты, давай, завтра возвращайся, завтра весело будет.

Раздались шаги. Элизабет выглянула из-за угла: в фойе, кроме Влэда, никого не было.

Осенний, слишком свежий, слишком острый воздух, пропитанный ночью, темнотой, пожухлой листвой, чуть не лишил Элизабет дыхания, чуть не сбил с ног. Ступни покрылись холодной, пробирающей насквозь влагой, холод легко проникал через тонкую, непрочную кожу, разбирал на части слабое, едва удерживающее тепло тело. Ей пришлось опереться на Влэда, она сама не сумела бы сделать и десяти шагов.

И все же, несмотря на пронизывающий холод, на слабость, она почувствовала себя лучше. Наверное, это воздух заряжал ее влажной, промозглой энергией, или сам факт, что ненавистный дом остался позади, за спиной, добавлял сил.

Кое-как они дошли до машины. Перед тем как сесть, Элизабет оглянулась: за ними никто не бежал, не шел, не пытался их вернуть. Все получалось достаточно легко, во всяком случае пока.

— Сядь на заднее сиденье, — сказал Влэд и завел машину.

Элизабет было безразлично, заднее сиденье или переднее, но она все равно спросила:

— Почему?

— Там одежда, а потом... — Влэд помедлил, выворачивая руль, выкатывая машину на дорогу, но Элизабет показалось, будто он не уверен, стоит ли продолжать. — А потом, тебя никто не должен видеть, — все же закончил он.

Одежда была разложена на сиденье, знакомая, привычная — блузка, юбка, свитер — они казались невероятно широкими, в них можно было утонуть. Элизабет стянула с себя чужую кофту, расстегнула лифчик, стала рыться в вещах, разбросанных по сиденью.

— Где мой лифчик? — спросила она скорее у себя самой.

— Посмотри в самом низу. — Элизабет подняла глаза, столкнулась с его отраженным взглядом. Влэд смотрел на нее через зеркальце, подвешенное сверху, смотрел на ее тело, — она и не подумала, что начала раздеваться в его присутствии. Почему-то ей стало неловко, даже не за свою болезненную худобу, не за выпирающие острые ключицы, не за дряблую, шероховатую кожу. Ей стало неудобно, что он видит ее, что ее тело, пусть и частично, открыто для мужского взгляда.

Тот факт, что за последние месяцы множество мужчин смотрели на ее тело, изучали его, трогали, делали с ним что хотели, этот факт, видимо, сделал тело переутомленным, легко раздражающимся, оно не способно было выдержать еще один мужской взгляд.

А значит, Влэд больше не имеет права смотреть на ее тело, чувствовать его, заниматься с ним любовью. Именно оттого, что тело было доступно для других, оно теперь должно стать запретным для него. Иначе он сам станет одним из них, из тех, других.

— Отвернись, — приказала она взгляду в зеркале. — И не смотри на меня, больше никогда не смотри, понял?

— Да-да. — Элизабет увидела, как закивал побитый сединой затылок, Влэд поднял руку и повернул зеркало вверх, теперь в нем отражалась лишь черная обивка автомобильной крыши. — Переодевайся, я не буду тебе мешать, — сказал он и замолчал.

Они ехали в темноте, редкие огоньки мелькали по обеим сторонам ночной дороги, только фары выбивали из мрака желтый, постоянно дрожащий лоскуток. Похоже, Элизабет погрузилась в прострацию, напряжение спадало, и оказалось, что ни у тела, ни у сознания не осталось сил, что они исчерпаны, опустошены. Опустошение плавными волнами вытекало наружу, смешивалось с воздухом, покрыло замкнутое пространство машины: даже сиденье, даже звук рессор, их ритмичные колебания. В нем было хорошо, в опустошении, в него приятно было погружаться, расслаблять в нем измученное тело, измученную душу... которая по-прежнему принадлежала только ей.

А потом огней стало больше, они уже не только мелькали слева и справа, но и освещали, меняли общее представление о пространстве, и опустошенность отступила, ее место вновь заняло напряжение.

— Куда мы едем? — спросила Элизабет.

Затылок впереди едва вздрогнул.

— Мы уже почти приехали.

Правая рука поднялась, поправила зеркальце на самом вверху, Элизабет снова встретилась с отраженным в амальгаме взглядом. Что-то проскользнуло в нем непривычное — твердость, решимость? Откуда в глазах Влэда, мягких, полных жалости, печали, откуда в них решимость?

— Куда приехали? — переспросила Элизабет и вдруг вспомнила, что оставила пистолет в кармане снятой юбки.

Вместо ответа Влэд потянулся вперед и вправо, — там было отделение, встроенное в панель, — подцепил замок пальцем, откинул крышку, пошарил рукой внутри. Элизабет взглянула на юбку Линн: пока она залезет в карман, пока вытащит оттуда пистолет... Нет, она не успеет. Наконец мужская рука, зажав что-то длинное, круглое, двинулась назад, быстро, резко. Элизабет отпрянула к двери, инстинктивно нащупала ручку — дернуть за нее, выпрыгнуть из катящегося автомобиля она еще успеет.

— На, надень. — Ладонь разжалась, в ней лежали очки — темные, с большими круглыми стеклами. — Никто не должен тебя узнать, надень,— повторил Влэд.

Элизабет взяла очки, повертела в руках. Машина притормозила, огней снаружи стало очень много, одни непрерывные огни, они слишком ярко светили своим желтым электрическим светом.

— Куда приехали? — повторила Элизабет. — Кто не должен узнать?

— Никто, — проговорил Влэд, останавливая машину. Он выключил двигатель, повернулся, теперь в глазах осталась одна решимость, ничего, кроме решимости. — Мы на вокзале. Поезд уходит через пятнадцать минут.

— Мы уезжаем? Куда? — Наверное, Элизабет должна была удивиться, но она не удивилась.

— Я все сейчас расскажу. — Он замялся, видимо, думал, как начать. — Здесь нельзя оставаться, я давно уже понял, очень давно, еще когда искал тебя. Я знал, что рано или поздно найду, и все продумал. Здесь нельзя оставаться, слишком много опасностей. А теперь еще одна — ты убила человека. Они найдут тебя — там же были люди, они видели тебя, знают, кто ты. Они найдут и отомстят. Или просто заявят в полицию, они обязаны заявить, и тебя засудят. Они могут посадить тебя на десять—пятнадцать лет... — Влэд пожал плечами. — Кто знает, что они могут сделать?

— Но я ведь не виновата, я защищалась, — попыталась было возразить Элизабет.

— Конечно. — Ладонь Влэда лежала на спинке переднего сиденья, сам он почти полностью развернулся назад. — Но вряд ли тебе удастся это доказать. Все, кто находился в доме, будут свидетельствовать против тебя. У них просто не будет выхода, не станут же они сами изобличать себя и признаваться, что участвовали в изнасиловании? Конечно же нет. И тебя могут признать виновной. К тому же ты говоришь, что человек, которого ты убила, он известный, богатый.

— Кто, Рассел? — зачем-то переспросила Элизабет и кивнула: — Да, он известный и богатый.

— Ну вот, видишь. — Правая рука Влэда оторвалась от спинки сиденья. Если бы и левая оторвалась, можно было бы сказать, что Влэд развел руками. — Зачем рисковать? Тебя и так измучили. Ты и так потеряла детство, не хватает еще, чтобы ты потеряла всю жизнь.

— Что же делать? — Голос Элизабет задрожал. Она не успела подумать о последствиях, она думала только о том, что спаслась, что самое страшное осталось позади, ей и в голову не могло прийти, что ее могут в чем-то обвинить. А оказывается, могут. Ведь она лишила человека жизни. Сознательно, хладнокровно.

— Лучше всего уехать. Далеко, в Европу. Я все продумал, ко всему подготовился. Говорю же, я знал, что найду тебя. Что рано или поздно найду. Смотри, — он чуть нагнулся: оказывается, на пассажирском сиденье лежал небольшой чемоданчик, чем-то схожий с медицинским саквояжем, Элизабет и не заметила его.

Влэд щелкнул замком, открыл, назойливый электрический свет проник в темнеющую прореху быстрее взгляда Элизабет. Внутри лежали деньги, много пачек денег. Она подняла недоуменные глаза.

— Я продал твой дом в Бредтауне, — Влэд смотрел на нее, в его взгляде не было ничего, кроме решимости, — кроме того, какие-то мои собственные сбережения, деньги твоей мамы. Получилась приличная сумма, во всяком случае, на первое время тебе хватит. Потом еще, — в его руке оказался плоский широкий сверток, — вот здесь твои новые документы. Ты теперь Кэтрин Ридж. Так намного проще. Потому что они наверняка начнут искать тебя. — Элизабет снова взглянула на него вопросительно. — Не буду объяснять, времени нет, но у меня есть знакомые. Я ведь сам въехал в Штаты, так сказать, не совсем законно. В общем, не важно, главное, что у тебя новые документы. Итак, маршрут следующий: сначала на поезде в Нью-Йорк, а оттуда сразу на корабле во Францию.

Влэд замолчал. Элизабет стало казаться, что все происходящее — мираж, выдумка ее больного воображения. Какая Европа, какая Франция?

— И еще, — Влэд чуть подался вперед, решимость в его глазах тоже стала ближе, — по новым документам, как Кэтрин, ты на три года старше, тебе восемнадцать, и ты многое можешь теперь сама. Можешь путешествовать, жить в отелях, пользоваться счетом в банках... даже голосовать, — он улыбнулся. — Но самое главное, ты можешь жить без опекуна, — снова улыбнулся, — вроде меня. Ты абсолютно свободна, Кэтрин, твоя жизнь, как это ни банально звучит, в твоих руках. Ты теперь сама отвечаешь за себя. Только ты. Ну что, пора, пойдем, нам еще надо купить билеты.

Купить билеты оказалось легко: Влэд подошел к окошку, расплатился. Элизабет ждала его в стороне, он не хотел, чтобы кассирша видела ее. Они вышли на платформу, поезд отходил минут через пять-шесть. Почему-то Влэд остановился на перроне.

— Вот тебе еще конверт, — он помялся. — В нем, внутри, номер счета в швейцарском банке. Когда я уезжал из Европы, я спешил, у меня не было времени, чтобы... — Он сбился. — В общем, у меня остался счет в Швейцарии, в Цюрихе, на нем должна быть сумма... не сказать, что астрономическая, но опять же, тебе пригодится. На, держи конверт.

— Зачем? Ты же будешь вместе со мной, правда? — не поняла Элизабет и сразу испугалась.

— Я не поеду с тобой, Лизи. Не могу. — Он протянул было к ней руки, видимо, хотел обнять, но тут же спохватился, отдернул. — Мне надо вернуться.

— Куда вернуться? — переспросила Элизабет. Она ничего не понимала, только то, что поезд отходит через несколько минут.

— Туда, в дом на Форест-стрит. Как можно скорее, пока еще ночь, пока все спят. Иначе бы я сам отвез тебя в Нью-Йорк. Но я не могу, мне надо попасть в дом, пока они не проснулись.

И тут Элизабет все поняла — разом, как будто нахлынула лавина и захлестнула, похоронила под собой.

— Нет! — Крик прорезал пустынный, ночной воздух, отразился от длинного, железного поезда. — Ни за что! Ты едешь со мной, слышишь, со мной! — Она схватила его за руку, потянула к себе — так делают дети, когда хотят, чтобы взрослый пошел вместе с ними.

— Нет, Лизи, ты поедешь одна, мне надо вернуться. — Вот откуда решимость в его взгляде, успела догадаться она. — Тогда, может быть, они не начнут тебя искать.

— Но как же я одна? — Слезы разом наполнили горло, подобрались к носу, остро защекотали, откуда только они взялись в ее полностью опустошенном теле. — Как же ты? Ты же погибнешь! Да и я без тебя!

— Лизи, — он все же протянул руку, положил ей на запястье, — я уже не молодой человек, я прожил хороший кусок жизни, очень хороший. Я любил твою маму, это было счастье, потом тебя. Но перед тобой я виноват, я не должен был, я всегда знал, что не должен... — Он не сказал, что именно «не должен», но Элизабет и так знала. — Просто так получилось. Человек слаб, Лизи. Я слаб. Я виноват перед тобой. Единственное, в чем я могу найти себе хоть какое-то оправдание, это в том, что я любил тебя. Очень любил. И ничего не смог противопоставить любви. Понимаешь, получилось, что любовь оказалась сильнее меня. Ее оказалось так много, что я не смог справиться с ней.

Почему-то он стал говорить короткими фразами, видимо, спешил. Поезд вздохнул, выпустил из себя столб густого пара, взметнул его вверх.

— Каждый раз, когда я смотрел на тебя, дышал твоим запахом, слышал твой голос, просто думал о тебе — каждый раз я становился слаб, становился бессилен перед любовью. Даже когда я потерял тебя, когда боялся, что никогда не увижу, я все равно мечтал, что мы уедем вместе куда-нибудь, например в Мексику, и будем жить там вместе. Поэтому я и сделал новые документы. Видишь, даже когда тебя не было, я не мог победить свой эгоизм, свою слабость, не мог победить любовь. Глупо, конечно, но любовь к тебе оказалась моей главной слабостью. Слава Богу, что я успел сделать документы, теперь они пригодятся.

Он задумался на секунду:

— Но сегодня я сильнее слабости. И теперь я должен искупить, исправить все свои ошибки. Даже не для тебя, а для себя. Твоя молодость оказалась уничтожена, исковеркана, и в этом тоже виноват я. Я не должен был любить тебя, не имел права. Я не должен был позволить им увезти тебя, я должен был предвидеть, предупредить. Я пытался уберечь тебя, но оказалось, что плохо пытался, недостаточно. Видишь, во всем моя вина. И теперь я должен ее искупить. Я не могу вернуть тебе детство, юность, но я хотя бы постараюсь дать тебе будущее. Ты должна быть счастлива, Лизи. Слышишь?

Он неуверенно приподнял руку, осторожно дотронулся до ее волос, видимо, хотел провести по ним, погладить. Но так и не провел, рука опустилась.

— А за меня не волнуйся. Это даже хорошо, что у меня будет много времени. Ты же знаешь, я всегда хотел написать книгу, но у меня не получилось, не было времени, время утонуло в глупой суете, в постоянном размене. А в тюрьме никаких забот, там не на что размениваться. Я даже думаю о ней не только как об искуплении, но и как о возможности...

Он говорил, но она уже не слышала его. Слезы выкатывались из глаз, скапливались во рту, Элизабет не успевала сглатывать их, они сразу забили нос, уши. Все сразу поползло, потеряло отчетливость — не только перрон, стоящий рядом длинный поезд, не только лицо Влэда, решимость в его глазах, улыбка на узких, едва различимых губах, но и слова, они тоже с трудом пробивались сквозь расплывающийся в слезах, зыбкий осенний воздух.

— Нет-нет, пожалуйста, нет... — Она сама не знала, что шепчут ее опухшие, одеревеневшие губы.

Наверное, она первой потянулась к нему, обняла, иначе почему ее щека легла на его плечо, почему руки прижимали, тянули к себе его шею?

— Иди, тебе пора, — раздалось совсем рядом, наверное, поэтому она и услышала. Он оттолкнул ее, ступенька поезда оказалась совсем рядом, достаточно было только приподнять ногу, зацепиться за нее. Элизабет обернулась.

— Я тебя никогда не забуду! — закричала она. — Никогда, слышишь?

Он улыбнулся, улыбку она смогла разглядеть. А вот были ли в его глазах слезы или ей показалось, она так и не поняла. Как решимость может уживаться со слезами? Может быть, она перепутала его слезы со своими? Попробуй, пойми, в чьих именно глазах стоят жидкие, мутные, неразборчивые слезы?

Поезд вздохнул еще раз, что-то угрожающе лязгнуло внизу, дернулось, чтобы удержаться, — ей пришлось занести вторую ногу на ступеньку, схватиться за поручень, правда, мешал чемоданчик, как он оказался в ее руке? И тут она вспомнила, что не поцеловала его ни разу, даже на прощание. Она хотела соскочить, спрыгнуть, она бы успела коснуться губами его щеки, но поезд дернулся еще раз, теперь тяжело, гулко, и оказалось, что кто-то тянет ее за руку внутрь — пожилой мужчина в кондукторской форме, она и не замечала его прежде.

— Давайте, дамочка, проходите. Позвольте, я вам помогу, — говорил он, затягивая ее внутрь.

— Я никогда не забуду тебя! — крикнула она сквозь кондукторское бормотание. Сквозь лязг колес. Сквозь блеклый электрический свет. Сквозь разделяющий их воздух. Сквозь пропитавшие это всё — и лязг, и свет, и воздух — слезы. Сквозь бездарный, беспощадный мир.

Кажется, он махнул ей рукой. Нет, он наверняка махнул ей рукой.

* * *

Я замолчала.

— Ну и что было потом? — спросил мсье Тосс.

Я уже привыкла к тому, что он внимательный и молчаливый, что он умеет и любит слушать.

— Ну а что потом? — Я пожала плечами, подставила лицо ненавязчивому швейцарскому солнцу. Погода выдалась сегодня исключительная, надо же, и в размеренном швейцарском однообразии бывают праздники. — Я сделала все, как он сказал: села на корабль, чемоданчик с деньгами прихватила с собой, тогда деньги еще не запрещали провозить. Обосновалась во Франции, пошла учиться, в результате закончила Сорбонну. — Анатоль приподнял брови, мол, уважаю, вас, мадам. — Счет Влэда в швейцарском банке оказался весьма значительным, совершенно непонятно, почему он вел скромное существование в Штатах. Возможно, ему так было сподручнее: знаете, есть такие мужчины, будучи вполне обеспеченными, они по-прежнему ведут аскетическую жизнь, не позволяя роскоши развратить и расслабить себя. Я уважаю таких. Влэд был именно таким.

— Так что же в результате с ним случилось? — последовал еще один вопрос.

— Все случилось именно так, как Влэд предполагал. Он вернулся в дом, где его и обнаружили утром в одной комнате с трупом. Началось следствие, дело получило большой резонанс, о нем писали тогда все газеты. Американские, конечно, но я их читала в Париже. Ну а как же иначе, известный бродвейский драматург и продюсер, застреленный маньяком в собственном доме. Даже бытовал тогда термин «бредтаунский маньяк».

Я усмехнулась, задумалась. Собственно, что еще рассказывать, разве что сухие, далекие факты.

— Влэд признал свою вину. Рассказал следствию, как Рассел похитил его приемную дочь, как он из чувства мести проник в дом и застрелил Рассела ночью. Правда, девочку, свою приемную дочь, он так и не нашел. Свидетели подтвердили, что девочка на самом деле была, жила в доме, хотя никто, конечно, не рассказал о том, что с этой девочкой сотворили. История выглядела вполне правдивой, во всяком случае, на первый взгляд, прокурор уже был готов передать дело в суд, но тут появился детектив Крэнтон, тот самый, который занимался маминым убийством. Он не дал закрыть дело, что-то его не устраивало. Там действительно наблюдались нестыковочки. Например, была девочка и вдруг ее не стало. Исчезла именно в ночь убийства. Странно, правда? Другой вопрос — каким образом благородный мститель узнал имя похитителя и адрес его пребывания? Похоже, Влэд не смог это как следует объяснить. Ну и самое главное, куда делся пистолет, из которого стрелял убийца. Я ведь впопыхах забыла его передать, увезла с собой. Он до сих пор у меня, лежит в комоде заряженный, хотите посмотреть?

Анатоль улыбнулся. Когда он слушал, улыбка у него становилась мягкая, казалось, он все был готов понять и простить. Любой грех, любое признание. Я же говорю, он оказался талантливым слушателем, мой долгожданный мсье Тосс.

— В общем, мы тогда прокололись на перроне. Вернее, раньше, в машине. Сами понимаете: юная девушка, прощание с молодостью, с родиной, эмоции, слезы, страсти, вот и растерялась, залезла зачем-то в карман юбки Линн, переложила пистолет в саквояж. По инерции, сама не понимала, что делаю. Вот и увезла с собой орудие убийства. А ему пришлось отвечать. Влэду, в смысле. Потому что всевидящий детектив Крэнтон ну никак не желал ему верить без пистолета. В общем, как и следовало ожидать, доблестный детектив стал обо всем догадываться, заподозрил исчезнувшую девушку, начал ее поиски. Хотя соучастника, то бишь Влэда, по-прежнему держал в каталажке, не выпускал. Ждал, пока тот расколется. Но и до суда дело тоже не доводил.

Я подняла бокал бургундского и оросила свои уставшие от нескончаемой болтовни губы. Время было послеполуденное, как раз для первой порции понижающего холестерин лекарства. Анатоль молчал, ждал. Ну и дождался, конечно.

— Но соучастник и не думал раскалываться. Он засел в своей темнице и начал строчить книгу, претворяя заветную мечту в жизнь. И самое забавное, что он ее написал. Более того, книга была присовокуплена к делу как вещественное доказательство. Потому что она была написана обо мне, о Влэде, о маме, о Расселе, конечно. Правда, никакого отношения к действительности описанная история не имела. Влэд там изображен страшным искусителем, красавцем, в которого с ходу влюбилась моя мама, а потом я. Мол, он не смог отказать своим педофилическим наклонностям и увлекся мной без памяти, а когда на поверхность всплыл Рассел, он его застрелил. В общем, показал себя чудовищем, хотя и не без шарма. Я, когда читала, просто обхохоталась, как он там все напридумал. Просто действительность наоборот.

Я снова сделала глоток: так, запивая рассказ вином, было легче.

— Но самое главное, он и меня там умертвил: я умираю от родов где-то на Аляске. То есть засунул как можно дальше и совершенно в противоположную сторону. Я потом проверила, там действительно умерла от родов девочка примерно моего возраста. Как он это узнал? Видимо, просматривал газеты, он ведь всегда был предусмотрительным.

Я еще раз глотнула вина, надо же было приостановить бесконечный монолог.

— Самое забавное, что история, описанная в книге, повлияла на следствие. Влэд был изображен таким обаятельным чудовищем, что даже Крэнтон ему поверил. В общем, как говорится, подействовала великая сила искусства. Потом книга каким-то образом оказалась опубликованной, стала бестселлером, все ее читали. Так что секретный счет в цюрихском банке, к которому у меня имелся доступ, солидно пополнился. В принципе, по этой ниточке меня могли найти, но они восприняли книгу как чистосердечное признание и перестали меня искать — я ведь умерла от родов где-то на Аляске. Собственно, насколько я понимаю, именно для этого Влэд и написал ее, чтобы они оставили меня в покое. Хотя, если разобраться, там концы с концами не сходятся. Да и вообще, смешная книга получилась.

Анатоль смотрел на меня, его взгляд совершенно ничего не выражал — внимательный, доброжелательный, сопереживающий взгляд голубых глаз. Через такой натренированный взгляд невозможно пробиться, невозможно понять, что именно за ним спрятано.

— Так значит, вот вы кто, — он покачал головой, как бы не веря.

— А вы что, еще не догадались? — поддразнила его я. — Наверняка книгу читали, она сейчас вроде как классика.

Он пожал плечами.

— Конечно, какие-то параллели я давно заметил. Но то, что это вы и есть, нет... я не догадался. А в книге действительно много противоречий, особенно в сцене убийства. Многие исследователи не могли понять, откуда они появились, даже предполагали, что умышленно вставлены в текст.

— Конечно, — я ответила ему тоже внимательным, добрым взглядом. Жаль, что он не видел его за большими, слишком темными стеклами моих очков. — Он просто издевается над всеми. Над судом, над прокурором, но главное, над Крэнтоном, самым проницательным из детективов.

— И что произошло с Влэдом? Его осудили? Сколько ему дали? — вернул меня к теме мой искушенный слушатель. Все же умело у него получалось меня направлять — деликатно, ненавязчиво.

— Его не осудили, не успели. Он умер еще до суда. — Тут я подумала о черных очках как о благе, слезы только добавили бы патетики обычно циничной, сильно подпорченной жизнью старухе. — Они написали, что у него случился сердечный приступ. Но я уверена: он сам убил себя, отравился, скорее всего. Книгу он написал, меня спас, а больше, по его разумению, жить ему было незачем. К тому же Крэнтон продолжал его допрашивать и мог до чего-нибудь докопаться. А так и спрашивать не с кого — подсудимый благополучно скончался, дело можно успешно закрывать. Они его и закрыли.

Я вздохнула, но тихо, чтобы собеседник не услышал. Потом взяла бокал, допила вино — слишком быстро, слишком скомкано.

— Вот и получилось, что я убила не одного, а двух человек. Взрослых, вполне здоровых мужчин.

— Ну и как вы прожили жизнь? Все же эта история не могла не отложить на вас отпечаток? — дипломатично поинтересовался господин литератор. Нет чтобы в лоб, что-нибудь типа: «Так вы в результате свихнулись?» или: «И как у вас с психикой с тех пор?» А он: «отложить отпечаток» — весьма, надо сказать, деликатно.

— Да как-то особенно не отложила, — призналась я искренне. — Я оказалась ребенком с повышенным инстинктом выживания. И если честно, то в целом моя жизнь прошла вполне успешно. Единственное, знаете, я оказалась за пределами любви.

— Где? — спросил Анатоль и дополнил мягкий голос таким же мягким взглядом.

— К сожалению, это не мое определение. Я его позаимствовала, вычитала где-то. Впрочем, давно, так что оно теперь как бы и мое тоже. Хорошо звучит «за пределами любви», правда?

Я выдержала паузу, Анатоль чуть заметно кивнул, давая понять, что он весь внимание.

— Представьте, есть мир, в котором правит любовь. Она царствует в нем. Это вполне обычный мир, люди живут в нем своей обычной жизнью — ездят в транспорте, ходят на работу, покупают продукты, устраивают застолья. Но все перечисленное, как и вообще все, что в происходит в этом мире, происходит по строгим законам любви. Так или иначе, но по ее законам. Потому что любовь правит в нем и не выпускает ничего из-под своего зоркого контроля. Все, казалось бы, ничего не значащие действия, не имеющие значения события, — все они так или иначе связаны с любовью, и подчинены ей, и движутся во времени и пространстве только ради нее. Понимаете? Множество людей живут в мире, где правит любовь, вот прямо сейчас, здесь, этим чудесным спелым днем.

Я сняла очки, я почувствовала потребность открыть миру, в котором царствует любовь, свой прищуренный, близорукий взор.

— Но есть и другой мир, тот, что за пределами любви. На первый взгляд, он ничем не отличается — в нем тоже ездит по улицам общественный транспорт, и люди точно так же работают, и так же устраивают застолья, может быть, не менее веселые и обильные. Вот только любовь в нем не правит. У всего, что происходит в этом мире, другая первопричина, другая природа и другие законы развития. Тоже разумные, порой добродетельные, но к любви они не имеют отношения. Поэтому мир и называется: «за пределами любви». Там, кстати, тоже существует любовь, бывает, что чистая, бывает сильная, но она не правит миром. Иногда она важна, иногда даже драматична, но она — не закон. А раз не закон, то и не подчиняет. Любовь там — равноправная часть всего остального мироустройства, но не более того.

Анатоль молчал, не перебивал, не поддакивал, как обычно нетерпеливые люди поддакивают длинным пояснениям. Он даже до стакана с «Перье» не дотрагивался. Хотя имел привычку употреблять лишь чистую, незамутненную воду каждый раз, когда выслушивал мою сбивчивую болтовню.

— Так вот, миры эти граничат, и их жители могут перемещаться, переходить из одного в другой. И многие, особенно со временем, с возрастом переходят из мира, где правит любовь, в мир, который находится за пределами любви. Но для тех, кто перешел границу, для них очень строгие визовые ограничения и назад их больше уже не пускают. Туда, в мир, где правит любовь. Даже взятки не помогают. Кто-то, конечно, просачивается контрабандой, но разве что единицы.

Мне снова пришлось надеть очки, опять защипало в носу. Бог ты мой, что же это со мной происходит, я и не помню, когда ощущала слезы на глазах, я, наверное, даже ни разу не волновалась за последние сорок лет. А тут на тебе, прихватило, даже приятно стало, что все еще умею чувствовать.

— Так вот, понимаете, что произошло, Анатоль? Тогда, на перроне маленького вокзала, я перешла границу, попав в мир, который находится за пределами любви, и больше никогда назад не попала. Понимаете, любовь никогда больше не правила в моем мире. Много было хорошего, интересного, даже волнующего, но любовь мной не правила.

Я взглянула внутрь бокала, он почему-то был пуст. Пришлось подозвать расторопного мальчика в белом переднике, попросить долить. Не хватает еще напиться — пьяная расчувствовавшаяся старуха, что может быть комичнее?

— Получается, что все чувства — любовь, ревность, страсть, ненависть, горе — они все остались там, в детстве, с мамой, с Влэдом, и умерли вместе с ними. Потому что все сильные чувства, они тоже связаны с любовью, в том самом мире, где она правит...

Я замолчала еще и потому, что подступивший комок мешал говорить. Надо же так растечься от жалости к самой себе, и когда... на самой последней главе книги. Похоже, Анатоль понял, что должен мне помочь, подтолкнуть мой засбоивший речевой механизм.

— Послушайте, Кэтрин, — произнес он мягким, полным понимания голосом. Особенно доверчиво у него вышло «Кэтрин». — Вас так долго и изощренно пытались уничтожить, да еще в детстве, когда психика только формируется, — не каждый вообще оправился бы и выжил. Вот вам и пришлось заморозить свои чувства. Обыкновенный инстинкт выживания.

Вам пришлось эмигрировать из того мира, где правит любовь, вас заставили. Вы стали его политической эмигранткой. Если бы вы остались в нем, он бы вас раздавил.

Я кивнула и опустила нос в бокал.

— Да-да, — закивала я оттуда, из бокала. — Цинизм, ирония, безразличие, холодность — вот они, лучшие лекарства от подлой болезненности чувств. Послушайте, дорогой соавтор, книгу мы с вами, похоже, закончили, давайте напьемся сегодня, отпразднуем. Как вам перспектива бесчинствовать с разнузданной богатой сумасбродкой? А потом я пойду трахать моего божественного Карлоса, да и вам бы не мешало подцепить какую-нибудь кралю. Здесь их столько — просто на любой вкус.

Кажется, я уже заметно захмелела. Что было конечно же хорошо.

Утром все пошло наперекосяк: голова, спина, общая слабость. Не было даже сил добраться до душа. Пришлось отменить утренние ритуалы — массаж, сауна, аэробика, теннис. Карлоса тоже пришлось отослать — раздражал своим присутствием. Конечно, я сама дура, надо же так глупо потерять над собой контроль, даже не помню, когда со мной подобное случалось. Вот и мучайся теперь общим физическим бессилием.

Только к четырем часам я стала возвращаться к жизни, как-то привела себя в порядок, выползла из своих апартаментов вниз — к тусклому дневному свету, к какой-никакой шевелящейся в нем жизни. И сразу наткнулась на моего вчерашнего собутыльника. Вернее, собокальника, потому что бутылку я уже давно не могу осилить.

Почему-то Анатоль был в пиджаке, и вообще выглядел официально. Он подошел ко мне.

— Я вас ждал, — сообщил он холодно вместо того, чтобы проявить заботу, осведомиться о моем похмельном старческом здоровье. — Я не хотел уезжать, не попрощавшись.

Я остолбенела.

— Уезжать?! — Даже через темные очки, задача которых была скрывать не солнце от моих глаз, а, наоборот, мои мешочные, синюшные глаза — от солнца... даже через темные очки он должен был заметить мое удивление. — Куда уезжать?!

— Книга написана, — он пожал плечами.

Сегодня он был скучен и пресен, ни блеска в глазах, ни блуждающей улыбки, ни чуткого внимания. Сухое, формальное, скучное лицо скучного человека. Я вспомнила, он выглядел таким, когда мы встретились в первый раз. Вот так: был интерес — была жизнь. Интерес прошел — и жизнь туда же. Всегда одно и то же.

— Книга написана, пора уезжать. Я не хотел, не попрощавшись, — повторил он.

— Ну что же, — ответила я сухостью на сухость. — Единственная просьба: когда книга выйдет, назовите ее «За пределами любви». Во всяком случае, так я буду знать, что это наша книга.

— Хорошо, — кивнул он, но опять получилось сухо. — Наш сегодняшний разговор, если захотите его записать, пошлите мне по электронной почте. Вот адрес. — Он сунул мне в руку бумажку, я взглянула: на ней от руки был написан электронный адрес. Почтового конечно же не было. Я даже не удивилась.

— Конечно, пришлю, — согласилась я.

Мы замолчали, постояли несколько секунд. Не знаю почему, но я не хотела его отпускать.

— Ну что же вам пожелать, неблагодарный мой информационный вампир? — начала я. — Вот что... — Я выдержала паузу, собираясь с мыслями. — Прошлое потому и прошлое, что оно прошло, и вариться в нем — дело неблагодарное. Я вот варилась все эти недели, и что хорошего? Расчувствовалась в результате, потеряла контроль, напилась вчера. Сегодня разогнуться не могла. — Я махнула рукой, мол, что поделаешь. — Будущее... Какое там у меня будущее? В моем возрасте каждый следующий день заведомо хуже предыдущего. Так что будущее ничего хорошего мне не готовит и надеяться на него бессмысленно. Поэтому остается настоящее. Дорожите настоящим, милый мой Анатоль, каждым его мгновением, съедайте его без остатка, насыщайтесь им. Настоящее — это лучшее, что у нас есть. Живите настоящим, вдыхайте его очарование, пейте его нектар.

Даже его скучное, безразличное лицо осветилось.

— Очень оптимистично, — улыбнулся он. — Раз будущее хуже настоящего, то следует жить настоящим... Забавная логика. Но ведь будущее плавно перетекает в настоящее. Вот в чем парадокс. Как их разделить?

— А вы оставайтесь еще на недельку, мы и обсудим, — предложила я.

— Да нет, пора. Меня ждут, я и так пробыл здесь дольше, чем собирался.

— Ну что ж, давайте я провожу вас до такси. Вон такси у ворот, наверняка вас поджидает?

— Меня, — он кивнул.

Мы шли по желтой песчаной дорожке, она, казалось, прогибалась и мягко пружинила под ногами.

— Куда теперь? За новым сюжетом?

— Да нет, — ему приходилось сдерживать шаг, чтобы идти вровень со мной, — сюжет я уже придумал.

— Правда? — деланно удивилась я. — Сами... Надо же, какая удача. И о чем же будет ваша новая книга?

Он остановился, повернулся ко мне, вгляделся пристально, будто видел в первый раз.

— Следующая книга о том... — Пауза. — О том, что вас нет.

Вот это было неожиданно, я даже не нашлась сразу, что ответить. Потом все же нашлась.

— Значит, наши друзья, ну эти, немецкий профессор и русская балетная звезда, они, значит, оказались правы, когда говорили, что вы укокошиваете своих прототипов. Вот и меня, похоже, хотите умертвить.

— Вас не надо умерщвлять, — он продолжал внимательно меня изучать, — вас и так нет. Вы и не существовали никогда.

— Но я существую, — возмутилась я.

— Это вам кажется, — подвел он черту.

— Но значит, и вам тоже кажется. Вы же разговариваете со мной. Глазеете вон на меня, как слон на муху.

— И мне кажется, — согласился изобретательный добытчик сюжетов.

— Интересно. Может быть, объясните подробнее?

Он покачал головой.

— Вы спросили, о чем моя следующая книга, я вам ответил.

Я пожала плечами. Мы подошли к терпеливо ожидающему такси.

— Ну что, может быть, вы все-таки обнимете меня? — напросилась я. — О поцелуе в щеку я и не мечтаю.

Он смягчился, расставил руки, пригнулся к моей старческой немощной плоти, прижал к себе. Руки у него оказались сильными, пришлось напрячься, чтобы выдержать горячее объятие.

— А вы говорите, что меня нету, — произнесла я куда-то в область его уха.

— Никого нету, — ответил он негромко.

Потом он сел в машину.

— Значит, сегодняшний разговор я вышлю на ваш электронный адрес, — сказала я в открытое окно.

Он кивнул, улыбнулся, машина вздрогнула и плавно покатила по желтой, плотной песочной дорожке. Метров через сто она переходила в ровный, гладкий асфальт.

* * *

Кому: профессору Вейнеру
Копия: Анатолию Тоссу
От кого: Карлос Родригес
Тема: Мадам Кэтрин Ридж

Уважаемый доктор Вейнер!

Посылаю Вам уведомление, что позавчера утром Кэтрин исчезла из отеля. Я пришел переодеться к обеду, номер был пуст. К вечеру я начал волноваться, сообщил администрации отеля. Они начали искать Кэтрин, она никогда не покидала отель, не предупредив. Машина ее стояла в гараже. Утром вызвали полицию. Пока розыски не дали никаких результатов. Вы просили сообщить о каких-либо чрезвычайных обстоятельствах, если они произойдут. Вот я и сообщаю.

Уважаемый Анатоль Тосс!

Посылаю Вам копию письма к доктору Вейнеру — меня об этом просила Кэтрин. За несколько дней до ее исчезновения она дала мне Ваш адрес и сказала буквально следующее: «Если что-нибудь со мной произойдет, оповести Анатоля Тосса. У меня ощущение, что "За пределами любви" завершена».

Литературно-художественное издание

Анатолий Тосс

ЗА ПРЕДЕЛАМИ ЛЮБВИ

Продолжение романа

«ФАНТАЗИИ ЖЕНЩИНЫ СРЕДНИХ ЛЕТ»

Издано в авторской редакции

Зав. редакцией *О. И. Ярикова*
Ответственный редактор *К. И. Вепринцева*
Технический редактор *Т. П. Тимошина*
Корректор *И. Н. Мокина*
Компьютерная верстка *И. В. Михайловой*

ООО «Издательство АСТ»
141100, РФ, Московская обл., г. Щелково, ул. Заречная, д. 96

ООО «Издательство Астрель»
129085, г. Москва, пр-д Ольминского, 3а

Наши электронные адреса: www.ast.ru
E-mail: astpub@aha.ru

Издано при участии ООО «Харвест». ЛИ № 02330/0150205 от 30.04.2004.
Республика Беларусь, 220013, Минск, ул. Кульман, д. 1, корп. 3, эт. 4, к. 42.
E-mail редакции: harvest@anitex.by

Республиканское унитарное предприятие
«Издательство «Белорусский Дом печати».
Республика Беларусь, 220013, Минск, пр. Независимости, 79. Заказ 1731.

ОАО «Полиграфкомбинат имени Я. Коласа».
ЛП № 02330/0056617 от 27.03.2004.
Республика Беларусь, 220600, Минск, ул. Красная, 23.